主编◇陈文新

本卷主编◇诸葛忆兵

宋辽金卷

中国文学编年史

（上）

总　序

　　纪传体、编年体是中国传统史书的两种主要体裁，而编年体的写作远较纪传体薄弱。《四库全书总目》卷四七史部编年类小序已明确指出这一事实："司马迁改编年为纪传，荀悦又改纪传为编年。刘知幾深通史法，而《史通》分叙六家，统归二体，则编年、纪传均正史也。其不列为正史者，以班、马旧裁，历朝继作。编年一体，则或有或无，不能使时代相续。故姑置焉，无他义也。"[①]　与古代历史著作的这种体裁格局相似，在20世纪的中国文学史写作中，也是纪传体一枝独秀，不仅在数量上已多到难以屈指，各大专院校所用的教材也通常是纪传体，这类著作的核心部分是作家传记（包括作家的创作经历和创作成就）。编年类的著作，则虽有陆侃如、傅璇琮、曹道衡、刘跃进等学者做了卓有成效的工作，但就总体而言，仍有大量空白，尤其是宋、元、明、清、现、当代部分，历时一千余年，文献浩繁，而相关成果甚少。这样一种状况，自然是不能令人满意的。这套十八卷的《中国文学编年史》的编纂出版，即旨在一定程度地改变这种状况。

　　文学史是在一定的空间和时间中展开的。纪传体的空间意识和时间意识以若干个焦点（作家）为坐标，对文学史流程的把握注重大体判断。其优势在于，常能略其玄黄而取其隽逸，对时代风会的描述言简意赅，达到以少许胜多许的境界。若干重要的文学史术语如"建安风骨"、"盛唐气象"、"大历诗风"等，就是这种学术智慧的凝

---

　　① 　永瑢等撰：《四库全书总目》，第418页，北京，中华书局，1965。

结。但是，由于风会之说仅能言其大概，"个别"和"例外"（即使是非常重要的"个别"和"例外"）往往被忽略，不免留下遗憾。一些跨时代的作家，如李煜、刘基、张岱等人，在文学史中的时代归属与其代表作的实际创作年代也常有不吻合的情形。例如，李煜被视为南唐作家，而他最好的词写在宋初；刘基被视为明代作家，而他最好的诗、文写在元末；张岱被视为明代作家，而其代表作多写于清初。比上述情形更具普遍性的，还有下述事实：我们讲罗贯中的《三国志通俗演义》，往往以毛宗岗修订本为例；我们讲施耐庵的《水浒传》，往往以百回繁本为例；我们讲兰陵笑笑生的《金瓶梅》，往往以崇祯本为例。这就出现了两方面的问题：第一，我们讲的并不是作家的原著；第二，我们忽略了读者的接受情形。这类涉及风会与例外、作家时代归属与作品实际创作、传播与接受两方面的问题，以纪传体来解决，由于受到体例的限制，往往力不从心，采用编年体，解决起来就方便多了：不难依次排列，以展开具体而丰富多彩的历史流程。

与纪传体相比，编年史在展现文学历程的复杂性、多元性方面获得了极大的自由，但在时代风会的描述和大局的判断上，则远不如纪传体来得明快和简洁。作为尝试，我们在体例的设计、史料的确认和选择方面采用了若干与一般编年史不同的做法，以期在充分发挥编年史长处的同时，又能尽量弥补其短处。我们的尝试主要在三个方面：其一，关于时间段的设计。编年史通常以年为基本单位，年下辖月，月下辖日。这种向下的时间序列，可以有效发挥编年史的长处。我们在采用这一时间序列的同时，另外设计了一个向上的时间序列，即：以年为基本单位，年上设阶段，阶段上设时代。这种向上的时间序列，旨在克服一般编年史的不足。具体做法是：阶段与章相对应，时代与卷相对应，分别设立引言和绪论，以重点揭示文学发展的阶段性特征和时代特征（现当代文学因时间周期较短，拟省略阶段，不设引言）。其二，历史人物的活动包括"言"和"行"两个方面，"行"（人物活动、生平）往往得到足够重视，"言"则通常被忽略。而我们认为，在文学史进程中，"言"的重要性可以与"行"相提并论，特殊情况下，其重要性甚至超过"行"。比如，我们考察初唐的文学，不读陈子昂的诗论，对初唐的文学史进程就不可能有真正的了解；我们考察嘉靖年间的文学，不读唐宋派、后七子的文论，对这一时期的文学景观就不可能有准确的把握。鉴于这一事实，若干作品序跋、友朋信函等，由于透露了重要的文学流变信息，我们也酌情收入。其三，较之政治、经济、军事史料，思想文化活动是我们更加关注的对象。中国文学进程是在中国历史的背景下展开的，与政治、经济、军事、思想文化等均有显著联系，而与思想文化的联系往往更为内在，更具有全局性。考虑到这一点，我们有意加强了下述三方面材料的收录：重要文化政策；对知识阶层有显著影响的文化生活（如结社、讲学、重大文化工程的进展、相关艺术活动等）；思想文化经典的撰写、出版和评论。这样处理，目的是用编年的方式将中国文学进程及与之密切相关的中国思想文化变迁一并展现在读者面前。

《中国文学编年史》是一个基础性的重大学术工程，文献的广泛调查和准确使用是做好编纂工作的首要前提。《四库全书》、《续修四库全书》、《四库存目丛书》、《四库禁毁书丛刊》、《丛书集成》、《笔记小说大观》等是我们经常使用的典籍，近人和今人整理出版的别集、总集，大量年谱（如徐朔方《晚明曲家年谱》），以及文、史、哲方面的编年史，均在参考范围之内，限于体例，未能一一注明，谨此一并致谢。在使用上述文献的过程中，我们采取的是一种如履薄冰、如临深渊的谨慎态度。这是因为，相当一部分典籍是由我们第一次标点，这一工作的难度是不言而喻的。即使是前人已经整理的典籍，我们也并不直接采用，而是根据自己的理解再整理一次。这样做当然增加了工作量，但确有许多好处，若干错误就是在这一过程中得到纠正的，有些错误的纠正涉及基本事实的澄清。比如，张大复《皇明昆山人物传》卷八记梁辰鱼晚年情形，有云："（梁氏）当除夕遇大雪，既寝不寐。忽令侍者遍邀诸年少，载酒放歌，绕城一匝而后就睡。曰：'天为我辈雨玉，可令俗人蹴踏之耶？'时年已七十矣。亡何，中恶，语不甚了。有老奴李用者，颇省其说，尚有注记。得岁七十有三。"一位学者将"中恶，语不甚了"标点为"中恶语，不甚了"，并就此推论说："梁辰鱼七十岁时遭遇暧昧不明的事件。""《皇明昆山人物传》的上述记载本意是为贤者讳，事实上倒很可能为统治者隐盖了迫害异己文人的一件罪行。"这就不免弄错了事实。"中恶"即突然患急病，正所谓"老健春寒秋后热"，老年人得急病是常见的情形。而"中恶语"的表述，明显不符合古人的语言习惯。再如，陈田《明诗纪事》将正德时期的傅汝舟与明末的傅汝舟混为一人，将两人的生平搅在一起，其按语云："丁戊山人诗初矜独造，晚遁荒诞，择其人格者录之，亦是幽弦孤调。山人享大年，具异才，谈佛谈仙，亦作北里中艳语。初与郑少谷游，晚乃与茅止生、卓去病、张文寺、文太青倡和，支离怪诞，无所不有。少谷集中无是也。论者乃专谓山人刻意学少谷，何哉?"《明诗纪事》近三百万言，卓有建树，是研究明诗的必备案头书。但关于傅汝舟，陈田的确弄错了。郑善夫（1485—1523）号少谷，以学杜著称，学郑少谷的是正德年间的傅汝舟；文翔凤号太青，万历三十八年（1610）进士，与文太青等唱和的是明末的傅汝舟。两个傅汝舟之间相距约百年，陈田想当然地将二者合为一人，说他"享大年"，又说他前期学郑少谷，后期学竟陵派，曲意弥缝，令人哑然失笑。其他种种，如部分文学家辞典对作家生卒年的误注，若干点校本的断句错误等，我们都在力所能及的范围内做了纠正。提到这些情况，不是想证明我们的水平有多高，而意在告诉读者：我们的工作态度是认真的，有志于为读者提供一部值得信赖的编年史著述。

《中国文学编年史》的编纂得到了北京大学、武汉大学、南京大学、中国人民大学、中国社会科学院、中国艺术研究院、中华书局、陕西师范大学、西北师范大学、华中师范大学、山东师范大学、山东曲阜师范大学、中南民族大学、中南财经政法大学等单位专家和领导，尤其是武汉大学领导的支持；湖南省新闻出版局、湖南出版投资控股集团及湖南人民出版社鼎力支持编年史的编纂出版，所有这些，我们将永远铭记在心。

陈文新

2006 年 7 月 23 日于武汉大学

凡　例

一、《中国文学编年史》以编年形式演述中国文学发展历程，凡十八卷：第一卷周秦、第二卷汉魏、第三卷两晋南北朝、第四卷隋唐五代（上）、第五卷隋唐五代（中）、第六卷隋唐五代（下）、第七卷宋辽金（上）、第八卷宋辽金（中）、第九卷宋辽金（下）、第十卷元代、第十一卷明前期、第十二卷明中期、第十三卷明末清初、第十四卷清前中期（上）、第十五卷清前中期（下）、第十六卷晚清、第十七卷现代、第十八卷当代。

二、编年史各卷据文学发展的不同阶段划分为若干章（如无必要，或不分章）。章的标目方式是："××章　××年至××年，共××年"。关于某一阶段文学的总体评论放在该章的首年之前，如明前期卷"第一章　洪武元年至建文四年，共35年"，在章目下，"洪武元年"之前，单列明前期卷"引言"一目。关于某一时代文学的综合论述，放在卷首。如元代卷，在第一章前，单列元代文学"绪论"。

三、编年史各卷所收录内容的构架大体统一，重点包括七个方面：1. 重要文化政策；2. 对文学发展有显著影响的文化生活（如结社、讲学、重大文化工程的进展、相关艺术活动等）；3. 作家交往（唱和、社团活动等）；4. 作家生平事迹；5. 重要作品的创作、出版和评论；6. 争鸣（团体之间、个人之间在重要问题上的论辩等）；7. 其他。

四、叙事以纲带目，即在征引相关文献之前有一句或数句概述。如，先总叙一句"俞宪编《盛明百家诗》成书"，再征引相关序跋、著录、评议。前者为纲，后者为目，纲、目配合，旨在完整地呈现文学史事实。少量见于常用工具书的重要史实，或不必展开的文学史事实，则列纲而略目，以省篇幅。

五、公历纪年年初与中国传统纪年年末不属同一年份，如公元1899年元月1日至12月31日对应于光绪二十四年戊戌十一月二十七日至光绪二十五年己亥十一月二十九日，而不对应于光绪二十五年己亥正月初一至十二月三十日。我们采用变通的处理方法，以公历纪年，而以农历纪月，比如，凡光绪二十五年己亥正月至十二月之内的内容均置于公元1899年下。作家生卒年，仍据公历标注，其他以此类推。现、当代文学部分，纪年、纪月均据公历。

1

六、同一年内之文学史实，按月份先后顺序排列。月份不详而仅知季度的，春季置于三月之后，夏季置于六月之后，其他以此类推。季度、月份均不详者，另设"本年"目统之。

七、一部分重要文学史实，年月不详而仅知大体时段者，在年号之末另设"××年间"目统之，如嘉靖四十五年之后另设"嘉靖年间"一目。

八、引用序跋，一般采用"作者＋篇名"的方式，如"臧懋循《唐诗所序》"。引用序跋之外的诗文等作品，一般采用"集名＋卷次＋篇名"的方式，如"《有学集》卷三一《隐湖毛君墓志铭》"，采用"作者＋篇名"的方式，如"钱谦益《隐湖毛君墓志铭》"。无篇名者则省略，如"《艺苑卮言》卷三"。某作者集中所收为他人别集所作的序跋，亦采用这一方式，如"《太函集》卷二二《弇州山人四部稿序》"。引用正史，一般采用"正史名＋本传或××传"的方式，"如《明史》本传"或"《明史》李攀龙传"，不标卷次。引用《四库全书总目提要》，或用全称，或简称"四库提要"，只标明卷次。如"四库提要卷一五三"。引用地方志，标明纂修年代，如"光绪《乌程县志》卷三一"。据类书转引时，注明原出处，如"《太平广记》卷二〇《阴隐客》（出《博异志》）"。引用报刊，注明年月日或卷次。

九、作者小传一般置于生年。有些作家，虽生年在上一卷，但在上一卷无文学活动，其小传酌情移入本卷首次出现时。如杨士奇，元亡时才4岁，其小传置于明前期卷，出生时只交代："杨士奇（1365—1444）生"，不列小传。现、当代作者，因传记资料常见，相关作家小传酌情收录。

十、对于某一作家的总体评论和重要著录一般置于卒年。某作者卒年在下一卷，但在下一卷无重要文学活动，主要评论材料酌情置于本卷。如易顺鼎（1858—1920），其评论材料集中于晚清卷，不入现代卷。

十一、作家代表作一般不录原文，但收录重要评论材料，并酌情说明相关选本收录情形。

十二、需要补充交待而占用篇幅较大的文学史事实，设少量"附录"。对若干需要辨证的史实，设按语加以说明。以提供文献线索为主，不详加征引。

目　录

第二章　咸平元年至乾兴元年　共 35 年

第三章　天圣元年至庆历八年　共 26 年

第四章　皇祐元年至治平四年　共 19 年

绪　论

　　《宋史》卷四三九《文苑传一》：自古创业垂统之君，即其一时之好尚，而一代之规抚，可以豫知矣。艺祖革命，首用文吏而夺武臣之权，宋之尚文，端本乎此。太宗、真宗其在藩邸，已有好学之名，及其即位，弥文日增。自时厥后，子孙相承，上之为人君者，无不典学；下之为人臣者，自宰相以至令录，无不擢科，海内文士彬彬辈出焉。国初，杨亿、刘筠犹袭唐人声律之体，柳开、穆修志欲变古而力弗逮。庐陵欧阳修出，以古文倡，临川王安石、眉山苏轼、南丰曾巩起而和之，宋文日趋于古矣。

　　《宋史》卷二〇二《艺文志一》：宋有天下，先后三百余年。考其治化之污隆，风气之离合，虽不足以拟伦三代，然其时君汲汲于道艺，辅治之臣莫不以经术为先务，学士、缙绅先生谈道德性命之学不绝于口，岂不彬彬乎进于周之文哉！宋之不竞，或以为文盛之弊，遂归咎焉。此以功利为言，未必知道者之论也。

　　吴渊《鹤山集序》：艺祖救百王之弊，以"道理最大"一语开国，以"用读书人"一念厚苍生，文治彬郁，垂三百年，海内兴起未艾也。而文章亦无虑三变。始也厌五季之萎薾，而昆体出，渐归雅驯，犹事织组，则杨、晏为之倡。已而回澜障川，黜雕返朴，崇议论，厉风节，要以关世教、达国体为急，则欧、苏擅其宗。已而濂溪周子出焉，其言行、道德参务，而惟文之能艺焉耳，作《通书》，著《太极》，大本立矣。余有所及，虽不多见，味其言蔼如也。由是先哲辈出，《易传》探天根，《西铭》见仁体，《通鉴》精纂述，《击壤》豪诗歌，论奏王、朱，而讲说吕、范，可谓和顺积中，而英华外发矣。后生接响，谓性外无余学，其弊至于志道忘艺，知有语录，而无古今。始欲由精达粗，终焉本末俱舛。然则言之不文，行之不远，亦岂周子所尚哉？

　　《朱子语类》卷一三九：国初文章，皆严重老成。尝观嘉祐以前诰词等，言语有甚拙者，而其人才皆是当世有名之士。盖文虽拙，而其辞谨重，有欲工而不能之意，所以风俗浑厚。至欧公文字，好底便十分好，然犹有甚拙底，未散得他和气。到东坡文字便已驰骋，忒巧了。

　　孙德之《翁处静文集序》：唐文自皇甫湜、孙樵以后，作者不复出，其弊至五季极矣。我朝大儒一出而麾之，学者始粹然复归于正。其间名家无虑数十，如庐陵之粹，眉山之肆，南丰之洁，半山之实，尤杰然特出者也。

严羽《沧浪诗话·诗辨》：近代诸公乃作奇特解会，遂以文字为诗，以才学为诗，以议论为诗。夫岂不工，终非古人之诗也。盖于一唱三叹之音，有所歉焉。且其作多务使事，不问兴致，用字必有来历，押韵必有出处，读之反复终篇，不知着到何处。其末流甚者，叫噪怒张，殊乖忠厚之风，殆以骂詈为诗。诗而至此，可谓一厄也。然则近代之诗无取乎？曰：有之，我取其合于古人者而已。国初之诗，尚沿袭唐人，王黄州学白乐天，杨文公、刘中山学李商隐，盛文肃学韦苏州，欧阳公学韩退之古诗，梅圣俞学唐人平淡处。至东坡、山谷始自出己意以为诗，唐人之风变矣。

《宾退录》卷二引敖陶孙评语：本朝苏东坡如屈注天潢，倒连沧海，变眩百怪，终归雄浑。欧公如四瑚八琏，止可施之宗庙。荆公如邓艾缒兵入蜀，要以险绝为功。山谷如陶宏景只诏入宫，析埋谈玄，而松风之梦故在。梅圣俞如开河放溜，瞬息无声。

方岳《跋陈平仲诗》：本朝诗自杨、刘为一节，昆体也，四瑚八琏，烂然皆珍，乃不及夏鼎商盘，自然高古。后山诸人为一节，派家也，深山云卧，松风自寒，飘飘欲仙，芰荷衣而芙蓉裳也，而极其挚者黄山谷词。自欧、苏为一节，长短句也，不丝不簧，自成音调，语意到处，律吕相忘。晏叔原诸人为一节，乐府也，风流蕴藉，如王谢家子弟，情致婉转，动荡人心，而极其挚者秦淮海。山谷非无词，而诗掩词；淮海非无诗，而词掩诗。

袁桷《书鲍仲华诗后》：宋太宗、真宗时，学诗者病晚唐萎蔫之失，有意乎《玉台》、《文馆》之盛，绮组彰施，极其丽密。而情流思荡，夺于援据，学者病之。至仁宗朝，一二钜公浸易其体，高深者极凌厉，摩云决川，一息千里，物不能以逃遁。考诸《国风》之旨，则蔑有余味矣。欧阳子出，悉除其偏而振絜之，豪宕悦愉，悲慨之语，各得其职。

刘克庄《江西诗派序》：国初诗人如潘阆、魏野，规规晚唐格调，寸步不敢走作。杨、刘则又专为昆体，故优人有挦扯义山之诮。苏、梅二子稍变以平淡豪俊，而和之者尚寡。至六一、坡公，巍然为大家数，学者宗焉。然二公亦各极其天才之笔力之所至而已，非必锻炼勤苦而成也。豫章稍后出，会粹百家句律之长，究极历代体制之变，搜猎奇书，穿穴异闻，作为古律，自成一家。虽只字半句不轻出，遂为本朝诗家宗祖。在禅学中比得达摩，不易之论也。

方回《送罗寿可诗序》：宋划五代旧习，诗有白体、昆体、晚唐体。白体如李文正、徐常侍昆仲、王元之、王汉谋；昆体则有杨、刘《西昆集》传世，二宋、张乖崖、钱僖公、丁崖州皆是；晚唐体则九僧最逼真，寇莱公、鲁三交、林和靖、魏仲先父子、潘逍遥、赵清献之父凡数十家，深涵茂育，气极势盛。欧阳公出焉，一变而为李太白、韩昌黎之诗。苏子美二难相为颉颃，梅圣俞则唐体之出类者也。晚唐于是退舍。苏长公踵欧阳公而起，王半山备众体，精绝句、古五言或三谢。

《苕溪渔隐丛话》前集卷二二引《蔡宽夫诗话》：国初沿袭五代之余，士大夫皆宗白乐天诗，故王黄州主盟一时。祥符、天禧之间，杨文公、刘中山、钱思公专喜李义山，故昆体之作，翕然一变。而文公尤酷嗜唐彦谦诗，至亲书以自随。景祐、庆历后，天下知尚古文，于是李太白、韦苏州诸人始杂见于世。杜子美最为晚出，三十年来，学诗者非子美不道，虽武夫、女子皆知尊异之。李太白而下，殆莫与抗。

《辽史》卷一三《文学传上》：辽起松漠，太祖以兵经略方内，礼文之事固所未遑。及太宗入汴，取晋图书、礼器而北，然后制度渐以修举。至景、圣间，则科目聿兴，士有由下僚擢升侍从，骎崇儒之美。但其风气刚劲，三面邻敌，岁时以搜珥狝为务，而典章文物，视古犹阙。

陈述《全辽文序例》：契丹建国之初，以鞍马为家。太祖阿保机经略方内，未遑艺文之事。逮东丹王监抚东藩，始好典册。德光入汴，取晋图书礼器而北，制度渐修。至兴宗与宋盟好，科目日隆，雅辞相尚。一时以文学名者，如王鼎、张俭、萧韩家奴、耶律孟简之流，斐然成章。惜辽国书禁甚严，传入中土者法至死。道宗清宁末，又禁私刊文字，故流传者无多。复以国亡于女真，五京兵燹，典籍散佚。

沈德潜《辽诗话序》：辽自唐季基于朔方，虽地处北鄙，文墨非其所尚，然享年二百。圣、兴、道三宗，雅好词翰，咸通音律，有国乐、雅乐、大乐、散乐、铙歌、横吹乐。东丹王倍聚书万卷，平王隆先著有《阆苑集》。文学之臣，若萧韩家奴、耶律昭、刘辉、耶里孟简，皆淹通风雅。特以诗传者罕，故无人焉为之援述绪言，申译遗句耳。

陈衍《辽诗纪事叙》：自阿保机建造辽国，历九主一百有六年，至天祚保大而亡，享国与女真等，而文化远不逮。以诗歌而论，家数多寡已悬绝。说者以为耶律氏世尚武勇，后妃皆习鞍马。中叶宗真，尚能日射三十六熊。末造弘基、延禧，犹耽射猎游畋。文事素所不重欤？然考《辽史》各纪传，圣宗有赐萧挞凛平抵烈部嘉奖诗；兴宗有酒酣赋诗，赐耶律和睹衮诗，赐皇太弟重元生子诗，召宋使钓鱼诗，赐萧惠生日诗，褒耶律斡特剌诗；道宗有"君臣同志华彝同风"诗；东丹王有太祖将还献歌，起书楼作乐田园诗；耶律孟简有《放怀》二十首诗；韩延徽有《怀乡里》诗；萧孝穆、萧撒八有和兴宗诗；张俭、吕德懋有《奉命美陈昭衮》诗。今诸作皆不传，虽由其国严禁文字出境，亦所作未臻佳妙。虽出境亦未必流传，非若《燕支》、《祁连》、《敕勒川》诸歌，横绝一世，不胫而走也。顾吾以为辽地据朔漠，风气大远于中原。又全国贵仕，不出耶律、萧二族。中土人士，非万不得已，谁乐归附者？辽则名家寥寥，当于懿德皇后首偻一指，次则文妃色色、耶律乙、东丹王诸人而已。

第一章

建隆元年至至道三年共38年

·引　言·

姚铉《唐文粹序》：五代衰微之弊，极于晋汉，而渐革于周氏。我宋勃兴，始以道德仁义根乎政，次以诗书礼乐源乎化，三圣继作，烨然文明。霸一变至于王，王一变至于帝，风教逮下，将五十年。熙熙蒸黎，久忘干戈战伐之事；优优儒雅，尽识声明文物之容。《尧典》曰："文思安安。"《大雅》云："济济多士。"盛德大业，英声茂实，并届于一代，得非崇文重学之明效欤！况今历代坟籍，略无亡逸，内则有龙图阁，中则有秘书监，崇文院之列三馆，国子监之印群书，虽汉唐之盛，无以加此。故天下之人，始知文有江而学有海，识于人而际于天，撰述纂录，悉有依据。

王偁《东都事略》卷四七：文章之难，莫难于复古。亿与筠皆以文名于世，然去古既远，时尚骈俪。虽词华之妙足以畅帝谟，而议论之粹亦足以谋王体，至于属辞比事，用各有当；虽云工矣，而简严典重之体、温厚深淳之气，终有愧于古焉。夫欲维持斯文，使一变而复古，必得命世之大才而后可也。

苏颂《小畜外集序》：窃谓文章末流，由唐季涉五代，气格摧弱，沦于鄙俚。国初屡有作者，留意变风，而习尚难移，未能复雅。

陆子通《潘阆〈酒泉子〉跋》：方削平潜伪，平定戎虏，告成岱宗。时则有若潘先生阆、杨先生朴、魏先生野，以高节简知圣心，师表一世，而句法清古，语带烟霞，近时罕及。

陆鍙《问花楼诗话》卷二：宋承五季之陋，勋臣如赵中令、词臣如陶学士辈，间事声韵，藻采既无，风格未振。

周必大《皇朝文鉴序》：盖建隆、雍熙之间其文伟，咸平、景德之际其文博，天圣、明道之辞古。

袁中道《宋元诗序》：当宋初，有九僧之诗，其佳语置之唐集中不可辨，自中宋时已不复存。

叶适《习学记言序目》卷四八：王禹偁文，简雅古淡，由上三朝未有及者。而不甚为学者所称，盖无师友论议之故也。柳开、穆修、张景、刘牧，当时号能古文，今所存《来贤》、《河南尉庭壁》、《法相院钟》、《静虚》、《待月》诸篇可见。

姜宸英《唐贤三昧集序》：古文自韩、柳始变而未尽，其徒从之者亦寡。历五代之乱，几没不川。宋初，柳、穆阐明之于前，尹、欧诸人继之于后，然后其学大行，盖唐与宋相赓续而成者也。诗至中、晚已小变，王元之辈名为以杜诗变西昆之体，而欧、苏各自成家，西江别为宗派。

《辽史》卷一〇三《文学传上》：统和、重熙之间，务修文治，而韩家奴对策，落落累数百言，概可施诸行事，亦辽之晁、贾哉。李瀚虽以词章见称，而其进退不足论矣。

公元960年（宋太祖建隆元年　庚申）

正月

四日，陈桥兵变，太祖登基。

甲辰（四日），太祖诣崇元殿，行禅代礼，召文武百官就列。至晡，班定，独未有周帝禅代制书，翰林学士承旨新平陶穀出诸袖中进曰："制书成矣。"遂用之。宣徽使引太祖就龙墀北面拜受。宰相扶太祖升殿，易服东序，还即位，群臣拜贺，奉周帝为郑王，太后为周太后，迁居西京。（《续资治通鉴长编》卷一）

五日，定国号曰宋，改元，大赦。

乙巳（五日），诏因所领节度州名，定有天下之号曰宋。改元，大赦，常赦所不原者咸赦除之。（《续资治通鉴长编》卷一）

二月

二十日，中书舍人扈蒙权知贡举，合格进士杨砺已下十九人。（《宋会要辑稿·选举一》）

先是，中书舍人安次、扈蒙权知贡举。庚寅，奏进士合格者杨砺等十九人姓名。（《续资治通鉴长编》卷一）

五月

二十七日，冯延巳卒，58岁。建隆元年五月乙丑卒，年五十八，谥忠肃。延巳工诗，虽贵且老不废。如"宫瓦数行晓日，龙旗百尺春风"，识者谓有元和词人气格。尤喜为乐府词。元宗尝因曲宴内殿，从容谓曰："'吹皱一池春水'，何干卿事？"延巳对曰："安得如陛下'小楼吹彻玉笙寒'之句。"（陆游《南唐书·冯延巳传》）

著有：《阳春录》一卷（（陈振孙《直斋书录解题·歌词类》）。

本年

魏野（960—1019）生。魏野，字仲先，陕州陕人也。世为农。及长，嗜吟咏，不求闻达。居州之东郊，手植竹树，清泉环绕，旁对云山，景趣幽绝。凿土袤丈，曰乐天洞。前为草堂，弹琴其中，好事者多载酒肴从之游，啸咏终日。前后郡守，虽武臣旧相，皆所礼遇，或亲造谒。野不喜巾帻，无贵贱，皆纱帽白衣以见，出则跨白驴。

过客居士往来留题命话，累宿而去。野为诗精苦，有唐人风格，多警策句。所有《草堂集》十卷，大中祥符初，契丹使至，尝言本国得其上帙，愿求全部，诏与之。诏州县长吏常加存抚，又遣使图其所居观之。五年四月，复遣内侍存问。天禧三年十二月，无疾而卒，年六十。（《宋史》本传）

钱若水（960—1003）生。钱若水，字淡成，一字长卿，河南新安人。十岁能属文。雍熙中，举进士，释褐同州观察推官。淳化初，召试翰林，若水最优，擢秘书丞、直史馆。岁余，迁右正言、知制诰。会置理检院于乾元门外，命若水领之。俄同知贡举，加屯田员外郎。诏诣原、盐等州制置边事，还奏合旨，翌日改职方员外郎、翰林学士，与张洎并命。俄知审官院、银台通进封驳司。至道初，以右谏议大夫同知枢密院事。真宗即位，加工部侍郎。数月，以母老上章，求解机务，诏不许。若水请益坚，遂以本官充集贤院学士、判院事。俄诏修《太宗实录》，若水引柴成务、宗度、吴淑、杨亿同修，成八十卷。俄判吏部流内铨。从幸大名，俄知开封府。未几，出知天雄军兼兵马部署。还拜邓州观察使、并代经略使、知并州事。六年春，因疾灸两足，创溃出血数斗。数月，始赴朝谒，因与僚友会食僧舍，假寝而卒，年四十四。赠户部尚书。若水美风神，雅善谈论。汲引后进，推贤重士，襟度豁如也。有集二十卷。（《宋史》本传）

公元 961 年（宋太祖建隆二年　辛酉）

正月

二十九日，监修国史王溥等上《唐会要》一百卷。唐德宗时，苏冕始撰《会要》四十卷。武宗时，崔铉又续四十卷。溥等于是采宣宗以降故事，共勒成一百卷。诏藏史馆，赐物有差。（《续资治通鉴长编》卷二）

二月

十日，工部尚书窦仪权知贡举，合格进士张去华已下十一人。（《宋会要辑稿·选举一》）

登进士第者：张去华、师颃、宋白、杨澈、刘寅等。

六月

庚申（二十八日），南唐中主李璟薨，46 岁。

六月己未，疾革，亲书遗令，留葬西山，累土数尺为坟。且曰："违吾言，非忠臣孝子。"夕有大星陨于南都。庚申，殂于长春殿，年四十六。后主不忍从遗令，迎丧还，秋八月至金陵。丁未，殡于宫中万寿殿，告哀于京师，且请追复帝号，太祖许之。（陆游《南唐书·元宗本纪》）

著有：《南唐二主词》一卷（陈振孙《直斋书录解题·歌词类》）。

是月，蜀以翰林学士承旨、吏部侍郎华阳欧阳炯为门下侍郎，兼户部尚书平章事。

毋昭裔及范仁恕，皆致仕。仁恕，后寻卒。(《续资治通鉴长编》卷二)

七月

唐主景丧归金陵。有司议：梓宫不宜复大内，太子从嘉不可，乃殡于正寝。从嘉即位，改名煜。尊母钟氏为太后。(《续资治通鉴长编》卷二)

十四日，寇准 (961—1023) 生。(按，寇准生日，见吴处厚《青箱杂记》卷六)寇准，字平仲，华州下邽人也。准少英迈，通《春秋》三传。年十九，举进士。后中第，授大理评事，知归州巴东、大名府成安县。累迁殿中丞、通判郓州。召试学士院，授右正言、直史馆，为三司度支推官，转盐铁判官。擢尚书虞部郎中、枢密院直学士，判吏部东铨。淳化二年春拜准左谏议大夫、枢密副使，改同知院事。后罢知青州。明年，召拜参知政事。至道元年，加给事中。二年，罢准知邓州。真宗即位，迁尚书工部侍郎。咸平初，徙河阳，改同州。三年，又徙凤翔府。帝幸大名，诏赴行在所，迁刑部，权知开封府。六年，迁兵部，为三司使。景德元年，以毕士安参知政事，逾月，并命同中书门下平章事，准以集贤殿大学士位士安下。二年，加中书侍郎兼工部尚书。明年，罢为刑部尚书、知陕州。迁户部尚书、知天雄军。再迁兵部尚书，入判都省。幸亳州，权东京留守，为枢密院使、同平章事。未几，罢为武胜军节度使、同平章事、判河南府，徙永兴军。天禧元年，改山南东道节度使，时巡检朱能挟内侍都知周怀政诈为天书，准从上其书，遂拜中书侍郎兼吏部尚书、同平章事、景灵宫使。三年，祀南郊，进尚书右仆射、集贤殿大学士。罢为太子太傅，封莱国公。乾兴元年，再贬雷州司户参军。天圣元年，徙衡州司马。遂归葬西京。(《宋史》本传)

二十九日，后主嗣位于金陵，时年二十五，更名煜。

八月

庚申 (二十九日)，史馆上《周世宗实录》四十卷，赐监修国史王溥、修撰官扈蒙器币有差。(《续资治通鉴长编》卷二)

九月

壬戌 (一日)，唐主煜遣中书侍郎冯谧来贡。谧，即延鲁也。唐主手表自陈本志冲淡，不得已而绍袭，事大国不敢有二，邻于吴越，恐为所谮。上优诏以答焉。初，周世宗既取江北，贻书江南，如唐与回鹘可汗之式，但呼国主而已，上因之。于是，始改书称诏。(《续资治通鉴长编》卷二)

甲子 (三日)，以荆南行军司马、宁江节度使高保勖为荆南节度使。上初闻保融之丧，遣兵部尚书万年李涛往吊。及还，上问保勖堪其事否，涛以为可任，而保勖贡奉亦数至，乃授节钺。保勖性淫恣，日召市倡集府署，择士卒之壮健者，使相蹂狎，保勖与姬妾帷帐共观笑之。又好营造台榭，极土木之巧，军民咸怨。记室孙光宪谏曰："宋有天下，四方诸侯屈服面内。凡下诏书，皆合仁义，此汤武之君也。公宜克勤克俭，勿奢勿僭，上以奉朝廷，中以嗣祖宗，下以安百姓。若纵佚乐，非福也。"保勖不从。光宪，贵平人也。（《续资治通鉴长编》卷二）

十月

命知制诰河内卢多逊看详进策献书人文字，升降以闻。（《续资治通鉴长编》卷二）

本年

孙何（961—1004）生。孙何，字汉公，蔡州汝阳人。何十岁识音韵，十五能属文，笃学嗜古，为文必本经义，在贡籍中甚有声。与丁谓齐名友善，时辈号为"孙丁"。王禹偁尤雅重之。尝作《两晋名臣赞》、《宋诗》二十篇、《春秋意》、《尊儒教仪》，闻于时。淳化三年举进士，开封府、礼部俱首荐，及第又得甲科，解褐将作监丞、通判陕州。召入直史馆，赐绯，迁秘书丞、京西转运副使。历右正言，改右司谏。咸平二年，举入阁故事，何次当待制。俄权户部判官，出为京东转运副使。未几，徙两浙转运使，加起居舍人。景德初，代还，判太常礼院。俄与晁迥、陈尧咨并命知制诰，赐金紫，掌三班院。何先已被疾，勉强亲职。一日，奏事上前，坠奏牍于地，俯而取之，复坠笏。有司劾以失仪，诏释之。何惭，上章求改少卿监，分司西京养疾，上不许，第赐告，遣医诊视。是冬卒，年四十四。何乐名教，勤接士类，后进之有词艺者，必为称扬。好学，著《驳史通》十余篇，有集四十卷。（《宋史》本传）

谢涛（961—1034）生。谢涛，字济之，年七十四，富阳人。王黄州、罗拾遗处约并为吴之属县长，公与其游。罗尝与王书云："济之，扬榷天人，盖吾曹之敌。"其为名流推重如此。淳化三年，举进士上第，除梓州榷盐院判官。就迁梓州观察推官，明年，权知益州之华阳。至道二年召归，授著作佐郎，通判寿州。迁秘书丞，又通判筠州，知兴国军。真宗考吏籍，有五年无过者特迁，得改太常博士。景德二年冬对长春殿，赐五品服，令通事舍人焦守节送学士院试之。知曹州，遂除屯田员外郎。四年，授三司度支判官。大中祥符初，出知秦州，又知歙州，改度支司封员外郎。坐三司判官日举榷茶官被罪，夺司封。五年，复为度支，通判河南府。冯魏公罢守，荐公于朝。召试，授兵部员外郎、直史馆、判三司理欠凭由司。出为两浙转运使，赐金紫，迁礼部郎中、判司农寺。天禧五年，兼侍御史知杂事。乾兴元年，迁户部郎中。以疾求东归，除吏部郎中、直昭文馆、知越州。天圣中代还，迁太常少卿、判太府寺登闻检院。以步履艰蹇，求西京留司御史台。逾年，改秘书监台。任满，就求分司。明道元年，转太子宾客。景祐元年十月三十日，以疾薨。（尹洙《谢公行状》）

陈尧叟（961—1017）生。尧叟字唐夫，解褐光禄寺丞、直史馆，迁秘书丞。久之，充三司河南东道判官。再迁工部员外郎、广南西路转运使。代还，加刑部员外郎，充度支判官。未几，会抚水蛮酋蒙令国杀使臣扰动，命尧叟为广南东、西两路安抚使，赐金紫遣之。事平，迁兵部，拜主客郎中、枢密直学士、知三班兼银台通进封驳司、制置群牧使。俄与拯并拜右谏议大夫、同知枢密院事。五年，郊祀，进给事中。景德

5

中，迁刑部、兵部二侍郎，与王钦若并知枢密院事。真宗朝陵，权东京留守。预修国史。大中祥符初，东封，加尚书左丞。诏撰《朝觐坛碑》，进工部尚书，献《封禅圣制颂》，帝作歌答之。祀汾阴，为经度制置使、判河中府。礼成，进户部尚书。五年，与钦若并以本官检校太傅、同平章事，充枢密使，加检校太尉。从幸太清宫，加开府仪同三司。未几，与钦若罢守本官，仍领群牧。明年，复与钦若以本官检校太尉、同平章事，充枢密使。疾甚，表求避位，优拜右仆射、知河阳。天禧初，病疽，召其子执笔，口占奏章，求还辇下，诏许之。肩舆至京师，卒，年五十七。废朝二日，赠侍中，谥曰文忠，所著《请盟录》三集二十卷。（《宋史》本传）

陈彭年（961—1017）生。陈彭年，字永年，抚州南城人。年十三，著《皇纲论》万余言，为江左名辈所赏。唐主李煜闻之，召入宫，令子仲宣与之游。金陵平，彭年师事徐铉为文。太平兴国中，举进士，在场屋间颇有隽名。雍熙二年始中第。调江陵府司理参军，换江陵主簿，历澧、怀二州推官。以亲嫌，徙泽州，丁内艰免。改卫尉寺丞，迁秘书郎，为大理寺详断官。坐事出监湖州盐税，寻又停官。真宗即位，复为秘书郎。咸平三年，召试学士院，迁秘书丞、知阆州。未行，改金州。景德初，代还，直秘阁。顷之，预修《册府元龟》。三年，迁右正言，充龙图阁待制，赐金紫。加刑部员外郎。大中祥符中，进秩工部郎中，加集贤殿修撰。三年，改兵部郎中、龙图阁直学士。迁右谏议大夫兼秘书监，赐勋上柱国。六年，召入翰林，充学士兼龙图阁学士，同修国史。迁工部侍郎。九年，拜刑部侍郎、参知政事，判礼仪院，充会灵观使。天禧大礼，为天书仪卫副使。二月，卒，年五十七。赠右仆射，谥曰文僖。彭年性敏给，博闻强记，慕唐四子为文，体制繁靡。贵至通显，奉养无异贫约。所得奉赐，唯市书籍。奉诏同编《景德朝陵地里》、《封禅》、《汾阴》三记、《阁门》、《客省》、《御史台仪制》，又受诏编御集及宸章，集历代妇人文集。所著《文集》百卷，《唐纪》四十卷。（《宋史》本传）

刘师道（961—1014）生。刘师道，字损之，一字宗圣，开封东明人。雍熙二年举进士，初命和州防御推官，历保宁、镇海二镇从事，凡十年。擢著作佐郎，才一月，会考课，又迁殿中丞，出知彭州，就加监察御史。转运使刘锡、马襄上其治迹，召归。改祠部员外郎，出为京东转运使。真宗嗣位，进秩度支。咸平初，范正辞荐其材堪长民，徙知润州。三年，改淮南转运副使兼淮南、江、浙、荆湖发运使。四年，以漕事入奏，特迁司封，俄为正使，改工部郎中，代查道为三司度支副使。七月，擢枢密直学士，掌三班。俄擢权三司使，从幸澶渊，判随驾三司，充都转运使。责为忠武军行军司马。二年，以郊祀恩，起为工部郎中、知复州，换秀州。大中祥符二年，以兵部郎中知潭州，迁太常少卿。岁满，复加枢密直学士，换左司郎中，留一任。七年，李应机代还。应机未至郡，六月，师道暴病卒，年五十四。师道性慷慨尚气，善谈世务，与人交敦笃。工为诗，多与杨亿辈酬唱，当时称之。（《宋史》本传）

公元962年（宋太祖建隆三年　壬戌）

二月

壬寅（十四日），上谓近臣曰："今之武臣欲尽令读书，贵知为治之道。"近臣皆莫对。（《续资治通鉴长编》卷三）

三月

十九日，翰林学士王著权知贡举，合格进士马适已下十五人。（《宋会要辑稿·选举一》）

六月

周世宗之二年，始营国子监，置学舍。上既受禅，即诏有司增葺祠宇，塑绘先圣、先贤、先儒之像。上自赞孔、颜，命宰臣、两制以下分撰余赞，车驾一再临幸焉。于是，左谏议大夫河南崔颂判监事，始聚生徒讲书。上闻而嘉之。乙未（九日），遣中使遍赐以酒果。寻又诏用一品礼，立十六戟于文宣王庙门。（《续资治通鉴长编》卷三）

（辽穆宗应历十二年）辽礼部尚书李浣卒。浣，字日新。幼聪敏，慕王、杨、卢、骆为文章。后唐长兴初，吴越王钱镠卒，诏兵部侍郎杨凝式撰神道碑，令浣代草。凡万余言，文彩遒丽，时辈称之。秦王从荣召至幕中，从荣败，勒归田里。久之，起为校书郎、集贤校理。晋天福中，拜右拾遗，俄召为翰林学士。会废学士院，出为吏部员外郎，迁礼部郎中、知制诰。复置翰林，迁中书舍人，再为学士。时涛在西掖，缙绅荣之。契丹入汴，浣与同职徐台符俱陷塞北。永康王兀欲袭位，置浣宣政殿学士。兀欲死，述律立，以其妻族萧海贞为幽州节度使。海贞与浣相善，浣乘间讽海贞以南归之计，海贞纳之。周广顺二年，浣因定州孙方谏密表言契丹衰微之势，周祖嘉焉，遣谍者田重霸赍诏慰抚，仍命浣通信。浣复表述契丹主幼弱多宠，好击鞠，大臣离贰，若出师讨伐，因与通好，乃其时也，请速行之。属中原多事，不能用其言。浣在契丹尝逃归，为其所获，防御弥谨。契丹应历十二年六月卒，时建隆三年也。涛收浣文章编之为《丁年集》。（《宋史》本传）

李浣，初仕晋，为中书舍人。晋亡归辽。穆宗即位，累迁工部侍郎。时浣兄涛在汴为翰林学士，密遣人召浣。浣得书，托求医南京，易服夜出，欲遁归汴。至涿，为徼巡者所得，送之南京，下吏。及抵上京，帝欲杀之。时高勋已为枢密使，救止之。帝怒稍解，仍令禁锢于奉国寺，凡六年，艰苦万状。会上欲建《太宗功德碑》，高勋奏曰："非李浣无可秉笔者。"诏从之。文成以进，上悦，释囚。寻加礼部尚书，宣政殿学士，卒。（《辽史》本传）

著有：《丁年集》十卷（《宋史·艺文志七》）。

九月

一日，诏及第举人不得呼知举官为恩门、师门及自称门生。（《续资治通鉴长编》卷三）

7

本年

钱惟演（962—1034）生。钱惟演，字希圣，吴越王俶之子也，少补牙门将，从俶归朝，为右屯卫将军。历右神武军将军。博学能文辞，召试学士院，以笏起草立就，真宗称善。改太仆少卿，献《咸平圣政录》，命置秘阁。预修《册府元龟》，诏与杨亿分为之序。除尚书司封郎中、知制诰，再迁给事中、知审官院。大中祥符八年，为翰林学士，坐私谒事罢之。寻迁尚书工部侍郎，再为学士、会灵观副使。又坐贡举失实，降给事中。复工部侍郎，擢枢密副使、会灵观使兼太子宾客，更领祥源观。累迁工部尚书。仁宗即位，进兵部。王曾为相，以惟演尝位曾上，因拜枢密使。罢为镇国军节度观察留后，即日改保大军节度使、知河阳。逾年，请入朝，加同中书门下平章事、判许州。天圣七年，改武胜军节度使，再改泰宁军节度使。落平章事，为崇信军节度使，归本镇。未几，卒，特赠侍中。所著《典懿集》三十卷，又著《金坡遗事》、《飞白书叙录》、《逢辰录》、《奉藩书事》。（《宋史》本传）

王钦若（962—1025）生。王钦若，字定国，临江军新喻人。进士甲科，为亳州防御推官，迁秘书省秘书郎，监庐州税。改太常丞、判三司理欠凭由司。召试学士院，拜右正言、知制诰，召为翰林学士。授左谏议大夫、参知政事，以郊祀恩，加给事中。景德初，以工部侍郎、参知政事判天雄军、提举河北转运使。罢为刑部侍郎、资政殿学士。寻判尚书都省，修《册府元龟》。岁中，改兵部，升大学士、知通进银台司兼门下封驳事。以尚书左丞知枢密院事，修国史。大中祥符初，为封禅经度制置使兼判兖州，为天书仪卫副使。迁户部尚书，再迁吏部尚书。明年，为枢密使、检校太傅、同中书门下平章事。罢枢密使，奉朝请。改刻玉副使、知通进银台司。复拜枢密使、同平章事。上玉皇尊号，迁尚书右仆射、判礼仪院，为会灵观使。寻拜左仆射兼中书侍郎、同平章事。仁宗即位，改秘书监，起为太常卿、知濮州，以刑部尚书知江宁府。复拜司空、门下侍郎、同平章事、玉清昭应宫使、昭文馆大学士，监修国史。《真宗实录》成，进司徒，以郊祀恩，封冀国公。既卒，赠太师、中书令，谥文穆，所著书有《卤簿记》、《彤管懿范》、《天书仪制》、《圣祖事迹》、《翊圣真君传》、《五岳广闻记》、《列宿万灵朝真图》、《罗天大醮仪》。钦若自以深达道教，多所建明，领校道书，凡增六百余卷。（《宋史》本传）

孙奭（962—1033）生。孙奭，字宗古，博州博平人。幼与诸生师里中王彻，彻死，有从奭问经者，为解析微指，人人惊服，于是门人数百皆从奭。后徙居须城。《九经》及第，为莒县主簿，上书愿试讲说，迁大理评事，为国子监直讲。太宗幸国子监，召奭讲《书》，因咨嗟久之，赐五品服。真宗以为诸王府侍读。判太常礼院、国子监、司农寺，累迁工部郎中，擢龙图阁待制。久之，以父老请归田里，不许，以知密州。居二年，迁左谏议大夫，罢待制。还，纠察在京刑狱。复出知河阳，又求解官就养，迁给事中，徙坰州。仁宗即位，宰相请择名儒以经术侍讲读，乃召为翰林侍讲学士、知审官院，判国子监，修《真宗实录》。丁父忧，起复，兼判太常寺及礼院，三迁兵部侍郎、龙图阁学士。三请致仕。召对承明殿，敦谕之，以年逾七十固请，泣下，帝亦恻然，诏与冯知讲《老子》三章，各赐帛二百匹。以不得请，求近郡，优拜工部尚书，复知兖州。诏须宴而后行，又留数月，特宴太清楼，近臣皆预，帝作飞白大字以赐二府，而小字赐诸学生，独奭与晁迥兼赐大小字。诏群臣即席赋诗。及行，赐隅瑞圣园，又赐诗，诏近臣皆赋。以恭谢恩改礼部尚书，既而累表乞归，以太子少傅致仕。疾甚，卒。赠左仆射，谥曰宣。（《宋史》本传）

卢稹（762—788）生。卢稹字叔微，杭州人。幼颖悟，七岁能诗，十二学属文。及长，晓《五经》大义，酷嗜《周易》、《孟子》。端拱初，游京师，时徐铉以宿儒为士子所宗，览稹文，甚奇之，为延誉于朝。是年登进士第，调补真定束鹿主簿。至府，值契丹围城，未及赴官，卒，年二十七。尝著《五帝皇极志》、《孺子问》、《翼圣书》数十篇。（《宋史》本传）

公元 963 年（宋太祖建隆四年乾德元年　癸亥）

二月

二十二日，枢密直学士薛居正权知贡举，合格进士苏德祥已下八人。（《宋会要辑稿·选举一》）

登进士第者：苏德祥、李景阳、张拱等。

七月

甲寅（初四），监修国史王溥又上新修梁、后唐、晋、汉、周、五代《会要》三十卷。（《续资治通鉴长编》卷四）

八月

壬辰（十三日），诏礼部贡院，所试《九经》举人落第，宜依诸科举人例，许令再试。（《续资治通鉴长编》卷四）

九月

诏开封府选乐工八百三十人，权隶太常寺习乐，将行郊祀之礼也。（《续资治通鉴长编》卷四）

丙子（二十七日），诏礼部贡举人，自今朝臣不得更发公荐，违者重置其罪。故事，每岁知举官将赴贡院，台阁近臣得保荐抱文艺者，号曰"公荐"。然去取不能无所私，至是禁止。（《续资治通鉴长编》卷四）

十月

癸未（五日），吏部尚书张昭上新撰《名臣事迹》五卷，诏藏史馆。（《续资治通鉴长编》卷四）

十一月

甲子(十六日),郊祀,改元乾德。(《玉海》卷十三)

闰十一月

丁卯(十九日),召翰林学士、中书舍人于内殿覆试吏部郎中应拔萃科田可封、孙迈、宋白、谭利用。上临轩观之,试毕称旨。以利用为右拾遗,白为著作佐郎,各赐袭衣、犀带,利用加赐银鞍勒马。可封、迈,授赤县尉。白,大名人也。(《续资治通鉴长编》卷四)

本年

柳开年十七,始读韩愈文。

余读先生之文,自年十七至于今凡七年,日夜不离于手,始得其十之一二者哉。(柳开《昌黎集后序》)

冯吉卒,45岁。冯吉,字惟一,河南洛阳人。父道,周太师、中书令,追封瀛王。吉,晋天福初以父任秘书省校书郎,迁膳部、金部、职方员外郎,屯田、户部、司勋郎中,累阶金紫。周显德中,迁太常少卿。吉嗜学,善属文,工草隶,议者以掌诰许之。然性滑稽无操行,每中书舍人缺,宰相即欲用吉,终以佻薄而止。雅好琵琶,尤臻其妙,教坊供奉号名手者亦莫能及。及为少卿,颇不得意,以杯酒自娱。每朝士宴集,虽不召,亦常自至,酒酣即弹琵琶,弹罢赋诗,诗成起舞。时人爱其俊逸,谓之"三绝"。宋初,受诏撰述《明宪皇太后谥议》,见称于时。建隆四年卒,年四十五。(《宋史》本传)

陈尧佐(963—1044)生。陈尧佐,字希元,阆州阆中人。进士及第,历魏县、中牟尉。以试秘书省校书郎知朝邑县,迁秘书郎、知真源县,开封府司录参军事,迁府推官。坐言事忤旨,降通判潮州。召还,直史馆、知寿州。徙庐州,以父疾请归,提点开封府界事,后为两浙转运副使。徙河北,母老祈就养,召纠察在京刑狱,为御试编排官,坐置等误降官,监鄂州茶场。天禧中,复徙京西转运使,入为三司户部副使,徙度支,同修《真宗实录》。不试中书,特擢知制诰兼史馆修撰,知通进、银台司。进枢密直学士、知河南府,徙并州。召同修《三朝史》,代弟尧咨同知开封府,累迁右谏议大夫,为翰林学士,遂拜枢密副使。以给事中参知政事,迁尚书吏部侍郎。太后崩,执政多罢,以户部侍郎知永兴军。改知庐州,徙同州,复徙永兴军。既而拜同中书门下平章事、集贤殿大学士。以灾异数见,罢为淮康军节度使、同中书门下平章事、判郑州。以太子太师致仕,卒,赠司空兼侍中,谥文惠。尧佐少好学,及贵,读书不辍。善古隶八分,为方丈字,笔力端劲,老尤不衰。尤工诗。有《集》三十卷,又有《潮阳编》、《野庐编》、《愚丘集》、《遣兴集》。(《宋史》本传)

王曙(963—1034)生。王曙,字晦叔,世居河汾,后为河南人。中进士第,再调定国军节度推官。咸平中,举贤良方正科,策入等,迁秘书省著作佐郎、知定海县。

还，为群牧判官，考集古今马政，为《群牧故事》六卷，上之。迁太常丞、判三司凭由理欠司。坐举进士失实，降监卢州茶税，再迁尚书工部员外郎、龙图阁待制。以右谏议大夫为河北转运使，坐部吏受赇，降知寿州。徙淮南转运使，勾当三班院，权知开封府。以枢密直学士知益州。入为给事中。其妻，寇准女也。准罢相且贬，曙亦降知汝州。准再贬，曙亦贬郓州团练副使。起为光禄卿、知襄州，又徙汝州。复给事中、知潞州。徙河南府、永兴军，召为御史中丞兼理检使，理检置使自此始。复唐旧制。以尚书工部侍郎参知政事。以疾请罢，改户部侍郎、资政殿学士、知陕州，徙河阳。再知河南府，迁吏部。召为枢密使，拜同中书门下平章事。逾月，首发疽，卒。赠太保、中书令，谥文康。初，钱惟演留守西京，欧阳修、尹洙为官属。修等颇游宴，曙后至，尝厉色戒修等曰："诸君纵酒过度，独不知寇莱公晚年之祸邪！"修起对曰："以修闻之，莱公正坐老而不知止尔！"曙默然，终不怒。及为枢密使，首荐修等，置之馆阁。有集四十卷，《周书音训》十二卷，《唐书备问》三卷，《庄子旨归》三篇，《列子旨归》一篇，《戴斗奉使录》二卷，集《两汉诏议》四十卷。（《宋史》本传）

洪湛（963—1003）生。洪湛，字惟清，升州上元人。幼好学，五岁能为诗，未冠，录所著十卷为《龆年集》。举进士，有声。雍熙二年，廷试已落，复试，擢置高等，解褐归德军节度推官。召还，授右拾遗、直史馆。端拱初，通判寿、许二州。归宋，与左正言尹黄裳、冯拯、右正言王世则、宋沆伏阁请立许王元僖为储贰，词意狂率，太宗怒。坐削职，出知容州。再迁比部员外郎，知郴、舒二州。咸平二年召还，命试舍人院，复直史馆。是秋，命与阁门祗候韩绍辉使荆湖按视民事，条奏利病甚众。还，判三司都磨勘司。又与王钦若同知贡举，未几，同修起居注。湛美风仪，俊辩有才干，曲宴苑中，赋赏花诗，不移晷以献，深被褒赏。遂以湛受银，法当死，特诏削籍、流儋州。懿杖脊、配隶忠靖军。六年，会赦移惠州，至化州调马驿卒，年四十一。有集十卷。（《宋史》本传）

梁颢（963—1004）生。梁颢，字太素，郓州须城人。初举进士，不中第。雍熙二年，复举进士，廷试，方禹中献赋。太宗召升殿，询其门第，赐甲科，解褐大名府观察推官。四年，与梁湛并召为右拾遗、直史馆，赐绯。判鼓司、登闻院。颢在大名佐赵昌言。昌言入掌枢密，会翟马周事，颢坐贬虢州司户参军。起知鱼台县，就加大理评事。召还，迁殿中丞。顷之，复直史馆，历开封府推官、三司关西道判官，转太常博士。丁内艰，起令赴职，改右司谏。真宗初，还为度支判官。咸平元年，与杨砺、李若拙、朱台符同知贡举。时诏钱若水重修《太祖实录》，表颢参其事，又同修起居注。三年，与李宗谔、赵安仁并命知制诰，赐金紫。是年冬，王均平，命为峡路安抚使。归掌三班。韩国华判大理，以断刑失中，乃选颢以代之。四年，张齐贤使关右安抚，以颢为之副。冬，以河北饥盗，命与映分为东、西路巡检使。还，拜右谏议大夫，充户部使。会罢三部使，以颢为翰林学士同知审官院、三班。景德元年，权知开封。六月，暴病卒，年四十二。所著文集十五卷。（《宋史》本传）

张俭（963—1053）生。张俭，宛平人，性端悫，不事外饰。统和十四年，举进士第一，调云州幕官。故事，车驾经行，长吏当有所献。圣宗猎云中，访及世务，占奏三十余事。由此顾遇特异，践历清华，号称明干。开泰中，累迁同知枢密院事。太平五年，出为武定军节度使，移镇大同。六年，入为南院枢密使。帝方眷倚，拜俭左丞相，封韩王。帝不豫，受遗诏辅立太子，是为兴宗。赐贞亮弘靖保义守节者德功臣，拜太师、中书令，加尚父，徙王陈。重熙五年，帝幸礼部贡院及亲试进士，皆俭发之。进见不名，赐诗褒美。俭在相位二十余年，裨益为多。致政归第，会宋书辞不如礼，上将亲征。幸俭第，尚食先往具馔，却之；进葵羹干饭，帝食之美。徐问以策，俭极陈利害，且曰："第遣一使问之，何必远劳车驾？"上悦而止。复即其第赐宴，器玩悉与之。二十二年薨，年九十一，敕葬宛平县。（《辽史》本传）

公元964年（宋太祖乾德二年 甲子）

三月

二日，翰林学士承旨、礼部尚书陶穀权知贡举，合格进士李景阳已下八人。（《宋会要辑稿·选举一》）

登进士第者：李景阳、李九龄等。

丁酉（二十一日），遣左拾遗梁周翰等驰驿，分诣五岳祈雨。（《续资治通鉴长编》卷五）

九月

二十一日，张士逊（964—1049）生。张士逊，字顺之。淳化中，举进士，调郧乡主簿，迁射洪令。改襄阳令，为秘书省著作佐郎、知邵武县；再改秘书丞、监折中仓，历御史台推直官。再迁侍御史，徙广东，又徙河北。以户部郎中直昭文馆，为寿春郡王友，改升王府谘议参军，迁右谏议大夫兼太子右庶子，改左庶子。判史馆，知审刑院，以太子宾客、枢密直学士判集贤院。既而二府大臣皆领东宫官，遂换太子詹事，擢枢密副使，迁给事中兼詹事，累迁尚书左丞，遂拜礼部尚书、同中书门下平章事、集贤殿大学士。加刑部尚书、知江宁府。后领定国军节度使、知许州。明道初，复入相，进中书侍郎兼兵部尚书。明年，进门下侍郎、昭文馆大学士、监修国史。以尚书左仆射判河南府，徙河南府。宝元初，复以门下侍郎、兵部尚书入相，封郢国公。累上章请老，乃拜太傅，封邓国公致仕。就第凡十年，卒，年八十六。帝临奠，赠太师、中书令，谥文懿，御篆其墓碑曰"旧德之碑"。（《宋史》本传）

二十八日，范质卒，54岁。范质字文素，大名宗城人。九岁能属文，十三治《尚书》，教授生徒。后唐长兴四年举进士，为忠武军节度推官，迁封丘令。周祖自邺起兵向阙，以质为兵部侍郎、枢密副使。周广顺初，加拜中书侍郎、平章事、集贤殿大学士。翌日，兼参知枢密院事。宋初，加兼侍中，罢参知枢密。乾德二年正月，罢为太子太傅。九月，卒，年五十四。将终，戒其子旻勿请谥，勿刻墓碑。太祖闻之，为悲恸罢朝。赠中书令，赐绢五百匹、粟麦各百石。（《宋史》本传）

著有：《五代通录》六十五卷（《宋史·艺文志二》）、《桑维翰传》三卷（《宋史·艺文志二》）、《魏公家传》三卷（《宋史·艺文志二》）、《范质集》三十卷（《宋史·艺文志七》）、《晋朝陷蕃记》四卷（陈振孙《直斋书录解题·杂史类》）。

本年

梅询（964—1041）生。梅询，字昌言，宣州宣城人。少好学，有辞辩。进士及第，为利丰监判官。后以秘书省著作佐郎、御史台推勘官，预考进士于崇政殿，真宗过殿庐，奇其占对详敏，召试中书，除集贤院。后断田讼失实，降通判杭州，知苏州，就徙两浙转运副使，判三司开拆司。坐议天书，出知濠州。为湖北转运使，擅假驿马与邵晔子省亲疾而马死，夺官一级，降通判襄州。知鄂州，徙苏州，为陕西转运使。坐荐举朱能，贬怀州团练副使。又以善寇准，徙池州。起知广德军，历楚、寿、陕州。复直集贤院，改直昭文馆、知荆南，擢龙图阁待制，纠察在京刑狱。历龙图阁直学士、枢密直学士、知通进银台司，判流内铨，为翰林侍读学士、群牧使。累迁给事中、知审官院。病足，出知许州，卒。（《宋史》本传）

公元 965 年（宋太祖乾德三年　乙丑）

正月

丙申（二十四日），田钦祚至自西川。孟昶降表以其先人坟庙及老母为请，上优诏答之。（《续资治通鉴长编》卷六）

王师下蜀时，护送孟昶血属辎重之众，百里不绝，至京师尤然。诗人李度作《平蜀诗》，略曰：“全家离锦水，五月下瞿塘。绣服青蛾女，雕鞍白面郎。累累辎重远，杳杳路岐长。”（吴曾《能改斋漫录》卷一三）

二月

十五日，知制诰卢多逊权知贡举，合格进士刘察已下七人。（《宋会要辑稿·选举一》）

四月

十三日，诏开封府：令京城夜市至三鼓已来，不得禁止。（《宋会要辑稿·食货六七》）

六月

甲辰（五日），以孟昶为开府仪同三司、检校太师、兼中书令、秦国公。长子元喆为泰宁节度使，伊审征为静难节度使。戊申（九日），以昶弟仁贽为右神武统军，仁裕右监门卫上将军，仁操左监门卫上将军，次子元珏为左千牛卫上将军，李昊为工部尚书，欧阳炯为右散骑常侍。（《续资治通鉴长编》卷六）

十一日，孟昶卒，47 岁。西蜀孟昶，初名仁赞，及僭位改焉。其先邢州龙冈人。明德元年七月，知祥卒，昶袭位，年始十六。四年，改元广政。后以事诛仁罕、知业，乃亲政事。十三年，加号睿文英武仁圣明孝皇帝。乾德二年，昶遣孙遇、杨蠲、赵彦韬为谍至京师。彦韬潜取昶与并州刘钧蜡丸帛书以告。太祖已有西伐意而未发，及览书，喜曰："吾用师有名矣。"即命忠武军节度王全斌充凤州路行营前军兵马都部署。三年正月，昶遣其通奏伊审征赍表诣全斌请降。昶乃举族与官属由峡江而下，至江陵，上遣皇城使窦思俨迎劳之。四月初，昶与母至襄汉，复遣使赍诏赐茶药。所赐诏不名，仍呼昶母为国母。昶将至，命太宗劳于近郊。昶率子弟素服待罪阙下，太祖御崇元殿，备礼见之，赐昶袭衣、玉带、黄金鞍勒马、金器千两、银器万两、锦绮千段、绢万匹；又赐昶母金器三百两、银器三千两、锦绮千匹、绢千匹；子弟及其官属等袭衣、金玉带、鞍勒马、车乘、器币有差；又遣使分诣江陵、凤翔赐其家属钱帛，疾病者给以医药。昶数日卒，年四十七。太祖废朝五日，素服发哀于大明殿。赐尚书令，追封楚王，谥恭孝。(《宋史》本传)

八月

辛酉(二十四日)，以左散骑常侍欧阳炯为翰林学士。炯性坦率，无检束，雅喜长笛。上闻，召至便殿奏曲。御史中丞刘温叟闻之，叩殿门求见，谏曰："禁署之职，典司诰命，不可作伶人事。"上曰："朕顷闻孟昶君臣溺于声乐，炯至宰相，尚习此伎，故为我擒。所以召炯，欲验言者之不诬耳。"温叟谢曰："臣愚不识陛下鉴戒之微旨。"自是亦不复召炯矣。(《续资治通鉴长编》卷六)

本年

李宗谔(965—1013)生。宗谔字昌武，七岁能属文，耻以父任得官，独由乡举，第进士，授校书郎。明年，献文自荐，迁秘书郎、集贤校理、同修起居注。真宗即位，拜起居舍人，预重修《太祖实录》。迁知制诰、判集贤院，纂《西垣集制》，刻石记名氏。景德二年，召为翰林学士。又著《乐纂》以献，命付史馆。大中祥符初，从封泰山，改工部郎中。二年，始建昭应宫，命副丁谓为同修宫使。三年，知审官院。属祀汾阴后土，命为经度制置副使，同权河中府事。礼成，优拜右谏议大夫。尝侍宴玉宸殿，上曰："翰林，清华之地，前贤扬历，多有故事，卿父子为之，必周知也。"宗谔尝著《翰林杂记》，以纪国朝制度，明日上之。五年，迎真州圣像，副丁谓为迎奉使。五月，以疾卒，年四十九，帝甚悼之。初，昉居三馆、两制之职，宗谔不数年，皆践其地。风流儒雅，藏书万卷。宗谔工隶书。有《文集》六十卷，《内外制》三十卷。尝预修《续通典》、《大中祥符封禅汾阴记》、《诸路图经》，又作《家传》、《谈录》，并行于世。(《宋史》本传)

杨大雅(965—1033)生。杨大雅，字子正，唐靖恭诸杨虞卿之后。大雅素好学，日诵数万言，虽饮食不释卷。进士及第，历新息、鄢陵县主簿，改光禄寺丞、知新昌县，徙知浔州，监在京商税，再迁秘书丞。咸平中，交趾献犀，因奏赋，召试，迁太常博士。久之，又上书自荐，献所为文，复召试。直集贤院，出知筠、袁二州，提举开封府界诸县镇事，为三司监铁判官，知越州，提点淮南路刑狱。还，考试国子监生，坐失荐，迭降监陈州酒。徙知常州，判三司都磨勘司、户部勾院。迁集贤殿修撰、知应天府。还，纠察在京刑狱，以兵部郎中知制诰。大雅初名侃，至是，避真宗藩邸讳，诏改之。居二岁，拜右谏议大夫、集贤院学士、知亳州，卒。大雅朴学自信，无所阿附。晚与陈从易并命知制诰。大雅尝因转对，上《原治》十七篇。所著《大隐集》三十卷、《西垣集》五卷、《职林》二十卷、《两汉博闻》十二卷。（《宋史》本传）

公元 966 年（宋太祖乾德四年　丙寅）

二月

十七日，礼部员外郎王祐权知贡举，合格进士李肃已下六人。（《宋会要辑稿·选举一》）

权知贡举王祐言进士合格者六人，诸科合格者九人。上恐其遗才，复令于不中选人内取其优长者，第而升之。（《续资治通鉴长编》卷七）

登进士第者：李肃、毕士安等。

四月

丁巳（二十二日），河南府进士李霭决杖，配沙门岛。霭不信释氏，尝著书数千言，号《灭邪集》。又辑佛书，缀为衾裯，为僧所诉。河南尹表其事，故流窜焉。（《续资治通鉴长编》卷七）

五月

上初命宰相撰前世所无年号，以改今元。既平蜀，蜀宫人有入掖廷者，上因阅其奁具，得旧鉴，鉴背有"乾德四年铸"。上大惊，出鉴以示宰相，曰："安得已有四年所铸乎？"皆不能答。乃召学士陶谷、窦仪问之。仪曰："此必蜀物，昔伪蜀王衍有此号，当是其岁所铸也。"上乃悟，因叹曰："宰相须用读书人。"由是益重儒臣矣。赵普初以吏道闻，寡学术，上每劝以读书，普遂手不释卷。（《续资治通鉴长编》卷七）

闰八月

是月，诏求亡书。凡吏民有以书籍来献者，令史馆视其篇目，馆中所无则收之。献书人送学士院试问吏理，堪任职官，具以名闻。是岁，"三礼"涉弼、"三传"彭干、学究朱载皆应诏献书。总千二百二十八卷，命分置书府。赐弼等科名。（《续资治通鉴长编》卷七）

十月

先是，上以雅乐声高，近于哀思，命判太常寺和岘讨论其理。岘上疏曰："十二月声，含在寂默，古圣设法演而出之。先立尺寸作为律吕，三分损益，上下相生，取合其音，谓之形器。但以尺寸长短，非书可传，故累秬黍求其准。后代试之，或不符合。臣谓西京铜望臬可校古法，即今司天台影表上石尺是也。取王朴所定尺校之，短于石尺四分，乐声之高，盖由于此。夫影表能测天地，律管所宜准绳。"上乃令依古法别造新尺并黄钟九寸之管，使工人校其声，果下于朴所定管一律。又内出上党羊头山秬黍累尺校律，亦相契合。复下尚书省集议，众皆金同。遂重造十二律管以取声，由是雅乐音始和畅。（《续资治通鉴长编》卷七）

十一月

癸丑（二十三日），窦仪卒，53 岁。窦仪，字可象。蓟州渔阳人。十五能属文，晋天福中举进士。侍卫军帅景延广领襄州节度，表为记室。建隆元年秋，迁工部尚书，罢学士，兼判大理寺。奉诏重定《刑统》，为三十卷。再入翰林为学士。四年秋，知贡举。是冬卒，年五十三，赠右仆射。仪学问优博，风度峻整。弟俨、侃、偁、僖，皆相继登科。冯道尝赠诗，有"灵椿一株老，丹桂五枝芳"之句，缙绅多讽诵之，当时号为窦氏五龙。（《宋史》本传）

著有：《刑统》三十卷（陈振孙《直斋书录解题·法令类》）。

本年

丁谓（966—1037）生。丁谓，字谓之，后更字公言，苏州长洲人。淳化三年，登进士甲科，为大理评事、通判饶州。逾年，直史馆，以太子中允为福建路采访。还，遂为转运使，除三司户部判官。累迁尚书工部员外郎。入权三司盐铁副使。未几，擢知制诰，判吏部流内铨。景德四年，以谓知郓州兼齐、濮等州安抚使，提举转运兵马巡检事。明年，召为右谏议大夫、权三司使。寻加枢密直学士。迁给事中，真拜三司使。迁尚书礼部侍郎，进户部，参知政事。历工、刑、兵三部尚书，再为天书仪卫副使，拜平江军节度使、知升州。天禧初，徙保信军节度使。三年，以吏部尚书复参知政事。既而拜谓同中书门下平章事、昭文馆大学士、监修国史、玉清昭应宫使。其后诏皇太子听政，遂加谓门下侍郎兼太子少傅。仍进尚书左仆射、门下侍郎、平章事兼太子少师。天章阁成，拜司空。乾兴元年，封晋国公。仁宗即位，进司徒兼侍中，为山陵使。后降谓太子少保、分司西京。坐罪除名，配隶复州。在崖州逾三年，徙雷州，又五年，徙道州。明道中，授秘书监致仕，居光州，卒。诏赐钱十万、绢百匹。谓机敏有智谋，善谈笑，尤喜为诗，至于图画、博弈、音律，无不洞晓。（《宋史》本传）

公元 967 年（宋太祖乾德五年　丁卯）

正月

辛丑（十二日），诏以时平年丰，增上元张灯为五夜。（《续资治通鉴长编》卷八）

二月

十三日，知制诰卢多逊权知贡举，合格进士刘蒙叟已下一十人。寻诏参知政事薛居正于中书复试，皆合格，乃赐及第。（《宋会要辑稿·选举一》）

登进士第者：刘蒙叟、王处厚等。

本年

薛奎（967—1034）生。薛奎，字宿艺，绛州正平人。奎举进士，为州第一。进士及第，为隰州军事推官。改大理寺丞、知莆田县。迁殿中丞、知长水县，徙知永州。迁太常博士。向敏中荐为殿中侍御史，出为陕西转运使。未几，坐失举免。数月，起通判陕州，改尚书户部员外郎、淮南转运副使，迁江、淮制置发运使。进吏部员外郎。父丧，夺哀，擢三司户部副使。与使李士衡争论事，改户部郎中、直昭文馆、知延州。迁吏部，擢龙图阁待制、权知开封府。使契丹，还，迁右谏议大夫、权御史中丞。或谗云奎漏禁中语，改授集贤院学士、知并州，改秦州。加枢密直学士、知益州。召为龙图阁学士、权三司使，遂参知政事。俄迁给事中。迁尚书礼部侍郎。奎得喘疾，数辞位，罢为户部侍郎、资政殿学士、判尚书都省。疾寻作，卒，赠兵部尚书，谥简肃。奎能知人，范仲淹、庞籍、明镐自为吏部选人，皆以公辅许之。（《宋史》本传）

公元 968 年（宋太祖乾德六年宋太祖开宝元年）　　戊辰

三月

权知贡举王祐擢进士合格者十人，陶谷子邴名在第六。翌日，谷入致谢，上谓左右曰："闻谷不能训子，邴安得登第？"遽命中书复试，而邴复登第。因下诏曰："造士之选，匪树私恩，世禄之家，宜敦素业。如闻党与，颇容窃吹，文衡公器，岂宜私滥！自今举人凡关食禄之家，委礼部具析以闻，当令复试。"（《续资治通鉴长编》卷九）

登进士第者：柴成务等。

甲寅（三十日），右拾遗梁周翰夺两任官，坐通判眉州日决人至死也。（《续资治通鉴长编》卷九）

四月

丙子（二十四日），户部员外郎、知制诰、史馆修撰、判馆事王著，复为翰林学士。兵部郎中、知制诰卢多逊，充史馆修撰、判馆事。多逊喜任术数，善为巧发奇中。上好读书，每遣使取书史馆，多逊预戒吏令遽白所取书目，多逊必通夕阅览以待问。既而，上果引问书中事，多逊应答无滞，同列皆服，上益宠异之。（《续资治通鉴长编》卷九）

十一月

二十四日，郊祀，陈告谢之仪，改元开宝。（《玉海》卷十三）

本年

孙光宪卒， 69岁。孙光宪字孟文，陵州贵平人。世业农亩，唯光宪少好学。游荆渚，高从诲见而重之，署为从事。历保融及继冲三世皆在幕府，累官至检校秘书监兼御史大夫，赐金紫。慕容延钊等救朗州之乱，假道荆南，继冲开门纳延钊，光宪乃劝继冲献三州之地。太祖闻之甚悦，授光宪黄州刺史，赐赍加等。在郡亦有治声。乾德六年，卒。时宰相有荐光宪为学士者，未及召，会卒。光宪博通经史，尤勤学，聚书数千卷，或自抄写，孜孜雠校，老而不废。好著撰，自号葆光子，所著《荆台集》三十卷，《巩湖编玩》三卷，《笔佣集》三卷，《橘斋集》二卷，《北梦琐言》三十卷，《蚕书》二卷。又撰《续通历》，纪事颇失实，太平兴国初，诏毁之。（《宋史》本传）

著有：《续通历》十卷（《宋史·艺文志二》）、《蚕书》三卷（《宋史·艺文志四》）、《北梦琐言》十二卷（《宋史·艺文志五》）、《荆台集》四十卷（《宋史·艺文志七》）、《笔佣集》十卷（《宋史·艺文志七》）、《纪遇诗》十卷（《宋史·艺文志七》）、《巩湖编玩》三卷（《宋史·艺文志七》）、《橘斋集》二卷（《宋史·艺文志七》）。

唐自广明乱离，秘籍亡散，武宗已后，寂寞无闻，朝野遗芳，莫得传播。仆生自岷峨，官于荆郢，咸京故事，每愧面墙，游处之间，专于博访。顷逢故凤翔杨批少尹，多话秦中平时旧说，常记于心。他日渚宫见元澄中允，款狎笑语，多符其说。元公谓旧族一二子弟曰："诸贤生在长安，闻事不迨富春，此则存好问之所宏益也。"厥后，每聆一事，未敢孤信，三复参校，然始濡毫。非但垂之空言，亦欲因事劝戒。三纪收拾筐箧，爰因公退，咸取编连。先以唐朝达贤一言一行列于谈次，其有事类相近，自唐至后唐、梁、蜀、江南诸国所得闻知者，皆附其末，凡纂得事成二十卷。《禹贡》云："云土梦作乂"，《传》有"畋于江南之梦"。鄙从事于荆江之北，题曰《北梦琐言》。琐细形言，大即可知也。虽非经纬之作，庶勉后进子孙，俾希仰前事，亦丝麻中菅蒯也。通方者幸勿多诮焉。（孙光宪《〈北梦琐言〉序》）

《北梦琐言》二十卷，宋孙光宪撰。所著有：《荆台集》、《橘斋集》、《笔佣集》、《巩湖编玩》、《蚕书》、《续通历》等书，自宋代已散佚，惟是书独传于后。所载皆唐及五代士大夫逸事，每条多载某人所说，以示有征，盖用《杜阳杂编》之例。其记载颇猥杂，叙次亦颇冗沓，而遗文琐语，往往可资考证。故宋李昉等编《太平广记》，多采其文。晁公武《读书志》载：光宪《续通历》十卷，辑唐及五代事，以续马总之书，参以黄巢、李茂贞、刘守光、按巴坚、吴、唐、闽、广、吴、越、两蜀事迹。太祖以所纪多不实，诏毁其书。而此书未尝议及，则语不甚诬可知矣。（《四库全书总目》卷一四〇）

林逋（968—1028）生。林逋，字君复，杭州钱塘人。少孤，力学，不为章句。性恬淡好古，弗趋荣利，家贫衣食不足，晏如也。初放游江、淮间，久之归杭州，结庐西湖之孤山，二十年足不及城市。真宗闻其名，赐粟帛，诏长吏岁时劳问。薛映、李及在杭州，每造其庐，清谈终日而去。尝自为墓于其庐侧。临终为诗，有"茂陵他日求遗稿，犹喜曾无《封禅书》"之句。既卒，州为上闻，仁宗嗟悼，赐谥和靖先生，赙粟帛。逋善行书，喜为诗，其词澄淡峭特，多奇句。既就稿，随辄弃之。或谓："何不录以示后世？"逋曰："吾方晦迹林壑，且不欲以诗名一时，况后世乎！"然好事者往往窃记之，今所传尚三百余篇。（《宋史》本传）

姚铉（968—1020）生。姚铉，字宝之，庐州合肥人。太平兴国八年进士甲科，解褐大理评事，知潭州湘乡县，三迁殿中丞，通判简、宣、升三州。淳化五年，直史馆，侍宴内苑，应制赋《赏花钓鱼诗》，特被嘉赏。至道初，迁太常丞，充京西转运使，历右正言、右司谏、河东转运使。咸平三年，河决郓州王陵埽，以铉知州事，工毕，加起居舍人、京东转运使，徙两浙路。薛映知杭州，与之不协，擿铉罪状数条，当夺一官，特除名，贬连州文学。大中祥符五年，会赦，移岳州，又移舒州，俄授本州团练副使。天禧四年卒，年五十三。铉文辞敏丽，善笔札，藏书至多，有集二十卷。又采唐人文章纂为百卷，目曰《文粹》。（《宋史》本传）

钱易（968—1026）生。易字希白。太宗尝与苏易简论唐世文人，叹时无李白。易简曰："今进士钱易，为歌诗殆不下白。"真宗在东宫，图山水扇，会易作歌，赏爱之。再举进士，就开封府试第二。明年，第二人中第，补濠州团练推官。召试中书，改光禄寺丞、通判蕲州。景德中，举贤良方正科，策入等，除秘书丞、通判信州。东封泰山，献《殊祥录》，改太常博士、直集贤院。祀汾阴，幸亳州，命修《车驾所过图经》，献《宋雅》一篇，迁尚书祠部员外郎。坐发国子监诸科非其人，降监颍州税。数月，召还。久之，判三司磨勘司。擢知制诰、判登闻鼓院、纠察在京刑狱。累迁左司郎中，为翰林学士。卒，仁宗怜之，召其妻盛氏至禁中，赐以冠帔。易才学瞻敏过人，数千百言，援笔立就。又善寻尺大书行草，及喜观佛书，尝校《道藏经》，著《杀生戒》，有《金闺》、《瀛州》、《西垣制集》一百五十卷，《青云总录》、《青云新录》《南部新书》、《洞微志》一百三十卷。（《宋史》本传）

盛度（968—1041）生。盛度，字公量，世居应天府，后徙杭州余杭县。举进士第，补济阴尉。选为封丘主簿，改府仓曹参军，为光禄寺丞、御史台推勘官，改秘书省秘书郎。试学士院，为直史馆、三司户部判官，累迁尚书屯田员外郎。奉使陕西，因览疆域，参质汉、唐故地，绘为《西域图》以献。改开封府判官，坐决狱失实，降监洪州税。起知建昌军、三司盐铁判官，改起居舍人、知制诰。后迁右谏议大夫、权知开封府。以疾不拜，改会灵观判官，入翰林为学士，加史馆修撰。历兵部郎中、景灵宫副使。寇准罢相，度以交通周怀政，出知光州。乾兴初，再谪和州团练副使。丁谓贬，起为祠部郎中，复兵部郎中，迁太常少卿、知筠州，更虔、滁、苏三州。还知审刑院，以右谏议大夫知扬州，加集贤院学士。复为翰林学士、史馆修撰，迁给事中。又兼侍读学士。景祐二年，拜参知政事，迁知枢密院事。章得象既相，以度尝位其上，即拜武宁军节度使。以尚书右丞罢。复知扬州，加资政殿学士、知应天府。暴感风眩，以太子少傅致仕，卒。赠太子太保，谥文肃。度好学，家居列图书，每归，未尝释手。敏于为文，而泛滥不精。尝奉诏同编《续通典》、《文苑英华》，注释御集。真宗祀汾阴，仁宗在藩邸，诏掌起居笺奏及留司章奏。有《愚谷》、《银台》、《中书》、《枢中》四集，又有《中书》、《翰林》二制集。（《宋史》本传）

公元969年（宋太祖开宝二年　已巳）

二月

二十日，枢密直学士赵逢权知贡举，合格进士安德裕已下七人。（《宋会要辑稿·选举一》）

登进士第者：安德裕等。

十一月

戊辰（二十五日），诏中书舍人李昉，兵部员外郎、知制诰卢多逊，分直学士院。直学士院，自昉及多逊始也。先是，堂吏以事至翰林，皆拜于堂下，学士略离席劳揖，事已即退，未尝与坐，昉前在翰林犹然。及是，有白事者遂拜堂上，更展叙中外，无复曩日之礼。昉愕然，询于同列，则云如此承袭数年矣，莫诘其故也。礼部尚书长安杨昭俭喜讥訾，因扬言昉谒堂吏，尝获其刺字云。（《续资治通鉴长编》卷十）

本年

孙仅（969—1017）**生**。仅字邻几。少勤学，与何俱有名于时。咸平元年，进士甲科，兄弟连冠贡籍，时人荣之。解褐舒州团练推官，会诏举贤良方正之士，赵安仁以仅名闻。策入第四等，擢光禄寺丞、直集贤院，俄知浚仪县。景德初，拜太子中允、开封府推官，赐绯。北边请盟，遣使交聘，仅首为国母生辰使。改本府判官，迁右正言、知制诰，赐金紫，同知审官院。大中祥符元年，加比部员外郎。代还，知审刑院。顷之，拜右谏议大夫、集贤院学士、权知开封府。改左谏议大夫，出知河中府。归朝，复领审刑院。久次，进给事中。天禧元年正月卒，年四十九。仅性端悫，中立无竞，笃于儒学，士大夫推其履尚，有集五十卷。（《宋史》本传）

公元970年（宋太祖开宝三年　庚午）

三月

壬寅朔（一日），诏礼部贡院阅进士、诸科十五举以上曾经终场者以名闻。甲辰（三日），得司马浦等六十三人；庚戌（九日），复取十五举未经终场者四十三人，并赐出身。仍诏自今勿得为例。（《续资治通鉴长编》卷一一）

三日，知制诰扈蒙权知贡举，合格进士张拱已下八人。续诏：取十五举未及第司马浦已下七人，特赐进士出身。（《宋会要辑稿·选举一》）

登进士第者：张拱、司马浦等。

十二月

庚午（二日），翰林学士承旨、户部尚书、赠右仆射陶穀卒，68岁。命中使监护葬事。穀文翰冠一时，自以久次，意希大用，然为人倾侧很媚。魏仁辅在中书，穀自言出于魏氏，以舅事仁辅，每见辄望尘下拜。妻孙氏淫恣，縠不能制。上素薄之，选置宰辅，未尝及縠。縠不能平，一日，使其党因事风上，言縠在词禁，宣力实多。上笑曰："我闻学士草制，皆检前人旧本稍改易之，此乃谚所谓依样画葫芦尔，何宣力之有乎！"縠因作诗题翰林壁，颇怨望。上益薄之，遂决意不用。(《续资治通鉴长编》卷一一)

陶縠，字秀实，邠州新平人。本姓唐，避晋祖讳改焉。十余岁，能属文，起家校书郎、单州军事判官。宋初，转礼部尚书，依前翰林承旨。乾德二年，判吏部铨兼知贡举。再为南郊礼仪使，法物制度，多縠所定。后累加刑部、户部二尚书。开宝三年卒，年六十八。赠右仆射。(《宋史》本传)

著有：《陶縠集》十卷 (《宋史·艺文志七》)。

本年

崔立（970—1043）生。崔立，字本之，开封鄢陵人。中进士第。为果州团练推官，进殿中丞，历通判广州、许州。知江阴军。累迁太常少卿，历知棣、汉、相、潞、兖、郓、泾七州。以右谏议大夫知耀州，改知濠州，迁给事中。告老，进尚书工部侍郎致仕，卒。(《宋史》本传)

张景（970—1018）生。晦之，名景，江陵公安人。羁丱能长言，嗜学尤力。未冠，涉通艺文，颇班班言当世务。贫不治产，往从崇仪使解人柳开。开以文自名，而荐宠士类。一见欢甚，悉出家书畀之，由是属辞益有法度。开每曰："今日在朝廷挈囊荐笏，谁逾晦之者？"即厚遣使如京师。时富春孙仅、沛国朱严、成纪李庶几号为豪英，晦之敝衣与游，名称籍籍，美不容口。真圣谅闇，未即听政，责有司精覆计偕，预者十一二。晦之名在第四，调主大名馆陶簿。年少气锐，未能以智自将，坐公累，为吏痛诋，贬全州。会赦，还豪。长者得罪，并坐所知，继为房、襄二州文学参军。晦之中废不用，则大覃思古今，为《洪范》、《王霸》二书。康肃陈公尧咨以西台舍人为本府，雅闻晦之，为言于上。复选楚州宝应主簿，改大理评事、知泗州昭信县。移掌真州榷茶务。既，又请通理州事。遘疾，终官，下年四十九，实天禧二年三月十日。平生文章，门人万称集为二十五。(宋祁《故大理评事张公墓志铭》)

本年重要作品：

文：张咏《放盆池鱼赋》。

公元 971 年（宋太祖开宝四年 辛未）

正月

戊午（二十一日），命知制诰卢多逊等重修天下图经，其书讫不克成。(《续资治通鉴长编》卷一二)

二月

辛未（五日）*，王师至白田，南汉主素服出降。潘美承制释之，遂入广州，俘其宗室、官属九十七人。（《续资治通鉴长编》卷一二）

二十四日，知制诰卢多逊权知贡举，合格进士刘寅已下十人。（《宋会要辑稿·选举一》）

登进士第者：刘寅等。

六月

上欲遣翰林学士、左散骑常侍欧阳炯祭南海，炯闻之，称疾不出，上怒。六月辛未（七日），罢职，以本官分司西京。（《续资治通鉴长编》卷一二）

丙子（十二日），诏御史中丞刘温叟、中书舍人李昉等重定《开元礼》，以国朝沿革制度附属之。（《续资治通鉴长编》卷一二）

十二月

己卯（十七日），兵部员外郎、知制诰卢多逊以本官充翰林学士。（《续资治通鉴长编》卷一二）

本年

欧阳炯卒，76 岁。欧阳炯，益州华阳人。少事王衍，为中书舍人。后唐同光中，蜀平，随衍至洛阳，补秦州从事。知祥镇成都，炯复来入蜀。知祥僭号，以为中书舍人。广政十二年，拜翰林学士。明年，知贡举、判太常寺。迁礼部侍郎，领陵州刺史，转吏部侍郎，加承旨。二十四年，拜门下侍郎兼户部尚书、平章事、监修国史。尝拟白居易讽谏诗五十篇以献，昶手诏嘉美，赏以银器、锦彩。从昶归朝，为右散骑常侍，俄充翰林学士，就转左散骑常侍。岭南平，议遣炯祭南海，炯闻之称病不出。太祖怒，罢其职，以本官分司西京。开宝四年，卒，年七十六。赠工部尚书。（《宋史》本传）

著有：《唐录备阙》十五卷（《宋史·艺文志二》）。

尹拙卒，81 岁。尹拙，颍州汝阴人。梁贞明五年举《三史》，调补下邑主簿，摄本镇馆驿巡官。周显德初，拜检校右散骑常侍、国子祭酒、通判太常礼院事，与张昭同修唐应顺、清泰及周祖《实录》，又与昭及田敏同详定《经典释文》。宋初，改检校工部尚书、太子詹事、判太府寺，迁秘书监、判大理寺。乾德六年告老，以本官致仕。拙性纯谨，博通经史。开宝四年卒，年八十一。（《宋史》本传）

著有：《五代周太祖实录》三十卷（《宋史·艺文志二》）。

刘筠（971—1031）生。刘筠，字子仪，大名人。举进士，为馆陶县尉。还，会诏知制诰杨亿试选人校太清楼书，擢筠第一，以大理评事为秘阁校理。真宗北巡，命知大名府观察判官事。自边鄙罢兵，国家闲暇，帝垂意篇籍，始集诸儒考论文章，为一代之典。筠预修图经及《册府元龟》，推为精敏。及《册府元龟》成，进左正言、直史馆、修起居注。迁左司谏、知制诰，加史馆修撰，出知邓州，徙陈州。还，纠察在京刑狱，知贡举，迁尚书兵部员外郎。复请邓州，未行，进翰林学士。以右谏议大夫知庐州。仁宗即位，迁给事中，复召为翰林学士。逾月，拜御史中丞。知天圣二年贡举，数以疾告，进尚书礼部侍郎、枢密直学士、知颍州。召还，复知贡举，进翰林学士承旨兼龙图阁直学士、同修国史、判尚书都省。再知庐州，营冢墓，作棺，自为铭刻之。既病，徙于书阁，卒。筠，景德以来，居文翰之选，其文辞善对偶，尤工为诗。初为杨亿所识拔，后遂与齐名，时号"杨刘"。著《册府应言》、《荣遇》、《禁林》、《肥川》、《中司》、《汝阴》、《三入玉堂》凡七集。（《宋史》本传）

公元972年（宋太祖开宝五年　壬申）

闰二月

三日，知制诰扈蒙权知贡举，合格进士安守亮已下十一人。（《宋会要辑稿·选举一》）

权知贡举扈蒙奏合格进士京兆安守亮等十一人，诸科十七人。上召对于讲武殿，始下诏放榜，新制也。（《续资治通鉴长编》卷一三）

登进士第者：安守亮等。

本年

张昭卒，79岁。张昭，字潜夫，本名昭远，避汉祖讳，止称昭。世居濮州范县。昭始十岁，能诵古乐府、咏史诗百余篇；未冠，遍读《九经》，尽通其义。后唐庄宗入魏，昭因至魏，携文数十轴谒兴唐尹张宪。宪家富文籍，每与昭燕语，讲论经史要事，恨相见之晚，即署府推官。同光初，奏授真秩，加监察御史里行。天成三年，改安义军节度掌书记。时以武皇、庄宗实录未修，拜昭为左补阙、史馆修撰，委之撰录。昭以懿祖、献祖、太祖并不践帝位，仍补为《纪年录》二十卷，又撰《庄宗实录》三十卷上之。四年，上《武王以来功臣列传》三十卷，以本官知制诰。预修《明宗实录》，成三十卷以献。晋天福初，从幸汴州。二年，改户部侍郎，宰相桑维翰荐为翰林学士。昭又撰《唐朝君臣正论》二十五卷上之。改兵部侍郎。八年，迁吏部，判东铨，兼史馆修撰、判馆事。开运二年秋，《唐书》成二百卷，加金紫阶，进爵邑。三年，拜尚书右丞，判流内铨，权知贡举。周广顺初，拜户部尚书。显德元年，迁兵部尚书。尝诏撰《制旨兵法》十卷，又撰《周祖实录》三十卷，及梁郢王均帝、后唐闵帝废帝、汉隐帝五朝实录。梁二主年祀浸远，事皆遗失，遂不克修，余三帝实录，皆藏史阁。诏令详定《经典释文》、《九经文字》、《制科条式》，及问六玺所出，并议《三礼图》祭玉及鼎釜等。宋初，拜吏部尚书。进封郑国公，与翰林承旨陶榖同掌选。三拜章告老，以本官致仕，改封陈国公。开宝五年，卒，年七十九。昭博通学术，书无不览，兼善天文、风角、太一、卜相、兵法、释老之说，藏书数万卷。尤好纂述，自唐、晋至宋，专笔削典章之任。著《嘉善集》五十卷、《名臣事迹》五卷。（《宋史》本传）

著有：《太康平吴录》二卷（《宋史·艺文志二》）、《显德刑统》二十卷（《宋史

·艺文志三》)、《补注庄子》十卷（《宋史·艺文志四》)、《制旨兵法》十卷（《宋史·艺文志六》)、《嘉善集》五十卷（《宋史·艺文志七》)、《名臣事迹》五卷（《宋史》本传）。

　　石中立（972—1049）生。中立字表臣，年十三而孤。初补西头供奉官，后五年，改光禄寺丞。擢直集贤院，与李宗谔、杨亿、刘筠、陈越相厚善。校雠秘书，凡更中立者，人皆传之。判三司理欠凭由司。帝幸亳，命修所过国经。为盐铁判官，累迁尚书礼部侍郎，判吏部南曹。注释御集，为检阅官。改判户部勾院，迁户部郎中、史馆修撰，纠察在京刑狱。以吏部郎中、知制诰领审官院。又同知礼部贡举，判集贤院。坐举官不当，落史馆修撰，罢审官院。顷之，复纠察刑狱，领三班院。历右谏议大夫、给事中，入为翰林学士，判秘阁。知制诰并知贡举，诏中立与张观兼行外制，迁尚书礼部侍郎，学士承旨兼龙图阁学士。景祐四年，拜参知政事。明年，以户部侍郎为资政殿学士，领通进、银台司，判尚书都省，进大学士。迁吏部侍郎、提举祥源观，以太子少傅致仕，迁少师。卒，赠太子太傅，谥文定。（《宋史》本传）

公元 973 年（宋太祖开宝六年　癸酉）

正月

　　己卯（二十四日），以太子洗马、权知逢州朱昂权知广安军。（《续资治通鉴长编》卷一四）

二月

　　二十八日，翰林学士李昉权知贡举，合格进士宋准已下十一人。（《宋会要辑稿·选举一》）

三月

　　十九日，帝御讲武殿复试新及第进士宋准，并下第进士徐士廉、终场下第诸科等。内出《未明求衣赋》、《悬爵待士诗》，召殿中侍御史李莹、右司员外郎侯陟、国子监丞郝益为考官。（《宋会要辑稿·选举七》）

　　三月辛酉，新及第进士雍邱宋准等十人、诸科二十八人诣讲武殿谢。上以进士武济川、三传刘浚材质最陋，应对失次，黜去之。济川，翰林学士李昉乡人也。昉时权知贡举，上颇不悦。会进士徐士廉等击登闻鼓，诉昉用情，取舍非当。上以问翰林学士卢多逊，多逊曰："颇亦闻之。"上乃令贡院籍终场下第者姓名，得三百六十人。癸酉，皆召见。择其一百九十五人，并准以下及士廉等，各赐纸札，别试诗赋。命殿中侍御史李莹、左司员外郎侯陟等为考官。乙亥，上御讲武殿亲阅之，得进士二十六人，士廉预焉。《五经》四人，《开元礼》七人，《三礼》三十八人，《三传》二十六人，《三史》三人，学究十八人，明法五人，皆赐及第。又赐准钱二十万，以张宴会。责昉为太常少卿，考官右赞善大夫杨可法等皆坐责。自兹殿试遂为例程。（《续资治通鉴长

编》卷一四）

登进士第者：宋准、柳开、徐士廉、张雍、李巨源等。

柳开少好任气，大言凌物。应举时，以文章投主司于帘前，凡十轴，载以独轮车。引试日，衣襕，自拥车以入，欲以此骇众取名。时张景能文有名，唯袖一书帘前献之，主司大称赏，擢景优等。时人为之语曰："柳开千轴，不如张景一书。"（沈括《梦溪笔谈》卷九）

四月

乙酉（二日），诏：诸州考试官，令长吏精选僚属有才学公正者充。知贡举与考试官同看详试卷，定其通否，否即驳放，不得优假，虚令终场。申禁私荐属举人，募告者，其赏有差。举人勒还本贯重役，永不得入科场。（《续资治通鉴长编》卷一四）

辛丑（十八日），翰林学士卢多逊等上所修《开宝通礼》二百卷、《义纂》一百卷，并付有司施行。诏：改乡贡《开元礼》为乡贡《通礼》，本科并以新书试问。（《续资治通鉴长编》卷一四）

是日，遣卢多逊为江南生辰国信使。多逊至江南，得其臣主欢心。及还，舣舟宣化口，使人白国主曰："朝廷重修天下图经，史馆独阙江东诸州，愿各求一本以归。"国主呕令缮写，令中书舍人徐锴等通夕雠对，送与之，多逊乃发。于是，江南十九州之形势、屯戍远近、户口多寡，多逊尽得之矣。归，即言江南衰弱可取状。上嘉其谋，始有意大用。（《续资治通鉴长编》卷一四）

戊申（二十五日），诏参知政事薛居正监修梁、后唐、晋、汉、周五代史。（《续资治通鉴长编》卷一四）

是岁，命参知政事卢多逊、知制诰扈蒙、张淡以见行《长定》、《循资格》及泛降制书，考正违异，削去重复，补其阙漏，参校详议，取悠久可用之文，为《长定格》三卷。（《续资治通鉴长编》卷一四）

本年

陈越（973—1012）生。陈越，字损之，开封尉氏人。越少好学，尤精历代史。善属文，辞气俊拔。咸平中，诏举贤良，刑部侍郎郭贽荐之，策入第四等，解褐将作监丞、通判舒州，徙知端州，又徙袁州。未几召还，迁著作佐郎、直史馆，掌鼓司登闻院。预修《册府元龟》，与陈从易、刘筠尤为勤职。车驾朝陵，掌留司名表，时称为工。自是两府笺奏多命草之，勋贵家以铭志为请者甚众。迁太常丞、群牧判官。祀汾阴，擢为左正言。越耿概任气，喜箴切朋友，放旷杯酒间，家徒壁立，不以屑意。然嗜酒过差，每食必先饮数升，罕有醒日，亦用是遘疾。大中祥符五年卒，年四十。（《宋史》本传）

本年重要作品：

文：王禹偁《送毕从事东鲁赴任序》。

公元 1974 年(宋太祖开宝七年　甲戌)

七月

杨亿(974—1020)生。杨亿,字大年,建州浦城人。七岁,能属文,对客谈论,有老成风。雍熙初,年十一,太宗闻其名,诏江南转运使张去华就试词艺,送阙下。连三日得对,试诗赋五篇,下笔立成。即授秘书省正字。淳化中,诣阙献文,改太常寺奉礼郎,仍令读书秘阁。献《二京赋》,命试翰林,赐进士第,迁光禄寺丞。真宗即位初,超拜左正言。诏钱若水修《太宗实录》,奏亿参预,凡八十卷,而亿独草五十六卷。景德初,以家贫,乞典郡江左,诏令知通进、银台司兼门下封驳事。俄判史馆,会修《册府元龟》,亿与王钦若同总其事。其序次体制,皆亿所定。三年,召为翰林学士,又同修国史,凡变例多出亿手。大中祥符初,加兵部员外郎、户部郎中。七年,起知汝州。天禧二年冬,拜工部侍郎。明年,权同知贡举,坐考较差谬,降授秘书监。四年,复为翰林学士,受诏注释御集,又兼史馆修撰、判馆事,权景灵宫副使。十二月,卒,年四十七。亿天性颖悟,自幼及终,不离翰墨。文格雄健,才思敏捷,略不凝滞,对客谈笑,挥翰不辍。精密有规裁,善细字起草,一幅数千言,不加点窜,当时学者,翕然宗之。而博览强记,尤长典章制度,时多取正。喜诲诱后进,以成名者甚众。人有片辞可纪,必为讽诵。手集当世之述作,为《笔苑时文录》数十篇。重交游,性耿介,尚名节。多周给亲友,故廪禄亦随而尽。留心释典禅观之学,所著《括苍》、《武夷》、《颍阴》、《韩城退居》、《汝阳》、《蓬山》、《冠鳌》等集、《内外制》、《刀笔》,共一百九十四卷。(《宋史》本传)

闰十月

甲子(二十日),监修国史薛居正等上新修《五代史》百五十卷。(《续资治通鉴长编》卷一五)

本年

徐锴卒,55 岁。锴字楚金,四岁而孤,母方教铉,未暇及锴,能自知书。李景见其文,以为秘书省正字,累官内史舍人,因铉奉使入宋,忧惧而卒,年五十五。李穆使江南见其兄弟文章,叹曰:"二陆不能及也!"(据《宋史》本传)

著有:《说文解字系传》四十卷(《宋史·艺文志一》)、《说文解字韵谱》十卷(《宋史·艺文志一》)、《说文解字通释》四十卷(《宋史·艺文志一》)、《登科记》十五卷(《宋史·艺文志二》)、《方舆记》一百三十卷(《宋史·艺文志三》)、《岁时广记》一百二十卷(《宋史·艺文志四》)、《射书》十五卷(《宋史·艺文志六》)、《徐锴集》十五卷(《宋史·艺文志七》)、《赋苑》二百卷(《宋史·艺文志八》)、《广类赋》二十五卷(《宋史·艺文志八》)、《灵仙赋集》二卷(《宋史·艺文志八》)、《甲赋》五卷(《宋史·艺文志八》)、《赋选》五卷(《宋史·艺文志八》)。

本年重要作品：

　　文：张咏《陕府回銮寺记》。

公元 975 年（宋太祖开宝八年　乙亥）

二月

　　二十四日，以知制诰王祐权知贡举，知制诰扈蒙、左补阙梁周翰、秘书丞雷德骧并权同知贡举，合格奏名进士王式已下二百九十人。（《宋会要辑稿·选举一》）

　　命权同知贡举，始此。戊辰，上御讲武殿，复试王祐等所奏合格举人王式等。因诏之曰："向者登科名级，多为势家所取，致塞孤寒之路，甚无谓也。今朕躬亲临试，以可否进退，尽革畴昔之弊矣。"式等皆顿首谢。于是内出诗赋题试，得进士王嗣宗以下三十人，诸科三十四人。江南进士林松、雷说，试不中格，以其间道来归，并赐《三传》出身。（《续资治通鉴长编》卷一五）

　　二十五日，帝御讲武殿，试礼部奏名进士。内出《桥梁渡长江赋》、《龙船习水战诗》。（《宋会要辑稿·选举七》）

三月

　　十八日，赐及第进士王嗣宗等钱百千，令宴乐。（《宋会要辑稿·选举二》）

　　登进士第者：王嗣宗、王式等。

十一月

　　南唐亡，后主李煜与子弟及官属随宋师北行。

　　煜举族冒雨乘舟，百司官属仅千艘。煜渡中江，望石城泣下，自赋诗云："江南江北旧家乡，三十年来梦一场。吴苑宫闱今冷落，广陵台殿已荒凉。云笼远岫愁千片，雨打归舟泪万行。兄弟四人三百口，不堪闲坐细思量。"至汴口，登普光寺，擎拳赞念久之，散施缗帛甚众。九年春，俘至京师，封违命侯，授左千牛卫上将军。（马令《南唐书》卷五《后主书》）

　　"四十余年家国，三千里地山河"，"几曾识干戈"，"一旦归为臣虏，沈腰潘鬓消磨。最是仓皇辞庙日，教坊犹奏别离歌，挥泪对宫娥。"后主既为樊若水所卖，举国与人，故当恸哭于九庙之外，谢其民而后行，顾乃挥泪宫娥，听教坊离曲哉！（苏轼《书李主词》）

本年

　　冯元（975—1037）生。冯元，字道宗。元幼从崔颐正、孙奭为《五经》大义，与乐安孙质、吴陆参、谯夏侯圭善，群居讲学，或达旦不寝，号"四友"。进士中第，授江阴尉。时诏流内铨取明经者补学官，元自荐通《五经》。补国子监讲书，迁大理评事，擢崇文院检讨兼国子监直讲。王旦闻其名，尝令说《论语》、《老子》，群子弟侍听，因荐之。真宗试进士殿中，召元讲《易》。未几，迁太子中允、直龙图阁，诏预内朝，直龙图阁预内朝自此始。天禧初，数与查道、李虚己、李行简入讲《易》于宣和门北阁。迁太常丞兼判礼部、吏部南曹。擢左正言兼太子右谕德。仁宗即位，迁户部员外郎，为直学士兼侍讲。历会灵观副使、知通进银台司、判登闻检院、同判国子监。同知贡举，进龙图阁学士，预修《三朝正史》。为翰林学士、判都省三班院、史馆修撰、判流内铨兼群牧使，四迁给事中。罢翰林学士、知河阳。召为翰林侍讲学士，迁礼部侍郎、知审官院，复判礼院、国子监。上《金华五箴》，赐书褒答。修《景祐广乐记》，书成，迁户部侍郎。卒，赠本部尚书，谥章靖。（《宋史》本传）

本年重要作品：

词：李煜《破阵子·四十年来家国》。

公元 976 年（宋太祖开宝九年　宋太宗太平兴国元年　丙子）

正月

乙亥（八日），以李煜为右千牛卫上将军，封违命侯。其子弟皆授诸卫大将军，宗属皆授诸卫将军。（《续资治通鉴长编》卷一七）

丙子（九日），以煜司空、知左右内史事汤悦为太子少詹事，太子太保徐游、左内史侍郎徐铉为太子率更令，右内史舍人张洎、王克贞为太子中允。克贞，新涂人，在江南守道中立。国人称其长者。铉性质直，无矫饰。有卢氏簿谢岳者，铉之故人也。凡铨选之制。年七十即罢去。岳与赣州刺史有隙，奏岳年过，不堪其任。时江南人士爵齿，有司疑者，必质于铉。岳求哀曰："犬马之齿，公实知之。岳家贫，亲属多，仰俸禄以给。今罢去，即填沟壑，愿公言不知。"铉曰："我实知而言不知，是欺天也。"卒以实对，吏部遂罢岳官。然故人子弟及亲族之孤贫者来依铉，铉必分俸开馆以纳之。（《续资治通鉴长编》卷一七）

癸未（十六日），命翰林学士李昉、知制诰扈蒙、李穆等，于礼部贡院同阅诸道所解孝弟力田及有文武材干者，凡四百七十八人。及试，问所习之业，皆无可采。而濮州以孝弟荐名者二百七十人，上骇其多，召问于讲武殿，率不如诏。犹自言能习武，复试以骑射，则皆陨越颠沛。上顾曰："止可隶兵籍耳。"众皆号泣求免，乃悉令退去，劾本州官司滥举之罪。（《续资治通鉴长编》卷一七）

乾元殿受降王朝，扈蒙参定其议。有李朴请诛之制，甚繁，具本文。蒙继上《圣功颂》，次年将东封，又进御札草。上爱之，批于纸尾，奖之云："《圣功颂》及此辞，无一字可议。"后应制后苑，诗有"微臣自愧头如雪，也向钧天侍玉皇"。上和以赐曰："珍重老臣纯不已，我惭寡昧继三皇。"为之美传。（文莹《玉壶清话》卷七）

五月

辛卯（二十五日），左司员外郎、知制诰扈蒙权知荆南府，卢多逊恶之也。（《续资治通鉴长编》卷一七）

辛卯（二十五日），遣司勋员外郎和岘江南道采访。（《续资治通鉴长编》卷一七）

九月

　　癸酉（十日），户部尚书致仕、赠左仆射刘熙古卒，74 岁。刘熙古，字义淳，宋州宁陵人，唐左仆射仁轨十一世孙。熙古年十五，通《易》、《诗》、《书》；十九，通《春秋》、子、史。避祖讳，不举进士。后唐长兴中，以《三传》举。时翰林学士和凝掌贡举，熙古献《春秋极论》二篇、《演论》三篇，凝甚加赏，召与进士试，擢第，遂馆于门下。太祖领宋州，为节度判官。即位，召为左谏议大夫，知青州。建隆二年，受诏制置晋州榷矾。乾德初，迁刑部侍郎、知凤翔府。未几，移秦州。转兵部侍郎，徙知成都府。六年，就拜端明殿学士。丁母忧。开宝五年，诏以本官参知政事。岁余，以足疾求解，拜户部尚书致仕。九年，卒，年七十四。赠右仆射。熙古兼通阴阳象纬之术，作《续聿斯歌》一卷、《六壬释卦序例》一卷。尝集古今事迹为《历代纪要》十五卷。颇精小学，作《切韵拾玉》二篇，摹刻以献，诏付国子监颁行之。（《宋史》本传）

　　著有：《切韵拾玉》五卷（《宋史·艺文志一》）、《历代纪要》五十卷（《宋史·艺文志二》）、《续聿斯歌》一卷（《宋史》本传）、《六壬释卦序例》一卷（《宋史》本传）。

十月

　　壬子（十九日），命内侍王继恩就建隆观设黄箓醮。令守真降神，神言："天上宫阙已成，玉锁开。晋王有仁心。"言讫不复降。上闻其言，即夜召晋王，属以后事。左右皆不得闻，但遥见烛影下晋王时或离席，若有所逊避之状。既而，上引柱斧戳地，大声谓晋王曰："好为之。"（《续资治通鉴长编》卷一七）

　　癸丑（二十日），上（太祖）崩于万岁殿。时夜已四鼓，宋皇后使王继恩出，召贵州防御使德芳。继恩以太祖传国晋王之志素定，乃不诣德芳，径趋开封府召晋王，见左押衙程德元先坐于府门。德元者，荥泽人，善为医。继恩诘之，德元对曰："我宿于信陵坊，乙夜有当关疾呼者曰：'晋王召。'出视则无人，如是者三。吾恐晋王有疾，故来。"继恩异之，乃告以故，扣门与俱入见王，且召之。王大惊，犹豫不行，曰："吾当与家人议之。"入久不出，继恩促之曰："事久，将为它人有矣。"时大雪，遂与王于雪中步至宫。继恩使王止于直庐，曰："王且待于此，继恩当先入言之。"德元曰："便应直前，何待之有！"乃与王俱进至寝殿。后闻继恩至，问曰："德芳来耶？"继恩曰："晋王至矣。"后见王愕然，遽呼"官家"，曰："吾母子之命，皆托于官家。"王泣曰："共保富贵，勿忧也。"（《续资治通鉴长编》卷一七）

　　艺祖皇帝尝有《咏月》诗曰："未离海底千山暗，才到天中万国明。"大哉言乎！拨乱反正之心，见于此诗矣。又窃闻上微时，客有咏初日诗者，语虽工而意浅陋，上所不喜。其人请上咏之，即应声曰："太阳初出光赫赫，千山万山如火发。一轮顷刻上天衢，逐退群星与残月。"盖本朝以火德王天下。及上登极，僭窃之国以次削平，混一

29

之志，先形于言，规模宏远矣。（陈岩肖《庚溪诗话》卷上）

甲寅（二十一日），太宗即位，群臣谒见万岁殿之东楹，帝号恸殒绝。（《续资治通鉴长编》卷一七）

十一月

乙亥（十三日），以太子少詹事汤悦、率更令徐铉并直学士院，太子中允张洎直舍人院。直舍人院自洎始。（《续资治通鉴长编》卷一七）

是月，刘𬭁封卫国公，李煜封陇西郡公，煜去违命侯之号。（《续资治通鉴长编》卷一七）

十二月

甲寅（二十二日），大赦，改是岁为太平兴国元年。（《宋史·太宗本纪一》）

上以亲政逾月，特与天下更始，非故事也。（《续资治通鉴长编》卷一七）

本年

释智圆（976—1022）生。智圆，孤山法师，钱塘人。本姓徐，字无外，自号中庸子。神宇清明，道韵凝粹，妙年能属文，匪由师授。有《命湖光文》，拟韩而作。（《咸淳临安志》卷七〇）

公元 977 年（宋太宗太平兴国二年　丁丑）

正月

七日，帝御讲武殿，试礼部奏名进士。内出《训兵练将赋》、《主圣臣贤诗》题。（《宋会要辑稿·选举七》）

上初即位，以疆宇至远，吏员益众，思广振淹滞，以资其阙。顾谓侍臣曰："朕欲博求俊乂于科场中，非敢望拔十得五，止得一二，亦可为致治之具矣。"先是，诸道所发贡士凡五千三百余人，命太子中允直舍人院张洎、右补阙石熙载试进士，左赞善大夫侯陶等试诸科，户部郎中侯陟监之。于是，礼部上所试合格人名。戊辰（七日），上御讲武殿，内出诗赋题复试进士，赋韵平侧相间依次用。命翰林学士李昉、扈蒙定其优劣为三等，得河南吕蒙正以下一百九人。庚午，复试诸科，得二百七人，并赐及第。又诏礼部阅贡籍，得十五举以上进士及诸科一百八十四人，并赐出身。《九经》七人不及格，上怜其老，特赐同《三传》出身。凡五百人，皆先赐绿袍靴笏，锡宴开宝寺，上自为诗二章赐之。唐时礼部放榜之后，醵饮于曲江，号曰"闻喜宴"，五代多于佛舍名园。周显德中，官为主之。上命中使典领，供帐甚盛。第一、第二等进士并《九经》授将作监丞、大理评事，通判诸州。同出身进士及诸科并送吏部免选，优等注拟初资职事，判司、簿、尉。宠章殊异，历代所未有也。薛居正等言取人太多，用人太骤。上意方欲兴文教，抑武事，弗听。及蒙正等辞，特召令升殿，谕之曰："到治所，事有不便于民者，疾置以闻。"仍赐装钱，人二十万。或云：太祖之幸西京也，洛阳人张齐贤献下并汾、富民、封建、敦孝、举贤、太学、籍田、选良吏、惩奸、谨刑十策。太祖召见便坐，问之，齐贤以手画地条陈，太祖善其四策，齐贤坚执其余策皆善，太祖怒，令卫士拽出。及还，语上曰："我幸西京，唯得一张齐贤，我不欲遂官爵之，汝异时可收以自辅也。"于是齐贤举进士，上决欲置之高等，而有司第其名适在数十人后。上不悦，乃诏进士尽第二等及《九经》凡一百三十人悉与超除，盖为齐贤故也。（《续资治通鉴长编》卷一八）

吴越王俶遣其子温州刺史惟演来修贡，贺登极。（《续资治通鉴长编》卷一八）

十日，赐新及第进士、诸科绿袍、靴笏。时未命官先解褐，非常制也。（《宋会要辑稿·选举二》）

登进士第者：吕蒙正、李至、温仲舒、张齐贤、王化基、冯拯、陈恕、张宏、韩国华、臧丙、马汝士、王沔、宋泌、韩丕、吕祐之等。

二月

右千牛卫上将军李煜自言其贫，乙未（四日），诏赐钱三百万。煜虽贫，张洎犹匀索之，煜以白金颒面器与洎，洎意歉然。时潘谨修掌煜记室，洎疑谨修教煜，素与谨修善，自是亦稍疏焉。（《续资治通鉴长编》卷一八）

三月

戊寅（十七日），命翰林学士李昉等编类书为一千卷，小说为五百卷。（《续资治通鉴长编》卷一八）

庚寅（二十九日），知江州周述言：庐山白鹿洞学徒常数千百人，乞赐《九经》，使之肄习。诏：国子监给本，仍传送之。（《续资治通鉴长编》卷一八）

五月

丁亥，诏太子中舍陈鄂等同详定《玉篇》、《切韵》。（《续资治通鉴长编》卷一八）

本年重要作品：

诗：寇准《春日怀张曙》。

公元 978 年（宋太宗太平兴国三年　戊寅）

正月

己酉（二十四日），命翰林学士李昉等修《太祖实录》，直学士院汤悦等修《江表事迹》。（《续资治通鉴长编》卷一九）

二月

建隆初，三馆所藏书仅一万二千余卷。及平诸国，尽收其图籍，唯蜀、江南最多，凡得蜀书一万三千卷、江南书二万余卷。又下诏开献书之路，于是天下书复集三馆，篇帙稍备。自梁氏都汴，贞明中始以今右长庆门东北小屋数十间为三馆，湫隘才蔽风雨。周庐徼道，出于其侧，卫士骑卒，朝夕喧杂。每诸儒受诏有所论撰，即移于它所始能成之。上初即位，因临幸周览，顾左右曰："若此之陋，岂可蓄天下图籍，延四方贤俊耶！"即诏有司度左升龙门东北旧车辂院，别建三馆。命中使督工徒，昼夜兼作。其栋宇之制，皆亲所规画。自经始至毕功，临幸者再，轮奂壮丽，甲于内廷。二月丙辰朔（一日），诏赐名为崇文院。西序启便门，以备临幸。尽迁旧馆之书以实之。院之东廊为昭文书；南廊为集贤馆；西廊有四库，分经、史、子、集四部，为史馆书。六库书籍正副本凡八万卷，策府之文，焕乎一变矣。（《续资治通鉴长编》卷一九）

五月

一日，吴越国王钱俶归朝。

初，吴越王俶将入朝，尽辇其府实而行。分为五十进，犀象、锦彩、金银、珠贝、茶绵及服御器用之物逾钜万计。俶意求反国，故厚其贡奉，以悦朝廷。宰相卢多逊劝上留俶不遣，凡三十余进，不获命。会陈洪进纳土，俶恐惧，乃籍其国兵甲献之。是日，复上表乞罢所封吴越国及解天下兵马大元帅之职、寝书诏不名之制，且求归本道，上不许，俶不知所为。崔仁冀曰："朝廷意可知矣。大王不速纳土，祸且至。"俶左右争言不可，仁冀厉声曰："今已在人掌握中，去国千里，唯有羽翼乃能飞去耳。"俶独与仁冀决策，遂上表献所管十三州、一军。卜御崇元殿受朝，如冬正仪。俶朝退，将吏僚属始知之，千余人皆恸哭曰："吾王不归矣。"凡得县八十六、户五十五万六百八、兵十一万五千三十六。（《续资治通鉴长编》卷一九）

丁亥（三日），徙封钱俶为淮海国王，以其子镇海、镇东节度使惟浚为淮南节度使，奉国节度使惟治为镇国节度使，平江节度使孙承佑为泰宁节度使，威武节度使沈承礼为安化节度使，浙江西道盐铁副使崔仁冀为淮南节度副使。（《续资治通鉴长编》卷一九）

七月

八日，李煜被毒卒，42岁。太平兴国三年，公病，命翰林医官视疾，中使慰谕者数四。翌日，薨。在位十有五年，年四十二，追封吴王，以王礼葬洛京之北邙山。江南人闻之，巷哭设斋。王著杂说百篇，时人以为可继《典论》。又妙于音律。旧曲有《念家山》，王亲演为《念家山破》，其声焦杀，而其名不祥，乃败征也。（马令《南唐书》卷五《后主书》）

太平兴国三年秋七月八日遘疾，薨于京师里之第，享年四十有二。皇上抚几兴悼，投爪轸悲，痛生之不逮。俾没而加饰，特诏辍朝三日，赠太师，追封吴王。命中使临葬，凡丧祭所须皆从官给。即其年冬十月日葬于河南府某县某乡某里礼也。（徐铉《大宋左千牛卫上将军追封吴王陇西公墓志铭并序》）

徐铉归朝，为左散骑常侍，迁给事中。太宗一日问："曾见李煜否？"铉对以："臣安敢私见之！"上曰："卿第往，但言朕令卿往相见可矣。"铉遂径往其居，望门下马，但一老卒守门。徐言："愿见太尉。"卒言："有旨不得与人接，岂可见也！"铉云："我乃奉旨来见。"老卒往报，徐入立庭下久之。老卒遂入，取旧椅子相对。铉遥望见，谓卒曰："但正衙一椅足矣。"顷间，李主纱帽道服而出。铉方拜，而李主遽下阶引其手以上。铉告辞宾主之礼，主曰："今日岂有此礼？"徐引椅少偏乃敢坐。后主相持大哭，及坐默不言。忽长吁叹曰："当时悔杀了潘佑、李平。"铉既去，乃有旨再对，询后主何言。铉不敢隐，遂有秦王赐牵机药之事。牵机药者，服之前却数十回，头足相就如牵机状也。又后主在赐第，因七夕命故妓作乐，声闻于外，太宗闻之大怒。又传"小楼昨夜又东风"及"一江春水向东流"之句，并坐之，遂被祸云。（王铚《默记》卷上）

著有：《南唐二主词》一卷（陈振孙《直斋书录解题·歌词类》）、《李煜集》十卷（《崇文总目·别集类二》）、《江南李王诗》一卷（《崇文总目·别集类五》）、《杂说》六卷（郑樵《通志·艺文六》）。

词至李后主而眼界始大，感慨遂深，遂变伶工之词而为士大夫之词。周介存置诸温、韦之下，可谓颠倒黑白矣。"自是人生长恨水长东"，"流水落花春去也，天上人间"，《金荃》、《浣花》能有此气象耶？（王国维《人间词话》）

词人者，不失其赤子之心者也。故生于深宫之中，长于妇人之手，是后主为人君所短处，亦即为词人所长处。（王国维《人间词话》）

八月

八日，命兵部员外郎刘兼、太子中允直舍人院张洎、左赞善大夫郭贽考试诸州特解送举人。（《宋会要辑稿·选举一九》）

十三日，《太平广记》成书。

《实录》：太平兴国二年三月戊寅，诏翰林学士李昉、扈蒙，左补阙知制诰李穆、太子少詹事汤悦、太子率更令徐铉、太子中允张洎、左补阙李克勤、右拾遗宋白、太子中允陈鄂、光禄寺丞徐用宾、太府寺丞吴淑、国子寺丞舒雅、少府监丞吕文仲、阮思道等十四人，同以前代《修文御览》、《艺文类聚》、《文思博要》及诸书，分门编为一千卷。又以野史、传记、小说、杂编为五百卷。《会要》：先是，帝阅类书，门目纷杂，遂诏修此书。兴国二年三月，诏昉等取野史小说集为五百卷，三年八月书成，号曰《太平广记》，六年诏令镂版。（王应麟《玉海》卷五四）

著录：李昉《进太平广记表》、王尧臣等《崇文总目·类书类上》、宋敏求《春明退朝录》卷下、郑樵《通志·艺文略七》、晁公武《郡斋读书志·小说类》、尤袤《遂初堂书目·小说类》、陈振孙《直斋书录解题·小说家类》、王应麟《玉海》卷五四、《宋史·艺文志五》、胡应麟《少室山房笔丛》卷一九、《四库全书总目》卷一四二、陆心源《皕宋楼藏书志》卷六四、耿文光《万卷精华楼藏书记》卷九九、丁丙《善本书室藏书志》卷二一、缪荃孙《艺风藏书记》卷八、邵懿辰《增订四库简明目录标注》卷一四、王重民《中国善本书提要·小说类》、傅增湘《藏园群书经眼录》卷一〇、杨守敬《日本访书记》、《北京图书馆古籍善本书目》。

版本：嘉靖四十五年谈恺刻本、隆庆万历间活字本、万历许自昌刻本、沈与文野竹斋抄本、康熙七年孙潜校宋本、乾隆二十年黄晟槐荫堂巾箱本、影印文渊阁四库全书本、嘉庆陈鳣校宋本、民国十二年扫叶山房本、《笔记小说大观》本。

《太平广记》五百卷，宋李昉奉敕监修。同修者：扈蒙、李穆、汤悦、徐铉、宋白、王克贞、张洎、董淳、赵邻几、陈鄂、吕文仲、吴淑十二人也。以太平兴国二年三月奉诏，三年八月表进，六年正月敕雕板印行。凡分五十五部，所采书三百四十五种，古来轶闻琐事、僻笈遗文咸在焉。卷帙轻者，往往全部收入。盖小说之家渊海也。《玉海》称："《广记》镂本颁天下，后以言者谓非后学所急，收板贮之太清楼。"故北宋人多未之睹。郑樵号为博洽，《通志·校雠略》中乃谓《太平广记》为《太平御览》中别出《广记》一书，专记异事，误合两书而一之，是樵亦未尝见矣。其书虽多谈神怪，而采摭繁富，名物典故，错出其间。词章家恒所取用，考证家亦多所取资。又唐以前书，世所不传者，断简残编，尚间存其什一，尤足贵也。此本为明嘉靖中右都御史谈恺所刊，卷页间有阙佚。今亦姑仍旧本录之焉。（《四库提要》卷一四二）

初，淮海王俶入朝，命其子镇国节度使惟治权知吴越国事。于是，惟治悉奉兵民、图籍、帑廪、管钥授知杭州范旻，与其弟惟演、惟灏等皆赴阙。诏遣内侍护诸司供帐，迎劳于近郊。壬申（二十日），对于长春殿，各赐衣带、鞍马、器币。（《续资治通鉴长编》卷一九）

九月

上先诏权罢贡举，复恐场屋间有留滞者，乃诏诸州，去年已得解者，除《三礼》、《三传》、学究外，余并以秋集礼部。

甲申朔（一日），上御讲武殿，复试合格人，进士加论一首，自是常以三题为准。得渤海胡旦以下七十四人。乙酉（二日），得诸科七十人。并赐及第，始赐宴于迎春苑，授官如二年之制。故事，礼部唯春放榜，至是秋试，非常例也。诏自今广文馆及诸州府、礼部试进士律赋，并以平侧依次用韵。（《续资治通鉴长编》卷一九）

二日，帝御讲武殿，试礼部奏名进士。内出《不阵而成功赋》、《二仪合德诗》，登讲武台观习战论。（《宋会要辑稿·选举七》）

登进士第者：胡旦、田锡、赵昌言、李痒、崔策、罗彧、牛冕、张肃、焦晟、董俨、宋太初、薛映、张鉴、桑光辅、李昌龄、冯拯、王利用、陈象舆、赵晙、赵曦、李及等。

故事，进士期集，常择榜中最年少者为探花郎。熙宁中始罢之。太平兴国三年，胡秘监旦榜，冯文懿拯为探花，是岁登第七十四人，太宗以诗赐之曰："二三千客里成事，七十四人中少年。"始，唐以礼部放榜，故座主门生之礼特盛，主司因得窃市私恩。上（本朝）稍欲革其弊，既更廷试，前一岁吕文穆公蒙正为状头，始赐以诗，盖示以优宠之意，至是复赐文懿。然状头诗迄今时有，探花诗后无继者，唯文懿一人而已，最为科举之盛事也。（《诗话总龟后集》卷一引《蔡宽夫诗话》）

胡旦少有俊才，尚气凌物，尝语人曰："应举不作状元，仕宦不作宰相，乃虚生也。"随计之秋，郡守坐中闻雁，旦赋诗曰："明年春色里，领取一行归。"诗人皆壮其言。明年果魁天下。终以俊才忤物，不登显位而卒。（王辟之《渑水燕谈录》卷四）

十一月

二十日，以新及第进士胡旦、田锡、赵昌言、李庶并为将作监丞，崔策等七十人并为大理评事、通判诸州事及诸州监当。（《宋会要辑稿·选举二》）

本年

王曾（978—1038）生。王曾，字孝先，青州益都人。咸平中，由乡贡试礼部、廷对皆第一。杨亿见其赋，叹曰："王佐器也。"以将作监丞通判济州。代还，当召试学士院，授秘书省著作郎、直史馆、三司户部判官。迁右正言、知制诰兼史馆修撰。迁翰林学士。知审刑院，再迁尚书主客郎中。知审官院、通进银台司、勾当三班院，遂以右谏议大夫参知政事。徙天雄军，复参知政事，迁吏部侍郎兼太子宾客。仁宗立，迁礼部尚书。拜中书侍郎兼本官、同中书门下平章事、集贤殿大学士、会灵观使。王钦若卒，曾以门下侍郎兼户部尚书为昭文馆大学士、监修国史、玉清昭应宫使。景祐元年，为枢密使。明年，拜右仆射兼门下侍郎、平章事、集贤殿大学士，封沂国公。以左仆射、资政殿大学士判郓州。宝元元年冬，薨，年六十一。赠侍中，谥文正。皇祐中，仁宗为篆其碑曰"旌贤之碑"，后又改其乡曰旌贤乡。（《宋史》本传）

杜衍（978—1057）生。杜衍，字世昌，越州山阴人。擢进士甲科，补扬州观察推官，改秘书省著作佐郎、知平遥县。擢知乾州，徙权知凤翔府。以太常博士提点河东路刑狱，迁尚书祠部员外郎。徙河东转运副使、陕西转运使。召为三司户部副使，擢天章阁待制、知江陵府。未行，会河北乏军费，选为都转运使，迁工部郎中。还为枢密直学士。求补外，以右谏议大夫知天雄军。仁宗特召为御史中丞，兼判吏部流内铨。迁尚书工部侍郎、知永兴军，加龙图阁学士。宝元二年，迁刑部侍郎、复知永兴军。再拜同知枢密院事，改枢密副使。为河东宣抚使，拜吏部侍郎、枢密使。再拜同平章事、集贤殿大学士兼枢密使。以尚书左丞出知兖州。庆历七年，衍甫七十，上表请还印绶，乃以太子少师致仕。皇祐元年，特迁太子太保，进太子太傅，又进太子太师，封祁国公。衍善为诗，正书、行、草皆有法。卒，年八十。赠司徒兼侍中，谥正献。（《宋史》本传）

章得象（978—1048）生。章得象，字希言，世居泉州。高祖仔钧，事闽为建州刺史，遂家浦城。进士及第，为大理评事、知玉山县，迁本寺丞。真宗将东封泰山，以殿中丞签书兖州观察判官事，知台州，历南雄州，徙洪州。杨亿以为有公辅器，荐之。未几，召试，为直史馆、安抚京东，权三司度支判官，累迁尚书刑部郎中，使契丹，遂以兵部郎中知制诰。逾年，为翰林学士，迁右谏议大夫，以给事中为群牧使，迁礼部侍郎兼龙图阁学士，进承旨兼侍讲学士，擢同知枢密院事，迁户部侍郎，遂拜同中书门下平章事、集贤殿大学士。陕西用兵，加中书侍郎兼工部尚书兼枢密使，辞所加官。明年，以工部尚书为昭文馆大学士。庆历五年，拜镇安军节度使、同平章事，封郇国公，徙判河南府，守司空致仕，薨。赠太尉兼侍中，谥文宪。皇祐中，改谥文简。（《宋史》本传）

本年重要作品：

　　文：张咏《声赋》。

　　诗：徐铉《吴王挽辞》。

　　词：李煜《虞美人·春花秋月何时了》。

公元 979 年（宋太宗太平兴国四年　己卯）

正月

　　丁亥（七日），命太子中允、直舍人院张洎，著作佐郎、直史馆华阳勾中正，使高丽。（《续资治通鉴长编》卷二〇）

春

　　擢柳开为赞善大夫，从驾平晋，督楚、泗八州刍粟。（张景《柳公行状》）

五月

　　甲申（六日），北汉平，凡得州十、军一、县四十一，户三万五千二百二十。兵三万。（《续资治通鉴长编》卷二〇）

　　己丑（十一日），上作《平晋赋》，令从臣皆赋。又作《平晋诗》二章，令从臣和。（《续资治通鉴长编》卷二〇）

　　王钦若作《平晋赋论》献行在。（《宋史·王钦若传》）

九月

　　初，刘继元降之明日，左拾遗大名宋白献《平晋颂》，上夜召至行宫褒慰，且曰："竢还京，授尔书命之职。"丙戌（十日），与右补阙郭贽并为中书舍人。（《续资治通鉴长编》卷二〇）

本年

　　赵邻几卒，59 岁。赵邻几，字亚之，郓州须城人，家世为农。邻几少好学，能属文，尝作《禹别九州赋》，凡万余言，人多传诵。周显德二年举进士，解褐秘书省校书郎，历许州、宋州从事。太平兴国初，召为左赞善大夫、直史馆，改宗正丞。四年，迁左补阙、知制诰，数月卒，年五十九。中使护葬。邻几为文浩博，慕徐、庾及王、杨、卢、骆之体，每构思，必敛衽危坐，成千言始下笔。属对精切，致意缜密，时辈咸推服之。常欲追补唐武宗以来实录，会疾革，唯以书未成为恨。太宗遣直史馆钱熙往取其书，得邻几所补《会昌以来日历》二十六卷及文集三十四卷，所著《鲰子》一卷、《六帝年略》一卷、《史氏懋官志》五卷，并他书五十余卷来上。（《宋史》本传）

著有：《史氏懋官志》五卷（《宋史·艺文志二》）、《鲰子》一卷（《宋史·艺文志四》）、《禹别九州赋》三卷（《宋史·艺文志七》）、《会昌以来日历》二十六卷（《宋史》本传）、《六帝年略》一卷（《宋史》本传）。

穆修（979—1032）生。穆修，字伯长，郓州人。幼嗜学，不事章句。真宗东封，诏举齐、鲁经行之士，修预选，赐进士出身，调泰州司理参军。贬池州，中道亡至京师，叩登闻鼓诉冤，不报。居贬所岁余，遇赦得释。久之，补颍州文学参军，徙蔡州。明道中，卒。修性刚介，且将用为学官，修终不往见。自五代文敝，国初，柳开始为古文。其后，杨亿、刘筠尚声偶之辞，天下学者靡然从之。修于是时独以古文称，苏舜钦兄弟多从之游。修虽穷死，然一时士大夫称能文者必曰穆参军。庆历中，祖无择访得所著诗、书、序、记、志等数十首，集为三卷。（《宋史》本传）

范雍（979—1046）生。范雍，字伯纯，世家太原。中进士第，为洛阳县主簿。累官殿中丞、知端州。迁太常博士。寇准辟为河南通判，还，判三司开拆司。河决滑州，选为京东转运副使。历河北、陕西转运使，入为三司户部副使，又徙度支。以尚书工部郎中为龙图阁待制、陕西都转运使。还，提举诸司库务，勾当三班院。迁右谏议大夫、权三司使。在京东时，平滑州水患。以劳加龙图阁直学士。明年，拜枢密副使。丁母忧，起复，迁给事中。迁尚书礼部侍郎。太后崩，罢为户部侍郎、知陕州，改永兴军。以疾，请近郡，遂知河阳。进吏部侍郎，徙应天府，又改河南府，进资政殿学士。既而元昊反，拜振武军节度使、知延州。居一岁，复吏部侍郎、知河中府。又为资政殿学士、知永兴军兼转运司事，迁尚书左丞，加大学士。复徙河南府，又迁礼部尚书，卒。赠太子太师，谥忠献。（《宋史》本传）

吕夷简（979—1044）生。吕夷简，字坦夫，先世莱州人。祖龟祥知寿州，子孙遂为寿州人。夷简进士及第，补绛州军事推官，稍迁大理寺丞。通判通州，徙濠州，再迁太常博士。擢刑部员外郎兼侍御史知杂事。改起居舍人、同勾当通进司兼银台封驳事。使契丹，还，知制诰。两川饥，为安抚使，进龙图阁直学士，再迁刑部郎中、权知开封府。仁宗即位，进右谏议大夫。以给事中参知政事。迁尚书礼部侍郎、修国史，进户部，拜同中书门下平章事、集贤殿大学士、景灵宫使。进吏部，拜昭文馆大学士、监修国史。天圣末，加中书侍郎。进尚书右仆射兼门下侍郎，辞仆射，乃兼吏部尚书。加右仆射，封申国公。以镇安军节度使、同平章事判许州，徙天雄军。未几，以右仆射复入相，逾年，进位司空，辞不拜，徙许国公。未几，感风眩，诏拜司空、平章军国重事。三年春，乃授司徒、监修国史，军国大事与中书、枢密同议。固请老，以太尉致仕。既薨，赠太师、中书令，谥文靖。后曾家请御篆墓碑，帝因书"怀忠之碑"四字以赐之。有集二十卷。（《宋史》本传）

蒋堂（979—1053）生。蒋堂，字希鲁，常州宜兴人。擢进士第，为楚州团练推官。满岁，吏部引对，真宗览所试判，善之，特授大理寺丞、知临川县。历通判眉、许、吉、楚州，以太常博士知泗州，召为监察御史。再迁侍御史、判三司度支勾院，出为江南东路转运使，徙淮南，兼江、淮发运事。坐失按蕲州王蒙正故入部吏死罪，降知越州。徙苏州，入判刑部，徙户部勾院，历户部、度支、盐铁副使，安抚梓夔路，擢天章阁待制、江淮制置发运使。就除河东路都转运使，未行，知洪州。改应天府，累迁左司郎中、知杭州，以枢密直学士知益州。久之，或以为私官妓，徙河中府，又徙杭州、苏州。以尚书礼部侍郎致仕，卒，特赠吏部侍郎。堂为人清修纯饬，遇事毅然不屈，贫而乐施。好学，工文辞，延誉晚进，至老不倦，尤嗜作诗，有《吴门集》二十卷。（《宋史》本传）

公元980年（宋太宗太平兴国五年　庚辰）

正月

八日，以文明殿学士程羽权知贡举，御史中丞侯陟、中书舍人郭贽、宋白、殿中丞陈鄂、尚书博士邢昺权同知贡举，合格进士某乙已下若干人。（《宋会要辑稿·选举一》）

三月

丙申（十一日），上作《喜春雨诗》，令近臣和。（《续资治通鉴长编》卷二一）

闰三月

甲寅（十一日），上御讲武殿，复试权知贡举程羽等所奏合格进士，得铜山苏易简以下百一十九人，又得诸科五百三十三人。并分第甲乙，赐宴，始有直史馆陪座之制。进士第一等授将作监丞，通判藩郡；次授大理评事，知令、录事；诸科授初等职事及判、司、簿、尉。时刘昌明、颜明远、毗陵张观、宜黄乐史等四人皆以见任官举进士，上惜科第不与，特授近藩掌书记。唐有敕赐及第以表特恩，开宝以来，御试中第一者皆称之。其文臣有不由科第者，或因献文别试，以敕赐进士及第，或赐御前进士及第。又有同进士及进士出身之目。其后，复赐乐史进士及第，仍附是年第一等进士之下。（《续资治通鉴长编》卷二一）

十一日，帝御讲武殿，试礼部奏名进士。内出《春雨如膏赋》、《明州进白鹦鹉诗》、《文武何先论》题。（《宋会要辑稿·选举七》）

登进士第者：苏易简、张咏、陈若拙、李沆、向敏中、宋湜、谢泌、王砺、李含章、马亮、晁迥、张秉、王旦、寇准、何蒙、乐史、魏廷式、康戬、李逢、刘昌明、颜明远、张观、张适等。

寇准授大理评事，知巴东县。

寇莱公诗，才思融远。年十九进士及第，初知巴东县，有诗云："野水无人渡，孤舟尽日横。"又尝为《江南春》云:"波渺渺,柳依依。孤村芳草远,斜日杏花飞。江南春尽离肠断,萍满汀洲人未归。"为人脍炙。(司马光《温公续诗话》)

四月

八日,释重显(980—1052)生。

禅师讳重显,字隐之,大寂九世之孙,智门之法嗣也。俗姓李氏,母文氏。太平兴国五年四月八日生大师于遂州。七岁有僧过其门,挽持裂裳,喜不自胜。闻梵呗之声辄泣下,父母问其故,恳请出家,父母执不可,师不食者累日。咸平中,终父母丧,诣益州普安院仁铣师,落发为弟子。往池州景德寺,为首座。南游杭州,住持苏州洞庭翠峰,嗣智门也。未几,曾公出守明州,手疏请师住持雪窦资圣。雪窦,本智觉禅师之道。加明觉之号,住持三十一载,度僧七十八人。是夜盥浴整衣侧卧而灭,时皇祐四年六月十日,俗寿七十三,僧腊五十。盖文轸、圆应、文政、远尘、允诚、子环相与衰记,提唱、语句、诗颂为《洞庭语录》、《雪窦开堂录》、《瀑泉集》、《子英集》、《颂古集》、《拈古集》、《雪窦后录》,凡七集。(《延祐四明志》卷一七)

有赵国昌者求应"百篇举"。癸未(十日),上亲试之,出杂题二十字,令各赋五篇,篇八句。逮至日旰,仅成数十首,率无可观。上以此科久废,特赐及第以劝来者。仍诏有司,自今应"百篇举",约此为题。(《续资治通鉴长编》卷二一)

六月

己亥(二十七日),以江州白鹿洞主明起为蔡州褒信县主簿。白鹿洞在庐山之阳,常聚生徒数百人。李煜僭窃时,割善田数十顷,岁取其租廪给之。选太学之通经者,授以他官,俾领洞事,日为诸生讲诵。至是,起建议以其田入官,故爵命之。白鹿洞由是渐废矣。(《续资治通鉴长编》卷二一)

八月

甲戌(三日),乡贡进士孟渝为固始县主簿。渝,长沙人,尝著《野史》三十卷。石熙载之在湖南,与渝甚厚。至是,来献所著书,熙载为言于上,故有是命。(《续资治通鉴长编》卷二一)

九月

甲辰(三日),史馆上《太祖实录》五十卷。(《续资治通鉴长编》卷二一)

太常丞宋琪前知大通监,上召归,将遂擢用,为卢多逊所诅。丙寅(二十五日),授都官郎中,出知广州。将行,对于便殿,面赐金紫。上以藩邸旧僚,不欲使之远出,因留不行。寻令判三司勾院。(《续资治通鉴长编》卷二一)

十二月

二十八日，江直木卒，64 岁。君讳直木，字子建，寻阳人也。七岁以神童擢第，未几，丁先公忧。学古属文，唯日不足。爰及弱冠，遂以词艺知名。其为文清淡简约，自为品格，尤长于古风诗。家居凡二十五年，乃从常调，释褐太常寺奉礼郎，转江都县主簿，改江夏令。十有余年，累迁至水部员外郎，赐绯，而记室如故。庚午岁，府君奉使天朝，留镇兖海，授君奉宁节度判官、检校金部员外郎。数年，迁司门员外郎，判刑部。今上元年，加朝奉郎，拜兵部员外郎，仍兼刑部。享年六十有四。居常康宁，微病数日，奄从物故，时太平兴国五年冬十二月二十八日也。君有文集二十卷。（徐铉《大宋故尚书兵部员外郎江君墓志铭》）

著有：《江直木集》二十卷（徐铉《江君墓志铭》）。

本年

杨偕（980—1049）生。

杨偕，字次公，坊州中部人。少从种放学于终南山，举进士，释褐坊州军事推官、知汧源县，再调汉州军事判官。召试学士院，不中，改永兴军节度推官。又上书论陕西边事，复召试，不赴，即迁秘书省著作佐郎，为审刑院详议官，再迁太常博士。宋绶荐为监察御史，改殿中侍御史。与曹修古连疏，言刘从德遗奏恩太滥，贬太常博士、监舒州税。以尚书祠部员外郎知光州，改侍御史，为三司度支判官。以尚书户部员外郎兼侍御史知杂事。判吏部流内铨，徙三司度支副使，擢天章阁待制、河北转运使。明年，丁母忧，愿终制，不许，进龙图阁直学士、知河中府。进枢密直学士、知并州。明年，改左司郎中、本路经略安抚招讨使。久之，迁翰林侍读学士、知审官院，复以为左司郎中。求知越州，道改杭州。还，判太常、司农寺，改右谏议大夫。请老，以尚书工部侍郎致仕。卒，遗奏《兵论》一篇，帝怜之，特赠兵部侍郎。偕与人少合，尤喜古今兵法，有《兵书》十五卷，集十卷。（《宋史》本传）

本年重要作品：

文：王禹偁《三杰佐汉孰优论》、王禹偁《送张咏宰崇阳序》、王禹偁《送进士郝太冲序》、王禹偁《谕交趾文》。

诗：寇准《再归秦川》、寇准《途中作》、寇准《书山馆壁》、寇准《庚辰岁将命至巴东时已秋序霜荷索然偶赋是章用遣幽恨》。

公元 981 年（宋太宗太平兴国六年 辛巳）

六月

甲戌，赠太尉、中书令、谥文惠、司空、同平章事薛居正卒，70 岁。薛居正，字子平，开封浚仪人。少好学，有大志。清泰初，举进士不第，为《遣愁文》以自解，寓意倜傥，识者以为有公辅之量。逾年，登第。宋初，迁户部侍郎。太祖亲征李筠及李重进，并留司三司，俄出知许州。建隆三年，入为枢密直学士，权知贡举。初平湖湘，以居正知朗州。乾德初，加兵部侍郎。以本官参知政事。五年，加吏部侍郎。开宝五年，兼淮南、湖南、岭南等道都提举三司水陆发运使，又兼门下侍郎，监修国史；又监修《五代史》，逾年毕，锡以器币。六年，拜门下侍郎、平章事。太平兴国初，加左仆射、昭文馆大学士。从平晋阳还，进位司空。因服丹砂遇毒，方奏事，觉疾作，遽出。舆归私第卒，六年六月也，年七十。赠太尉、中书令，谥文惠。居正好读书，为文落笔不能自休。子唯吉集为三十卷上之，赐名《文惠集》。咸平二年，诏以居正配飨太祖庙庭。（据《宋史》本传）

著有：《五代史》一百五十卷（《宋史·艺文志二》）、《薛居正集》三十卷（《宋史·艺文志七》）。

著录：曾巩《隆平集·薛居正传》、郑樵《通志·艺文略八》、《宋史·薛居正传》。

九月

先是，中书请以著作郎洪雅田锡为京西北路转运判官。锡不乐外职，拜表乞居谏署，且献《升平诗》三十章，上悦之。翌日，改授右拾遗、直史馆。（《续资治通鉴长编》卷二二）

本年

范旻卒，46 岁。旻字贵参，十岁能属文。以父任右千牛备身、太子司议郎，累迁著作佐郎。宋初，为度支员外郎、判大理正事，俄知开封县。岭南平，迁知邕州兼水陆转运使。通判镇州，有能声，赐钱二百万，迁库部员外郎。开宝九年，知淮南转运使。太平兴国初，召为水部郎中。钱俶献地，以旻为考功郎中，权知两浙诸州军事。车驾征晋阳，上书求从，召为右谏议大夫、三司副使，判行在三司，又兼吏部选事。师还，加给事中。坐受人请求擅市竹木入官，贬房州司户。量移唐州。六年，卒，年四十六。有集二十卷、《邕管记》三卷。（《宋史》本传）

著有：《邕管杂记》一卷（陈振孙《直斋书录解题·地理类》）、《范旻集》二十卷（《宋史》本传）。

本年重要作品：

文：寇准《秋风亭记》。

诗：寇准《巴东寒食》。

公元 982 年（宋太宗太平兴国七年　壬午）

正月

壬寅（九日），诏翰林学士承旨李昉等详定士庶车服丧葬制度，付有司颁行，违者

论其罪。（《续资治通鉴长编》卷二三）

四月

丙寅（五日），以兵部员外郎宋琪通判开封府，京府通判自琪始。（《续资治通鉴长编》卷二三）

赵普既复相，卢多逊益不自安。普屡讽多逊，令引退，多逊贪权固位，不能自决。会普廉得多逊与秦王廷美交通事，遂以闻，上怒。戊辰（七日），责授多逊兵部尚书，下御史狱。捕系中书守当官赵白，秦府孔目官阎密，小吏王继勋、樊德明、赵怀禄、阎怀忠等，命翰林学士承旨李昉、学士扈蒙、卫尉卿崔仁冀、膳部郎中知杂事滕中正杂治之。（《续资治通鉴长编》卷二三）

中书舍人李穆与卢多逊雅相亲厚，秦王廷美出为西京留守，其朝辞笏记又穆所草也。言事者劾奏之，壬午（二十一日），责授司封员外郎。（《续资治通鉴长编》卷二三）

六月

唐自元和以后不复译经。江南始用兵之岁，有中天竺玛嘉多国僧法天者至鄜州，与河中梵学僧法进共译经义，始出《无量寿》、《尊胜》二经、《七佛赞》。法进笔受缀文，知州王龟从润色之，遣法天、法进献经阙下。太祖召见慰劳，赐以紫方袍。法天请游名山，许之。上即位之五年，又有北天竺克什密尔国僧天息灾、乌填曩国僧施护继至，法天闻天息灾等至，亦归京师。上素崇尚释教，即召见天息灾等，令阅乾德以来西域所献梵经。天息灾等皆晓华言，上遂有意翻译，因命内侍郑守钧就太平兴国寺建译经院。是月，院成，诏天息灾等各译一经以献，择梵学僧常谨、清沼等与法进同笔受缀文，光禄卿汤悦、兵部员外郎张洎参详润色之，内侍刘素为都监。（《续资治通鉴长编》卷二三）

八月

庚申朔（一日），太子太师赠侍中祁文献公王溥卒，61 岁。王溥，字齐物，并州祁人。汉乾祐中举进士甲科，为秘书郎。宋初，进位司空，罢参知枢密院。乾德二年，罢为太子太保。五年，丁内艰。服阕，加太子太傅。开宝二年，迁太子太师。太平兴国初，封祁国公。七年八月，卒，年六十一。辍朝二日，赠侍中，谥文献。溥好学，手不释卷，尝集苏冕《会要》及崔弦《续会要》，补其阙漏，为百卷，曰《唐会要》。又采朱梁至周为三十卷，曰《五代会要》。有集二十卷。（《宋史》本传）

著有：《五代周世宗实录》四十卷（《宋史·艺文志二》）、《续唐会要》一百卷（《宋史·艺文志六》）、《五代会要》三十卷（《宋史·艺文志六》）、《王溥集》二十卷（《宋史·艺文志七》）。

九月

癸丑（二十五日），上以诸道进士猥杂，或挟书假手，侥幸得官，所至多触宪章，欲惩革之。甲寅（二十六日），诏所在贡举等州，自今长吏择官考试，合格许荐送。仍令礼部，自今解贡举人，依吏部选人例，每十人为保，有行止逾违为他人所告者，同保并当连坐，不得赴举。（《续资治通鉴长编》卷二三）

诏翰林学士承旨李昉、翰林学士扈蒙、给事中直学士院徐铉、中书舍人宋白、知制诰贾黄中、吕蒙正、李至、司封员外郎李穆、库部员外郎杨徽之、监察御史李范、秘书丞杨砺、著作佐郎吴淑、吕文仲、胡汀、著作佐郎直史馆战贻庆、国子监丞杜镐、将作监丞舒雅等，阅前代文集，撮其精要，以类分之，为《文苑英华》。其后，李昉、扈蒙、吕蒙正、李至、李穆、李范、杨砺、吴淑、吕文仲、胡汀、战贻庆、杜镐、舒雅等并改他任，续命翰林学士苏易简、中书舍人王祜、知制诰范杲、宋湜与宋白等共成之。雍熙三年上，凡一千卷。（《文苑英华》卷首《三朝国史·艺文志注》）

十二月

二十七日，宋太宗赋《雪诗》。

太平兴国七年十二月十七日大雪，御制《雪诗》并酒赐学士，诗云："轻轻相亚凝如酥，宫树花妆万万株。今赐酒卿时一盏，玉堂闻话道情无？"又御制五、七言诗赐苏易简，五言诗曰："翰林承旨贵，清净玉堂中。应用咸依式，深岩比更崇。归家思值日，入内集英风。儒措门生盛，高明大化雄。"七言诗曰："运偶昌时远更深，果然谷在我中心。从风臣偃光朝野，此日清华见翰林。举措乐时周礼法，思贤教古善规箴。少年学士文明世，一寸贤毫数万寻。"（《诗话总龟后集》卷一引《金坡遗事》）

本年

李谘（982—1036）生。李谘，字仲询，新喻人。举进士，擢第三人，除大理评事、通判舒州，召试中书，为太子中允、直集贤院。历三司、开封府判官，再迁左正言，出为淮南转运副使。帝幸亳，以劳，迁尚书礼部员外郎。会江南饥，徙江东转运副使，为度支判官。擢知制诰。遂出知荆南。会翰林学士阙，宰相拟他官，帝曰："不如李谘。"遂为学士。仁宗即位，超迁本曹郎中、权知开封府，数月，权三司使，拜右谏议大夫。谘以疾累请郡，改枢密直学士、知洪州。久之，进给事中、知杭州，复枢密直学士、知永兴军。还，勾当三班院，坐举吏降左谏议大夫。权三司使事。进尚书礼部侍郎，拜枢密副使。数月，遭父丧，起复，迁户部侍郎、知谏院事。卒，赠右仆射，谥宪成。（《宋史》本传）

本年重要作品：

文：王禹偁《兴隆寺记》。

诗：寇准《峡中春感》。

公元983年（宋太宗太平兴国八年　癸未）

正月

七日，以中书舍人宋白权知贡举。知制诰贾黄中、吕蒙正、李至，直史馆王沔、韩丕、宋准，司封员外郎李穆，监察御史李范，秘书丞杨砺权同知贡举，合格奏名进士王禹偁已下若干人。（《宋会要辑稿·选举一》）

三月

癸亥（七日），以右谏议大夫、同判三司宋琪为左谏议大夫、参知政事。（《续资治通鉴长编》卷二四）

十五日，帝御讲武殿，试礼部奏名进士。内出《六合为家赋》、《鹦鹉上林诗》、《文武双兴论》题。（《宋会要辑稿·选举七》）

丙子（二十日），上御讲武殿，复试礼部贡举人，擢进士长沙王世则而下百七十五人，诸科五百一十六人，遂为定制。（《续资治通鉴长编》卷二四）

登进士第者：王世则、王禹偁、姚铉、李建中、曾致尧、和嵘、郑文宝、邵弈、冯伉、李巽、欧阳程、崔遵度、戚纶、梁鼎、罗处约、吴铉、杨覃、宇文愚、卞衮、邵晔、林冀、韦襄、刘昌言、朱九龄、薛昭、翟骧、王子舆、高绅、韩见素、李士衡、吴铉、刘文晃、李虚己、卢琰等。

五代之际，天下剖裂。太祖启运，虽则下西川、平岭表、收江南，而吴越、荆、闽纳籍归觐，然犹有河东未殄。其后太宗再驾乃始克之，海内自此一统，故因御试进士，乃以"六合为家"为赋题。时进士王世则遽进赋曰："构尽乾坤，作我之龙楼凤阁；开穷日月，为君之玉户金关。"帝览之大悦，遂擢为第一人。（吴处厚《青箱杂记》卷二）

是年李巽亦以《六合为家赋》登第。赋云："辟八荒而为庭衢，并包有截；用四夷而作藩屏，善闭无关。"此亦善矣，然不若世则之雄壮。巽字仲权，邵武人，以《蜃楼》、《土鼓》、《周处斩蛟》三赋驰名。累举不第，为乡人所侮曰："李秀才应举，空去空回，知席帽甚时得离身？"巽亦不较。至是乃遗乡人诗曰："当年踪迹困泥尘，不意乘时亦化鳞。为报乡闾亲戚道，如今席帽已离身。"盖国初犹袭唐风，士子皆曳袍重戴，出则以席帽自随。（吴处厚《青箱杂记》卷二）

李穆坐卢多逊黜降，左右无敢言者。左拾遗、直史馆宋准因奏事，盛言穆长者，有检操，常恶多逊专恣，固非其党也，上寤。于是，穆同知贡举，预侍立，上见穆颜色癯瘁，谓曰："卿何故如此？岂非黜降以来忧畏所致乎？"即日还穆旧官。（《续资治通鉴长编》卷二四）

四月

二日，赐新及第进士宴于琼林苑，自是遂为定制。（《宋会要辑稿·选举二》）

六月

丁亥（三日），以翰林学士、中书舍人李穆知开封府。穆剖决精敏，奸猾无所假贷，由是豪右屏迹，权贵不敢干以私。上益知其才，始有意大用。刑部郎中杨徽之、库部员外郎孔承恭同考校京朝官殿最。（《续资治通鉴长编》卷二四）

戊申（二十四日），以进士王世则等十八人送中书门下，特授大理评事、知令录事；余送流内铨，并授判、司、簿、尉。未几，世则等移通判诸州，为簿、尉者改试大理评事、知令录，明年郊礼毕，迁守大理评事。上因谓近臣曰："朕亲选多士，殆忘饥渴召见临问，以观其材，拔而用之，庶使岩野无遗逸，而朝廷多君子尔。朕每见布衣搢绅，间有端雅为众所推誉者，朕代其父母喜。或召拜近臣，必为择良日，欲其保终吉也。朕于士大夫无所负矣。"（《续资治通鉴长编》卷二四）

杭州进士吴铉尝重定《切韵》，及上亲试，因捧以献。既中第，授大理评事、史馆勘书。铉所定《切韵》，多吴音，增俗字数千，鄙陋尤甚。寻礼部试贡举人，为铉《韵》所误，有司以闻，诏尽索而焚之。（《续资治通鉴长编》卷二四）

七月

王禹偶除成武县主簿。

八月

太祖初，以扈蒙之言，诏卢多逊录时政，月送史馆，多逊讫不能成书。于是，右补阙、直史馆胡旦复言："五代自唐以来，中书、枢密院皆置时政记，中书即委末厅宰相，枢密院即委枢密直学士，每月编修送史馆。周显德中，宰相李穀又奏枢密院置内庭日历。自后因循阙废，史臣无凭撰集。望令枢密院仍旧置内庭日历，委文臣任副使者与学士轮次记录，送史馆。"上采其言。是日（二十八日），诏：自今军国政要并委参知政事李昉撰录，枢密院令副使一人纂集，每季送史馆。昉因请以所修《时政记》，每月先奏御后付所司，从之。《时政记》奏御，自昉始也。（《续资治通鉴长编》卷二四）

秋

寇准以著作佐郎知大名府成安县。

十一月

壬子朔（一日），以刑部尚书、参知政事宋琪，工部尚书、参知政事李昉，并本官同平章事。昉初与卢多逊善，待之不疑。多逊屡谮昉，人或告昉，昉曰："卢与我厚，不当尔。"于是上语及多逊事，昉颇为挥释，上因言多逊居常毁卿不值一钱，昉始悟。上由此益重之。（《续资治通鉴长编》卷二四）

壬申（二十一日），以翰林学士李穆、吕蒙正、李至，并为左谏议大夫、参知政事。枢密直学士张齐贤、王沔，并为右谏议大夫、同签署枢密院事。（《续资治通鉴长编》卷二四）

十二月

庚子（十九日），《太平御览》成书。

十一月庚辰，诏史馆所修《太平总类》一千卷，宜令日进三卷，朕当亲览焉，自十二月一日为始。宰相宋琪等言，曰："天寒景短，日阅三卷，恐圣躬疲倦。"上曰："朕性喜读书，颇得其趣，开卷有益，岂徒然也？因知好学者读万卷书，非虚语耳。"十二月庚子，书成，凡五十四门。诏曰：史馆新纂《太平总类》一千卷，包括群书，指掌千古，颇资乙夜之览，何止名山之藏？用锡嘉称，以传来裔，可改名《太平御览》。（据王应麟《玉海》卷五四）

上谓宰相曰："迩来场屋混淆，颇闻有僧道还俗赴举者。此辈不能专一科教，可验操履，他日在官，必非廉洁之士。进士先须通经，遵周、孔之教，或止习浮浅文章，殊非务本之道，当下诏切戒之。"甲辰（二十三日），令诸州禁还俗僧道赴举。进士免贴经，只试墨义二十道，皆以经中正文大义为问题。又增进士及诸科各试法书墨义十道。（《续资治通鉴长编》卷二四）

本年

释赞宁奉诏撰《大宋高僧传》。

八年诏修《大宋高僧传》，听归杭州旧寺。成三十卷，进御之日，玺书褒美。（王禹偁《左街僧录通惠大师文集序》）

寇准自择巴东任内所作诗一百五十六首，编为《巴东集》。

《巴东集》乃公自编而为之序，凡一百五十有六篇，《秋风亭记》附。（晁公武《郡斋读书志·别集类》）

本年重要作品：

文：王禹偁《四科取士何先论》、王禹偁《双鹦志》、王禹偁《送翟驤序》。

诗：王禹偁《成武县作》、寇准《月夜怀杜陵友生》、寇准《和赵监丞春江送别》、寇准《东归再经峡口》、寇准《成安感秋》、寇准《成安秋望》、寇准《赠惠政上人》。

公元984年（太平兴国九年　宋太宗雍熙元年　甲申）

正月

壬戌（十一日），上谓侍臣曰："夫教化之本，治乱之源，苟无书籍，何以取法？今三馆所贮，遗逸尚多。"乃诏三馆以《开元四库书目》阅馆中所阙者，具列其名，募中外有以书来上及三百卷，当议甄录酬奖。余第卷帙之数，等级优赐。不愿送官者，

借其本写毕还之。自是，四方之书往往间出矣。(《续资治通鉴长编》卷二五)

癸酉 (二十二日)，左谏议大夫、参知政事李穆晨起将朝，风眩暴卒，57 岁。李穆，字孟雍，开封府阳武人。周显德初，以进士为郓、汝二州从事，迁右拾遗。宋初，以殿中侍御史选为洋州通判。开宝五年，以太子中允召。明年，拜左拾遗、知制诰。五代以还，词令尚华靡，至穆而独用雅正，悉矫其弊。太平兴国初，转左补阙。三年冬，加史馆修撰、判馆事，面赐金紫。四年，从征太原还，拜中书舍人。八年春，与宋白等同知贡举，及侍上御崇政殿亲试进士，上悯其颜貌癯瘁，即日复拜中书舍人、史馆修撰、判馆事。五月，召为翰林学士。六月，知开封府。十一月，擢拜左谏议大夫、参知政事。九年正月，晨起将朝，风眩暴卒，年五十七，赠工部尚书。穆善篆隶，又工画，深信释典，善谈名理，接引后进，多所荐达。所著文章，随即毁之，多不留稿。(《宋史》本传)

三月

乙丑 (十五日。按，原作己丑，本月辛亥朔，无己丑日，《宋史》改正)，召宰相、近臣赏花于后苑。上曰："春气暄和，万物畅茂，四方无事。朕以天下之乐为乐，宜令侍从词臣各赋诗。"赏花赋诗，自此始。(《续资治通鉴长编》卷二五)

四月

丙申 (十六日)，诏翰林学士承旨扈蒙、学士贾黄中、散骑常侍徐铉等，同详定封禅仪。(《续资治通鉴长编》卷二五)

秋

王禹偁官大理评事、知苏州长洲县。与知吴县罗处约以诗唱酬，苏杭间多传诵。

十一月

二十一日，郊祀，改元雍熙。(《玉海》卷十三)

癸酉 (二十七日)，以建州进士杨亿为秘书省正字，时年十一。亿，徽之从孙，七岁能属文。上闻其名，诏江南转运使张去华就试词艺，遣赴阙。连三日得对，试赋五篇，皆援笔立成，上深叹赏。命中使送至中书，又赋诗一章，略不杼思。宰相骇其俊异，削章为贺。上曰："可与一官留京师，时诏令赋诗于前以适意。"故有是命。(《续资治通鉴长编》卷二五)

杨大年年十一，建州送入阙下，太宗亲试一赋一诗，顷刻而就。上喜，令中人送中书，俾宰臣再试。时参政李至状："臣等今月某日，入内都知王仁睿传圣旨，押送建州十一岁习进士杨亿到中书。其人来自江湖，对扬轩陛，殊无震慑，便有老成。盖圣祚承平，神童间出也。臣亦令赋《喜朝京阙诗》，五言六韵，亦顷刻而成。其诗谨封进。"诗内有："七闽波渺邈，双阙气岩峣。晓登云外岭，夜渡月中潮。"断句云"愿秉

清忠节，终身立圣朝"之句。（文莹《湘山野录》卷上）

本年

寇准迁殿中丞。自西北归，通判郓州。

柳开加殿中侍御史，出知贝州。（张景《柳公行状》）

本年重要作品：

文：王禹偁《单州成武县行宫上梁文》、王禹偁《单州成武县主簿厅记》、张咏《鳜鲼鱼赋》。

诗：王禹偁《寄砀山主簿朱九龄》、王禹偁《寄鱼台主簿傅翱》、王禹偁《寄宁陵陈长官》、王禹偁《寄金乡张赞善》、王禹偁《赴长洲县作二首》、王禹偁《惠山寺留题》、王禹偁《游虎丘山寺》、王禹偁《寄献润州赵舍人二首》、王禹偁《寄毗陵刘博士》、王禹偁《谢柴侍御送鹤》、王禹偁《官舍书怀呈罗思纯》、王禹偁《除夜寄罗评事同年三首》、王禹偁《真娘墓》、王禹偁《游虎丘》、王禹偁《吴王墓》、王禹偁《橄榄》。

公元985年（宋太宗雍熙二年　乙酉）

正月

十八日，以翰林学士贾黄中权知贡举。右散骑常侍徐铉，知制诰赵昌言、韩丕、苏易简、宋准，礼部郎中张洎，直史馆范杲、宋湜、戴贻庆，权同知贡举。合格奏名进士陈充已下四百五十八人。（《宋会要辑稿·选举一》）

癸亥（十八日），翰林学士贾黄中等九人权知贡举。上谓宰相曰："夫设科取士之门，最为捷要。然而近年籍满万余人，得无滥进者乎？"己巳（二十四日），诏："自今诸科并令量定人数，相参引试，分科隔坐，命官巡察监门，谨视出入。有以文字往复与吏为奸者，置之于法；私以经义相教者，斥出科场，伍保预知，亦连坐。进士倍加研复。贡举人勿以曾经御试，不考而荐。"始令试官亲戚别试者凡九十八人。又罢进士试律，复贴经。（《续资治通鉴长编》卷二六）

三月

己未（十五日），上御崇政殿，复试礼部贡举人，得进士须城梁颢等百七十九人；庚申（十六日），得诸科三百一十八人，并唱名赐及第。唱名自此始。宰相李昉之子宗谔、参知政事吕蒙正之从弟蒙亨、盐铁使王明之子扶、度支使许仲宣之子待问，举进士试皆入等。上曰："此并势家，与孤寒竞进，纵以艺升，人亦谓朕为有私也！"皆罢之。青州人王从善应《五经》举，年始逾冠，自言通诵《五经》文注。上历举本经试之，其诵如流，特赐《九经》及第，面赐绿袍、银带、钱二万。时左右献言尚有遗材，壬戌（十八日），复试，又得进士上元洪湛等七十六人；癸亥（十九日），得诸科三百

二人，并赐及第。（《续资治通鉴长编》卷二六）

十五日，帝御崇政殿，试礼部奏名进士。内出《颍川贡白雉赋》、《烹小鲜诗》、《玄女授兵符论》题。（《宋会要辑稿·选举七》）

十七日，诏：殿前不合格、南省已奏名进士内文采可取者，许令再试。（《宋会要辑稿·选举七》）

十八日，帝复御崇政殿亲试。内出《庭燎赋》、《淡交如水诗》题。又得进士洪湛已下七十六人，并赐及第，以姓名附本等。湛以文采遒丽，特升为第三人。（《宋会要辑稿·选举七》）

二十日，赐新及第进士御制诗二首。（《宋会要辑稿·选举二》）

登进士第者：梁颢、钱熙、洪湛、陈世卿、陈充、孙冕、陈瞻、刘骘、凌策、赵安仁、钱若水、刘师道、李维、张贺、刘综、陈彭年、鞠仲谋、陶岳等。

四月

是日（二日），召宰相、参知政事、枢密、三司使、翰林、枢密直学士、尚书省四品、两省五品以上、三馆学士，宴于后苑，赏花钓鱼，张乐赐饮，命群臣赋诗习射。自是，每岁皆然。赏花、钓鱼、曲宴，始于是也。（《续资治通鉴长编》卷二六）

十二日，以新及第进士第一等梁颢等二十一人为节度观察推官，第二等、第三等、诸科三等人令吏部依常调注拟。（《宋会要辑稿·选举二》）

六月

丙戌（十三日），命右谏议大夫刘保勋、兵部郎中杨徽之、屯田郎中孔承恭与判吏部流内铨王祜同就尚书省，以新及第进士、诸科名次先后，乡里远近之便注拟。自是为定例。（《续资治通鉴长编》卷二六）

本年

柳开坐与兵马都监执公事争斗，贬上蔡令。（张景《柳公行状》）

卢多逊卒，57岁。卢多逊，怀州河内人。显德初，举进士，解褐秘书郎、集贤校理，迁左拾遗、集贤殿修撰。建隆三年，以本官知制诰，历祠部员外郎。乾德二年，权知贡举。三年，加兵部郎中。四年，复权知贡举。六年，加史馆修撰、判馆事。开宝二年，车驾征太原，以多逊知太原行府事。移幸常山，又命权知镇州。师还，直学士院。三年春，复知贡举。四年冬，命为翰林学士。六年，使江南还，因言江南衰弱可图之状。受诏同修《五代史》，迁中书舍人、参知政事。丁外艰，数日起复视事。会史馆修撰扈蒙请复修时政记，诏多逊专其事。金陵平，加吏部侍郎。太平兴国初，拜中书侍郎、平章事。四年，从平太原还，加兵部尚书。会有以多逊尝遣堂吏赵白交通秦王廷美事闻，太宗怒，下诏数其不忠之罪，责授守兵部尚书。明日，以多逊属吏，狱具，仍籍其家，亲属流配海岛。多逊至海外，因部送者还，上表称谢。雍熙二年，

卒于流所，年五十二。（《宋史》本传）

著有：《开宝通礼仪纂》一百卷（《宋史·艺文志三》）、《长定格》三卷（《宋史·艺文志三》）、《详定本草》二十卷（《宋史·艺文志六》）。

夏竦（985—1051）**生。**夏竦，字子乔，江州德安人。资性明敏，好学，自经史、百家、阴阳、律历，外至佛老之书，无不通晓。为文章，典雅藻丽。举贤良方正，擢光禄寺丞、通判台州。召直集贤院，为国史编修官、判三司都磨勘司，累迁右正言。命教书资善堂。未几，同修起居注，为玉清昭应宫判官兼领景灵宫、会真观事，迁尚书礼部员外郎、知制诰。史成，迁户部。景灵宫成，迁礼部郎中。左迁职方员外郎、知黄州。后二年，徙邓州，又徙襄州。仁宗即位，迁户部郎中，徙寿、安、洪三州。起复知制诰，为景灵判官、判集贤院，以左司郎中为翰林学士、勾当三班院兼侍读学士、龙图阁学士，又兼译经润文官。迁谏议大夫，为枢密副使、修国史，迁给事中。改参知政事、祥源观使。复为枢密副使，迁刑部侍郎。史成，进兵部，寻进尚书左丞。太后崩，罢为礼部尚书、知襄州，改颍州，徙青州兼安抚使。逾年，罢安抚，迁刑部尚书、徙应天府。宝元初，以户部尚书入为三司使。赵元昊反，拜奉宁军节度使、知永兴军，听便宜行事。徙忠武军节度使、知泾州。还，判永兴军兼陕西经略安抚招讨，进宣徽南院使。改判河中府，徙蔡州。庆历中，召为枢密使。自请还节。徙知亳州，改授吏部尚书。岁中，加资政殿学士。复拜宣徽南院使、河阳三城节度使、判并州。明年，拜同中书门下平章事、判大名府。又明年，召入为宰相，复改枢密使，封英国公。罢知河南府，未几，赴本镇，加兼侍中。飨明堂，徙武宁军节度使，进郑国公，锡赉与辅臣等。寻以病归，卒。赠太师、中书令。赐谥文正，改谥文庄。竦以文学起家，有名一时，朝廷大典策累以属之。多识古文，学奇字，至夜以指画肤。文集一百卷。（《宋史》本传）

彭乘（985—1049）**生。**彭乘，字利建，益州华阳人。少以好学称州里，进士及第。居数日，授汉阳军判官，遂得请以归。久之，有荐其文行者，召试，为馆阁校勘。固辞还家，后复除凤州团练推官。天禧初，用寇准荐，为馆阁校勘，改天平军节度推官。预校正南、北史、《隋书》，改秘书省著作佐郎，迁本省丞、集贤校理。恳求便亲，得知普州，蜀人得守乡郡自乘始。普人鲜知学，乘为兴学，召其子弟为生员教育之。乘父卒，服除，知荆门军，改太常博士。召还，同判尚书刑部，出知安州，徙提点京西刑狱，改夔州路转运使。召修起居注，擢知制诰，累迁工部郎中，入翰林为学士，领吏部流内铨、三班院，为群牧使。既病，仁宗敕太医诊视，赐以禁中珍剂。卒，赐白金三百两。初，修起居注缺中书舍人，而乘在选中，帝指乘曰："此老儒也，雅有恬退名，无以易之。"乘质重寡言，性纯孝，不喜事生业。聚书万余卷，皆手自刊校，蜀中所传书，多出于乘。晚岁，历典赞命，而文辞少工云。（《宋史》本传）

张昷之（985—1062）**生。**张昷之，字景山。进士及第，补乐清尉，润州观察推官，校勘馆阁书籍，迁集贤校理，通判常州，知温州。蔡齐荐其材可用，擢提点淮南路刑狱。徙广南东路转运使，权度支判官，为京西转运使，加直史馆，徙河北。还，为盐铁副使，擢天章阁待制、河北都转运按察使。除户部副使，既而坐前事夺职，知虢州。王则反贝州，有言昷之在河北捕得妖人李教不杀，使得逸去，今乃为则主谋，乃下御史按劾，虽不得书，犹夺三官，监鄂州税。知汉阳军，稍迁刑部郎中，复待制、知湖州，徙扬州。以光禄卿致仕，卒。（《宋史》本传）

本年重要作品：

　　文：王禹偁《上许殿丞论榷酒书》、王禹偁《送许制归曹南序》。

　　诗：王禹偁《陆羽泉茶》、王禹偁《投柴殿院三十韵》、王禹偁《东邻竹》、王禹偁《南园偶题》、王禹偁《戏赠嘉兴朱宰同年》、王禹偁《春日官舍偶题》、王禹偁《寄献翰林宋舍人》、王禹偁《吴江县寺留题》、王禹偁《献转运使雷谏议二首》、王禹偁《中元夜宿余杭仙泉寺留题》、王禹偁《赠草庵禅师》、王禹偁《言怀》、王禹偁《题响屧廊壁》、王禹偁《中秋月》、王禹偁《赠采访使阁门穆舍人》、王禹偁《泛吴松江》。

公元 986 年（宋太宗雍熙三年　丙戌）

七月

　　左谏议大夫、签书枢密院事张齐贤，言事颇忤上意。于是，上问近臣以御戎计策，齐贤因请自出守边。戊子（二十一日），授齐贤给事中，知代州。与都部署潘美同领缘边兵马。（《续资治通鉴长编》卷二七）

十月

　　戊午（二十三日），出御制《新译圣教序》赐宰相李昉等。（《续资治通鉴长编》卷二七）

十一月

　　乙丑（一日），诏令雕镂经徐铉刊正的《说文解字》，以广流传。（《宋大诏令集》卷一五〇）

　　上留意字学，以许慎《说文》差谬，学者无所依据，乃诏右散骑常侍徐铉、著作郎直史馆句中正等，精加雠校。十一月乙丑朔，铉等上新定《说文》三十卷，凡经典、相承、传写及时俗、要用，而《说文》不载者，承诏皆附益之。上称善，遂令模印颁行，各赐器币有差。（《续资治通鉴长编》卷二七）

十二月

　　上以诸家文集，其数实繁，虽各擅所长，亦榛芜相间。乃命翰林学士宋白等精加铨择，以类编次，为《文苑英华》一千卷。壬寅（八日）上之，诏书褒答。（《续资治通鉴长编》卷二七）

　　《文苑英华》一千卷，宋太平兴国七年李昉、扈蒙、徐铉、宋白等奉敕编，续又命苏易简、王祜等参修。至雍熙四年书成。宋四大书之一也。梁昭明太子撰《文选》三十卷，迄于梁初。此书所录，则起于梁末，盖即以上续《文选》。其分类编辑体例，亦略相同，而门目更为繁碎。则后来文体日增，非旧目所能括也。周必大《平园集》有是书跋，称《太平御览》、《册府元龟》今闽、蜀已刊，唯《文苑英华》士大夫间绝无而仅有。盖所集止唐文章，如南北朝间存一二。是时印本绝少，虽韩、柳、元、白之文尚未甚传，其他如陈子昂、张说、张九龄、李翱诸名士文集，世尤罕见。故修书官于柳宗元、白居易、权德舆、李商隐、顾云、罗隐，或全卷收入。当真宗朝，姚铉铨择十一，号《唐文粹》。由简故精，所以盛行。近岁唐文摹印浸多，不假《英华》而传，其不行于世则宜云云。盖六朝及唐代文集，南宋初存者尚多，故必大之言如是。迄今四五百年，唐代诗集已渐减于旧，文集则《宋志》所著录者殆十不存一。即如李商隐《樊南甲乙集》，久已散佚。今所行本，乃全自是书录出。又如《张说集》，虽有传本，而以此书所载互校，尚遗漏杂文六十一篇。则考唐文者，唯赖此书之存，实为著作之渊海。与南宋之初，其事迥异矣。（《四库提要》卷一八六）

本年

秘书省正字杨亿丁外艰。

扈蒙卒，72 岁。扈蒙，字日用，幽州安次人。蒙少能文，晋天福中，举进士，入汉为鄠县主簿。宋初，由中书舍人迁翰林学士，坐请托于同年仇华，黜为太子左赞善大夫，稍迁左补阙，掌大名市征。六年，复知制诰，充史馆修撰。开宝中，受诏与李穆等同修《五代史》，详定《古今本草》。五年，连知贡举。九年正月，蒙上《圣功颂》，以述太祖受禅、平一天下之功，其词夸丽，有诏褒之。为卢多逊所恶，出知江陵府。太宗即位，召拜中书舍人，旋复翰林学士。与李昉同修《太祖实录》。太平兴国四年，从征太原还，转户部侍郎，加承旨。雍熙三年，被疾，以工部尚书致仕。未几，卒，年七十二。赠右仆射。自张昭、窦仪卒，典章仪注，多蒙所刊定。蒙性沉厚，不言人是非，好释典，不喜杀，缙绅称善人。有笑疾，虽上前不自禁。多著述，有《鳌山集》二十卷行于世。（《宋史》本传）

著有：《显德日历》一卷（《宋史·艺文志二》）、《鳌山集》二十卷（《宋史·艺文志七》）。

著录：郑樵《通志·艺文略八》、《宋史·艺文志七》。

陆滋（986—1061）生。陆滋，字元象，世家杭。滋通《毛》、《郑》二诗、《易》、《春秋》。既冠，以文辞试乡举，一蹶而售，以母病不行。后三年，复在选。察母面有难别色，亦不忍行。陈尧佐时使两浙，与滋厚，手十余书以遗之，曰："持此，足以游公卿。"滋谢不受。自是，颓然自得。顾天地间无足介吾虑者，唯一肆意于书，不复言进取。凡圣经、贤史、九流、百家、僻异之说，无不读。皇祐四年，诏录先朝遗士，搢绅逢掖合百余以状白府，请用滋应诏府上。之朝，得杭州文学。嘉祐六年卒。所著诗赋、文论、书志合二十卷。（《咸淳临安志》卷六五）

本年重要作品：

文：王禹偁《长洲县令厅记》、王禹偁《昆山县新修文宣王庙记》。

诗：王禹偁《酬处才上人》、王禹偁《苏州寒食送人归觐》、王禹偁《春晚游太和宫》、王禹偁《再泛吴江》、王禹偁《笋三首》、王禹偁《官舍书怀呈郡守》、王禹偁《赠毋中舍》、王禹偁《赠赞宁大师》、王禹偁《题钱塘县罗江东手植海棠》、王禹偁《武平寺留题》、王禹偁《和张校书吴县厅前冬日双开牡丹歌》。

公元 987 年（宋太宗雍熙四年　丁亥）

三月

丙戌（二十四日），上御便殿，对绛州团练副使李度，面赐五品服，仍赐钱十万。度尝知歙州，坐事左迁，十年不调。有中黄门得度歙州所著诗石本，传入禁中。上见之，因问宰相曰："度今安在？"即召赴阙，寻授虞部员外郎。度进《贺雨诗》，上特与继和，令宰相召度至中书宣示之。度，洛阳人也。（《续资治通鉴长编》卷二八）

五月

乙丑（三日），殿中侍御史柳开为崇仪使。初，开以殿中侍御史知贝州，坐与监军忿争，贬上蔡令。及自涿州还，诣阙上书，愿效死北边。上怜之，复授以故官。开又上书言："臣受非常之恩，未有微报，年才四十，胆力方壮。今匈奴未灭，陛下赐臣步骑数千，任以河朔用兵之地，必能出生入死，为陛下复取幽蓟，虽身没战场无恨。"于是，上亦欲并用文武戡定寇乱。乃诏：文臣中有武略知兵者，许换秩。故开与宣等俱被此命。（《续资治通鉴长编》卷二八）

八月

己酉（十九日），水部员外郎、诸王府侍讲邢昺献《分门礼选》二十卷。上采其奏，得《文王世子篇》，观之，甚悦。（《续资治通鉴长编》卷二八）

太宗闻王禹偁、罗处约名，召赴阙。

前年八月，仆自长洲令，征拜右正言、直史馆。（王禹偁《答郑褒书》）

十二月

雍熙初，贡举人集阙下者殆逾万计，礼部考合格奏名尚不减千人。上自旦及夕，临轩阅试，累日方毕。宰相屡请以春官之职归于有司。十二月庚寅朔（一日），乃诏："自今岁命春官知贡举，如唐室故事。应已得解者，明年春集阙下；未得解者，许至秋取解。"知贡举宋白等请："已得解在千里内者，委本处重加考试乃发遣；千里外者就两京。仍乞戒励试官，务令精核。"从之。（《续资治通鉴长编》卷二八）

本年

梁固（987—1019）生。固字仲坚。幼有志节，尝著《汉春秋》，颢器赏之。初，以颢遗荫，赐进士出身。服阕，诣登闻院让前命，愿赴乡举，许之。大中祥符元年，举服勤词学科，擢甲第。解褐将作监丞、同判密州，就迁著作佐郎。归朝，改著作郎、直史馆，赐绯。历户部判官、判户部勾院。为人气调俊爽，善与人交，疏财慷慨，尚气义，明于吏道。天禧大礼成，奏颂甚工。无几卒，年三十三。有集十卷。（《宋史》本传）

苏耆（987—1035）生。先公讳耆，字国老。公生七龄，以父任宣节校尉、左千牛备身，俄加振武副尉。恩授通直郎、秘书省正字。章圣帝即位，改奉礼郎。既冠，举进士。时试条至严，两中优等，廷校不得在高第，诎所素志，辞焉。后一年，以文奏，御诏试玉堂，赐及第。东封，转大理评事。从祀汾阴，迁丞，赐绯衣、银鱼，出知湖之乌程。陈公尧叟荐充判官，改殿中丞。任终，知开封县。迁太常博士、三司户部判官。是岁，以谏议大夫充契丹国信使。将行，太夫人寝疾，公露奏牢辞，未报，夫人弃平居。廷议以名业北走，不可易，公哀恸感疾。还，上信币，曰："将死。"请遂改命。终丧，复除三司判官，明年转尚书祠部员外郎、知明州。升朝奉大夫。归朝，换度支，充长宁接伴使。既又判户部案。召入考进士第。复诏使契丹。出为京西转运使，赐三品服，就改兵部，又加直集贤院。逾年，移使河东、两河。迁工部郎中。景祐二年正月十有二日得疾，翌日，夜漏下二刻终于位，春秋四十九。公雅好观书，经史、禅说手钞者数千卷，无不尽诵。所著《计录》三篇、《开谈录》五卷、《次翰林志》、《续文房四谱》并《文集》二十卷，并藏于家。（苏舜钦《先公墓志铭》）

本年重要作品：

文：王禹偁《待漏院记》、王禹偁《送乐秀才谒梁中谏序》、王禹偁《送柴侍御赴阙序》、王禹偁《送柴转运赴职序》、王禹偁《桂阳罗君游太湖洞庭诗序》、王禹偁《神童刘少逸与时贤联句诗序》。

诗：王禹偁《赠湖州张从事》、王禹偁《送李中舍罢萧山赴阙》、王禹偁《寄主客安员外十韵》、王禹偁《和郡僚题李中舍公署》、王禹偁《送奉常李丞赴阙》、王禹偁《题张处士溪居》、潘阆《送王长洲禹偁赴阙》。

公元988年（宋太宗雍熙五年　宋太宗端拱元年　戊子）

正月

丙寅（八日），以大理评事王禹偁为右拾遗、罗处约为著作佐郎，并直史馆。先是，禹偁知长洲县，处约知吴县，相与日赋五题，苏、杭间人多传诵。上闻其名，召赴中书，命试《诏臣僚和御制雪诗序》，称旨，故皆擢用为直史馆。赐绯，旧止赐涂金带，特择犀带宠之。（《续资治通鉴长编》卷二九）

十七日，郊祀，藉田，改元端拱。（《玉海》卷十三）

二月

先是，有翟马周者击登闻鼓，讼中书侍郎、兼工部尚书、平章事李昉，身任元宰，属北戎入寇，不忧边思职，但赋诗饮酒，并置女乐等事。上以方讲藉田，稍容忍之。于是，召翰林学士贾黄中草制，授昉右仆射，罢政，且令黄中切责之。黄中言：“仆射，师长百僚，旧宰相之任。今自工部尚书拜，乃殊迁，非黜之之义也。若以文昌务简均逸为辞，庶几得体。”上然之。庚子（十二日），昉罢为右仆射。（《续资治通鉴长编》卷二九）

三月

二十三日，以翰林学士宋白权知贡举，知制诰李沆权同知贡举。准诏令放合格进士、诸科程宿已下一百二十人。（《宋会要辑稿·选举一》）

春

李度卒，57 岁。李度，河南洛阳人。周显德中举进士。度工于诗，有“醉轻浮世事，老重故乡人”之句。时翰林学士申文炳知贡举，枢密使王朴移书录其句以荐之，文炳即擢度为第三人。释褐永宁县主簿。累迁殿中丞、知歙州。坐事左迁绛州团练使，十年不调。度在歙州，尝以所著诗刻于石，有中黄门得其石本，传入禁中，太宗见之，谓宰相曰：“度今安在？”即令召至，对于便殿，与语甚悦，擢为虞部员外郎、直史馆，赐绯。端拱初，籍田毕，交州黎桓加恩，命度借太常少卿充官告国信副使，上赐诗以宠行。未至交州，卒于太平军传舍，年五十七。度之南使，每至州府，即借图经观其胜迹，皆形篇诗，以上所赐诗有“奉使南游多好景”之句，遂题为《奉使南游集》，未成编而亡。（《宋史》本传）

四月

庚戌（二十四日），遣考功员外郎、兼侍御史知杂事吕端，起居舍人钜野吕佑之，使高丽。（《续资治通鉴长编》卷二九）

五月

辛酉（六日），置秘阁于崇文院，分三馆之书万余卷以实其中，命吏部侍郎李至兼秘书监，右司谏、直史馆宋泌兼直秘阁，右赞善大夫、史馆检讨杜镐为校理。（《续资治通鉴长编》卷二九）

闰五月

戊戌（十三日），以殿中丞寇准为右正言、直史馆。（《太宗实录》卷四四）
寇准充任三司度支推官。是年，转任盐铁判官。
先是，翰林学士、礼部侍郎宋白知贡举，放进士程宿以下二十八人，诸科一百人。

榜既出，而谤议蜂起，或击登闻鼓求别试。上意其遗才，壬寅（十七日），召下第人复试于崇政殿，得进士马国祥以下及诸科凡七百人，令枢密院用白纸为牒赐之，以试中为目，令权知诸县簿、尉。谓枢密副使张宏曰："朕自即位以来，亲选贡士，大者为栋梁，小者为榱桷。今封疆万里，人无弃材，日思孜孜，庶臻上理也。卿与吕蒙正等，曩者颇为大臣所沮，非朕独断，则不及此矣。"宏顿首谢。白凡三掌贡士，所取如苏易简、王禹偁辈皆知名，而罢黜者众，因致谤议。时知制诰李沆亦同知贡举，谤议独所不及。旧制：锁院，给左藏库钱十万以资费用。是岁，诏改支尚书祠部钱，仍倍其数。罢御厨、翰林、仪鸾司供帐。先是，开封府发解，如诸州之制，皆府官专其事。是秋，以府事繁剧，始别敕朝臣主之。定名讫，送府发解如式，遂为永制。（《续资治通鉴长编》卷二九）

十七日，帝御崇政殿试礼部不合格进士。内出《暑月颁冰诗》题，得马国祥以下五十四人。翌日，又出《冰壶诗》题，得张熙尧以下四十七人。（《宋会要辑稿·选举七》）

六月

殿中丞江陵夏侯嘉贞尝为《洞庭赋》。右散骑常侍徐铉见之，曰："木玄虚之流也，词采又过焉。"上闻其名，召试禁中，擢右正言、直史馆、兼直秘阁。嘉贞喜黄白之术，愿为文字官，常语人曰："我得见铅中银钱，而知制诰一日足矣。"尝献诗，有歆慕青云意，上和以赐之，戒其狭劣好进。嘉贞寻病卒。（《续资治通鉴长编》卷二九）

十一日，帝御崇政殿试武成王庙。内出《一叶落知天下秋赋》、《堂上有奇兵诗》题，得叶齐以下三十一人，并赐及第。（《宋会要辑稿·选举七》）

上既擢马国祥等，尤恐遗材，复命右正言王世则等召下第进士及诸科于武成王庙重试，得合格数百人。丁丑（二十二日），上复试诗赋，又拔进士叶齐以下三十一人、诸科八十九人，并赐及第。（《续资治通鉴长编》卷二九）

登进士第者：程宿、马国祥、陈尧佐、叶齐、张熙尧、王世昌、查道、赵稹、卢稹、谢炎、龚识等。

端拱初，宋白知举，取二十八人。物论喧然，以为多遗材。诏复取落下人试于崇政殿，于是再取九十九人。而叶齐犹击登闻鼓自列。朝廷不得已，又为覆试，颇恶齐嚚讼，考官赋题，特出"一叶落而天下秋"，凡放三十一人，而齐仍第一。（叶梦得《石林燕语》卷八）

陈文惠公尧佐，端拱元年程宿下及第，同年二十八人。时公兄弟俱未仕，父省华尚为小官，家极贫。魏野以诗贺之曰："放人少处先登第，举族贫时已受官。"（王辟之《渑水燕谈录》卷七）

八月

戊寅（二十四日），武胜节度使、太师、尚书令兼中书令邓王钱俶卒，60岁。吴越钱俶，字文德，杭州临安人。建隆元年，授天下兵马大元帅。雍熙元年，改封汉南国王。四年春，出为武胜军节度，改封南阳国王。俶久被病，诏免入辞。将发，赐玉束带、金唾壶、碗盏等。俶四上表让国王，改封许王。端拱元年春，徙封邓王。会朝廷遣使赐生辰器币，与使者宴饮至幕，有大流星堕正寝前，光烛一庭，是夕暴卒，年六十。俶以天成四年八月二十四日生，至是八月二十四日卒。上为废朝七日，追封秦国王，谥忠懿。（《宋史》本传）

秋

和岘卒，56 岁。 和岘，字晦仁，开封浚仪人。父凝，晋宰相、太子太傅、鲁国公。七岁，以门荫为左千牛备身，迁著作佐郎。建隆初，授太常博士，从祀南郊，赞导乘舆，进退闲雅。俄拜刑部员外郎兼博士，仍判太常寺。先是，王朴、窦俨洞晓音乐，前代不协律吕者多所考正。朴、俨既没，未有继其职者。会太祖以雅乐声高，诏岘讲求其理，以均节之，自是八音和畅，上甚嘉之。乐器中有叉手笛者，上意欲增入雅乐，岘即令乐工调品，以谐律吕，其执持之状如拱揖然，请目曰"拱辰管"，诏备于乐府。开宝初，迁司勋员外郎、权知泗州，判吏部南曹，历夔、晋二州通判。太宗即位，迁主客郎中。太平兴国二年，知兖州，改京东转运使。坐削籍，配隶汝州。六年，起为太常丞，分司西京，复阶勋章服。端拱初，上躬耕籍田，岘奉留司贺表至阙下，因以其所著《奉常集》五卷、《秘阁集》二十卷、《注释武成王庙赞》五卷奏御，上甚嘉之，复授主客郎中，判太常寺兼礼仪院事。是秋得暴疾，卒，年五十六。（《宋史》本传）

著有：《秘阁集》二十卷（《宋史·艺文志三》）、《礼神志》十卷（《宋史·艺文志三》）、《奉常集》五卷（《宋史》本传）、《注释武成王庙赞》五卷（《宋史》本传）。

十月

释赞宁上《大宋高僧传》三十卷。
时上人进新修《高僧传》，有诏赴阙。（王禹偁《寄赞宁上人》自注）
臣僧赞宁等言：自太平兴国七年伏奉敕旨，俾修《高僧传》与新译经同入藏者。臣等遐求事迹，博采碑文，今已撰集成三十卷，谨诣阙廷进上。（赞宁《进高僧传表》）
《宋高僧传》三十卷，宋释赞宁撰。是书乃赞宁于太平兴国七年奉太宗敕旨编撰，至端拱元年十月书成。遣天寿寺僧显忠等于乾明节奉表上进，有敕奖谕，赐绢三千匹，仍令僧录司编入大藏。而《宋史·艺文志》、《文献通考》均不著录，盖史志于外教之书粗存梗概，不必求全，于例当然，亦于理当然也。《高僧传》之名起于梁释惠敏，分译经义解两门。释慧皎复加推扩，始分立十科。至唐释道宣《续高僧传》，搜辑弥博，于是分译经、义解、习禅、明律、护法、感通、遗身、诵读、兴福、杂科十门，所载迄唐贞观而止。赞宁此书，盖又以续道宣之后，故所录始于唐高宗时，门目亦一仍其旧。凡正传五百三十三人，附见一百三十人。传后附以论断，于传授源流，最为赅备。中间如武后时人，皆系之周朝，殊乖史法。又所载既托始于唐，而杂科篇中乃有刘宋、元魏二人，亦为未明限断。然其于诔铭志记摭采不遗，实称详博。文笔近六朝，风格

亦多雅瞻可观。考释门之典故者，固于兹有取焉。（《四库提要》卷一四五）

本年

柳开去知全州。（张景《柳公行状》）

卢积卒，27岁。

著有：《曲肱编》六卷（《宋史·艺文志七》）。

聂冠卿（988—1042）生。聂冠卿，字长孺，歙州新安人。举进士，授连州军事推官。杨亿爱其文章，于是大臣交荐，召试学士院，校勘馆阁书籍。迁大理寺丞，为集贤校理、通判蕲州。坐尝校《十代兴亡论》谬误落职。再迁太常博士，复集贤校理。判登闻鼓院，历开封府判官、三司盐铁度支判官，同修起居注。累迁尚书工部郎中。初，翰林侍讲学士冯元修大乐，命冠卿检新阅事迹。又预选《景祐广乐记》，特迁刑部郎中、直集贤院。以兵部郎中、知制诰判太常礼院，纠察刑狱。奉使契丹，其主谓曰："君家先世奉道，子孙固有昌者。"尝观所著《蕲春集》，词极清丽，因自击球纵饮，命冠卿赋诗，礼遇甚厚。还，同知通进银台司、审刑院，入翰林为学士。母亡，起复，判昭文馆。未几，兼侍读学士。冠卿每进读《左氏春秋》，必引尊王黜霸之义以讽。未几，告归葬亲，至扬州卒。冠卿嗜学好古，手未尝释卷，尤工诗，有《蕲春集》十卷。（《宋史》本传）

庞籍（988—1063）生。庞籍，字醇之，单州成武人。及进士第，为黄州司理参军。调开封府兵曹参军，知府薛奎荐为法曹。迁大理寺丞、知襄邑县。预修《天圣编敕》，为刑部详覆官。擢群牧判官。久之，出知秀州，召为殿中侍御史。为开封府判官，以祠部员外郎罢为广南东路转运使。降太常博士、知临江军。寻复官，徙福建转运使。景祐三年，为侍御史，改刑部员外郎、知杂事，判大理寺，进天章阁待制。元昊反，为陕西体量安抚使。坐令开封府吏冯士元市女口，降知汝州。徙同州，就除陕西都转运使。进龙图阁直学士、知延州。明年，改延州观察使，力辞，换左谏议大夫。改参知政事，拜工部侍郎、枢密使，迁户部，拜同中书门下平章事、昭文馆大学士、监修国史。籍初入相，且独员，而遽为昭文馆大学士，出殊拜也。罢知郓州。居数月，加观文殿大学士。拜昭德军节度使、知永兴军，改并州。复为观文殿大学士、户部侍郎、知青州。迁尚书左丞，不拜。徙定州，召还京师，上章告老，寻以太子太保致仕，封颍国公。薨，年七十六。赠司空，加侍中，谥庄敏。（《宋史》本传）

李遵勖（988—1038）生。李遵勖字公武，崇矩孙。及长，好为文词，举进士。大中祥符间，召对便殿，尚万寿长公主。授左龙武将军、驸马都尉，赐第永宁里。领澄州刺史，坐私主乳母，谪均州团练使，徙蔡州。逾年，起为太子左卫率府副率，复左龙武军将军，领宏州团练使，真拜康州团练使，给观察使禄。迁泽州防御使，又迁宣州观察使。求补郡自试，出知澶州，迁昭德军节度观察留后，拜宁国军节度使，徙镇国军、知许州。师杨亿为文，亿卒，为制服。及知许州，奠亿之墓，恸哭而返。又与刘筠相友善，筠卒，存恤其家。通释氏学，将死，与浮图楚圆为偈颂。卒，赠中书令，谥曰和文。有《闲宴集》二十卷，《外馆芳题》七卷。（《宋史》本传）

祖士衡（988—1026）生。祖士衡，字平叔，蔡州上蔡人。少孤，博学有文，为李宗谔所知，妻以兄子。杨亿谓刘筠曰："祖士衡辞学日新，后生可畏也。"举进士甲科，授大理评事、通判蕲州，再迁殿中丞、直集贤院，改右正言、户部判官。未几，提举在京诸司库务，迁起居舍人、注释御集检阅官，遂知制诰，为史馆修撰，纠察在京刑狱，同知通进、银台司。天圣初，以附丁谓，落职知吉州。言者又以在郡不修饬，复降监江州税。年三十九，卒于官。（《宋史》本传）

程琳（988—1056）生。程琳，字天球，永宁军博野人。举服勤辞学科，补泰宁军节度推官。改秘书省著作佐郎、知寿阳县，监左藏库。召试，直集贤院。改太常博士、权三司户部判官，契丹馆伴使。后修《真宗实录》，而大中祥符以来起居注阙，琳追述上之，遂修起居注，提举在京诸司库务，知制诰、判吏部流内铨。权三司使范雍使契丹，命琳发遣三司使。以右谏议大夫权御史中丞。改枢密直学士、知益州。迁给事中、权知开封府。迁工部侍郎、龙图阁学士，复为御史中丞。不拜，以翰林侍读学士兼龙图阁学士再知开封府。改三司使。再迁吏部侍郎，遂参知政事，迁尚书左丞。已而，降光禄卿、知颍州。顷之，为户部侍郎，寻复吏部、知天雄军。又以左丞为资政殿学士。迁工部尚书，加大学士、河北安抚使。改武昌军节度使、知永兴军、陕西安抚使。以宣徽北院使判延州，仍为陕西安抚使。拜同中书门下平章事、判大名府。改武胜军，又换镇安军节度使。得疾卒。赠中书令，谥文简。（《宋史》本传）

本年重要作品：

文：王禹偁《三谏书序》、王禹偁《诏臣僚和御制雪诗序》、王禹偁《谢除右拾遗直史馆启》、王禹偁《籍田赋》、王禹偁《送荣礼丞赴宋都序》、王禹偁《赠别鲍秀才序》、王禹偁《端拱箴》、王禹偁《送王旦序》、王禹偁《送李巽序》。

诗：王禹偁《寄赞宁上人》、王禹偁《对雪》、王禹偁《初拜拾遗游琼林苑》、王禹偁《馆中春直偶题》、王禹偁《岁末偶书寄苏台旧僚友》、王禹偁《朝退偶题》、王禹偁《送王司谏赴淮南转运》、王禹偁《送郝校书从事相州》、王禹偁《贺李宗谔先辈除校书郎》、王禹偁《送夏侯正言襄阳迎亲》、王禹偁《送鞠评事宰兰溪》、潘阆《谢寇员外准见示诗卷》。

公元 989 年（宋太宗端拱二年 己丑）

正月

十一日，以知制诰苏易简、宋准权知贡举，合格奏名进士陈尧叟以下三百六十八人。（《宋会要辑稿·选举一》）

二月

以国子监为国子学。（《续资治通鉴长编》卷三十）

三月

二十一日，帝御讲武殿，试礼部奏名进士。内出《圣人不尚贤赋》、《五色一何鲜诗》、《禹拜昌言论》题。（《宋会要辑稿·选举七》）

先是，翰林学士、知贡举苏易简等固请御试。壬寅（二十一日），上御崇政殿试合格举人，得进士阆中陈尧叟、晋江曾会等一百八十六人，并赐及第；诸科博平孙奭等四百五十人，亦赐及第；七十三人，同出身。赐宴，始令两制、三馆文臣皆预。赐尧叟等箴一首，勉以修身谨行、稽古效官之意。尧叟及会并授光禄寺卿、直史馆，第三人以下分授职事、州县官。越州进士刘少逸者，年十三中选，既复试，又别试御题赋诗数章，皆有旨趣，授校书郎，令于三馆读书。时中书令史、守当官陈贻庆举《周易》学究及第，既而上知之，令追夺所授敕牒，释其罪，勒归本局。（《续资治通鉴长编》卷三〇）

登进士第者：陈尧叟、曾会、姚揆、舒雄、高惠连、许载、吴简言、宋涛、彭应求、黄震、胡则、杨侃、梅询、李宗谔、盛度、陈从易、刘少逸、李允及、杨大雅、魏清等。

六月

上尝谓直史馆句中正曰："卿深于字学，凡有声无文者几何？"中正退，条为一卷以上。上曰："朕亦得二十余字，可并录之。"因命中正与史馆编修吴铉等撰定《雍熙广韵》。六月丁丑，《广韵》成，凡一百卷。诏书嘉奖焉。（《续资治通鉴长编》卷三十）

七月

初，左正言、直史馆下邽寇准承诏极言北边利害，上器之。秋七月己卯（一日），拜虞部郎中、枢密直学士。准尝知巴东、成安二县，其为治一以恩信。（《续资治通鉴长编》卷三十）

寇准初为密学，方年少得意，偶撰《江南曲》。云："江南春尽离肠断，苹满汀洲人未归。"又云："日暮江南一望时，愁情不断如春水。"意皆凄惨，末年果南迁。（君玉《国老谈苑》卷二）

八月

（辽圣宗统和七年）庚午（二十二日），放进士高正等二人及第。（《辽史·圣宗纪三》）

二十九日，范仲淹（989—1052）生。范仲淹，字希文，苏州吴县人。二岁而孤，母更适长山朱氏，从其姓，名说。举进士第，为广德军司理参军，迎其母归养。改集庆军节度推官，始还姓，更其名。监泰州西溪盐税，迁大理寺丞，徙监楚州粮料院，母丧去官。服除，以殊荐，为秘阁校理。太后崩，召为右司谏。有诏出知睦州。岁余，徙苏州。后罢知饶州。在饶州岁余，徙润州，又徙越州。元昊反，召为天章阁待制、知永兴军，改陕西都转运使。会夏竦为陕西经略安抚、招讨使，进仲淹龙图阁直学士以副之。进枢密直学士、右谏议大夫。召拜枢密副使。复除参知政事。自请罢政事，乃以为资政殿学士、陕西四路宣抚使、知邠州。卒赠兵部尚书，谥文正。(《宋史》本传)

本年

杨亿服除，往许州依从祖杨徽之。

宋准卒，52 岁。宋准，字子平，开封雍丘人。准开宝中举进士，翰林学士李昉知贡举，擢准甲科。会贡士徐士廉击登闻鼓，诉昉用情取舍非当。太祖怒，召准覆试于便殿，见准形神伟茂，程试敏速，甚嘉之，以为宜首冠俊造，由是复擢准甲科，即授秘书省校书郎、直史馆。八年，受诏修定诸道图经。俄奉使契丹，复命称旨。明年，出知南平军，会改军为太平州，依前知州事，就加著作佐郎。太平兴国四年，迁著作郎、通判梓州，转左拾遗。归朝，预修诸书。八年，同知贡举，出为河北转运使，岁余，以本官知制诰。雍熙中，加主客员外郎，复预知贡举，俄判大理寺。四年，被病，迁金部郎中，罢知制诰。端拱二年卒，年五十二，赐钱百万。准美风仪，善谈论，辞采清丽，莅官所至，皆有治声。(《宋史》本传)

本年重要作品：

文：王禹偁《御戎十策》、王禹偁《上太保侍中书》、王禹偁《唐河店妪》、王禹偁《圣人无名赋》。

诗：王禹偁《送查校书从事彭门》、王禹偁《送史馆赵寺丞出宰咸阳》、王禹偁《送罗著作奉使湖湘》、王禹偁《贺温正言赐紫》、王禹偁《送光禄王寺通判徐方》、王禹偁《谢同年黄法曹送道服》、王禹偁《送冯学士入蜀》、王禹偁《皇帝试贡士歌》、王禹偁《谢政事往侍郎伏日送冰》、寇准《追思柳恽汀洲之咏尚有遗妍因书一绝》。

词：寇准《江南春·波渺渺》。

公元 990 年（宋太宗淳化元年　庚寅）

正月

戊寅朔（一日），御朝元殿受册尊号，曲赦京城系囚，改元。(《续资治通鉴长编》卷三一)

己卯（二日），改乾明节为寿宁节。(《续资治通鉴长编》卷三一)

初，殿中丞清丰晁迥通判鄂州，坐失入囚死罪，削三任，有司以殿中丞、右赞善大夫并上柱国通计之。丙申（十九日），诏自今免官者，并以职事官，不得以勋、散、试官之类。(《续资治通鉴长编》卷三一)

四月

乙巳（按，是月丙午朔，无乙巳日），赐太子中允陈省华及其子光禄寺丞、直史馆尧叟五品服。先是，尧叟举进士，中甲科，占谢，词气明辨。上问宰相："此谁子？"吕蒙正等以省华对。省华时为楼烦令，即召见，擢太子中允。于是，父子又同日而赐章服。（《续资治通鉴长编》卷三一）

七月

丁酉（二十四日），以御值诗文四十一卷藏于秘阁。（《续资治通鉴长编》卷三一）

八月

癸卯朔（一日），秘书监李至与右仆射李昉、吏部尚书宋琪、左散骑常侍徐铉及翰林学士、诸曹侍郎、给事、谏议、舍人等，秘阁观书。上闻之，遣使就赐宴，大陈图籍，令纵观。翌日甲辰，又诏权御史中丞王化基及三馆学士并赐宴秘阁。先是，遣使诣诸道，购募古书、奇画及先贤墨迹，小则偿以金帛，大则授以官。数岁之间，献图籍于阙下者不可胜计，诸道购得者又数倍。乃诏史馆尽取天文、占候、谶纬、方术等书五千一十卷，并内出古画、墨迹一百一十四轴，悉令藏于秘阁。图籍之盛，近代所未有也。（《续资治通鉴长编》卷三一）

十一月

罗处约卒，33岁。罗处约，蜀人也。举进士，为临溪簿，再迁大理评事、知吴县。王禹偁与为倡酬，人多传诵。处约与禹偁召至京师，太宗自定题以试之，以禹偁为右拾遗，处约为著作郎，皆直史馆。处约有词采，而急于进用。未几而卒，年三十三。有集十卷，王禹偁为之序。（据《东都事略》本传）

著有：《东观集》十卷（《宋史·艺文志七》）、《罗处约诗》一卷（《宋史·艺文志七》）。

著录：郑樵《通志·艺文略八》、《宋史·艺文志七》。

君讳处约，字思纯，其先京兆万年人。处约九岁能赋诗，十三通经义，尤长于《易》，故所为文必臻乎道。二十六，御前擢进士第，解褐宿州临涣薄。再命苏州吴县宰，得大理评事。雍熙中，被召赴阙，试文于相府制，授大著作、直太史氏，面赐银章、朱绂以荣之。不幸以淳化元年十一月卧疾终于家，年三十三，亦贾谊、李贺之俦也。友人翰林学士、尚书祠部郎中、知制诰苏易简，左司谏、知制诰王某，以布素之交，哭之恸。收其遗文，洒泪编次，勒成十卷。以其终于史职，目为《东观集》。总歌诗、赋颂、私试五题、杂文、碑记、书启、序引、表状、祭文，凡数百章十万余言。（王禹偁《东观集序》）

冬

孙何再到阙下，拜见王禹偁。

今年冬，生再到阙下，即过吾门，博我新文，且先将以书，犹若寻常贡举人，恂恂然执先后礼，何其待我之薄也。观其气和而壮，辞直而温，与夫向之著述相为表里。（王禹偁《送孙何序》）

本年

柳开自全州徙知桂州。

杨亿诣阙献文，改奉礼郎，乃读书秘阁。

（辽圣宗统和八年）是岁，放郑云从等二人及第。（《辽史·圣宗纪四》）

张先（990—1078）生。张先字子野，登进士第。诗格清丽，尤长于乐府。有"云破月来花弄影"、"浮萍破处见山影"、"无数杨花过无影"之句，时号为"张三影"。李公择守吴兴，招张子野及杨元素、陈令举、苏子瞻、刘孝叔，集于郡圃，号"六客"。晚岁，优游乡里，常泛扁舟，垂钓为乐，至今号"张公钓鱼湾"。公仕至都官郎中，卒年八十九，葬卞山多宝寺之右。有文集一百卷，唯乐府传于世。（《嘉泰吴兴志·贵贤事实下》）

丁度（990—1053）生。丁度，字公雅，其先恩州清河人。大中祥符中，登服勤词学科，为大理评事、通判通州，改太子中允、直集贤院。坐解送国子监进士失实，监齐州税。还知太常礼院，判吏部南曹。入知制诰，迁翰林学士，纠察在京刑狱，判太常礼院兼群牧使。累迁中书舍人，为承旨。久之，迁端明殿学士、知审刑院。未几，擢工部侍郎、枢密副使。因上《庆历兵录》五卷、《赡边录》一卷。明年，参知政事。会春旱，降秩中书舍人，逾月，复官。改观文殿学士、知通进银台司、判尚书都省，再迁尚书左丞，卒。赠吏部尚书，谥文简。度著《迩英圣览》十卷、《龟鉴精义》三卷、《编年总录》八卷，奉诏领诸儒集《武经总要》四十卷。（《宋史》本传）

本年重要作品：

文：王禹偁《送孙何序》、王禹偁《送戚维序》、王禹偁《诏臣僚和御制赏花诗序》、王禹偁《送薛昭序》、王禹偁《重修北岳庙碑》、王禹偁《李氏园亭记》。

诗：王禹偁《送姚著作之任宣城》、王禹偁《送田舍人出牧淮阳》、王禹偁《送夏侯正言奉使江南》、王禹偁《送馆中王正言使交趾》、王禹偁《送柴郎中使高丽》、王禹偁《和陈州田舍人留别五首》、王禹偁《送密直温学士西京迁葬》、王禹偁《寄田舍人》、王禹偁《送赵令公西京留守》、王禹偁《送同年刘司谏通判西都》、王禹偁《酬赠田舍人》、王禹偁《送筇杖与刘湛然道士》、王禹偁《送戚维戚纶之阆州亳州》、王禹偁《送陈侯之任同州》、王禹偁《送朱九龄》、潘阆《中秋与柳赞善开宗赞善坦寇学士准宿宋拾遗白宅不见月》。

公元 991 年（宋太宗淳化二年 辛卯）

闰二月

戊寅(八日),秘书监李至进新校《御书》三百八十卷。(《续资治通鉴长编》卷三二)

春

丁谓携文谒见王禹偁。

主上躬耕之岁,仆始自长洲宰被召入见,由大理评事得右正言,分直东观。既岁满,入西掖掌诰,且二年矣。由是今之举进士者,以文相售,岁不下数百人。朝请之余,历鉴无怠。去年得富春生孙何文数十篇,格高意远,大得六经旨趣。仆因声于同列间。或曰:"有济阳丁谓者,何之同志也,其文与何不相上下。"仆未之信也。会有以生之文示仆者,视之,则前言不诬矣。是秋,何来访仆,既与之交,又得生之履行甚熟,且渴其惠顾于我也。今春生果来,并以新文二编为书以投我。其间有律诗、今体赋文,非向所号进士者能及也。其诗效杜子美,深入其间。其文数章,皆意不常而语不俗。若杂于韩柳集中,使能文之士读之,不之辨也。(王禹偁《送丁谓序》)

四月

辛巳(十二日),以枢密副使张齐贤、给事中陈恕并参知政事,以枢密直学士温仲舒、寇准并为枢密副使。(《续资治通鉴长编》卷三二)

八月

徐铉坐庐州妖尼道安诬,贬静难行军司马。

九月

二日,王禹偁免官,贬为商州团练副使。

九月戊戌,王禹偁等始免官。戊戌,初二日也。(《续资治通鉴长编》卷三二)

己亥(三日),命左仆射李昉兼中书侍郎,参知政事张齐贤为吏部侍郎,并平章事。翰林学士贾黄中、李沆并为给事中,参知政事。(《续资治通鉴长编》卷三二)

甲辰(八日),以枢密副使张逊、知枢密院事温仲舒、寇准同知院事,知院之名自此始。逊、仲舒、准仍并带副使,自后或以正官或检校官为之,秩与副使同。(《续资治通鉴长编》卷三二)

十月

三日,王禹偁到任商州,为团练副使。

淳化二年八月晦日,夜梦于上前赋诗,既寤,惟省一句云:"九日山州见菊花。"间一日,有商于贰车之命,实以十月三日到郡。(王禹偁《登高》)

辛巳(十六日),翰林学士承旨苏易简续《翰林志》二卷以献。上嘉之,赐诗二章纸尾，批云："诗意美卿居清华之地也。"易简愿以所赐诗刻石，昭示无穷。上复为真、草、行三体书其诗，命待诏吴文赏刻之，因遍赐群臣。又飞白书"玉堂之署"四大字，令中书召易简付之，榜于厅额上，曰："此永为翰林中美事。"易简曰："自有翰林，未有如今日之荣也。"（《续资治通鉴长编》卷三二）

十一月

庚戌（十五日），左谏议大夫、史馆修撰杨徽之次对。上言："方今文士虽多，通经者甚少。愿精选五经博士，增其员，各专业以教胄子，此风化之本。"上顾谓宰相曰："徽之操履无玷，真儒雅之士。出理州郡，非其所长，置之馆殿，正得其宜矣。"（《续资治通鉴长编》卷三二）

十二月

辛卯（二十六日），翰林学士承旨苏易简于本院会学士韩丕、毕士安、秘书院李至、史馆修撰杨徽之、梁周翰、知制诰柴成务、吕佐之、钱若水、王旦、直秘阁潘谨修、翰林侍书王著、侍读吕文仲等，观御飞白书"玉堂之署"四字并三体书诗石。上闻之，赐上尊酒，太官设盛馔，丕等各赋诗以记其事。宰相李昉、张齐贤、参知政事贾黄中、李沆亦赋诗以贻易简，易简悉以奏御。上谓宰相曰："苏易简以卿等诗什来上，斯足以见儒墨之盛、学士之贵也。可别录一本进入，以其本赐易简。"（《续资治通鉴长编》卷三二）

本年

柳开诏归京城。冬，为黠徒诉，入台狱，枷禁一百二十日。（柳开《在滁州上陈情表》）

（辽圣宗统和九年）是岁，放进士石用中一人及第。（《辽史·圣宗纪四》）

（辽圣宗统和九年）室昉卒，75 岁。室昉，字梦奇，南京人。幼谨厚笃学，不出外户者二十年，虽里人莫识，其精如此。会同初，登进士第，为卢龙巡捕官。太宗入汴受册礼，诏昉知制诰，总礼仪事。天禄中，为南京留守判官。应历间，累迁翰林学士，出入禁闼十余年。保宁间，兼政事舍人，数延问古今治乱得失，奏对称旨。上多昉有理剧才，改南京副留守，决讼平允，人皆便之。迁工部尚书，寻改枢密副使，参知政事。顷之，拜枢密使，兼北府宰相，加同政事门下平章事。乾亨初，监修国史。统和元年，告老，不许。进《尚书·无逸篇》以谏，太后闻而嘉奖。八年，复请致政。诏入朝免拜，赐几杖，太后遣阁门使李从训持诏劳问，令常居南京，封郑国公。表进所撰《实录》二十卷，手诏褒之，加政事令，赐帛六百四。九年，荐韩德让自代，不从。病剧，遣翰林学士张干就第授中京留守，加尚父。卒，年七十五。上嗟悼，辍朝二日，赠尚书令。遗言戒厚葬。恐人誉过情，自志其墓。（《辽史》本传）

晏殊（991—1055）生。晏殊，字同叔，抚州临川人。七岁能属文，景德初，以神童荐之。帝诏殊与进士千余人并试廷中，殊神气不慑，援笔立成。帝嘉赏，赐同进士出身。擢秘书省正字，秘阁读书。明年，诏试中书，迁太常寺奉礼郎。诏修宝训，同判太常礼院。再迁太常寺丞，擢左正言、直史馆，为升王府记室参军。岁中，迁尚书户部员外郎，为太子舍人，寻知制诰，判集贤院。久之，为翰林学士，迁左庶子。预修《真宗实录》。进礼部侍郎，拜枢密副使。罢知宣州。数月，改应天府，延范仲淹以教生徒。诏拜御史中丞，改资政殿学士、兼翰林侍读学士，兵部侍郎、兼秘书监，为三司使，复为枢密副使，未拜，改参知政事，加尚书左丞。太后崩，以礼部尚书罢知亳州，徙陈州，迁刑部尚书，以本官兼御史中丞，复为三司使。康定初，知枢密院事，遂为枢密使。进同中书门下平章事。庆历中，拜集贤殿学士、同平章事，兼枢密使。徙陈州，又徙许州，稍复礼部、刑部尚书。祀明堂，迁户部，以观文殿大学士知永兴军，徙河南府，迁兵部。已而薨。赠司空兼侍中，谥元献。（《宋史》本传）

宋绶（991—1040）生。宋绶，字公垂，赵州平棘人。绶幼聪警，为外祖杨徽之所器爱，家藏书悉与绶。绶母亦知书，每躬自训教，以故博通经史百家，文章为一时所尚。初，徽之卒，遗奏补太常寺太祝。年十五，召试中书，真宗爱其文，迁大理评事，听于秘阁读书。大中祥符元年，复试学士院，为集贤校理，与父皋同职。后赐同进士出身，迁大理寺丞。入为左正言、同判太常礼院。久之，擢知制诰、判吏部流内铨兼史馆修撰、玉清昭应宫判官。累迁户部郎中、权直学士院，同修《真宗实录》，进左司郎中，遂为翰林学士兼侍读学士、勾当三班院。同修国史，迁中书舍人。史成，迁尚书工部侍郎兼侍读学士。忤太后意，改龙图阁学士，出知应天府。太后崩，帝思绶言，召还，复加翰林侍读学士。再拜为参知政事，再迁吏部侍郎。岁余，加资政殿大学士，以礼部尚书知河南府。复召知枢密院事，迁兵部尚书、参知政事。时绶母尚在，绶既得疾，不视事，犹起居自力，区处后事。寻卒，赠司徒兼侍中，谥宣献。绶家藏书万余卷，亲自校雠，博通经史百家，其笔札尤精妙。杨亿称其文沉壮淳丽。初，帝问仪物典故，占对辨洽，因上所撰《卤簿图》十卷。（《宋史》本传）

滕宗谅（991—1047）生。滕宗谅，字子京，河南人。与范仲淹同年举进士，其后仲淹称其才，乃以泰州军事推官诏试学士院。改大理寺丞，知当涂、邵武二县，迁殿中丞，代还。会禁中火，诏劾火所从起，疏奏，仁宗为罢诏狱。时章献太后犹临朝，宗谅言国家以火德王，天下火失其性由政失其本，因请太后还政，而越亦上疏。太后崩，擢尝言还政者，越已卒，赠右司谏，而除宗谅左正言。后迁左司谏，坐言宫禁事不实，降尚书祠部员外郎、知信州。降监池州酒。久之，通判江宁府，徙知湖州。元昊反，除刑部员外郎、直集贤院、知泾州。仲淹荐以自代，擢天章阁待制，徙庆州。御史梁坚劾奏宗谅前在泾州费公钱十六万贯，仲淹时参知政事，力救之，止降一官，知虢州。御史中丞王拱辰论奏不已，复徙岳州，稍迁苏州，卒。宗谅尚气，倜傥自任，好施与，及卒，无余财。所莅州喜建学，而湖州最盛，学者倾江、淮间。有谏疏二十余篇。（《宋史》本传）

王逵（991—1072）生。君讳逵，字仲达，家晋阳。天禧三年及进士第，为广济军司理参军，母丧去。姜遵知永兴军府事，取君主万年簿，万年令免官，君行令事。诏特以为试秘书省校书郎，知县事。迁秘书著作佐郎。迁秘书丞，通判益州事。入为开封府推官、赐绯衣、银鱼。出为湖南路转运使，迁尚书祠部员外郎。坐小法，知处州、池州、福州、扬州、江南西路转运按察使。迁尚书刑部员外郎，按知洪州，改荆湖北路转运使。迁尚书工部郎中、淮南转运使。加直昭文馆，知越州、浙东兵马钤辖。迁尚书刑部郎中，判刑部。加直龙图阁，知荆南府、荆湖北路兵马钤辖。迁尚书兵部郎中，知西京留守、御史台，提举崇福宫，皆不赴。遂乞致仕，居郓州，熙宁五年四月癸亥终于郓州昭庆坊之私第，享年八十有二。有文集五十卷。（曾巩《刑部郎中致仕王公墓志铭》）

陈执中（991—1059）生。陈执中，字昭誉，以父恕任，为秘书省正字，累迁卫尉寺丞、知梧州。上《复古要道》三篇，真宗异而召之。因召对便殿，劳问久之，擢右正言。逾月，遂立皇太子。明年，坐考御试进士卷差谬，贬卫尉寺丞、监岳州酒务。稍复殿中丞、通判抚州，复右正言。出执中知汉阳军。乃召为群牧判官、权三司盐铁判官、知谏院、提举诸司库务，以尚书工部员外郎兼御史知杂、同判流内铨，迁三司户部副使。明道中，安抚京东，进天章阁待制。使还，知应天府，徙江宁府、扬州，再迁工部郎中，改龙图阁直学士、知永兴军，拜右谏议大夫、同知枢密院事。罢知青州。又以资政殿学士知河南府，改尚书工部侍郎、陕西同经略安抚招讨使。与夏竦同知永兴军，议边事多异同，诏令互出巡边，乃屯泾州。就知陕州，复徙青州。逾年，拜同中书门下平章事、集贤殿大学士兼枢密使。七年春，旱，昌朝罢，执中降给事中。已而加昭文馆大学士、监修国史，逾月复官。皇祐初，以足疾辞位，自陈不愿为使相、大学士，遂以尚书左丞知陈州。改兵部尚书。迁吏部、观文殿大学士。久之，拜集庆军节度使、同平章事、判大名府。至和三年春，旱，卒罢执中为镇海军节度使、同平章事、判亳州。逾年辞节，改尚书左仆射、观文殿大学士，封英国公，徙河南府，又徙曹州，皆不赴。过都，以疾赐告，就第拜司徒、岐国公致仕，卒，赠太师兼侍中。后改谥恭襄，诏谥曰恭。帝篆其墓碑曰"褒忠之碑"。（《宋史》本传）

本年重要作品：

文：王禹偁《送丁谓序》、王禹偁《荐丁谓与薛太保书》、王禹偁《东观集序》、王禹偁《记马》、王禹偁《与冯伉书》、王禹偁《四皓庙碑》。

诗：王禹偁《阁下咏怀》、王禹偁《阁下暮春》、王禹偁《舍人院竹》、王禹偁《省中苦雨二首》、王禹偁《初出京过琼林苑》、王禹偁《中牟县旅舍喜同年高绅著作见访》、王禹偁《荥阳怀古》、王禹偁《过鸿沟》、王禹偁《旅次新安》、王禹偁《硖石县旅舍》、王禹偁《稠桑坡车覆》、王禹偁《阌乡旅夜》、王禹偁《初入山闻提壶鸟》、王禹偁《听泉》、王禹偁《弊帏诗》、王禹偁《和冯中允仙娥峰》、王禹偁《龙凤茶》、王禹偁《不见阳城驿》、王禹偁《对雪感怀》、王禹偁《岁暮感怀》、王禹偁《畲田词》、王禹偁《雪后登灵果寺阁》、王禹偁《独游南静川》、王禹偁《书孙仅甘棠集后》。

公元 992 年（宋太宗淳化三年　壬辰）

正月

六日，以翰林学士承旨苏易简权知贡举。翰林学士毕士安，知制诰吕祐之、钱若水、王旦，权同知贡举。合格奏名进士孙何已下若干人。（《宋会要辑稿·选举一》）

诸道贡举人万七千三百，皆集阙下。辛丑，命翰林学士承旨苏易简等同知贡举。既受诏，径赴贡院以避请求。后遂为常制。（《续资治通鉴长编》卷三三）

三月

四日，帝御崇政殿，试礼部奏名进士。内出《厄言日出赋》、《射不主皮诗》、《儒行论》题，得孙何已下三百五十三人，第为五等，并赐及第、出身。（《宋会要辑稿·选举七》）

先是，胡旦、苏易简、王世则、梁灏、陈尧叟皆以所试先成，擢上第，由是士争习浮华，尚敏速，或一刻数诗，或一日十赋。将作监丞莆田陈靖上疏，请糊名考校，以革其弊，上嘉纳之。于是，召两省、三馆文学之士，始令糊名考校，第其优劣，以分等级。内出《厄言日出赋》题，试者骇异，不能措辞，相率扣殿槛上请。会稽钱易，时年十七，日未中，所试三题皆就，言者指其轻俊，特黜之。得汝阳孙何以下凡三百二人，并赐及第，五十一人同出身。上喻之曰：“尔等各负志业，中我廷选，效官之外，更励精文翰，勿坠前功也。”何等旅拜称谢。辛丑（七日），又复试诸科，擢七百八十四人，并赐及第；百八十人出身。就宴，赐御制诗三首，箴一首。进士孙何而下四人，皆授将作监丞、大理评事、通判诸州，余及诸科授职事州县官。入谢于长春殿。上谓宰相曰：“天下至广，藉群材共治之。今岁登第者，又千余人，皆朕所选择。此等但能自检，清美得替而归，则驯致亨衢，未易测也。”时诏刻《礼记儒行篇》，赐近臣及京官受任于外者，并以赐何等，令为座右之戒。初，内殿策士，例赐御诗以宠之。至陈尧叟始易以箴，用敦勉励。暨孙何，则诗、箴并赐，时论荣之。史馆修撰梁周翰、直昭文馆安德裕并为考官。（《续资治通鉴长编》卷三三）

赐太常寺奉礼郎杨亿进士及第。亿时年十二，读书秘阁，因拟《文选·两京赋》，作《东西京赋》二道以进。太宗览而嘉之，诏学士院试《舒州进甘露颂》，随时而就。帝益赏其俊才，故有是命。（《宋会要辑稿·选举九》）

杨亿作《二京赋》，既成，好事者多为传写。有轻薄子书其门曰：“孟坚再生，平子出世，《文选》中间，恨无隙地。”杨亦书门答之曰：“赏惜违颜，事等隔世，虽书我门，不争此地。”（《枫窗小牍》卷上）

登进士第者：孙何、朱台符、路振、丁谓、任随、赵湘、谢涛、危拱辰、李景和、胡从义、王钦若、吕言、陈纲、李畋、任随、王曙、薛奎、李仲芳、欧阳载、王彬、崔罕、杨蜕、贾注、王陟、吴敏、乐黄目、凌咸、钱昆、龚纬、陆玄圭、张士逊等。

孙何榜，太宗皇帝自出试题《厄言日出赋》，顾谓侍臣曰：“比来举子浮薄，不求义理，务以敏捷相尚。今此题渊奥，故使研究意义，庶浇薄之风可渐革也。”语未已，钱易进卷子，太宗大怒叱出之，自是科场不开者十年。（魏泰《东轩笔录》卷一）

太宗时，亲试进士，每以先进卷子者赐第一人及第。孙何与李庶几同在科场，皆有时名。庶几文思敏速，何尤苦思迟。会言事者上言：“举子轻薄，为文不求义理，惟以敏速相夸。"因言："庶几与举子于饼肆中作赋，以一饼熟成一韵者为胜。"太宗闻之大怒，是岁殿试，庶几最先进卷子，遽叱出之，由是何为第一。（欧阳修《归田录》卷一）

孙何、丁谓举进士第，未有名，翰林学士王禹偁见其文，大赏之，赠诗云："三百年来文不振，直从韩、柳到孙、丁。如今便好令修史，二子文章似六经。"二人由是名大振。（司马光《涑水记闻》卷二）

淳化中，路振举进士。殿试《厄言日出赋》，独振知所出，而文亦典赡，遂登甲科。（曾巩《隆平集·路振传》）

柳开贬复州团练副使。（柳开《在滁州上陈情表》）

四月

柳开移滁州团练副使。（柳开《在滁州上陈情表》）

八月

壬戌朔（一日），秘阁成。秘书监李至上言："愿比玉堂之署，赐以新额。"戊辰（七日），御飞白书"秘阁"二字赐之。仍诏宰相、枢密使与近臣就观，置宴阁下，直馆阁官皆与。又赐诗以美其事。（《续资治通鉴长编》卷三三）

九月

淳化三年九月，太宗新修秘阁。帝登阁观群书整齐，喜形于色，谓侍臣曰："丧乱以来，经籍散佚，周孔之教，将坠于地。朕即位之后，多方收拾，抄写广募，今方及数万卷。千古治乱之道，并在中矣。"即召侍臣赐坐，仍命酒，召三馆学士领焉。（江少虞《事实类苑》卷二）

本年

徐铉卒，76 岁。徐铉，字鼎臣，扬州广陵人。十岁能属文，不妄游处，与韩熙载齐名，江东谓之"韩、徐"。仕吴为校书郎，又仕南唐李璟父子，试知制诰。入宋，命为太子率更令。铉性简淡寡欲，质直无矫饰，不喜释氏而好神怪，有以此献者，所求必如其请。铉精小学，好李斯小篆，臻其妙，隶书亦工。（《宋史》本传）

著有：《徐常文集》三十卷（陈振孙《直斋书录解题·别集类中》）、《江南录》十卷（陈振孙《直斋书录解题·诏令类》）、《质论》一卷（《宋史·艺文志四》）、《稽神录》十卷（《宋史·艺文志五》）、《棋图义例》一卷（《宋史·艺文志六》）。

张昇（992—1077）生。张昇字杲卿，韩城人。举进士，为楚邱主簿。南京留守王曾称其有公辅器。累官度支员外郎。夏竦经略陕西，荐其才，换六宅使、泾原秦凤安抚都监。未几，以母老，求归故官，得知绛州，改京西转运使。知邓州，又以母辞。乃许归养。历户部判官、开封府推官，至知杂御史。以天章阁待制知庆州，改龙图阁

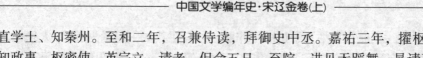

直学士、知秦州。至和二年，召兼侍读，拜御史中丞。嘉祐三年，擢枢密副使，迁参知政事、枢密使。英宗立，请老，但命五日一至院，进见无蹈舞。昇请不已，始赐告，令养疾，遂以彰信军节度使、同中书门下平章事判许州，改镇河阳三城。拜太子太师致仕。熙宁十年薨，年八十六。赠司徒兼侍中，谥曰康节。（《宋史》本传）

　　孙复（992—1057）生。孙复，字明复，晋州平阳人。举进士不第，退居泰山。学《春秋》，著《尊王发微》十二篇，大约本于陆淳，而增新意。石介有名山东，自介而下皆以先生事复。年四十不娶。李迪知其贤，以其弟之子妻之。孔道辅闻复之贤，就见之，介执杖屡立侍复左右，升降拜则扶之，其往谢亦然。介既为学官，语人曰："孙先生非隐者也。"于是范仲淹、富弼皆言复有经术，宜在朝廷。除秘书省校书郎、国子监直讲。车驾幸太学，赐绯衣银鱼，召为迩英阁祗候说书。孔直温败，得所遗复诗，坐贬虔州监税，徙泗州，又知长水县，签书应天府判官事。通判陵州，未行，翰林学士赵概等十余人言复经为人师，不宜使佐州县。留为直讲，稍迁殿中丞，卒，赐钱十万。复与胡瑗不合，在太学常相避。瑗治经不如复，而教养诸生过之。复既病，韩琦言于仁宗，选书吏，给纸笔，命其门人祖无择就复家得书十五万言，录藏秘阁。（《宋史》本传）

　　田京（992—1058）生。田京，字简之，世居沧州，其后徙亳州鹿邑。举进士，调蜀州司法参军，自秦州观察推官改秘书省著作佐郎，为大理寺详断官。召试中书，擢通判镇戎军。入对，陈方略，赐五品服。寻为经略安抚判官。入为开封府判官，出知蔡州，徙相、邢二州，复提点河北刑狱事。王则据恩州反，以不能预察贼，降监郓州税。乃徙通判兖州。又徙知江阴军，知密州，历提点淮南刑狱事、京西转运使，累迁兵部员外郎、直史馆、知沧州转运使。特迁工部郎中。擢天章阁待制、陕西都转运使，改兵部郎中，复知沧州，拜右谏议大夫，卒。著《天人流术》、《通儒子》十数书，又有奏议十卷。（《宋史》本传）

　　郑戬（992—1053）生。公讳戬，字天休。少孤颖特，骨法峻异，属文雅丽，学者向慕焉。擢公甲科，释褐太常寺奉礼郎、签宣德军节度判官。亲嫌，移宣城。故相李文定时守金陵，荐公材堪器使。秩满，召试学士院，除光禄寺丞、集贤校理。未几，通判越州。代还，改太子中允、同知太常礼院。泛恩，迁太常丞。逾年，除三司户部判官，赐绯衣、佩鱼。受诏，注释御制《三朝宝训》，迁直史馆。景祐初，同修起居注，改太常博士。继为开封府发解官。及考较御试进士，与今翰林宋公子京建议：礼部所行《韵略》及《广韵》，繁简失当，训诂不正，有司考士多以声病被黜，请修三韵，是正音训。书成，学者便焉。改判盐铁勾院。景祐中，号令温雅、辞训深厚者，公豫唱焉。领判国子监。五年，同知礼部贡举，多拔名辈，务略小疵，翕然称为得人。宝元初，知审刑院。未几，除起居舍人、龙图阁直学士、知开封府。康定初，命公权三司使事。上图公展成之效，乃拜右谏议大夫、同知枢密院事，寻改枢密副使。明年，遂以本官资政殿学士知杭州。二年，除给事中，移并州。未行，改郓、齐等九州安抚使。冬，移长安，兼本路兵马都部署。三年，除陕西四路缘边兵马都部署，兼经略安抚招讨使，迁礼部侍郎。四年，诏公还治长安。七年，除吏部侍郎。明年，就拜奉国军节度使。复表陈前志，自言衰疾，不任军事，愿还节制。手疏恳到，卒不得谢。久之寝剧，以至薨落，年六十二。公撰著文章凡五集，曰《制诰》、《原武》、《紫溪》、《长安》、《太原》，总五十卷。才高而兼华实，文雄而有气骨，盖人伦之华衮，而材林之杰藻也。攻诗出于余力，尤极清丽。与故翰林叶道卿凤期相许，心照莫逆，篇章酬寄，别为一集，以订元、白云。道卿出守河阳，自太原寄诗四十韵，以将笃好，叶复次韵以答。诗成未几，物故。世传名句，绝麟于此。（胡宿《文肃郑公墓志铭》）

本年重要作品：

文：王禹偁《厄言日出赋》、王禹偁《济州龙泉寺修三门记》、王禹偁《与李宗谔书》、王禹偁《答黄宗旦书》、王禹偁《冯氏家集前序》、王禹偁《商于驿记后序》。

诗：王禹偁《上元夜作》、王禹偁《清明日独酌》、王禹偁《春居杂兴二首》、王禹偁《谪居感事一百六十韵》、王禹偁《赋得南山行送冯中允之辛谷冶按狱》、王禹偁《读汉文纪》、王禹偁《闻进士孙何及第因寄》、王禹偁《次韵和仲咸感怀贻道友二首》、王禹偁《谪居》、王禹偁《七夕》、王禹偁《新秋即事三首》、王禹偁《村行》、王禹偁《秋霖》、王禹偁《感流亡》、王禹偁《喜雪贻仲咸》、王禹偁《金吾》、王禹偁《寒食》、王禹偁《仙娥峰》、王禹偁《放言》、王禹偁《读史记列传》、王禹偁《道服》、王禹偁《自咏》、王禹偁《遣兴》、王禹偁《秋居幽兴三首》、王禹偁《自嘲》、王禹偁《雪夜看竹》。

公元 993 年（宋太宗淳化四年　癸巳）

二月

乙丑（七日），诏赠李昉父超为太子太师、母谢氏郑国太夫人。

三月

杨亿复献诗，直集贤院。

杨文公初为光禄丞，太宗颇爱其才。一日，后苑赏花宴词臣，公不得预，以诗贻诸馆阁曰："闻戴宫花满鬓红，上林丝管侍重瞳。蓬莱咫尺无因到，始信仙凡迥不同。"诸公不敢匿，以诗进呈。上诘有司所以不召，左右以未贴职，例不得预。即命直集贤院，免谢，令预晚宴。时以为荣。（王辟之《渑水燕谈录》卷七）

四月

王禹偁因南郊大礼，随例量移解州团练副使。

五月

十五日，李昉序《二李唱和集》。

端拱戊子岁春二月，予罢知政事，蒙恩授尚书右仆射。宗人天官侍郎顷岁自给事中参知政事，上章谢病，拜尚书礼部侍郎，旋改吏部侍郎兼秘书监。南宫师长之任，

官重而身闲；内府图书之司，地清而务简。朝谒之暇，颇得自适，而篇章和答，仅无虚日。缘情遣兴，何乐如之！贰卿，好古博雅之君子也。文章大手，名擅一时，睠我之情，于斯为厚。凡得一篇一咏，未尝不走家僮以示我。慵病之叟，颇蒙牵率；若抽之思，强以应命，所谓策疲兵而当大敌也。日往月来，遂盈箧笥。淳化辛卯岁九月，余再承纶綍之命，复登廊庙之位，自兹厥后，无暇酬唱。昨发箧视之，除蠹朽残缺之外，存者犹得一百二十三首，因编而录之。他人亦有和者，咸不取焉，目为《二李唱和集》。（李昉《〈二李唱和集〉序》）

太宗遇昉亦厚，年老罢相，每曲宴，必宣赴赐坐。昉尝献诗曰："微臣自愧头如雪，也向钧天侍玉皇。"昉诗务浅切，效白乐天体，晚年与参政李公至为唱和友，而李公诗格亦相类，今世传《二李唱和集》是也。（吴处厚《青箱杂记》卷一）

著录：《宋史·艺文志八》。

六月

壬申（十五日），左谏议大夫、同知院事寇准罢守本官。（《续资治通鉴长编》卷三四）

七月

陈彭年序徐铉《骑省集》。

公江南文稿撰集未终，一经乱离，所存无几，公自勒成二十卷。及归中国，入直禁林，制诰表章，多不留草，其余存者，子婿尚书水部员外郎吴君淑编为十卷，通成三十卷。所撰《质论》、《稽神录》，奉诏《撰江南录》、修许慎《说文》，并别为一家，不列于此。彭年越在幼年，即承训导，通家之旧，与文举以攸同；入室之知，方子渊而岂异？感生平而咏叹，报德无阶；痛音问之长违，殒身莫赎。聊存摭拾，用以冠篇。（陈彭年《骑省集序》）

徐公既没，门人等论次其文为三十卷。曩秘阁吴正仪、今翰林颖川公并为之序，论之详矣。都官员外郎胡君克顺通才博雅，乐善好贤，早游骑省之门，深蒙乡里之眷，宝兹遗集，积有岁时，镂板流行，庶传悠永。（晏殊《跋骑省集》）

诗致清婉，在昆体未兴之前，故无丰缛之习。其文俪体为多，亦雅淡有余，为组织之学者见之，或不尽喜。然冲融演迤，自能成家，不可得而废也。李文正称其为文敏速，不乐预作，临事立挥草。云："速则意思壮敏，缓则体势疏慢。"今观集中之文，则其言也信。亦唯其如是，故亦无滢洄渟蓄之趣，崩云裂石之势。此殆由人之才力各有所偏胜，虽使自知之，而固能无相易者乎！（卢文弨《徐常侍文集跋》）

《骑省集》三十卷，宋徐铉撰。铉有《稽神录》，已著录。晁公武《读书志》、陈振孙《书录解题》并载铉集三十卷，与今本同。陈氏称其前二十卷仕南唐时作，后十卷皆归宋后作。今勘集中所载年月事迹，亦皆相符，盖犹旧本也。集为其婿吴淑所编。天禧中，都官员外郎胡克顺得其本于陈彭年，刊刻表进，始行于世。铉精于小学，所校许慎《说文》，至今为六书矩矱。而文章淹雅，亦冠一时。《读书志》称其文思敏速，凡有撰述，常不喜预作。有欲从其求文者，必戒临事即来请，往往执笔立就，未尝沉思。常曰："文速则意思敏壮，缓则体势疏慢。"故其诗流易有余，而深警不足。然如临汉《隐居诗话》所称，喜李少保卜邻诗，"井泉分地脉，砧杵共秋声"之句，亦未尝不具有思致。盖其才高而学博，故振笔而成，时出名隽也。当五季之末，古文未兴，故其文沿溯燕许，不能嗣韩柳之音，而就一时体格言之，则亦迥然孤秀。（《四库提要》卷一五二）

八月

丙辰朔（一日），上草书宋玉《大言赋》，赐翰林学士承旨苏易简，易简因拟作《大言赋》以献。上览赋嘉赏，手诏褒之。（《续资治通鉴长编》卷三四）

初，黄州团练副使王禹偁量移解州，因左司谏吕文仲巡抚陕西，疏言父老，求徙东土。上即诏禹偁还朝。己卯（二十四日），授左司言。谓宰相曰："禹偁文章，独步当世。然赋性刚直，不能容物，卿等宜召而戒之。"寻命直昭文馆。（《续资治通鉴长编》卷三四）

九月

乙巳（二十日），以给事中封驳隶通进、银台司，应诏敕。并令枢密直学士向敏中、张咏详酌可否，然后行下。（《续资治通鉴长编》卷三四）

十月

庚申（六日），尚书左丞张齐贤出知定州。齐贤自言母孙氏年八十五，抱赢疾，不愿离左右。上悯然，许之。（《续资治通鉴长编》卷三四）

辛未（十七日），右仆射、平章事李昉，给事中参知政事贾黄中、李沆，左谏议大夫、同知枢密院事温仲舒，并罢守本官。是日，以吏部尚书吕蒙正守本官，平章事。翰林学士承旨苏易简为给事中、参知政事。易简外若坦率，中有城府，由知制诰为学士，年未满三十。在翰林八年，特受人主之遇，复绝伦等，或一日至三召见。（《续资治通鉴长编》卷三四）

壬申（十八日），以左谏议大夫寇准出知青州。（《续资治通鉴长编》卷三四）

翰林学士张洎知吏部选事，尝引对选人。上顾之，谓近臣曰："张洎富有词藻，至今尚苦心读书，江东士人中首出也。然缙绅当以德行为先，苟空恃文学，亦无所取。"吕蒙正曰："裴行俭不取杨、王、卢、骆，正为其无德行尔。德行为先，诚如圣谕。"（《续资治通鉴长编》卷三四）

十一月

八日，左司言王禹偁直昭文馆。（《宋会要辑稿·选举三三》）

本年

柳开复崇仪使，出知环州。（张景《柳公行状》）

（辽圣宗统和十一年）是岁，放进士王熙载等二人及第。（《辽史·圣宗纪四》）

胡瑗（993—1059）生。胡瑗，字翼之，泰州海陵人。以经术教授吴中，年四十余。景祐初，更定雅乐，诏求知音者。范仲淹荐瑗，白衣对崇政殿。与镇东军节度推官阮逸同较钟律，授瑗试秘书省校书郎。范仲淹经略陕西，辟丹州推官。以保宁节度推官教授湖州。瑗教人有法，科条纤悉备具，以身先之。严师弟子之礼。视诸生如其子弟，从之游者常数百人。召为诸王宫教授，辞疾不行。为太子中舍，以殿中丞致仕。皇祐中，更铸太常钟磬，驿召瑗、逸，与近臣、太常官议于秘阁，遂典作乐事。复以大理评事兼太常寺主簿，辞不就。岁余，授光禄寺丞、国子监直讲。乐成，迁大理寺丞，赐绯衣银鱼。瑗既居太学，其徒益众，太学至不能容，取旁官舍处之。礼部所得士，瑗弟子十常居四五，随材高下，喜自修饬，衣服容止，往往相类，人遇之虽不识，皆知其瑗弟子也。嘉祐初，擢太子中允、天章阁侍讲，仍治太学。既而疾不能朝，以太常博士致仕，归老于家。诸生与朝士祖饯东门外，时以为荣。既卒，诏赙其家。（《宋史》本传）

本年重要作品：

文：王禹偁《陈情表》。

诗：王禹偁《赋得腊雪连春雪》、王禹偁《立春日细雨》、王禹偁《闲居》、王禹偁《春郊独步》、王禹偁《别商山》、王禹偁《别丹水》、王禹偁《量移后自嘲》、王禹偁《量移自解》、王禹偁《出商州有感》、王禹偁《解梁官舍》、王禹偁《中条山》、王禹偁《五老峰》、王禹偁《赠朗上人》、王禹偁《盐池十八韵》、王禹偁《酬种放征君一百韵》、王禹偁《幕次闲吟五首》、王禹偁《对雪示嘉祐》、王禹偁《送寇谏议赴青州》。

公元994年（宋太宗淳化五年 甲午）

正月

甲寅朔（一日），上制元旦、除夕诗二章，赐近臣，俾之属和。翰林学士张洎上表解释诗意，凡数千言。上甚悦，命宰相召至中书奖谕。（《续资治通鉴长编》卷三五）

先是，上谓翰林学士韩丕曰："卿早在嵩阳，当时辈流，颇有遗逸否？"丕以田诰及杨朴、万适对，上悉令召之，诏下而诰卒。朴至对于便殿，不愿仕进，上赐以束帛，与一子出身，遣还乡。适最后至，公车拒之，不得见，寓居京师半年，几至寒饿。丕时已罢翰林，因为上言其事，甲子（十一日），命适为梁县主簿。始受命，太医赵自化怪其色变，为诊脉曰："君将死矣。"适犹勉赴朝谢，举止山野，人皆笑之。后数日，果卒。朴，莆田人；适，宛丘人，俱以歌诗得名。（《续资治通鉴长编》卷三五）

诏王禹偁赴曹州决狱。

决狱曹州，时因正月命李继隆讨继迁，故附正月末。（《续资治通鉴长编》卷三

五）

三月

九日，王禹偁知单州。

戊辰（十六日），复以国子学为国子监，改讲书为直讲，从判学李至之请也。（《续资治通鉴长编》卷三五）

四月

癸未（二日），以吏部侍郎兼秘书监李至、翰林学士中书舍人张洎、右谏议大夫史馆修撰张佖、范杲同修国史。（《续资治通鉴长编》卷三五）

丙戌（五日），乃置起居院于禁中。命起居舍人、史馆修撰梁周翰掌起居郎事，秘书丞、直昭文馆李宗谔掌起居舍人事。（《续资治通鉴长编》卷三五）

王禹偁召为礼部员外郎。

五月

壬申（二十一日），以右仆射李昉为司空，致仕。大朝会令缀宰相班，岁时赐予不绝。每游宴，多召之。（《续资治通鉴长编》卷三六）

七月

先是，李至以目疾辞史职，张佖亦以早事伪邦、不能通知本朝故实辞。乃诏礼部侍郎宋白与张洎同修国史。（《续资治通鉴长编》卷三六）

八月

甲午（十五日），诏："自今京朝、幕职、州县官等，不得辄献诗赋、杂文，若指陈时政阙失、民间利害及直言极谏书，即许通进。其有宏才奥学，为人所称者，令投献于中书，宰相第其臧否上之。"（《续资治通鉴长编》卷三六）

二十四日，魏野、周晦、李识登解城，作联句诗。王衢请题城上。（魏野《东观集》卷一〇）

九月

乙亥（二十六日），以左谏议大夫寇准参知政事。（《续资治通鉴长编》卷三六）

是月，张咏始至益州。（《续资治通鉴长编》卷三六）

十月

丙戌（八日），以镇安行军司马杨徽之为左谏议大夫，与右谏议大夫毕士安并为开封府判官。兵部郎中乔维岳、寿王府记室参军水部郎中杨砺、谘议司封员外郎夏侯峤，并为推官。（《续资治通鉴长编》卷三六）

丙午（二十一日），翰林学士张洎等献重修《太祖纪》一卷，以朱墨杂书。凡躬承圣问及史官采摭之事，即朱以别之。史未及成，洎迁参知政事，宋自独领史职。历数岁，史卒不就。洎等所上《太祖纪》，亦不列于史馆云。（《续资治通鉴长编》卷三六）

十一月

丁巳（十日），上赋诗一首，令待诏吴郢、张用和赍以赐翰林学士张洎、钱若水。洎因揣摩上意，上疏称述凡数千言，上览而善之，赐诗嘉奖。召宰相等，命坐于崇政殿西庑，谓曰："张洎所上表，深喻朕旨，足以戒躁竞之辈，珍浇薄之风矣。"令付史馆，许众人就观。因嗟叹流俗不安义命者久之。既又别赐洎诗一首及四体书前所赋诗各一幅，草书尤绝妙。苏易简顿首乞之，蒙正亦欲得焉。易简前奏曰："臣先得请，蒙正已不及矣。"上笑而赐之。张洎性险诐，尤善事宦官，尝引唐故事，奏内供奉官蓝敏正为学士使、内侍裴愈为副使。上览奏谓曰："此唐弊政，朕安可蹈其覆辙，卿言过矣。"洎惭而退。然以文采清丽，巧于逢迎，上卒喜之。（《续资治通鉴长编》卷三六）

丙寅（十九日），上幸国子监，赐直讲孙奭五品服。因幸武成王庙，复幸国子监，令奭讲《尚书·说命》三篇。（《续资治通鉴长编》卷三六）

本年

（辽圣宗统和十二年）是岁，放进士吕德懋等二人及第。（《辽史·圣宗纪四》）

石延年（994—1041）生。曼卿，讳延年，姓石氏。幽州入于契丹，其祖自成始以其族间走南归，天子嘉其来，将禄之，不可，乃家于宋州之宋城。曼卿少亦以气自豪，读书不治章句，独慕古人奇节伟行、非常之功，视世俗屑屑，无足动其意者。自顾不合于世，乃一混以酒。然好剧饮，大醉，颓然自放，由是益与时不合。曼卿少举进士不中，真宗推恩三举进士皆补奉职，迁殿直。久之，改太常寺太祝、知济州金乡县。通判永静军，充馆阁校勘，累迁大理寺丞、通判海州。还为校理。（据欧阳修《石曼卿墓表》）

谢绛（994—1039）生。谢绛，字希深，富阳人。以父任试秘书省校书郎，举进士中甲科，授太常寺奉礼郎、知汝阴县。杨亿荐绛文章，召试，擢秘阁校理、同判太常礼院。丁母忧，服除，仁宗即位，迁太常博士。寻出通判常州。会修国史，以绛为编修官，史成，迁祠部员外郎、直集贤院。因请便养，通判河南府。还权开封府判官，徙三司度支判官，再迁兵部员外郎。以父忧去，服除，擢知制诰，判吏部流内铨、太常礼院。使契丹，还，请知邓州。卒，年四十六。绛以文学知名一时，为人修洁酝籍，所至大兴学舍，尝请诸郡立学。在河南修国子学，教诸生，自远而至者数百人。有文集五十卷。（《宋史》本传）

王贽（994—1069）生。公讳贽，字至之，庐陵太和人。天禧三年进士擢第，释褐邵州防御推官，历衡、连、郴三州军事判官。迁著作佐郎，监益州军资库。除尚书屯田员外郎，通判信州。入台供职，迁侍御史。未几，换尚书刑部员外郎，知谏院，判国子监。逾年，改起居舍人、直史馆、判司农寺。未几，除天章阁待制，仍知谏院。知贡举，领三班院、判吏部流内铨，犹兼谏省。初置天章阁直学士，选名臣充员，首以命公。即拜河北都转运使。还朝，复领三班院，迁左谏议大夫，出知郑州。久之，迁龙图阁学士。英宗践阼，进给事中，移陈州。引年得请，遂归庐陵。好书画，能鉴赏古之名笔，多购得之，聚书万余卷。所居有林塘之胜，高僧、野客谈禅话道，间从诗酒，优游自娱，世事一不屑意，萧然有方外之趣。有《奏议》集二十卷、《别集》二十卷藏于家。（张方平《赐紫金鱼袋王公墓志铭并序》）

钱彦远（994—1050）生。彦远字子高，以父荫补太庙斋郎，累迁大理寺丞。举进士第，以殿中丞为御史台推直官。通判明州，迁太常博士。举贤良方正能直言极谏科，擢尚书祠部员外郎、知润州。召为右司谏，迁起居舍人、直集贤院、知谏院。彦远性豪迈，其任言职，数有建明。卒于官。（《宋史》本传）

王益（994—1039）生。公讳益，始字损之。年十七，以文于张公咏，张公奇之，改字公舜良。祥符八年得进士第，为建安主簿。领新淦县，改大理寺丞、知庐陵县。移知新繁县，改殿中丞。知韶州，改太常博士、尚书屯田员外郎。丁卫尉府君忧，服除，通判江宁府。宝元二年二月二十三日以疾弃诸孤官下，享年四十六。（王安石《先大夫述》）

孔旼（994—1060）生。先生讳旼，字宁极。自都官而上，至孔子四十五世。先生尝欲举进士，已而悔曰：“吾岂有不得已于此耶？”遂居于汝州之龙兴山，而上葬其亲于汝。庆历七年，诏求天下行义之士，而守臣以先生应诏。于是朝廷赐之米帛，又敕州县除其杂赋。嘉祐三年，近臣多言先生有道德可用，而执政度以为不肯屈，除守秘书省校书郎致仕。四年，近臣又多以为言，乃召以为国子监直讲，先生辞，乃除守光禄寺丞致仕。五年，大臣有请先生为其属县者，于是天子以知汝州龙兴县事，先生又辞。辞未听，而六月某日，先生终于家，年六十七。（王安石《孔处士墓志铭》）

本年重要作品：

文：王禹偁《涟水军王御史庙碑》。

诗：王禹偁《初上单州有作》、王禹偁《送秘阁裴都监奉使两浙》、王禹偁《书斋》、王禹偁《暴富送孙何入史馆》、王禹偁《赁宅》、寇准《青州西楼雨中闲望》。

公元 995 年（宋太宗至道元年 乙未）

正月

至道元年灯夕，太宗御楼。时李文正昉以司空致仕于家，上亟以安舆就其宅召至，赐坐于御榻之侧，敷对明爽，精力康劲。上亲酌御樽饮之，选肴核之精者赐焉。谓近侍曰：“昉可谓善人君子也，事朕两入中书，未尝有伤人害物之事，宜其今日所享也。”又从容语及平日藩邸唱和之事。公遽离席，历历口诵御诗凡七十余篇，一句不讹。上谓曰："何记之精耶？"公奏曰："臣不敢妄对。臣自得谢无事，每晨起盥栉，坐于道室，焚香诵诗，每一诗日诵一遍，间或却诵道佛书。"上喜曰："朕亦以卿诗别笥贮之。每爱卿翰墨楷秀，老来笔力在否？"公对曰："臣素不善书，皆豚犬宗讷所写尔。"上即令以六品正官与之，遂除国子监丞。（文莹《玉壶清话》卷三）

王禹偁自西掖召拜翰林学士。（王禹偁《滁州谢上表》）

王禹偁尤精四六，有同时与之在翰林而大拜者，王以启贺之曰："三神山上，曾陪鹤驾之游；六学士中，独有渔翁之叹。"以白乐天尝有诗云"元和六学士，五相一渔翁"故也。（吴处厚《青箱杂记》卷六）

四月

癸未（七日），**吏部尚书、平章事吕蒙正罢为右仆射，参知政事吕端为户部侍郎、平章事。**上谓蒙正曰："仆射，师长百僚。朕以中书多务，与卿均劳逸尔。"又谓端曰："庙堂之上，固无虚授。但能进贤退不肖，便为称职矣。卿宜勉之。"先是，上作《钓鱼诗》，断章云："欲饵金钩深未达，磻溪须问钓鱼人。"意以属端也。后数日，遂罢蒙正而相端。端历官仅四十年，至是，骤被奖遇，上常恨任用之晚。为相持重，识大体，以清静简易为务。参知政事苏易简罢为礼部侍郎，翰林学士张洎为给事中。参知政事洎与易简尝同在翰林，尤不协。及易简迁中书，洎多攻其失。易简去位，洎因代之。初，寇准知吏部选事，洎掌考功，考功为吏部官属。准年少，新进气锐，思欲老儒附己。洎夙夜坐曹视事，每冠带候准出入于省门，揖而退，不交一谈。准益重焉，因延与语。洎捷给，善持论，多为准心伏，乃兄事之，极口荐洎于上。上亦欲用洎，又知其在江表日多谗毁良善，李煜杀潘佑，洎尝预谋，心疑焉。翰林待诏尹熙古等皆江表人，洎尝善待之。上一夕召熙古等侍书禁中，因从容问以佑得罪之故。熙古言李煜忿佑谏说太直尔，非洎谋也。自是，遂洗然，而准又数荐洎不已。既同执政，洎奉准愈谨，事一决于准，无所预。专修《时政记》，甘言善柔而已。（《续资治通鉴长编》卷三六）

十四日，诏布衣潘阆对，赐进士及第，试国子四门助教。阆买药京师，好结交贵近。有言其能诗者，因召见而有是命。未几，追还诏书。（《宋会要辑稿·选举九》）

近世有好事者，以潘阆遨游浙江，咏潮著名，则亦以轻绡写其形容，谓之《潘阆咏潮图》。阆酷嗜吟咏，自号逍遥子，尝自咏《苦吟诗》曰："发任茎茎白，诗须字字清。"又《贫居诗》曰："长喜诗无病，不忧家更贫。"又《峡中闻猿》云："何须三叫绝，已恨一声多。"《哭高舍人》云："生前是客曾投卷，死后何人与撰碑？"《寄张咏》云："莫嗟黑发从头白，终见黄河到底清。"皆佳句也。故宋尚书白赠诗曰："宋朝归圣主，潘阆是诗人。"王禹偁亦赠诗云："江城买药常将鹤，古寺看碑不下驴。"其为明公赏激如此。（吴处厚《青箱杂记》卷六）

五月

翰林学士王禹偁兼知审官院及通进、银台、封驳司，制敕有不便，多所论奏。开宝皇后之丧，群臣不成服，禹偁与宾友言："后尝母天下，当遵用旧礼。"或以告，上不悦。甲寅（九日），禹偁坐轻肆，罢为工部郎中、知滁州。上谓宰相曰："人之性分固不可移，朕尝戒勖禹偁，令自修饬。近观举措，终焉不改，禁署之地，岂可复处乎？"（《续资治通鉴长编》卷三七）

二十三日，王禹偁离京城，翰林学士承旨宋白为之送行。

六月

三日，王禹偁抵滁州。（王禹偁《滁州谢上表》）

禹偁在太宗末年以事谪守滁州，到任谢表略曰："诸县丰登，苦无公事；一家饱暖，全荷君恩。"禹偁有遗爱，滁州怀之，画其像于堂以祠焉。庆历中，欧阳修责守滁州，观禹偁遗像而作诗曰："偶然来继前贤迹，信矣皆如昔日言。诸县丰登少公事，一家饱暖荷君恩。想公风采犹如在，顾我文章不足论。名姓已光青史上，壁间容貌任尘昏。"盖用其表中语也。（魏泰《东轩笔录》卷四）

八月

癸巳（十九日），以尚书左丞李至、礼部侍郎李沆并兼太子宾客。（《续资治通鉴长编》卷三七）

柳开自曹州移知邢州。（张景《柳公行状》）

十月

上尝谓：舜作五弦之琴，以歌《南风》。后王因之，复加文武二弦，乃增作九弦琴、五弦阮，别造《新谱》二十七卷，俾太常乐工肄习之，以备登荐。乙酉（十二日），出琴、阮示近臣，且谓之曰："雅正之音，可以治心。古人之意，或有未尽。琴七弦，今增为九弦，曰：君、臣、文、武、礼、乐、正、民、心，则九奏克谐而不乱矣。阮四弦，今增为五，曰：金、木、水、火、土，则五材并用而不悖矣。"因命待诏朱文济、蔡裔赍琴、阮诣中书，弹新声，诏宰相以下皆听。由是，中外献歌诗颂者数十人。上谓宰相曰："朝廷文物之盛，前代所不及也。群臣所献歌颂，朕再三览之，校其工拙，唯李宗谔、赵安仁、杨亿词理精悭，有老成风，可召至中书奖谕。"又曰："吴淑、安德裕、胡旦，或词采古雅，或学问优博，抑又其次矣。"（《续资治通鉴长编》卷三八）

本年

（辽圣宗统和十三年）是岁，放进士王用极等二人。（《辽史·圣宗纪四》）

刘沆（995—1060）生。刘沆，字冲之，吉州永新人。举进士不中，自称"退士"，不复出，父力勉之。天圣八年，始擢进士第二，为大理评事、通判舒州。再迁太常丞、直集贤院，出知衡州。迁太常博士，历三司度支、户部判官、同修起居注，擢右正言、知制诰、判吏部流内铨。奉使契丹，馆伴杜防强沆以酒，沆沾醉，拂袖起，因骂之，坐是出知潭州。又降知和州，改右谏议大夫、知江州。以沆为龙图阁直学士、知潭州兼安抚使。坐降知鄂州，徙京南，迁给事中，徙洪州。还，知审刑院，除知永兴军。顷之，以龙图阁学士权知开封府。祀明堂，迁尚书工部侍郎。逾年，拜参知政事。数月，拜同中书门下平章事、集贤殿大学士，改园陵使。罢沆为观文殿大学士、工部尚书、知应天府。迁刑部尚书，徙陈州。卒，赠左仆射兼侍中。帝为篆墓碑曰"思贤之碑"。（《宋史》本传）

上官融（995—1043）生。君讳融，字仲川，其先蜀人也。君幼专词学，秀出流辈。天圣二年秋，广文馆举进士，公卿大夫之子咸在焉，君中第一人。明年春，礼部较天下之才，君别试于太常寺，又首荐之。由是名动京师，士大夫愿识其面。未第间，丁光禄忧，朝廷录光禄之后，赐君同学究出身。服除，授信州贵溪县主簿，迁蔡州平舆县令。旋以疾闻，除太子中舍，致仕，居于曹南郡。（据范仲淹《太子中舍致仕上官君墓志铭》）

周尧卿（995—1045）生。周尧卿，字子俞，道州永明人。警悟强记，以学行知名。天圣二年举进士，历连、衡二州司理参军、桂州司录。知高安、宁化二县，提点刑狱。后通判饶州，积官至太常博士。范仲淹荐经行可为师表，未及用，以庆历五年卒，年五十一。为学不专于传注，问辨思索，以通为期。长于毛、郑《诗》及《左氏春秋》。有《诗》、《春秋说》各三十卷，文集二十卷。（《宋史》本传）

石扬休（995—1057）生。君讳扬休，字昌言。景祐中，中甲科，授同州观察推官。代还，迁秘书省著作佐郎、知开封府中牟县。进本省，充秘阁校理，监裁造院。以太常博士为开封推官。转尚书祠部员外郎，入三司为度支、盐铁二判官。出知宿州。顷之，召入为三司度支判官，修起居注。寻改判铁盐勾院。以刑部员外郎知制诰，判太常寺。迁工部侍郎。（范镇《石工部扬休墓志铭》）

本年重要作品：

文：王禹偁《柳赞善写真赞并序》、王禹偁《答黄宗旦第二书》、王禹偁《答郑褒书》、王禹偁《答张扶书》、王禹偁《再答张扶书》。

诗：王禹偁《书怀简孙何丁谓》、王禹偁《东门送郎吏行寄承旨宋侍郎》、王禹偁《送林介》、王禹偁《滁州官舍二首》、王禹偁《堂前井》、王禹偁《自笑》、王禹偁《自问》、王禹偁《滁上谪居四首》、王禹偁《八绝诗》、王禹偁《北楼感事》、王禹偁《腊月》、王禹偁《感兴》、王禹偁《老态》、王禹偁《官酝》、王禹偁《射弩》、王禹偁《为郡》、王禹偁《夜长》、王禹偁《闻鸦》、寇准《中书秋日有怀青社旧游因书一首》、张咏《至道乙未蜀中送人东归》。

公元996年（宋太宗至道二年　丙申）

正月

丁卯（二十日），**贾黄中卒，56岁。**贾黄中，字娲民，沧州南皮人，幼聪悟，六岁举童子科，七岁能属文，触类赋咏。十五举进士，授校书郎、集贤校理，迁著作佐郎、直史馆。建隆三年，迁左拾遗，历左补阙。开宝八年，通判定州，判太常礼院。黄中多识典故，每详定礼文，损益得中，号为称职。选知宣州。太宗即位，迁礼部员外郎。太平兴国二年，知升州。丁父忧，起复视事。五年，召归阙。有荐黄中文学高第，召试中书，拜驾部员外郎、知制诰。八年，与宋白、吕蒙正等同知贡举，迁司封郎中，充翰林学士。雍熙二年，又知贡举，俄掌吏部选。端拱初，加中书舍人。二年，兼史馆修撰。淳化二年秋，与李沆并拜给事中、参知政事。四年冬，与沆并罢守本官。明年，知襄州，上言母老乞留京，改知澶州。至道初，黄中遘疾，诏令归阙。会建储宫，择大臣有德望者为宾友，黄中在选中。以久疾，改命李至、李沆兼宾客，黄中亦特拜礼部侍郎，代至兼秘书监。黄中素嗜文籍，既居内阁，甚以为慰。二年，以疾卒，年五十六，赠礼部尚书。有文集三十卷。（《宋史》本传）

著有：《显德日历》一卷（《宋史·艺文志二》）、《神医普救方》一千卷（《宋史·艺文志六》）、《贾黄中集》三十卷（《宋史·艺文志八》）。

贾黄中用乃唐造《华夷图》丞相耽四世孙，七岁举童子，状头及第。李文正昉以诗赠之："七岁神童古所难，贾家门户有衣冠。七人科第排头上，五部经书诵舌端。见榜不知名字贵，登筵未识管弦欢。从兹稳上青霄去，万里谁能测羽翰。"后淳化中，参太宗大政，性极清畏。（文莹《玉壶清话》卷七）

二月

一日，赠司徒、谥文正李昉卒，72 岁。李昉，字明远，深州饶阳人。荫补斋郎，选授太子校书。汉乾祐举进士，为秘书郎。宋初，加中书舍人。建隆三年，罢为给事中。开宝二年，召还，复拜中书舍人。未几，直学士院。三年，知贡举。五年，复知贡举。太宗即位，加户部侍郎，受诏与扈蒙、李穆、郭贽、宋白同修《太祖实录》。太平兴国中，改文明殿学士，与琪俱拜平章事。未几，加监修国史。昉七十，以特进、司空致事，朝会宴飨，令缀宰相班，岁时赐予，益加厚焉。昉所居有园亭别墅之胜，多召故人亲友宴乐其中。既致政，欲寻洛中九老故事，时吏部尚书宋琪年七十九，左谏议大夫杨徽之年七十五，鄞州刺史魏丕年七十六，太常少卿致仕李运年八十，水部郎中朱昂年七十一，庐州节度副使武允成年七十九，太子中允致仕张好问年八十五，吴僧赞宁年七十八，议将集，会蜀寇而罢。至道二年，陪祀南郊，礼毕入贺，因拜舞仆地，台吏掖之以出，卧疾数日薨，年七十二。赠司徒，谥文正。昉和厚多恕，不念旧恶，在位小心循谨，无赫赫称。为文章慕白居易，尤浅近易晓。（《宋史》本传）

著有：《历代年号并宫殿等名》一卷（陈振孙《直斋书录解题·典故类》）、《太平广记》五百卷（陈振孙《直斋书录解题·小说家类》）、《太平御览》一千卷（陈振孙《直斋书录解题·类书类》）、《文苑英华》一千卷（陈振孙《直斋书录解题·总集类》）、《图经》（晁公武《郡斋读书志·地理类》）、《开宝本草》二十卷（《宋史·艺文志六》）、《李昉集》卷五十（《宋史·艺文志七》）、《二李唱和集》一卷（《宋史·艺文志八》）。

著录：郑樵《通志·艺文略八》、《宋史·艺文志七》。

春

杨亿迁著作佐郎。

七月

丙寅（二十八日），参知政事寇准罢为给事中。（《续资治通鉴长编》卷四〇）

闰七月

己巳朔（一日），以给事中寇准知邓州。（《太宗实录》卷七八）

九月

右仆射、赠司空、谥惠安宋琪卒，80岁。宋琪，字俶宝，幽州蓟人。少好学，晋祖割燕地以奉契丹，契丹岁开贡部，琪举进士中第，署寿安王侍读，时天福六年也。乾德四年，召拜左补阙、开封府推官。开宝九年，为护国军节度判官。太平兴国三年，授太子洗马。迁太常丞，出知大通监。五年，召归，改都官郎中，出知广州，将行，复以藩邸旧僚留判三司勾院。七年，与三司使王仁赡廷辩事忤旨，责授兵部员外郎，俄通判开封府事，京府置通判自琪始。八年春正月，擢拜右谏议大夫、同判三司。三月，改左谏议大夫、参知政事。九年冬，郊祀礼毕，加门下侍郎、昭文馆大学士。至道元年春，大宴于含光殿，上问琪年，对曰："七十有九。"上因慰抚久之。二年春，拜右仆射，特令月给实奉一百千，又以其衰老，诏许五日一朝。是年九月被病，口占遗表数百字而卒。赠司空，谥惠安。琪素有文学，颇谐捷。（《宋史》本传）

十一月

二十四日，王禹偁奉诏移知扬州。（王禹偁《扬州谢上表》）

十二月

乙巳（九日），苏易简卒，39岁。礼部侍郎苏易简性嗜酒，沉湎不已。上尝因接见，诚约深切，易简垂涕再拜。翌日，复具表称谢。上亲批答，以申奖，又草书《劝酒》、《戒酒》二诗赐易简，令对其母读之。自是，每入直不敢饮，或休暇在第，宾客候之，则已醉矣。十二月乙巳，易简卒，上曰："易简竟以酒败，深可惜也。"（《续资治通鉴长编》卷四〇）

苏易简，字太简，梓州铜山人。少聪悟好学。太平兴国五年，年逾弱冠，举进士。擢冠甲科。解褐将作监丞，通判升州，迁左赞善大夫。八年，以右拾遗知制诰。雍熙初，以郊祀恩进秩祠部员外郎。二年，与贾黄中同知贡举。罢知制诰，以本官奉朝请。

未几，复知制诰。三年，充翰林学士。淳化元年，丁外艰。二年，同知京朝官考课，迁中书舍人，充承旨。会郊祀，充礼仪使。改知审刑院，俄掌吏部选，迁给事中、参知政事。明年，易简以礼部侍郎出知邓州，移陈州。至道二年，卒，年三十九，赠礼部尚书。易简常居雅善笔札，尤善谈笑，旁通释典，所著《文房四谱》、《续翰林志》及《文集》二十卷，藏于秘阁。（《宋史》本传）

著有：《续翰林志》二卷（《宋史·艺文志二》）、《淳化编敕》三十卷（《宋史·艺文志三》）、《文房四谱》五卷（《宋史·艺文志六》）、《文选菁英》二十四卷（《宋史·艺文志六》）、《苏易简章表》十卷（《宋史·艺文志七》）、《禁林宴会集》一卷（《宋史·艺文志八》）。

本年

（辽圣宗统和十四年）是岁，放进士张俭等三人。（《辽史·圣宗纪四》）

张洎卒，64 岁。张洎，滁州全椒人。少有俊才，博通坟典。江南举进士，解褐上元尉。归朝，太祖召责之曰：“汝教煜不降，使至今日。”因出帛书示之，乃围城日洎所草诏，召上江救兵蜡丸书也。洎顿首请罪曰：“实臣所为也。犬吠非其主，此其一尔，他尚多有。今得死，臣之分也。”辞色不变。上奇之，贷其死，拜太子中允，岁余，判刑部。太宗即位，以其文雅，选直舍人院，考试诸州进士。未几，使高丽，复命，改户部员外郎。太平兴国四年，出知相州。明年夏，徙贝州。是冬，又知相州。代还，令以本官知译经院，迁兵部员外郎、礼、户二部郎中。雍熙二年，同知贡举。未几，选为太仆少卿、同知京朝官考课，拜右谏议大夫、判大理寺。又充史馆修撰、判集贤院事。数月，擢拜中书舍人，充翰林学士。俄判吏部铨。俄奉诏与李至、范杲同修国史，又判史馆。洎博涉经史，多知典故。每上有著述，或赐近臣诗什，洎必上表，援引经传，以将顺其意。上因赐诗褒美，有“翰长老儒臣”之句。以洎为给事中、参知政事，与寇准同列。未几，洎病在告，满百日，力疾请对，方拜，踣于上前，左右掖起之。明日，上章求解职，优诏不允。后月余，改刑部侍郎，罢知政事。奉诏呜咽，疾遂亟，十余日卒，年六十四。赠刑部尚书。洎风仪洒落，文采清丽，博览道释书，兼通禅寂虚无之理。有《文集》五十卷行于世。（《宋史》本传）

著有：《贾黄中谈录》一卷（《宋史·艺文志五》）、《张洎集》五十卷（《宋史·艺文志七》）。

宋庠（996—1066）生。宋庠，字公序，安州安陆人，后徙开封之雍丘。天圣初举进士，开封试、礼部皆第一，擢大理评事、同判襄州。召试，迁太子中允、直史馆，历三司户部判官，同修起居注，再迁左正言。久之，知制诰。兼史馆修撰、知审刑院。改权判吏部流内铨，迁尚书刑部员外郎。乃诏为翰林学士。宝元中，以右谏议大夫参知政事。未几，以资政殿学士徙郓州，进给事中。复召为参知政事。庆历七年春，以庠为右谏议大夫。明年，除尚书工部侍郎，充枢密使。皇祐中，拜兵部侍郎、同中书门下平章事、集贤殿大学士。享明堂，迁工部尚书。后徙许州，又徙河阳，再迁兵部尚书。以检校太尉、同平章事充枢密使，封莒国公。乃以河阳三城节度、同平章事判郑州，徙相州。以疾召还。英宗即位，移镇武宁军，改封郑国公，出判亳州。至亳，请老益坚，以司空致仕。卒，赠太尉兼侍中，谥元献。帝为篆其墓碑曰"忠规德范之碑"。庠自应举时，与祁俱以文学名擅天下，俭约不好声色，读书至老不倦。善正讹谬，尝校定《国语》，撰《补音》三卷。又辑《纪年通谱》，区别正闰，为十二卷。《掖垣丛志》三卷，《尊号录》一卷，别集四十卷。（《宋史》本传）

胡宿（996—1067）生。胡宿，字武平，常州晋陵人。登第，为扬子尉。以荐为馆阁校勘，进集贤校理。通判宣州，迁知湖州。久之，为两浙转运使。召修起居注、知制诰。拜枢密副使。后宿以老，数乞谢事。治平三年，罢为观文殿学士、知杭州。明年，以太子少师致仕，未拜而薨，年七十二。赠太子太傅，谥曰文恭。（《宋史》本传）

赵概（996—1083）生。赵概，字叔平，南京虞城人。中进士第，通判海州，为集贤校理、开封府推官。出知洪州。加直集贤院、知青州。坐失举渑池令张诰免，久乃起，监密州酒。知滁州。召修起居注。请郡，除天章阁待制、纠察在京刑狱，修遂知制诰。求知苏州，终母丧，入为翰林学士。以龙图阁学士知郓州、应天府，代韩绛为御史中丞。熙宁初，拜观文殿学士、知徐州。以太子少师致仕，退居十五年，尝集古今谏争事，为《谏林》百二十卷上之。元丰六年薨，年八十八。赠太子太师，谥曰康靖。（《宋史》本传）

孙抃（996—1064）生。孙抃，字梦得，眉州眉山人。中进士甲科，以大理评事通判绛州。召试学士院，除太常丞、直集贤院，为开封府推官，判三司开拆司，同修起居注，以右正言知制诰，迁起居舍人、翰林学士兼侍读学士、史馆修撰，累迁尚书吏部郎中。皇祐中，以右谏议大夫权御史中丞。改翰林学士承旨，复兼侍读学士。既而枢密副使程戡罢，帝欲用旧人，即以命抃。岁中，参知政事。罢为观文殿学士、同群牧制置使，复兼侍读学士。英宗即位，进户部侍郎。告老，以太子少傅就第，卒。赠太子太保，谥文懿。（《宋史》本传）

孙沔（996—1066）生。孙沔，字元规，越州会稽人。中进士第，补赵州司理参军。跌荡自放，不守士节，然材猛过人。后以秘书丞为监察御史里行。黜知衡山县，再贬永州监酒。移通判潭州、知处州。复为监察御史，再知楚州。召为左正言，论事益有直名。迁尚书工部员外郎，提举两浙刑狱，遂以起居舍人为陕西转运使。以天章阁待制为都转运使，又迁礼部郎中，为环庆路都总管、安抚经略使、知庆州。历知陕州、河东都转运使，又知庆州，边人服其能。迁龙图阁直学士，又迁枢密直学士、知成都府，未至，以母丧罢。服除，为陕西都转运使。求知明州，会京东多盗，乃以知徐州。徙秦州，时侬智高反，以为湖南、江西路安抚使，以便宜从事，加广南东、西路安抚使。迁给事中。及还，帝问劳，以知杭州。至南京，召为枢密副使。以资政殿学士知杭州。迁大学士，徙知青州。又迁观文殿学士、知并州。而谏官吴及、御史沈起奏沔淫纵无检，守杭及并所为不法，乃徙寿州。责宁国节度副使。其后复光禄卿，分司南京，居宿州。会恩，知濠州，以尚书礼部侍郎致仕。英宗即位，迁户部。起为资政殿学士、知河中府，又以为观文殿学士、知庆州，徙延州，道卒。（据《宋史》本传）

尹源（996—1045）**生**。尹源，字子渐，少博学强记，与弟洙皆以文学知名。初以祖荫，补三班借职，稍迁殿直。举进士，为奉礼郎，累迁太常博士，历知芮城、河阳、新郑三县，通判泾州。尝作《唐说》及《叙兵》十篇上之。范仲淹、韩琦荐其才，召试学士院。源素不喜赋，请以论易赋，主试者方以赋进，不悦其言，第其文下，除知怀州，卒。（《宋史》本传）

本年重要作品：

文：王禹偁《画记》、王禹偁《答丁谓书》、王禹偁《送郑褒序》、王禹偁《送徐宗孟序》。

诗：王禹偁《甘菊冷淘》、王禹偁《淫雨中偶书所见》、王禹偁《唱山歌》、王禹偁《有伤》、王禹偁《寄杭州西湖昭庆寺华严社主省常上人》、王禹偁《病假》、王禹偁《偶题三首》、王禹偁《诗酒》、王禹偁《啄木歌》、王禹偁《秋莺歌》、王禹偁《立春前二日雪》、王禹偁《和杨遂贺雨》、张咏《悼蜀四十韵》。

公元 997 年（宋太宗至道三年　丁酉）

三月

癸巳（二十九日），帝崩于万岁殿。参知政事温仲舒宣遗制，真宗即位于枢前。（《续资治通鉴长编》卷四一）

四月

癸卯（九日），宰相吕端加右仆射。（《续资治通鉴长编》卷四一）

甲辰（十日），太子宾客李至为工部尚书，李沆为户部侍郎，并参政事。（《续资治通鉴长编》卷四一）

上谓宰相曰："朝行中颇有淹滞之人，如梁周翰夙负词名，三十年挤于众僚，甚可念也。朕在宫府，多令杨亿草笺奏，文理精当，世罕偕者，宜即加奖擢。"辛亥（十七日），以工部郎中、史馆修撰梁周翰为驾部郎中、知制诰，著作郎、直集贤院杨亿为左正言，馆职并如故。故事，入西阁皆中书召试制诰三篇：二篇各二百字、一篇百字。唯周翰不召试而命焉。（《续资治通鉴长编》卷四一）

梁周翰，真宗即位，始知诰。《赠柳开诗》曰："九重城阙新天子，万卷诗书老舍人。"时杨大年、朱昂同在禁掖，杨未及满三十，而二公皆老，数见靳侮。梁谓之曰："公毋侮我老，此老亦将留与公尔。"朱昂闻之，背面摇手掖下，谓梁曰："莫与，莫与！"大年死不及五十。（刘攽《中山诗话》）

六月

甲辰（十二日），工部侍郎、同知枢密院事钱若水罢为集贤院学士，判院事。（《续资治通鉴长编》卷四一）

八月

十九日，王洙（997—1057）生。（按，王洙生日，见吴处厚《青箱杂记》卷四）王洙，字原叔，应天宋城人。少聪悟博学，记问过人。举进士，中甲科，补舒城县尉。后调富川县主簿。晏殊留守南京，厚遇之，荐为府学教授。召为国子监说书，改直讲。校《史记》、《汉书》，擢史馆检讨、同知太常礼院，为天章阁侍讲。累迁太常博士、同管勾国子监，预修《崇文总目》成，迁尚书工部员外郎。修《国朝会要》，加直龙图阁、权同判太常寺。黜知濠州，徙襄州、徐州、亳州。复为天章阁侍讲、史馆检讨。再迁兵部员外郎，命撰《大飨明堂记》。除史馆修撰，迁知制诰。既而洙以兄子尧臣参知政事，改侍读学士兼侍讲学士。洙泛览传记，至图纬、方技、阴阳、五行、算数、音律、诂训、篆隶之学，无所不通。及卒赐谥曰文，御史吴中复言官不应得谥，乃止。预修《集韵》、《祖宗故事》、《三朝经武圣略》、《乡兵制度》，著《易传》十卷、杂文千有余篇。（《宋史》本传）

十一月

己巳（八日），诏工部侍郎、集贤院学士钱若水修《太宗实录》。若水举官同修，起居舍人李宗谔与焉。上曰："自太平兴国八年已后，皆李昉在中书日事。史策本凭直笔，若子为父隐，何以传信于后代乎？"除宗谔不可，余悉许之。（《续资治通鉴长编》卷四二）

以判集贤院事钱若水荐引，杨亿受诏预修《太宗实录》。

十二月

初，刑部郎中、知扬州王禹偁准诏上疏言五事。疏奏，即召禹偁还朝。既用其策，以夏、绥、银、宥、静五州赐赵保吉。翌日，命禹偁守本官，复知制诰。（《续资治通鉴长编》卷四二）

本年

（辽圣宗统和十五年）是岁，放进士陈鼎等二人。（《辽史·圣宗纪四》）

高若讷（997—1055）生。高若讷，字敏之，本并州榆次人，徙家卫州。进士及第，补彰德军节度推官，改秘书省著作佐郎，再迁太常博士、知商河县。御史知杂杨偕荐为监察御史里行，迁尚书主客员外郎、殿中侍御史里行。改左司谏、同管勾国子监，迁起居舍人、知谏院。时范仲淹坐言事夺职知睦州，余靖、尹洙论救仲淹，相继贬斥。欧阳修乃移书责若讷，若讷忿，以其书奏，贬修夷陵令。未几，加直史馆，以刑部员外郎兼侍御史知杂事。擢天章阁待制、知永兴军，留判吏部流内铨，出为河东路都转运使。召还，兼侍读、权判尚书刑部。丁母忧，始许行服，给实奉终丧。服除，加龙图阁直学士、史馆修撰，以右谏议大夫权御史中丞。代育为枢密副使。以工部侍郎、参知政事为枢密使。皇祐五年，罢为观文殿学士兼翰林侍读学士、尚书左丞、同群牧制置使、判尚书都省，止命舍人草词。卒，赠右仆射，谥文庄。若讷强学善记，自秦、汉以来诸传记无不该通，尤喜申、韩、管子之书，颇明历学。（《宋史》本传）

本年重要作品：

文：王禹偁《皇华集序》、王禹偁《答晁礼丞书》、王禹偁《园陵犬赋》、王禹偁《应诏言事疏》。

诗：王禹偁《扬州池亭即事》、王禹偁《茶园十二韵》、王禹偁《送阁门秦舍人》、王禹偁《病起思归二首》、王禹偁《牡丹十六韵》、王禹偁《海仙花诗三首》、王禹偁《芍药诗三首》、王禹偁《后土庙琼花诗二首》、王禹偁《登寿宁寺阁》、王禹偁《池上作》、王禹偁《官舍偶题》、王禹偁《次韵和史馆丁学士赴阙书怀见示》、王禹偁《次韵和丁学士途中偶作》、王禹偁《扬州道中感事兼简史馆丁学士》、王禹偁《阙下言怀上执政三首》、王禹偁《送宋潀处士之长安》、李至《呈修史钱侍郎桃花犬歌》。

第二章

咸平元年至乾兴元年共 35 年

·引 言·

曾巩《曾巩集》卷十三《类要序》：晏元献公出东南，起童子，入密阁读书，遂赞名，命入翰林为学士。真宗特宠待之，每进见劳问及所以任属之者，群臣莫能及。皇太子就书学，公以选入侍。太子即皇帝位，是为仁宗。公遂管国枢要，任政事，位宰相。其在朝廷五十余年，常以文学谋议为任，所为赋、颂、铭、碑、制、诏、册、命、书、奏、议、论之文传天下。尤长于诗，天下皆吟诵之。当真宗之世，天下无事，方辑福应，推功德，修封禅，及后土、山川、老子诸祠，以报礼上下。左右前后之臣，非工儒学、妙于语言、能讨论古今、润色太平之业者，不能称其位。公于是时为学者宗，天下慕其声名。人见公应于外者之无穷，而不知公之得于内者深也。

刘克庄《平湖集序》：本朝五星聚奎，文治比汉唐尤盛。三百余年间，斯文大节目有二：欧阳公谓昆体盛而古道衰；至水心叶公则谓洛学兴而文字坏。欧、叶皆大宗师，其论如此。余谓昆体若少理致，然东封西祀，粉饰太平之典，恐非穆修、柳开辈所长。伊洛若欠华藻，然《通书》、《西铭》遂与六经并行，亦恐黄、秦、晁、张诸人所未尝讲。

周必大《初寮先生前后集序》：太祖以神武基王业，文治兴。斯文一传为太宗，翰林王公元之出焉。再传为真宗，杨文公大年出焉。长养尊用，风示学者，虽间以刚直被排斥，而眷顾终不少衰。

《诗学源流考》：宋初国祚虽定，文采未著，学士、大夫家效乐天之体，群奉王禹偁为盟主。其后杨亿、刘筠辈崇尚西昆，专取温、李数家，模仿于字句俪偶之间。及欧阳公出，始知学古，与梅圣与互相讲切。欧诗长篇多效昌黎，间取则于太白；梅则于唐人诸家不名一体，唯造平淡。自此介甫、东坡相继而起，山谷晚出，而与东坡齐名。于元祐之际，又有张文潜、晁无咎兄弟相为羽翼，时称"苏门六君子"。

穆修《与乔适书》：近世士子习尚浅近，非章句声偶之辞不置耳目，浮轨滥辙，相迹而奔，靡有异途焉。其间独敢以古文语者，则与语"怪"者同也。众又排诟之，罪毁之，不目以为迂，则指以为惑，谓之背时远名，阔于富贵。前进则莫有誉之者，同侪则莫有附之者。

范仲淹《尹师鲁河南集序》：皇朝柳仲涂起而麾之，髦俊率从焉。仲涂门人能师经探道，有文于天下者多矣。洎杨大年以应用之才独步当世，学者刻辞镂意，有希仿佛，未暇及古也。其间甚者，专事藻饰，破碎大雅，反谓古道不适于用，废而弗学者久之。

刘克庄《江西诗派序》：宋兴，至咸平、景德中，儒学文章之盛，不归之平棘宋氏，则属之清丰晁氏。二氏者，天下甲门也。

江少虞《宋朝事实类苑》卷三七引《杨文公谈苑》：自雍熙初归朝，讫今三十年，所阅士大夫多矣，其能诗者甚鲜。如侍读兵部，凤擅其名，而徐铉、梁周翰、黄夷简、范杲皆前辈。郑文宝、薛映、王禹偁、吴淑、刘师道、李宗谔、李建中、李维、姚铉、陈尧佐，悉当时侪流。后来之著声者，如路振、钱熙、丁谓、钱易、梅询、李拱、苏为、朱严、陈越、王曾、李堪、陈诂、吕夷简、宋绶、邵焕、晏殊、江任、焦宗古；布衣有钱塘林逋、缙云周启明；钱氏诸子有封守惟济、供奉官昭度；乡曲有今南郑殿丞兄、故黎州家君，及高安簿觉宗人字牧之子，并有佳句，可以摘举。而钱惟演、刘筠特工于诗，其警策殆不可遽数。

叶燮《原诗》卷四：开宋诗一代面目者，始于梅尧臣、苏舜卿二人。自汉魏至晚唐，诗虽递变，皆递留不尽之意。即晚唐犹存余地，读罢掩卷，尤令人属思久之。自梅、苏尽变昆体，独创生新，必辞尽于言，言尽于意，发挥铺写，曲折层累以赴之，竭尽乃止。才人伎俩，腾踔六合之内，纵其所如，无不可者。然含蓄渟泓之意，亦少衰矣。欧阳修极伏膺二子之诗，然欧诗颇异于是。

公元 998 年（宋真宗咸平元年　戊戌）

正月

辛酉朔（一日），改元。（《续资治通鉴长编》卷四三）

翰林学士杨砺等受诏知贡举，请对。上召坐，语之曰："贡举任重，当务选擢寒俊，精求实艺，以副朕心。"砺，建隆初及第为榜首。上在开封时，常问砺何年及第，砺唯唯不对。上后知之，谓砺不以科名自伐，益重焉。砺性刚狠傲僻，为文尚多，无师法，每作诗一题或数十篇。在翰林，制诰迂怪，大为人所传笑。（《续资治通鉴长编》卷四三）

二月

戊戌（九日），诏以久停贡举，颇滞时才，令礼部据合格人内进士放五十人，诸科百五十人，来岁不得为例。（《续资治通鉴长编》卷四三）

十九日，以翰林学士杨砺权知贡举，知制诰李若拙、直昭文馆梁颢、直史馆朱台符权同知贡举，准诏放合格进士孙仅已下五十一人。（《宋会要辑稿·选举一》）

登进士第者：孙仅、黄宗旦、朱严、郭贽、乐黄庭、李庆孙、刘筠、王惟正、唐肃、刘烨、尹臧、徐仕等。

孙给事仅及孙暨，皆咸平初省试放状元，后各应制举。给事与兄何齐名，有声场屋。何，淳化中魁多士。给事下第，有诗曰："前春再就天阶试，应被人呼小状元。"次举中甲科，王元之以诗赠曰："病中何事忽开颜？忆得诗称小状元。粉壁已悬龙虎

榜，锦标争属鹡鸰原。"（阮阅《诗话总龟前集》卷三引《古今诗话》）

五月

十六日，以礼部及第进士孙仅、黄宗旦、朱严并为防团推官，余悉授判司、簿、尉。（《宋会要辑稿·选举二》）

寇准自邓州移知河阳军。

八月

乙巳（十九日），工部侍郎、集贤院学士钱若水等上《太宗实录》八十卷。（《续资治通鉴长编》卷四三）

九月

初，钱若水受诏修《太宗实录》，引左正言、直集贤院杨亿参其事。亿所独草凡五十六卷，故奏篇最速。亿自言母老，求出守就养，命知处州。既而，上以亿有史才，留不遣。亿固请往，甲子（八日），召对，加赐而遣之。（《续资治通鉴长编》卷四三）

钱惟演、王禹偁、盛度、钱若水、刘筠等三十八人以诗赠行，杨亿集而序之，为《群公赠行集序》。

予至道三年十一月受诏修先朝国书，越明年八月，书成，奏御。既而以太夫人有桑梓之恋，求典近郡，因奉甘旨，九月诏领缙云郡事。拜命之翌日，复留不遣，再疏恳激，得请而行。公卿巨儒、台阁髦士、寮寀之际、朋从之间，相率赠言以宠行迈者，凡三十八人。藻绣纷错，珠璧炫耀。观咸洛之市，天下之货毕陈；入宋鲁之邦，先王之礼尽在，亦以见一时文物之盛，岂独为鄙夫道路之光？既铨次成编，辄敷述其事，盖取夫卜商作颂，以冠二雅之首，用无愧焉。（杨亿《群公赠行集序》）

秋

旧制，国子监、开封府举人有与发解官亲戚者，止两司更互考试。上虑涉私徇，是秋，特选官别试。（《续资治通鉴长编》卷四三）

十月

宰相吕端久被病，诏免朝谒，就中书视事。累上疏求解，戊子（三日），罢为太子太保。户部尚书张齐贤加兵部尚书，与户部侍郎、参知政事李沆并平章事。工部尚书、参知政事李至罢为武胜节度使，至以目疾解机务。（《续资治通鉴长编》卷四三）

癸丑（二十八日），命修《太祖实录》官钱若水等复考开封府得解进士试卷。故事，京府解十人已上，谓之等甲，非文业优赡有名称者不取。时以高辅尧为首，钱易次之。易颇为流辈所推许，辄不平，遂上书指陈发解官所试《朽索驭六马赋》及诗、论、策题，意涉讥讪。又进士数百辈诣府讼荐送不当，辅尧亦投牒逊避，请以易为首。开封府以闻，故有是命。仍令两制议所讼题。时翰林学士承旨宋白深右易，考官度支员外郎冯拯奏易与白交结状，上大怒，遣中使下拯御史狱。拯力言易无行，不可冠天府多士。上亦以为士流纷竞，不可启其端，且欲镇压浮俗，乃诏释拯，罢两制议及复考，止令若水等擢文行兼著者一人为首。乃以孙暨为第一，辅尧第二，易第三，余并如旧。暨，开封人，宾之孙；辅尧，保寅之子也。易初以轻俊被黜，既而，太宗与苏易简论唐时文人，且叹不与李白同时。易简言："易能为歌诗，殆不下李白。"太宗惊喜曰："诚如是，吾当白衣召置禁林。"会盗起剑南，事乃止。（《续资治通鉴长编》卷四三）

十二月

三日，杨亿到处州任。（杨亿《武夷新集自序》）

刑部郎中、知制诰王禹偁预修《太祖实录》。或言禹偁以私意轻重其间，甲寅（二十九日），落职，知黄州。（《续资治通鉴长编》卷四三）

元之初知制诰，上疏雪徐铉，贬商州。召入为学士，坐辩孝章皇后不实，谪滁州。复召知制诰，撰《太祖尊号册》，坐轻诬，谪黄州。作《三黜赋》以自述。时苏易简知举，适放榜，奏曰："禹偁翰苑名儒，今将全榜诸生送于郊。"上可其奏。诸生别元之。口占一绝，付状元孙何曰："为我多谢苏易简云：'缀行相送我何荣，老鹤乘轩愧谷莺。三入承明不知举，看人门下放诸生'。"（王辟之《渑水燕谈录》卷七）

王内翰禹偁，字元之。性狷介，数忤权贵，宦官尤恶之。上累召至中书诚谕之，禹偁终不改。咸平初，修《太祖实录》，与宰相论不合，又以谤责落职，出知黄州。作《三黜赋》以见志，其卒章云："屈于身而不屈于道兮，虽百谪其何亏？吾当守正直而佩仁义兮，唯终身而行之。"（张光祖《言行龟鉴》卷五）

是岁，以如京使柳开知代州，寻改知忻州。（《续资治通鉴长编》卷四三）

本年

诏以僧赞宁充左街僧录。（王禹偁《左街僧录通惠大师文集序》）

（辽圣宗统和十六年）是岁，放进士杨又玄等二人。（《辽史·圣宗纪五》）

宋祁（998—1061）生。祁字子京，与兄庠同时举进士，礼部奏祁第一，庠第三。章献太后不欲以弟先兄，乃擢庠第一，而置祁第十。人呼曰"二宋"，以大小别之。释褐复州军事推官，改大理寺丞、国子监直讲。召试，授直史馆，再迁太常博士、同知礼仪院。迁尚书工部员外郎、同修起居注、权三司度支判官。徙判盐铁勾院，同修礼书。次当知制诰，而庠方参知政事，乃以为天章阁待制，判太常礼院、国子监，改判太常寺。庠罢，祁亦出知寿州，徙陈州。还，知制诰、权同判流内铨，以龙图阁直学士知杭州，留为翰林学士。徙知审官院兼侍读学士。庠复知政事，罢祁翰林学士，改龙图学士、史馆修撰，修《唐书》。累迁右谏议大夫，充群牧使。庠为枢密使，祁复为翰林学士。后召为侍读学士、史馆修撰。祀明堂，迁给事中兼龙图阁学士。出知亳州，兼集贤殿修撰。岁余，徙知成德军，迁尚书礼部侍郎。居三月，徙定州。加端明殿学士，特迁吏部侍郎、知益州。寻除三司使。御史中丞包拯亦言祁益部多游燕，且其兄方执政，不可任三司。乃加龙图阁学士、知郑州。《唐书》成，迁左丞，进工部尚书。以羸疾，请便医药，入判尚书都省。逾月，拜翰林学士承旨，诏遇入直，许一子主汤药。复为群牧使，寻卒。祁修《唐书》十余年，自守亳州，出入内外尝以稿自随，为列传百五十卷。预修《籍田记》、《集韵》。又撰《大乐图》二卷，文集百卷。久之，学士承旨张方平言祁法应得谥，谥曰景文。（《宋史》本传）

贾昌朝（998—1065）生。贾昌朝，字子明，真定获鹿人。天禧初，真宗尝祈谷南郊，昌朝献颂道左，召试，赐同进士出身，主晋陵簿。赐对便殿，除国子监说书。加直集贤院。累迁尚书礼部郎中、史馆修撰。进龙图阁直学士、权知开封府，迁右谏议大夫、权御史中丞兼判国子监。以工部侍郎充枢密使，寻拜同中书门下平章事、集贤殿大学士，仍兼枢密使。居两月，拜昭文馆大学士，监修国史。除武胜军节度使、检校太傅、同中书门下平章事、判大名府兼北京留守司、河北安抚使。寻以讨贝州贼有功，移山南东道节度使。过阙入觐，留为祥源观使，拜尚书右仆射、观文殿大学士、判尚书都省，朝会班中书门下，视其仪物。岁中求外，复除山南东道节度使、右仆射、检校太师兼侍中、判郑州。固辞仆射、侍中，改同中书门下平章事。母丧去位，服除，判许州。嘉祐元年，进封许国公，又兼侍中，寻以同中书门下平章事为枢密使。以镇安军节度使、右仆射、检校太师、侍中兼充景灵宫使，出判许州。又以保平军节度、陕州大都督府长史移大名府兼安抚使。英宗即位，徙凤翔节度使，加左仆射、凤翔尹，进封魏国公。治平元年，以侍中守许州，力辞弗许。明年，以疾留京师，乃以左仆射、观文殿大学士判尚书都省，卒，年六十八，谥曰文元。御书墓碑曰"大儒元老之碑"。所著《群经音辨》、《通纪》、《时令》、《奏议》、《文集》百二十二卷。（《宋史》本传）

吕公弼（998—1073）生。公弼字宝臣。赐进士出身，积迁直史馆、河北转运使。擢都转运使，加龙图阁直学士、知瀛州，入权开封府。改同群牧使，以枢密直学士知渭、延二州，徙成都府。英宗罢三司使蔡襄，召公弼代之。拜枢密副使。神宗立，进枢密使。王安石知政事。嫌公弼不附己，白用其弟公著为御史中丞以逼之。公弼不自安，立上章避位，不许。安石立新法，公弼数言宜务安静，遂罢为观文殿学士、知太原府。俄以疾，请知郑州。王韶取熙河，乃拜宣徽西院使、判秦州。帝疑其不肯行，公弼闻命即治装，帝喜，召之入对，慰劳而遣之。既赴镇，才旬月，复以疾求解，为西太一宫使。薨，年七十六。赠太尉，谥曰惠穆。（《宋史》本传）

孙甫（998—1057）生。孙甫字之翰，许州阳翟人。少好学，日诵数千言，慕孙何为古文章。初举进士，得同学究出身，为蔡州汝阳县主簿。再举进士及第，为华州推官。转运使李纮荐其材，迁大理寺丞、知绛州翼城县。杜衍辟为永兴司录，凡吏职，纤末皆倚办甫。徙知永昌县，监益州交子务，再迁太常博士。衍为枢密副使，荐于朝，授秘阁校理。其后奏丁度因对求进用，度乞与甫辩，且指甫为宰相杜衍门人。乃以右司谏出知邓州，徙安州，历江东、两浙转运使。再迁尚书兵部员外郎，改直史馆、知陕州，徙晋州。为河东转运使、三司度支副使，迁刑部郎中、天章阁待制、河北都转运使，留为侍读。卒，特赠右谏议大夫。甫性劲果，善持论，有文集七卷，著《唐史

记》七十五卷。时人言："终日读史，不如一日听孙论也。"（《宋史》本传）

孙抗（998—1051）生。君少学问勤苦，寄食浮屠山中，步行借书数百里，升楼诵之而去其阶。盖数年而具众经，后遂博极天下之书。属文操笔，布纸谓为方思，而数百千言已就。以天圣五年同学究出身，补滁州来安县主簿，洪州右司理。再举进士甲科，迁大理寺丞、知常州晋陵县，移知浔州。浔当是时，人未趣学，乃改作庙学，召吏民子弟之秀者，亲为据案讲说，诱劝以文艺。居未几，旁州士皆来学，学者由此遂多。以选通判耀州。庆历二年擢为监察御史里行。以君安抚奏事有所不合，因自劾，乃知复州，又通判金州。知汉阳军吉州，稍迁至尚书都官员外郎、提点江南西路刑狱。除广西转运使，以劳迁尚书司封员外郎。皇祐三年三月初七日卒于治所，年五十四。君讳抗，字和叔，姓孙氏。（王安石《广西转运使孙君墓碑》）

黄注（998—1039）生。黄君字梦升，其先婺州金华人，后徙洪州之分宁。梦升兄弟皆好学，尤以文章意气自豪。予与梦升皆举进士于京师，梦升得丙科，初任兴国军永兴主簿。快快不得志，以疾去。久之，复调江陵府公安主簿，复调南阳主簿。梦升素刚，不苟合，负其所有，常快快无所施，卒以不得志死于南阳。（欧阳修《黄梦升墓志铭》）

本年重要作品：

文：杨亿《广平公唱和集序》、杨亿《群公赠行集序》、王禹偁《野兴亭记》、王禹偁《书蝗》。

诗：王禹偁《赠状元先辈孙仅》、王禹偁《寒食出城马上偶作》、王禹偁《病中书事上集贤钱侍郎五首》、王禹偁《青猿》、王禹偁《寓直偶题》、王禹偁《伏日偶作》、王禹偁《和吏部薛员外见寄》、王禹偁《寄状元孙学士何》、王禹偁《送谭殿院之任南阳》、王禹偁《送河阳任长官》、王禹偁《和屯田杨郎中同年留别之什》、王禹偁《送临清杨可主簿入蜀》、王禹偁《送正言杨学士亿之任缙云》、王禹偁《送第三人朱严先辈从事和州》、王禹偁《送南阳李太傅二首》、杨亿《至郡累旬恶风》。

公元 999 年（宋真宗咸平二年　己亥）

正月

十日，以礼部尚书温仲舒知贡举，御史中丞张咏、知制诰师颃权同知贡举，准诏合格进士孙暨已下七十一人。（《宋会要辑稿·选举一》）

乙丑（十日），命礼部尚书温仲舒知贡举，御史中丞张咏、刑部郎中知制诰师颃同知贡举，刑部员外郎董龟玉、太常寺博士王涉同考试及封印卷首，仍当日入院。礼部贡院封印卷首自此始。（《续资治通鉴长编》卷四四）

枢密直学士、礼部侍郎杨徽之以衰疾求解职，甲戌（十九日），授兵部侍郎，依前兼秘书监。及占谢，便殿命坐，屏左右，劳问久之。徽之纯厚清介，守规检，尚名教，尤疾非道以干进者。自为郎官、御史，朝廷即以"旧德"目之。尝言："温仲舒、寇准用搏击取贵仕，使后辈务习趋竞，礼俗浸薄。"世谓其知言，亦以是寡合于世云。（《续

资治通鉴长编》卷四四）

三月

秘书监杨徽之荐著作佐郎、通判泰州戚纶文学纯谨，宜在儒馆。三月甲寅（一日），以纶为秘阁校理。纶父同文隐居教授，学者不远千里而至，登科者凡五十六人。徽之与门人追号同文曰"坚素先生"。（《续资治通鉴长编》卷四四）

癸亥（十日），诏："今岁举人颇众，若依去年人数取合格者，虑有所遗落，进士可增及七十人，诸科增及一百八十人。"礼部寻以孙暨等二百五十人名闻，内诸科一举者六人特黜去之，余并赐及第。（《续资治通鉴长编》卷四四）

登进士第者：孙暨、高辅尧、钱易、李堪、鲁宗道、富言、林渭夫、陈绛等。

闰三月

己丑（六日），诏三馆写四部书二本来上，一置禁中之龙图阁，一置后苑之太清楼，以备观览。（《续资治通鉴长编》卷四四）

二十七日，王禹偁抵黄州任。（王禹偁《黄州谢上表》）

四月

丙子（二十四日），御史中丞张咏为工部侍郎、知杭州。（《续资治通鉴长编》卷四四）

五月

九日，诏：礼部新及第进士孙暨等特免选注官。（《宋会要辑稿·选举二》）

六月

丁巳（六日），宰臣、监修国史李沆等上重修《太祖实录》五十卷。（《续资治通鉴长编》卷四四）

七月

丙午（二十六日），置翰林侍读学士，以兵部侍郎杨徽之、户部侍郎夏侯峤、工部郎中吕文仲为之；置翰林侍讲学士，以国子祭酒邢昺为之。初，太宗命文仲为翰林侍读，寓直禁中，以备顾问，然名秩未崇。上奉承先志，特建此职，择老儒旧德以充其选，班秩次翰林学士，禄赐如之。设直庐于秘阁，侍读更直，侍讲长上，日给尚食珍膳，夜则迭宿，令监馆阁书籍。自是，多召对询访，或至中夕焉。（《续资治通鉴长编》卷四五）

八月

戊午（八日），上作《社日》五言诗赐近臣属和，宰执求免次韵，上曰："君唱臣和，亦旧制也，无烦多让。"（《续资治通鉴长编》卷四五）

癸酉（二十三日），枢密副使、工部侍郎杨砺卒，69 岁。杨砺，字汝砺，京兆人。建隆中举进士甲科。解褐凤州团练推官，岁余，又以母疾弃官。开宝九年，诣阙献书，召试学士院，授陇州防御推官。入迁光禄寺丞，丁内艰，起就职。久之，转秘书丞，改屯田员外郎、知鄂州，以善政闻。端拱初，真宗在襄邸，迁库部，充记室参军，赐金紫。转度支郎中。即位，拜给事中、判吏部铨。未几，召入翰林为学士。咸平初，知贡举，俄拜工部侍郎、枢密副使。二年，卒，年六十九。砺为文尚繁，无师法，每诗一题或数十篇。在翰林，制诰迂怪，见者哂之。有《文集》二十卷。（《宋史》本传）

著有：《杨砺集》二十卷（《宋史》本传）。

丙子（二十六日），以司封郎中、知制诰朱昂为传法院译经润文官。始，太宗作《圣教序》，上亦继作，悉编入经藏。上又尝著《崇释氏论》，以为释氏戒律之书，与周、孔、荀、孟迹异道同，大指劝人之善，禁人之恶，不杀则仁矣，不窃则廉矣，不惑则正矣，不妄则信矣，不醉则庄矣。苟能遵此，君子多而小人少。又上生三途之说，亦与三后在天，鬼得而诛之言共贯也。盐铁使陈恕尝建议，以为传法院费国家供亿，力请罢之，言甚恳切，上不许。（《续资治通鉴长编》卷四五）

戊寅（二十八日），度支判官、兵部员外郎陈尧叟，供奉官、阁门祗侯陈采，户部判官、太常博士丁谓，右侍禁、阁门祗侯焦守节，分至西川及峡路体量公事。（《续资治通鉴长编》卷四五）

寇准移知同州。

十一月

丁亥（八日），宰相兵部尚书张齐贤加门下侍郎，李沆加中书侍郎。（《续资治通鉴长编》卷四五）

戊申（二十九日），以宰相李沆为东京留守。（《续资治通鉴长编》卷四五）

本年

（辽圣宗统和十七年）是岁，放进士初锡等四人及第。（《辽史·圣宗纪五》）

钱昱卒，57 岁。昱，字就之，忠献王佐之长子。入朝，授白州刺史。昱好学，多聚书，喜吟咏，多与中朝卿大夫唱酬。尝与沙门赞宁谈竹事，选录所记，昱得百余条，因集为《竹谱》三卷。俄献《太平兴国录》。求换台省官，令学士院召试制诰三篇，改秘书监，判尚书都省。时新葺省署，昱撰记奏御，又尝以钟、王墨迹八卷为献，有诏褒美。出知宋州，改工部侍郎，历典寿、泗、宿三州，率无善政。至道中，以为郢州团练使。咸平二年，表入朝，以病不及陛见，卒，年五十七。昱善笔札，工尺牍，太

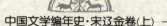

祖尝取观赏之，赐以御书金花扇及《急就章》。昱聪敏能覆棋，工琴画，饮酒至斗余不乱。善谐谑，生平交旧终日谈宴，未曾犯一人家讳。有集二十卷。（《宋史》本传）

著有：《竹谱》三卷（《宋史》本传）、《钱昱集》二十卷（《宋史》本传）。

刘昌言卒，50 岁。刘昌言，字禹谟，泉州南安人。少笃学，文词靡丽。本道节度陈洪进辟功曹参军，掌笺奏。洪进遣子文显入贡，令昌言偕行，太祖亲劳之。太平兴国二年，洪进归朝，改镇徐州，又辟推官。五年，举进士入格，太宗初惜科第，止授归德军掌书记。八年，复举得第，迁保信、武信二镇判官。移泰宁军节度判官。入为左司谏、广南安抚使。淳化初，赵普留守西京，表为通判，委以府政。拜起居郎，赐金紫、钱五十万。迁工部郎中，逾月，守本官，充枢密直学士，与钱若水同知审官院。二十八日，迁右谏议大夫、同知枢密院事。以给事中罢，出知襄州。至道二年，徙知荆南府。真宗即位，就拜工部侍郎。咸平二年，卒，年五十，赠工部尚书。（《宋史》本传）

包拯（999—1062）生。包拯，字希仁，庐州合肥人也。始举进士，除大理评事，出知建昌县。监和州税。久之，赴调，知天长县。徙知端州，迁殿中丞。寻拜监察御史里行，改监察御史。历三司户部判官，出为京东转运使，改尚书工部员外郎、直集贤院，徙陕西，又徙河北，入为三司户部副使。除天章阁待制、知谏院。除龙图阁直学士、河北都转运使。徙知瀛州，以丧子乞便郡，知扬州，徙庐州，迁刑部郎中。坐失保任，左授兵部员外郎、知池州。复官，徙江宁府，召权知开封府，迁右司郎中。迁谏议大夫、权御史中丞。迁给事中，为三司使。数日，拜枢密副使。顷之，迁礼部侍郎，辞不受，寻以疾卒，年六十四。赠礼部尚书，谥孝肃。有奏议十五卷。（《宋史》本传）

曾公亮（999—1078）生。曾公亮，字明仲，泉州晋江人。举进士甲科，知会稽县。坐父买田境中，谪监湖州酒。久之，为国子监直讲，改诸王府侍讲。岁满，当用故事试馆职，独献所为文，授集贤校理、天章阁侍讲、修起居注。擢天章阁待制，赐金紫。遂知制诰兼史馆修撰，为翰林学士、判三班院。以端明殿学士知郑州，复入为翰林学士、知开封府。未几，擢给事中、参知政事。加礼部侍郎，除枢密使。嘉祐六年，拜吏部侍郎、同中书门下平章事、集贤殿大学士。神宗即位，加门下侍郎兼吏部尚书。熙宁二年，进昭文馆大学士，累封鲁国公。以老避位，三年九月，拜司空兼侍中、河阳三城节度使、集禧观使。明年，起判永兴军。居一岁，还京师。旋以太傅致仕。元丰元年卒，年八十。帝临哭，辍朝三日，赠太师、中书令，谥曰宣靖，配享英宗庙庭。及葬，御篆其碑首曰"两朝顾命定策亚勋之碑"。（《宋史》本传）

仲讷（999—1053）生。君仲氏，讳讷，字朴翁，广济军定陶人。景祐元年进士，起家莫州防御推官。权博州防御判官，以母夫人丧去。去三年，复权明州节度推官。用举者，改大理寺丞，知大名府清平、邛州临溪两县。又通判解州。于是，三迁为尚书屯田员外郎。（王安石《尚书屯田员外郎仲君墓志铭》）

周沆（999—1067）生。周沆，字子真，青州益都人。第进士，知渤海县。以亲老求监州税。通判凤翔，初置转运判官。沆使江西，求葬亲，改知沂州。历开封府推官。加直史馆、知潭州。徙河东转运使。入为度支副使。又徙河东转运使，迁龙图阁直学士、知庆州，召知通进银台司、判太常寺。英宗既即位，进枢密直学士、知成德军。以户部侍郎致仕，卒，年六十九。（《宋史》本传）

本年重要作品：

文：王禹偁《三黜赋》、王禹偁《黄州谢上表》、王禹偁《黄州新建小竹楼记》、王禹偁《黄州齐安永兴禅院记》、王禹偁《大阅赋》、王禹偁《黄州重修文宣王庙壁记》、王禹偁《孟水部诗集序》、杨亿《处州郡斋凝霜阁记》、杨亿《处州丽水县厅壁记》、杨亿《送进士陈在中序》、杨亿《温州聂从事云堂集序》。

诗：王禹偁《出守黄州上史馆相公》、王禹偁《凤凰陂》、王禹偁《一品孙郑煜》、杨亿《初至郡斋书事》、杨亿《狱多重囚》、杨亿《民牛多疫死》、杨亿《送觐道人归故山》、杨亿《送章颋归乡》、杨亿《郡斋即事书怀十二韵呈诸官》、杨亿《郡斋西亭即事十韵招丽水县丞武功从事》、杨亿《丽水殿丞移疾请告》、杨亿《送韩永锡归阙》、杨亿《次韵和致仕李殿丞寅见寄之什因以纪赠》、杨亿《己亥年郡中夏旱遍祷群望喜有甘泽之应》、杨亿《送温州聂从事赴阙》、杨亿《秋晚》、杨亿《己亥年十月十七大雪》、杨亿《闻道卿途中授计司判官》、杨亿《偶兴》、杨亿《到郡满岁自遣》。

公元 1000 年（宋真宗咸平三年　庚子）

正月

十一日，宋湜卒，51 岁。 公讳湜，字持正。太平兴国五年春，太宗凡三临轩，亲选多士，登进士甲科，解褐将作丞、通判梓州榷盐院。就拜太子右赞善大夫。归朝，改著作郎、直史馆。雍熙三年，召试制诰于中书，明日，除右补阙、知制诰。就转库部员外郎，兼判尚书刑部。左迁均州团练副使，移汝州。数月，征拜礼部员外郎、直昭文馆，复以职方员外郎掌诰命。逾年，入翰林为学士，转兵部郎中、知审刑院、银台司封驳事。皇上嗣位，真拜中书舍人，修国史，并兼内署之职。是年冬，改给事中，参贰机务。己丑，以不起闻，享年五十有一。诏赠吏部侍郎，辍视朝一日。《集》二十卷。（杨亿《宋公神道碑铭》）

壬寅（二十四日），命度支判官、兵部员外郎陈尧叟，供奉官、阁门祇候杜承睿，往陕西路体量公事。（《续资治通鉴长编》卷四六）

二十五日，翰林侍读学士、兵部侍郎兼秘书监杨徽之卒，80 岁。 翰林侍读学士、兵部侍郎、兼秘书监杨徽之卒。徽之先以足疾请告，上自取名药为赐。郊祀不及扈从，特命加赐如侍祠之例。车驾北巡，徽之力疾辞于苑中，上顾谓曰："卿勉近医药，当不久相见。"驻跸大名，特降手诏存谕。还京，又遣使临问。及卒，上甚嗟悼，赠兵部尚书，谥文庄，赐其家钱五十万、绢五百匹。又遣中使护丧事，录其外孙宋绶太常寺太祝，二侄皆赐出身。徽之有集二十卷，上令夏侯峤就其家取进内。（《续资治通鉴长编》卷四六）

杨徽之，字仲猷，建州浦城人。周显德中，举进士。乾德初，出为天兴令，移峨眉令。复为著作佐郎、知全州，就迁左拾遗、右补阙。太平兴国初，代还。太宗素闻其诗名，因索所著。徽之以数百篇奏御，且献诗为谢，其卒章有"十年流落今何幸，叨遇君王问姓名"语，太宗览之称赏。迁侍御史、权判刑部。转库部员外郎，赐金紫，判南曹，同知京朝官差遣。端拱初，拜左谏议大夫，出知许州。入判史馆事，加修撰。未几，改判集贤院。真宗尹京，妙选僚佐，驿召为左谏议大夫，咸平初，加礼部侍郎。二年春，以衰疾求解近职，改兵部，仍兼秘书监。未几，以足疾请告。明年春正月，卒，年八十。赠兵部尚书，赐其家钱五十万、绢五百匹。徽之纯厚清介，守规矩，尚名教，善谈论，多识典故。酷好吟咏，每对客论诗，终日忘倦。既没，有集二十卷留于家，上令夏侯峤取之以进。（《宋史》本传）

著有：《杨徽之集》五卷（《宋史·艺文志七》）。

著录：曾巩《隆平集·杨徽之传》、王禹《东都事略·杨徽之传》、《宋史·艺文志七》。

杨侍读徽之，太宗闻其诗名，尽索所著，得数百篇奏御，仍献诗以谢，卒章曰："十年流落今何幸，叨遇君王问姓名。"上和之以赐，谓宰臣曰："真儒雅之士，操履无玷。"拜礼部侍郎，御选集中十联写于屏。梁周翰诗曰："谁似金华杨学士，十联诗在御屏中。"十联诗者，有《江行》云："天寒酒薄难成醉，地迥台高易断魂。"《塞上》云："戍楼烟自直，战地雨长腥。"《僧舍》云："偶题岩石云生笔，闲绕庭松露湿衣。"《湘江舟行》云："新霜染枫叶，皓月借芦花。"《哭江为》云："废宅寒塘雨，荒坟宿草烟。"《嘉阳川》云："青帝已教春不老，素娥何惜月长圆。"又云："浮花水入瞿塘峡，带雨云归越嶲州。"《年夜》云："春归万年树，月满九重城。"《宿东林》云："开尽菊花秋色老，落残桐叶雨声寒。"余窃谓公曰："以天地浩露涤其笔于冰瓯雪碗中，则方与公诗神骨相附焉。"（文莹《玉壶清话》卷五）

二月

三日，以翰林学士王旦权知贡举，知制诰王钦若、直集贤院赵安仁权同知贡举。且知枢密院复命史馆，合格奏名进士李庶几已下五百四十七人。（《宋会要辑稿·选举一》）

壬子（四日），翰林侍读学士吕文仲上新编《太宗御集》三十卷。（《续资治通鉴长编》卷四六）

丙子（二十八日），曲宴近臣于后苑，上作《中春赏花钓鱼》七言诗，儒臣皆赋。遂射于水亭，尽欢而罢。自是著为定制。（《续资治通鉴长编》卷四六）

柳开疽发于首，自忻乘肩舁至并州。（张景《柳公行状》）

三月

余靖（1000—1064）生。余靖，字安道，韶州曲江人。举进士起家，为赣县尉，试书判拔萃，改将作监丞、知新建县，迁秘书丞。落职监筠州酒税。徙监泰州税，知英州，迁太常博士，复为校理、同知礼院。庆历中，以靖为右正言。出知吉州。改将作少监，分司南京，居曲江。已而授左神武军大将军、雅州刺史、寿州兵马钤辖，辞不就。再迁卫尉卿、知虔州，丁父忧去。朝廷方顾南事，就丧次起靖为秘书监、知潭州，改桂州，诏以广南西路委靖经制。加集贤院学士，徙知潭州，又徙青州。知广州，官至工部尚书，代归，卒，特赠刑部尚书，谥曰襄。（《宋史》本传）

（一日）诏：礼部所试合格举人有权要亲族者，具名以闻。（《续资治通鉴长编》卷四六）

六日，柳开卒于并州，54 岁。

公讳开，字仲途，生于晋开运末。公为文章直以韩为宗尚，遂名肩愈，字绍元。韩之道大行于今，自公始也。公方以述撰为志，博采世之逸事，自号东郊野夫，作《东郊野夫传》。年逾二十，遂改今名、今字，其意谓开古圣贤之道于时也，必欲开之为涂矣。开宝六年，太祖御讲武殿复试礼部贡士，公年二十有七，一举登进士第。八年，公释褐，首其任于宋州，迁录事参军。太宗即位四年，擢公为赞善大夫，迁殿中丞，移知润州，拜监察御史。太平兴国九年，加殿中侍御史。明年，贬上蔡令。淳化元年，移知桂州。后贬滁州团练副使。今上改元咸平，公出知代州。咸平三年二月，疽发于其首，自忻乘肩舁至并州，三月有六日卒于并，年五十有四。公之仕也，积阶至金紫检校、至司空，兼秩至御史大夫，勋至上柱国，爵至河东县伯，食邑至九百户。（据张景《柳公行状》）

著有：《柳开集》十五卷（《宋史·艺文志七》）。

十七日，帝御崇政殿，试礼部奏名进士。内出《观人文以化成天下赋》、《崇德报功诗》、《为政宽猛先后论》题。（《宋会要辑稿·选举七》）。

甲午（十七日），上御崇政殿亲试，命翰林学士承旨宋白等与馆阁、王府、三司官二十一人于殿后西阁考复，国子博士雷说、著作佐郎梅询封印卷首。亲览入等者，赐陈尧咨以下二百七十一进士及第，一百四十三人同本科及《三传》学究出身。尧咨，尧叟之弟也。又命翰林侍讲学士邢昺等十五人考较诸科，得四百三十二人，赐及第、同出身。又试进士五举、诸科八举及尝经御试或年逾五十者论一篇，得进士二百六十人，诸科六百九十七人，赐同出身，及试校书郎、将作监主簿。赐宴日，以御诗褒宠之。以尧咨等五人，并为将作监丞、通判。第一等并《九经》为大理评事，知大县；第二等为节、察、防、团推官；余为判、司、簿、尉，试衔者守选。上连三日临轩，初无倦怠之色。所擢凡千八百余人，其中有自晋天福中随计者。校艺之详，推恩之广，近代所未有也。（《续资治通鉴长编》卷四六）

春

上以手诏访知开封府钱若水备御边寇、剪灭蕃戎之策。（《续资治通鉴长编》卷四六）

五月

丁亥（十一日），徙知同州、工部侍郎寇准知凤翔府，准为通判刘拯所讼故也。（《续资治通鉴长编》卷四七）

辛卯（十五日），诏曰："去岁天下举人，数逾万人，考核之际，缪滥居多。盖其荐送之时，辄容侥幸。合申典宪，以儆官司。又自前贡院举奏诸州不合格举人，朝廷每虑停殿人多，或与宽宥。将惩前弊，再示明文：自今滥有解荐及遗落孤寒实艺之士，并从复试，有不当者，悉论如律。"（《续资治通鉴长编》卷四七）

十八日，帝御崇政殿试礼部奏名河北进士。内出《以贤为宝赋》、《膏泽多丰年诗》题，得齐革已下十三人，第为三等，并赐及第、同出身、同《三传》出身。（《宋会要辑稿·选举七》）

登进士第者：陈尧咨、周起、胡用、宋巽、李颖、姜遵、方仲荀、李庶几、欧阳晔、方慎言、许洞、许式、聂致尧、吴世范、梁颢、周薰、刁湛、吕夷简、李绎、齐革、范雍、崔立、欧阳颖、欧阳观、王贯之等。

丁酉（二十一日），右神武军将军钱惟演为太仆少卿。惟演，俶子也，幼好学。于是献所为文，召试学士院，而有是命。（《续资治通鉴长编》卷四七）

二十三日，张景序柳开《河东集》。

先生生于晋末，长于宋初，拯五代之横流，扶百世之大教，续韩孟而助周孔，后生孰能哉？先生之道，非常儒可道也；先生之文，非常儒可文也。离其言于往迹，会其旨于前经，破昏荡疑，拒邪归正，学者宗信，以仰以赖，先生之用可测乎？藏其用于神矣。然其生不得大位，不克著之于事业，而尽在于文章。文章盖空言也，先生岂徒为空言哉？足以观其志矣。今辑其遗文九十五篇，为十五卷，命之曰《河东先生集》。先生名氏、官爵暨行事备之行状，而系于集后。（张景《河东集序》）

圣朝大儒柳仲涂，实魏人。自唐吏部下三百年，得孔子之道而粹者，唯仲涂。居魏东郊，著数万言，皆尧舜三王治人之道。未大用而死，其道才施其一二。介闻柳氏之子孙尚有贤且肖者，魏之人犹能记识仲涂之居，亦或有能读其书者。仲涂之道，则未闻有人知之。先之至馆陶，取仲涂书为柳氏子孙及魏之人讲释，指明其义，使知仲涂之道。仲涂之道，孔子之道也。（石介《送刘先之序》）

宋柳开仲涂《河东文集》十五卷，附《行状》一卷，门人张景所编。其文多拗拙，石守道极推尊之。其《过魏东郊》诗，上拟之皋、夔、伊、吕，下拟之迁、固、王通、韩愈，殊为不伦。（王士禛《带经堂诗话》卷六）

《河东集》十五卷，宋柳开撰。开字仲涂，大名人，开宝六年进士。历典州郡，终于如京使。开少慕韩愈、柳宗元为文，因名肩愈，字绍先。既又改名改字，自以为能开圣道之涂也。集中《东郊野夫》、《补亡先生》二传，自述甚详。集十五卷，其门人张景所编，附以景所撰《行状》一卷。今第就其文而论，则宋朝变偶俪为古文，实自开始。唯体近艰涩，是其所短耳。盛如梓《恕斋丛谈》载开论文之语曰："古文非在词涩言苦，令人难读。在于古其理，高其意。"王士禛《池北偶谈》讥开能言而不能行，非过论也。又尊崇扬雄太过，至比之圣人，持论殊谬。要其转移风气，于文格实为有功。谓之明而未融则可，王士禛以为初无好处，则已甚之词也。（《四库提要》卷一五二）

著录：晁公武《郡斋读书志·别集类》、尤袤《遂初堂书目·别集类》、陈振孙《直斋书录解题·别集类中》、《宋史·艺文志七》、杨士奇等《文渊阁书目》卷九、叶盛《菉竹堂书目》卷三、焦竑《国史经籍志》卷五、毛扆《汲古阁珍藏秘本书目》、陈第《世善堂藏书目录》卷下、钱谦益《绛云楼书目》卷三、《四库提要》卷一五二、季振宜《季沧苇藏书目》、孙星衍《孙氏祠堂书目内编》、陆心源《皕宋楼藏书志》卷七二、丁丙《善本书室藏书志》卷二六、邵懿辰《增订四库简明目录标注》卷一五、傅增湘《藏园群书经眼录》卷一三、《北京图书馆古籍善本书目》、台湾《中央图书馆善本书目》。

六月

八日，赐新及第进士御制五七言诗二首。（《宋会要辑稿·选举二》）

丁卯（二十二日），命参知政事向敏中为河北、河东宣抚大使，枢密直学士冯拯、陈尧叟为副大使。（《续资治通鉴长编》卷四七）

二十七日，以新及第进士第一人陈尧咨、第二人周起、第三人胡用、第四人宋巽、第五人李颖、锁厅人李绎并为将作监丞，通判诸州；第一等四十二人并《九经》关头为大理评事，知县；第二等节察推官，第三等初幕职，余判司、簿、尉，试御令，归乡守选。（《宋会要辑稿·选举二》）

乙亥（三十日），户部判官、右司谏、直史馆孙何，出为京东转运副使。（《续资治通鉴长编》卷四七）

七月

己亥（二十四日），命翰林侍读学士夏侯峤、侍讲学士邢昺为江浙巡抚使，知制诰赵安仁、直秘阁潘慎修副焉。（《续资治通鉴长编》卷四七）

八月

癸丑（九日），翰林学士承旨宋白等上复位内外官称呼。（《续资治通鉴长编》卷四七）

辛未（二十七日），命翰林学士朱昂往郓州王陵埽祭河。（《续资治通鉴长编》卷四七）

九月

庚寅（十六日），始置群牧司。命枢密直学士陈尧叟为制置使。（《续资治通鉴长编》卷四七）

杨亿到京师，拜左司谏。

十月

庚戌（七日），西京留守、左仆射吕蒙正来朝，召之也。（《续资治通鉴长编》卷

四七）

己未（十六日），诏翰林承旨宋白、知制诰李宗谔续修《通典》。白等又请命舒雅、杨亿、李维、石中立、任随同编修，杜镐检讨。先是，淳化中命翰林学士苏易简与三馆文学之士续修此书，会易简等各莅官务，寻罢。至是复纂。（《玉海》卷五一）

丙寅（二十三日），命翰林学士王钦若、知制诰梁颢分为西川及峡路安抚使。（《续资治通鉴长编》卷四七）

十一月

门下侍郎、兵部尚书、平章事张齐贤与李沆并相，情好不协。自负有致君之术，每敷奏，多不直，致议者以为疏阔。辛卯（十八日），日南至，群臣朝会，齐贤被酒，冠弁欹侧，几颠仆殿上。御史中丞劾齐贤失仪，齐贤自陈："因感寒，饮酒御之，遂至醉。"顿首谢罪。上曰："卿为大臣，何以率下？朝廷自有典宪，朕不敢私。"甲午（二十一日），齐贤罢守本官。（《续资治通鉴长编》卷四七）

十二月

辛未（二十八日），遣翰林学士梁周翰以来岁元日诣太一宫设醮一月，为民祈福。（《续资治通鉴长编》卷四七）

三十日，王禹偁自编《小畜集》三十卷，并为之序。

淳化二年，岁在辛卯，禹偁字元之制诰舍人贬商州团练副使。至道二年乙未岁，又自翰林学士黜守滁上，得尚书工部郎中。明年十二月，移知广陵。又明年三月，今上嗣位，复以刑部郎中入西掖。咸平二年，守本官知齐安郡，年四十有六，发白目昏，居常多病，大惧没世而名不称矣。因阅平生所为文，散失焚弃之外，类而第之，得三十卷，将名其集。以《周易》筮之，遇乾之小畜。乾之象曰："君子以自强不息。"是禹偁修辞立诚，守道行己之义也。小畜之象曰："风行天上，小畜，君子以懿文德。"说者曰："未能行其施，故可懿文而已。"是禹偁位不能行道，文可以饰身也。集曰《小畜》，不其然乎？咸平三年十二月晦日太原王禹偁序。（王禹偁《小畜集序》）

内翰王公，以文章道义被遇太宗皇帝，视草北门，代言西掖，眷优接隆，声望最重，咸谓咫尺黄阁矣。偶坐事左迁，咸平初来于齐安。在郡政化孚洽，容与暇景，作竹楼、无愠斋、睡足轩以玩意。邦人沐浴恩惠，为绘像立祠。东坡居士尝亲拜其下。历岁滋久，经涉兵盗，无一存者。风范歇绝，音徽渺然，良可太息！平生撰著极富，有手编文集三十卷，名曰《小畜集》。其文简易醇质，得古作者之体。往往好事得之者珍秘不传，以故人多未见。虞卿假守于此，追访旧址，踌躇增慨，想见其人，思欲以次兴葺。而钝拙无能，救过不赡。辄且先其大者，因以家笥所藏《小畜集》八本，更加点勘，鸠工镂板，以广其传。庶与四方学者共之。（沈虞卿《小畜集序》）。

公之属稿，晚年手自编缀，集为三十卷，命名《小畜》，盖取《易》之懿文德而欲己之集大成也。《后集诗》三卷、《奏议集》三卷、《承明集》十卷、《五代史阙文》一卷，并行于世。而遗编坠简，尚多散落。集贤君（按：王禹偁曾孙王汾）购寻裒类，又得诗赋、碑志、论议、表著，凡二十卷，目曰《小畜外集》。因其名所以成先志也。谓仆尝学旧史，前言往行，多得其详，见诸序引，久不获辞。窃谓文章末流，由唐季涉五代，气格摧弱，沦于鄙俚。国初屡有作者，留意变风，而习尚难移，未能复雅。至公特起，力振斯文，根源于六经，枝派于百氏，斥浮伪，去陈言，作而述之，一变于道。后之秉笔之士，学圣人之言，由藩墙而践奥，繄公为之司南也。（苏颂《小畜外集序》）

《小畜集》三十卷、《小畜外集》七卷，宋王禹偁撰。晁公武《读书志》、陈振孙《书录解题》皆作三十卷，与今本同。唯《宋志》作二十卷，然《宋志》荒谬最甚，不足据也。宋承五代之后，文体纤俪，禹偁始为古雅简淡之作，其奏疏尤极剀切。《宋史》采入本传者，议论皆英伟可观。在词垣时所为应制骈偶之文，亦多宏丽典赡，不愧一时作手。集凡赋二卷、诗十一卷、文十七卷。绍兴丁卯，历阳沈虞卿尝刻之黄州。明代未有刊本，世多钞传其诗而全集罕觏。而陈振孙《书录解题》所载《外集》三百四十首，其曾孙汾所裒辑者，则久佚不传。此残本为河间纪氏阅微草堂所藏，仅存第七卷至第十三卷。而又七卷前缺数页，十三卷末集《贤钱侍郎知大名府序》，唯有篇首二行，计亦当缺一两页。原帙籖题，即曰《小畜外集》残本上下二册，知所传止此矣。其中《次韵和朗公见赠》诗及题下自注朗字皆缺笔，知犹从宋本影抄也。凡诗四十四篇、杂文八篇、论议五篇、传三篇、箴赞颂九篇、代拟二篇、序十二篇，共一百一篇，较原帙仅三之一。然北宋遗集流传渐少，我皇上稽古右文，凡零篇断简散见《永乐大典》中者，苟可编排，咸命儒臣辑录成帙，以示表章。此集原书七卷岿然得存，是亦可宝之秘籍，不容以残缺废矣。（《四库提要》卷一五二）

著录：曾巩《隆平集·王禹偁传》、王偁《东都事略·王禹偁传》、晁公武《郡斋读书志·别集类中》、尤袤《遂初堂书目·别集类》、陈振孙《直斋书录解题·别集类中》、郑樵《通志·艺文略八》、《宋史·艺文志七》、马端临《文献通考》卷二三三、王尧臣等《崇文总目》卷一一、杨士奇等《文渊阁书目》卷二、毛扆《汲古阁珍藏秘本书目》、《四库提要》卷一五二、陆心源《皕宋楼藏书志》卷七二、丁丙《善本书室藏书志》卷二六、瞿镛《铁琴铜剑楼藏书目》卷二〇、王重民《中国善本书提要》、《北京图书馆古籍善本书目》、台湾《中央图书馆善本书目》。

版本：宋绍兴十七年黄州刻本、明万历三十七年谢氏小草斋钞本、清康熙五十九年蒋继轼家钞本、清乾隆二十五年赵熟典爱日堂刻本、清乾隆四十一年吴翌凤钞本、清光绪年间孙星华增刻本、清广雅书局刻聚珍版丛书本、清宋氏漫堂钞本、四部丛刊本、国学基本丛书本。

本年

（辽圣宗统和十八年）是岁，放进士南承保等三人及第。（《辽史·圣宗纪五》）

钱熙卒，48 岁。钱熙，字太雅，泉州南安人。熙幼颖悟，及长，博贯群籍，善属文，洪进嘉其才，以弟之子妻之。将署熙府职，辞不就，著《楚雁赋》以见志。寻复辟为巡官，专掌笺奏。洪进归朝，熙不叙旧职，举进士。雍熙初，携文谒宰相李昉，昉深加赏重，为延誉于朝，令子宗谔与之游。明年，登甲科，补度州观察推官。代还，寇准掌吏部选，上封荐钱若水、陈充、王扶洎熙皆有文，得试中书，迁殿中丞，赐绯鱼。著《四夷来王赋》以献，凡万余言，太宗嘉之，即以本官直史馆。淳化中，参知政事。坐削职、通判朗州，俄徙衡州，就改太常博士。真宗即位，迁右司谏。李宗谔、杨亿素厚善熙，乃与梁颢、赵况、赵安仁同表请复熙旧职，不报。寻通判杭州，政多专达，为转运使所奏，徙通判越州。熙负气好学，善谈笑，精笔札，狷躁务进。自罢职，因愤恚成疾，咸平三年卒，年四十八。尝拟古乐府，著《杂言》十数篇及《措刑论》，为识者所许。有集十卷。（《宋史》本传）据

著有：《钱熙集》十卷（《宋史》本传）。

释赞宁卒，82岁。大师世姓高氏，法名赞宁。以唐天祐十六年岁在己卯某月某日生大师于金鹅山别墅，唐天成中出家清泰。初入天台山受具足戒，习四分律，通南山律。大师声望日隆，文学益茂，浙中士大夫与大师以诗什唱和。又得文格于光文大师汇征，授诗诀于前进士龚霖，由是大为流辈所服。太平兴国三年，忠懿王携版图归国，大师奉真身舍利塔入朝。太宗素闻其名，召对滋福殿，延问弥日，别赐紫方袍。寻改师号曰"通惠"。八年诏修《大宋高僧传》，听归杭州旧寺。成三十卷，进御之日，玺书褒美。居无何，征归京师，住天寿寺。参知政事苏易简奉诏撰《三教圣贤事迹》，奏大师与太一宫道士韩德纯分领其事。大师著《鹫岭圣贤录》，又集圣贤事迹凡一百卷，制署左街讲经首座。至道元年，知西京教门事。今上咸平元年诏，充右街僧录。先是，故相文贞公悬车之明年，年七十一。思继白少傅九老之会，得旧相吏部尚书宋琪年七十九、左谏议大夫杨徽之年七十五、郢州刺史判金吾街仗事魏丕年七十六、太常少卿致仕李运年八十、水部郎中直秘阁朱昂年七十一、庐州节度副使武允成年七十九、太子中允致仕张好问年八十五、大师时年七十八，凡九人焉。文贞公将燕于家园，形于绘事，以声诗流咏播于无穷。会蜀寇作乱，朝廷出师，不果而罢。大师以述作颇多，叙引未立，猥蒙见托不克，固辞。总其篇题，具如别录，凡《内典集》一百五十二卷、《外学集》四十九卷。（王禹偁《左街僧录通惠大师文集序》）

著有：《僧史略》三卷（《宋史·艺文志四》）、《笋谱》一卷（《宋史·艺文志四》）、《物类相感志》十卷（《宋史·艺文志四》）、《要言》二卷（《宋史·艺文志四》）、《传载》八卷（《宋史·艺文志五》）、《大宋高僧传》三十卷（王禹偁《左街僧录通惠大师文集序》）、《内典集》一百五十二卷（王禹偁《左街僧录通惠大师文集序》）、《外学集》四十九卷（王禹偁《左街僧录通惠大师文集序》）。

近世释子多务吟咏，唯国初赞宁独以著书立言尊崇儒术为佛事，故所著《驳董仲舒繁露》二篇、《难王充论衡》三篇、《证蔡邕独断》四篇、《斥颜师古正俗》七篇、《非史通》六篇、《答杂斥诸史》五篇、《折海潮论兼明录》二篇、《抑春秋无贤臣论》一篇，极为王禹偁所激赏。故王公《与赞宁书》曰："累日前蒙惠顾覼才，辱借通论，日殆三复，未详指归。徒观其涤《繁露》之瑕，劚《论衡》之玷，眼瞭《独断》之瞽，针砭《正俗》之疹，折子玄之邪说，泯米颖之巧言，逐光庭若摧枯，排孙郃似图蔓。使圣人之道无伤于明夷，儒家者流不至于迷复。然则师胡为而来哉？得非天祚素王，而假手于我师者欤！"（吴处厚《青箱杂记》卷六）

吴僧赞宁，国初为僧录。颇读儒书，博览强记，亦自能撰述，而辞辩纵横，人莫能屈。时有安鸿渐者，文词隽敏，尤好嘲咏。尝街行，遇赞宁与数僧相随，鸿渐指而嘲曰："郑都官不爱之徒，时时作队。"赞宁应声答曰："秦始皇未坑之辈，往往成群。"时皆善其捷对。鸿渐所道，乃郑谷诗云"爱僧不爱紫衣僧"也。（欧阳修《六一诗话》）

叶清臣（1000—1049）生。叶清臣，字道卿，苏州长洲人。清臣幼敏异，好学善属文。天圣二年，举进士，知举刘筠奇所对策，擢第二。宋进士以策擢高第，自清臣始。授太常寺奉礼郎、签书苏州观察判官事。还为光禄寺丞、集贤校理，通判太平州、知秀州。入判三司户部勾院，改盐铁判官。出知宣州，累迁太常丞，同修起居注，判三司盐铁勾院，进直史馆。以右正言知制诰，知审官院，判国子监。擢为起居舍人、龙图阁学士、权三司使公事。清臣与宋庠、郑戬雅相善，为吕夷简所恶，出知江宁府。逾年，入翰林学士，知通进银台司、勾当三班院。丁父忧，服除，即除翰林侍读学士、知州。道由京师，因请对，改澶州，进尚书户部郎中、知青州。徙知永兴军。复以为翰林学士、权三司使。罢为侍读学士、知河阳。卒，赠左谏议大夫。清臣天资爽迈，遇事敢行，奏对无所屈。有文集一百六十卷。（《宋史》本传）

刘涣（1000—1080）生。涣字凝之，举进士，为颍上令。以刚直不屈于上位，即弃官，而归家于庐山之阳，时年且五十。欧阳修与涣同年进士也，高其节，作《庐山高诗》以美之。涣居庐山三十余年，环堵萧然，饘粥以为食，而游心尘垢之外，超然无戚戚之意，以寿终。（《东都事略·刘恕传》）

本年重要作品：

文：王禹偁《潭州岳麓山书院记》、王禹偁《无愠斋记》、王禹偁《罔极赋》、王禹偁《瘤樽铭》、杨亿《群公饯集贤钱侍郎知大名府诗序》、杨亿《婺州开元寺新建大藏经楼记》。

诗：王禹偁《月波楼咏怀》、王禹偁《十月二十日作》、王禹偁《筵上狂歌送侍棋衣袄天使》、王禹偁《江豚歌》、杨亿《闻北师克捷喜而成咏》、杨亿《中春喜雨》、杨亿《太常李博士史馆孙秘丞相继奉使浙右博士至郡以孙侯诗三章示予且以致意因次韵和酬》、杨亿《留题张彝宪池亭》、杨亿《别聪道人归缙云》、杨亿《留别桐城主簿昱》、杨亿《行次颍州值雨留驻数日因遣郡守秘阁刁公》、杨亿《戏赠颍州万寿尉吴待问》、杨亿《旅中重阳有怀乡国》、杨亿《重阳日忆远》、杨亿《集贤宿直寄中书李梁二舍人》、杨亿《翰林王学士奉使两川》、杨亿《梁舍人奉使巴中》、杨亿《董给事知洪州》、杨亿《次韵和光禄黄少卿学士感恩书事十六韵》、寇准《左冯寺楼闲望》、寇准《岐下秋书》、寇准《岐下西园秋日书事》、寇准《寓居有怀》。

公元 1001 年（宋真宗咸平四年　辛丑）

正月

甲申（十一日），中外官上封事者甚众，诏枢密直学士冯拯、陈尧叟详定利害以

闻。(《续资治通鉴长编》卷四八)

　　庚寅（十七日），知河南府、武胜节度使、赠侍中李至卒，55 岁。李至，字言儿，真定人。幼沉静好学，能属文。及长，辞华典赡。举进士，释褐将作监丞，通判鄂州。旋擢著作郎、直史馆，累迁右补阙、知制诰。太平兴国八年，转比部郎中，为翰林学士。冬，拜右谏议大夫、参知政事。雍熙初，加给事中。以目疾累表求解机政，授礼部侍郎，进秩吏部。至道初，真宗初正储位，以至与李沆并兼宾客，诏太子事以师傅礼。真宗即位，拜工部尚书、参知政事。咸平元年，以目疾求解政柄，授武信军节度，入辞节制，不允。居二年，徙知河南府。四年，以病求归本镇，许之。诏甫下，卒，年五十五。赠侍中，诏给其子惟良、惟允、惟熙等奉终制。至尝师徐铉，手写铉及其弟锴集，置于几案。又赋《五君咏》，为铉及李昉、石熙载、王祐、李穆作也。(《宋史》本传)

　　著有：《皇亲故事》一卷（《宋史·艺文志二》）、《正辞录》三卷（《宋史·艺文志三》）、《李至集》三十卷（《宋史·艺文志七》）、《二李唱和诗》一卷（《宋史·艺文志八》）。

　　己亥（二十六日），宗正卿赵安易、翰林学士梁周翰上新修《属籍》三十三卷。唐末丧乱，属籍罕存，无所取则。周翰创意为之，颇有伦贯。(《续资治通鉴长编》卷四八)

二月

　　五日，太仆少卿钱惟演上表献《东京赋》，诏直秘阁。(《宋会要辑稿·选举三三》)

三月

　　己丑（十八日），宴射后苑。上言及大射、投壶、乡饮酒之礼，因命直馆各赋《射宫诗》。(《续资治通鉴长编》卷四八)

　　庚寅（十九日），左仆射吕蒙正、兵部侍郎参知政事向敏中并守本官、平章事。中书侍郎、平章事李沆加门下侍郎。(《续资治通鉴长编》卷四八)

　　辛卯（二十日），以给事中、同知枢密事王旦为工部侍郎，参知政事枢密直学士冯拯、陈尧叟并为给事中，同知枢密院事。礼部郎中薛映、兵部员外郎梁鼎、左司谏杨亿并知制诰。上初欲用著作佐郎、直集贤院梅询，命中书召试映、鼎及询等。宰相李沆素不喜询，言于上曰："梅询险薄，用之恐不协群议。"上曰："如此则何人可？"沆曰："杨亿有盛名。"上乃惊喜曰："几忘此人。"仍以亿望实素著，但召映、鼎就试，翌日与亿并命。(《续资治通鉴长编》卷四八)

　　国朝之制，知制诰必先试而后命。有国以来百年，不试而命者才三人，陈尧佐、杨亿及修忝与其一尔。(欧阳修《归田录》卷一)

　　辛卯（二十日），以国子监经籍赐潭州岳麓山书院，从知州李允则之请也。(《续资治通鉴长编》卷四八)

王禹偁移知蕲州。（《东都事略》本传）

四月

己未（十八日），翰林学士王钦若使西川还，对于崇政殿。即日，以钦若为左谏议大夫、参知政事。（《续资治通鉴长编》卷四八）

辛未（十三日），上御崇政殿，试制举人，命翰林学士承旨宋白等充考官。得秘书丞查道、进士陈越入第四等，定国军节度推官王曙入次等。以道为左正言、直史馆，越将作监丞，曙著作佐郎。（《续资治通鉴长编》卷四八）

五月

庚辰（九日），翰林学士、吏部郎中、知制诰朱昂罢为工部侍郎，致仕。锡宴于玉津园，两制、三馆儒臣皆预，仍诏赋诗饯行。恩渥之盛，近代无比。（《续资治通鉴长编》卷四八）

公举进士之时，赵韩王深所器重，谓人曰："朱有君子之风，寿德远到。"时宗人朱遵度有学名，谓之"朱万卷"，目公为"小万卷"。敭历清贵三十年，晚以工部侍郎恳求归江陵，逾年方允。止令谢于殿门外，复诏赐坐。时方剧暑，恩旨宠留，诏秋凉进程。时吴淑赠行诗，有"浴殿夜凉初阁笔，渚宫秋晚得悬车"之句，尤为中的。赐宴玉津园，中人传诏，令各赋诗为送。若李承旨维有"清朝纳禄犹强健，白首还家正太平"。及陈文惠公尧佐"部吏百函通爵里，送兵千骑过荆门"之句。凡四十八篇，皆警绝一时，朝论荣之。（文莹《玉壶清话》卷二）

十七日，王禹偁卒，48 岁。王禹偁，字元之，济州钜野人。世为农家，九岁能文，毕士安见而器之。太平兴国八年擢进士，授成武主簿。徙知长洲县，就改大事评事。端拱初，太宗闻其名，召试，擢右拾遗、直史馆，赐绯。未几，判大理寺。四年，召拜左正言。直弘文馆，求补郡以便奉养，得知单州，赐钱三十万。至郡十五日，召为礼部员外郎，再知制诰。至道元年，召入翰林为学士，知审官院兼通进、银台、封驳司。真宗即位，迁秩刑部。召还，复知制诰。咸平初，预修《太祖实录》，直书其事。四年，上惜禹偁才，命徙蕲州，至郡未逾月而卒，年四十八。讣闻，甚悼之，厚赙其家。赐一子出身。禹偁词学敏瞻，遇事敢言，喜臧否人物，以直躬行道为己任。其为文著书，多涉规讽。所与游必儒雅，后进有词艺者，极意称扬之。如孙何、丁谓辈，多游其门。（《宋史》本传）

著有：《小畜集》三十卷（陈振孙《直斋书录解题·别集类中》）、《小畜外集》二十卷（陈振孙《直斋书录解题·别集类中》）、《奏议集》三卷（陈振孙《直斋书录解题·别集类中》）、《后集诗》三卷（陈振孙《直斋书录解题·别集类中》）《五代史阙文》二卷（《宋史·艺文志二》）、《建隆遗事》一卷（《宋史·艺文志二》）、《王家三世书诰》一卷（《宋史·艺文志二》）、《制诰集》十二卷（《宋史·艺文志七》）、《承明集》十卷（《宋史·艺文志七》）、《别集》十六卷（《宋史·艺文志七》）。

八月

己酉（十日），**复亲试制举人**。得成安县主簿丁逊、舒州团练推官孙仅，入第四等，并为光禄寺丞、直集贤院；秘书丞何亮、怀州防御推官孙暨入第四次等，以亮为太常博士，暨为光禄寺丞。（《续资治通鉴长编》卷四九）

咸平初，太常丞陈尧佐为开封府推官，**坐言事切直，贬潮州通判**。潮去京七千里，民俗鄙陋。尧佐至州，修孔子庙，作韩愈祠堂，率其民之秀者使就学。三岁召还，献诗数百篇，大臣亦称其文学，于是，命直史馆。（《续资治通鉴长编》卷四九）

九月

丙戌（十八日），**翰林学士宋白等上新修《续通典》二百卷**。诏付秘阁，仍赐宴以劳之，赐器币有差。其书重复猥杂，大为时论所非，卒不传布，上寻欲改作，亦弗果也。（《续资治通鉴长编》卷四九）

先是，诏国子祭酒邢昺等校订《周礼》、《仪礼》、《公羊》《穀梁传》、《正义》。丁亥（十九日），昺等上其书，凡一百六十五卷。命模印颁行，赐宴国子监，并加阶勋。于是，《九经》疏义悉具矣。（《续资治通鉴长编》卷四九）

十月

甲子（二十六日），**主客司员外郎、直集贤院李建中言：太清楼群书，恐有谬误，请选官重校**。上因阅书目，见其阙者尚多，仍诏天下购馆阁遗书，每卷给千钱，及三百卷者当量材录用。（《续资治通鉴长编》卷四九）

十二月

乙卯（十八日），**工部侍郎致仕朱昂献所著《资理论》，论时政赏罚得失**。上曰："昂已退居，复贡直言，亦可嘉也。"命以其书付史馆，仍录一本留中。（《续资治通鉴长编》卷五〇）

丁卯（三十日），**知制诰杨亿奏疏，议灵州孤危**。（《续资治通鉴长编》卷五〇）

本年

尹洙（1001—1047）生。尹洙，字师鲁，河南人。举进士，调正平县主簿。历河南府户曹参军、安国军节度推官、知光泽县。举书判拔萃，改山南东道节度掌书记、知伊阳县。用大臣荐，召试，为馆阁校勘，迁太子中允。会范仲淹贬，洙上奏曰："仲淹忠亮有素，臣与之义兼师友，则是仲淹之党也。今仲淹以朋党被罪，臣不可苟免。"宰相怒，落校勘，复为掌书记、监唐州酒税。大将葛怀敏辟为经略判官，尤为韩琦所深知。朝廷以夏竦为经略、安抚使，范仲淹、韩琦副之，复以洙为判官。未几，韩琦知秦州，辟洙通判州事，加直集贤院。改太常丞、知泾州。以右司谏、知渭州兼领泾

原路经略公事。后徙晋州，迁起居舍人、直龙图阁、知潞州。坐贬崇信军节度副使，徙监均州酒税。（《宋史》本传）

本年重要作品：

文：杨亿《答并州王太保书》、杨亿《殇子述》、杨亿《洪氏雷塘书院记》、杨亿《涵虚阁记》。

诗：杨亿《上元夜会慎大詹西斋分题得歌字》、杨亿《次韵和主人喜诸客见过之什》、杨亿《次韵和钱少卿早春对景有怀诸学士》、杨亿《送僧之大名府谒长城侍郎》、杨亿《贺太仆钱少卿直秘阁》、杨亿《次韵和集贤李学士寒食即事之什》、杨亿《和集贤李学士千字诗》、杨亿《次韵和阁长李舍人喜薛梁二舍人及予同时拜命之什》、杨亿《故蕲州王刑部阁老挽歌五首》、杨亿《殿院卞侍郎赴淮南转运》、杨亿《李四赴歙州》、杨亿《中伏日省中当直》、杨亿《致仕朱侍郎归江陵》、杨亿《诸公于石氏东斋宴郑工部分韵得悲秋浮》、杨亿《次韵和慎大詹中秋待月寄西掖三舍人之什》、杨亿《孙寺丞知考城县》、杨亿《路学士知河中府》、杨亿《司农栾少卿知洪州》、寇准《过新井慈光院留题海棠》。

公元 1002 年（宋真宗咸平五年　壬寅）

正月

甲辰（八日），以右仆射张齐贤为邠宁环庆、泾原仪渭镇戎军经略使、判邠州。令环庆、泾原两路及永兴军驻泊兵，并受齐贤节度。夔州路转运使、工部员外郎、直史馆丁谓加刑部员外郎，赐白金三百两，以其绥抚有方、蛮人安堵故也。（《续资治通鉴长编》卷五一）

十一日，以吏部侍郎陈恕、翰林学士师颃权知贡举，主客郎中谢泌、屯田郎中杨覃权同知贡举，合格奏名进士王曾已下七十八人。（《宋会要辑稿·选举一》）

戊申（十二日），吏部郎中、直集贤院田锡权管干当通进银台司，兼门下封驳事。（《续资治通鉴长编》卷五一）

丙辰（二十日），翰林侍讲学士邢昺讲《左氏春秋》毕，召宗室、侍读侍讲学士、王府官宴于崇政殿，赐昺等器币、衣服、金带，加昺工部侍郎。（《续资治通鉴长编》卷五一）

癸亥（二十七日），改命张齐贤判永兴军府，兼马步军部署，罢经略使之职。（《续资治通鉴长编》卷五一）

三月

二十三日，帝御崇政殿，试礼部奏名进士。内出《有物混成赋》、《高明柔克诗》、《君子黄中通理论》题。（《宋会要辑稿·选举七》）

己未，上亲试礼部举人。得进士益都王曾以下三十八人，《九经》、诸科百八十一人，并赐及第。以曾等五人为将作监丞、通判诸州，余及《九经》为大理评事、知大县，诸科判、司、簿、尉。先是，贡举人集阙下者万四千五百六十二人，命吏部侍郎陈恕知贡举，恕所取之士甚少，以王曾为首。及是，糊名考校，曾复得甲科，时议称之。旧制，试经科复旧场第，始议进退。恕初试一场，即按通不去留之。以是诸州举送官吏，皆被黜责，遣累者甚众。江南，恕乡里，所斥尤多。人用怨讟，竞为谣咏讥刺。或刻木像其首，涂血掷于庭。又缚纬为人，题恕姓名，列置衢路，过辄鞭之。（《续资治通鉴长编》卷五一）

登进士第者：王曾、陈知微、李天锡、王随、孙冲、韩亿、吴济、陈亚、章得象、夏焕等。

莒公尝言："王沂公所试《有教无类》、《有物混成》赋二篇，在生平论著绝出，有若神助云。"杨亿大年亦云："自古文章立名不必多，如王君二赋，一生衣之食之不能尽。"（宋祁《宋景文公笔记》卷上）

**咸平五年，南省试进士《有教无类赋》，王沂公为第一。《赋》盛行于世，其警句有云："神龙异禀，犹嗜欲之可求；纤草何知，尚薰莸而相假。"时有轻薄子拟作四句云："相国寺前，熊翻筋斗；望春门外，驴舞柘枝。"议者以谓言虽鄙俚，亦著题也。（欧阳修《归田录》卷二）

王公随雅嗜吟咏，有宫词云："一声啼鸟禁门静，满地落花春日长。"又《野步》云："桑斧刊春色，渔歌唱夕阳。"皆公应举时行卷所作也。（吴处厚《青箱杂记》卷六）

四月

**癸酉（八日），命田锡以本官兼侍御史知杂事。（《续资治通鉴长编》卷五一）

五月

十二日，寇准权知开封府。

初，礼部尚书温仲舒知开封府，以繁剧求罢，又面陈不堪外任，愿优游台阁。乃命刑部侍郎寇准代之。（《续资治通鉴长编》卷五二）

十月

先是，上于龙图阁藏太宗御书。已卯（十六日），召近臣观之。上手执《目录》以示近臣，谓曰："先帝圣文神笔，朕集缀既久。至于题记时事，片幅半纸，及书在屏扇或微损者，悉加装褙。已三千七百五十卷矣。"（《续资治通鉴长编》卷五三）

十一月

**庚戌（十九日），左仆射、平章事吕蒙正加司空，门下侍郎、平章事李沆加右仆射。（《续资治通鉴长编》卷五三）

**癸丑（二十二日），以职方员外郎、分司西京乐史直史馆。史年七十余，于是，奉留司表入贺。上召见，嘉其筋力不衰，且笃学，好著书，故授以旧职。悉取所著书，藏秘府。史与其子黄目俱直史馆，时人荣之。（《续资治通鉴长编》卷五三）

十二月

丁丑（十六日），以宰臣吕蒙正、李沆并兼门下侍郎。（《续资治通鉴长编》卷五三）

上以龙图阁及后苑所藏书籍尚多舛误，欲重加雠对，甲申（二十三日），诏流内铨于常选人内择历任无过、知书者十五人以闻，命吏部侍郎陈恕、知制诰杨亿试之。于是，得馆陶尉大名刘筠等七人，给本官俸料，大官供膳，就崇文院校之。逾年而毕，并授大理评事、秘阁校理。（《续资治通鉴长编》卷五三）

本年

（辽圣宗统和二十年）是岁，放进士邢祥等六人及第。（《辽史·圣宗纪五》）

吴淑卒，56 岁。吴淑，字正仪，润州丹阳人。幼俊爽，属文敏速。韩熙载、潘佑以文章著名江左，一见淑，深加器重。自是每有滞义，难于措词者，必命淑赋述。以校书郎直内史。江南平，归朝，久不得调，甚穷窘。俄以近臣延荐，试学士院，授大理评事，预修《太平御览》、《太平广记》、《文苑英华》。历太府寺丞、著作佐郎。始置秘阁，以本官充校理。尝献《九弦琴五弦阮颂》，太宗赏其学问优博。又作《事类赋》百篇以献，诏令注释，淑分注成三十卷上之，迁水部员外郎。至道二年，兼掌起居舍人事，预修《太宗实录》，再迁职方员外郎。咸平五年卒，年五十六。淑性纯静好古，词学典雅。有集十卷。善笔札，好篆籀，取《说文》有字义者千八百余条，撰《说文五义》三卷。又著《江淮异人录》三卷、《秘阁闲谈》五卷。（《宋史》本传）

著有：《异僧记》一卷（《宋史·艺文志五》）、《江淮异人录》三卷（《宋史·艺文志五》）、《秘阁闲谈》五卷（《宋史·艺文志五》）、《事类赋》三十卷（《宋史·艺文志六》）、《说文五义》三卷（《宋史》本传）、《吴淑集》十卷（《宋史》本传）。

安德裕卒，63 岁。安德裕，字益之，一字师皋，河南人。既成童，俾就学，遂博贯文史，精于《礼》、《传》，嗜《西汉书》。开宝二年，擢进士甲科、归州军事推官，历大理寺丞、著作佐郎。太平兴国中，累迁秘书丞、知广济军。时军城新建，德裕作《军记》及《图经》三卷，优诏嘉奖。俄改太常博士。八年，通判秦州，就知州事。雍熙初，迁主客员外郎、通判广州，未行，宰相李昉言其有史才，即以本官直史馆。端拱初，改金部员外郎。淳化初，知开封县，会备三馆职，改直昭文馆。三年春，廷试贡士，德裕与史馆修撰梁周翰并为考官。俄迁司勋员外郎。至道初，德裕常作《九弦琴五弦阮颂》以献，上称其词采古雅。至道三年，转金部郎中、出知睦州，还判太府寺。咸平五年卒，年六十三。王禹偁、孙何皆初游词场，德裕力为延誉。及领考试，何又其首选。有集四十卷。（《宋史》本传）

著有：《滕王广传》一卷（《宋史·艺文志二》）、《安德裕集》四十卷（《宋史》本传）。

师颃卒，67 岁。师颃，字霄远，大名内黄人。颃少笃学，与兄颂齐名。建隆二年举进士，窦仪典贡举，擢之上第。释褐耀州军事推官，以疾解，久不赴调。开宝中，复为解州推官。太平兴国初，召还，迁大理寺丞、陕西河北转运判官，就改著作佐郎。秩满，迁监察御史、通判永兴军府。坐秦王廷美假公帑缗钱，左授乾州团练副使，寻复旧官。六年，改殿中侍御史、通判邠州。徙知简州，转起居舍人。以公累去官，复为殿中侍御史、知资、眉二州。代还，迁侍御史、知安州，赐缗钱二十万。移朗州，超拜工部郎中，命知陕州，赐金紫。改刑部郎中，未几召还。真宗以其旧人，素负才望，而久次于外，累召对，询其文章。颃谦逊自晦，上益嘉之。翌日，命以本官知制诰，兼史馆修撰。咸平二年，与温仲舒、张咏同知贡举。明年，召入翰林为学士。五年，复与陈恕同典贡部，又知审官院、通进银台封驳司。俄卒，年六十七。诏遣官护葬，颃旷达夷雅，缙绅多慕其操尚。有集十卷。（《宋史》本传）

著有：《师颃集》十卷（《宋史》本传）。

梅尧臣（1002—1060）生。梅尧臣，字圣俞，宣州宣城人，侍读学士询从子也。工为诗，以深远古淡为意，间出奇巧，初未为人所知。用询荫为河南主簿，钱惟演留守西京，特嗟赏之，为忘年交，引与酬倡，一府尽倾。欧阳修与为诗友，自以为不及。尧臣益刻厉，精思苦学，由是知名于时。宋兴，以诗名家为世所传如尧臣者，盖少也。历德兴县令，知建德、襄城县，监湖州税，签书忠武、镇安判官，监永丰仓。大臣屡荐宜在馆阁，召试，赐进士出身，为国子监直讲，累迁尚书都官员外郎。预修《唐书》，成，未奏而卒。又尝上书言兵。注《孙子》十三篇，撰《唐载记》二十六卷、《毛诗小传》二十卷、《宛陵集》四十卷。（《宋史》本传）

陈希亮（1002—1065）生。陈希亮，字公弼，其先京兆人。中天圣八年进士第，初为大理评事、知长沙县。再迁殿中丞，徙知鄠县。迁太常博士。希亮以母老，愿折资为县侍亲，于是知临津县。母终，服除，为开封府司录司事。期年，起知房州。代还，乃以为宿州。皇祐元年，移滑州。是岁，盗起宛句，乃以希亮为曹州。不逾月，悉擒其党。久之，徙知庐州。改提点刑狱江东，迁度支郎中，徙河北。嘉祐二年，入为开封府判官，改判三司户部勾院。会接伴契丹使还，自请补外，乃以为京西转运使，赐三品服。迁京东转运使。数上章请老，不允，移知凤翔。英宗即位，迁太常少卿，分司西京。未几，致仕，卒，年六十四。赠工部侍郎。（《宋史》本传）

本年重要作品：

诗：杨亿《郑工部陕西随军转运》、杨亿《闻李四光丞频游北园因有怀寄》、杨亿《妹婿黄补下第归乡》、杨亿《黄觉东游》、杨亿《叶生归缙云》、杨亿《元宗道下第东游》、杨亿《钱大夫赴并州》、杨亿《初秋夜坐》、杨亿《秋日有怀乡国》、杨亿《次韵和章频下第书怀之什可久道人之歙州兼简知州李学士》、杨亿《宣召赴龙图阁观太宗御书应制》、杨亿《盛京宰单州武城县》、杨亿《次韵和并州钱大夫夕次丰州道中见寄》、杨亿《史馆凌策方知广州》、杨亿《董温其赴淮南幕》。

公元 1003 年（宋真宗咸平六年　癸卯）

四月

成都阙守，朝议难其人，上以工部侍郎、知永兴军府张咏前在蜀为政明肃，勤于安集，远民便之。甲申（二十六日），加咏刑部侍郎、充枢密直学士、知益州。民闻咏再至，皆鼓舞自庆。（《续资治通鉴长编》卷五四）

五月

庚寅朔（一日），召钱若水归京师，命兵马钤辖李允正权知州事。（《续资治通鉴长编》卷五四）

乙未（六日），以吏部郎中兼侍御史知杂事田锡为左谏议大夫，太常博士刘综为工部员外郎、兼侍御史知杂事。仍遣中使谕锡曰："第安心著述，必无差出，欲升殿者，听先奏。"寻又命锡兼史馆修撰。（《续资治通鉴长编》卷五四）

甲寅（二十五日），吕蒙正再表求罢，诏不允，命李沆谕旨。翌日，蒙正复上书，优诏止之，遣内侍张景宗赍手札劳问，及以名药、上尊酒赐焉。（《续资治通鉴长编》卷五四）

六月

丁卯（九日），以工部员外郎兼侍御史知杂事刘综为起居舍人、河北转运使。（《续资治通鉴长编》卷五五）

丁亥（二十九日），始并盐铁、度支、户部为一使，命刑部侍郎、权知开封府寇准为兵部侍郎，充三司使。（《续资治通鉴长编》卷五五）

七月

甲辰（十六日），复并三司、盐铁、度支、户部勾院为一，命著作郎、直史馆陈尧咨兼判之。从尧咨所请也。（《续资治通鉴长编》卷五五）

九月

司空、平章事吕蒙正七上表求退，甲辰（十七日），罢为太子太师，封莱国公。（《续资治通鉴长编》卷五五）

十月

己卯（二十三日），邓州观察使钱若水卒，44 岁。若水能断大事，事继母以孝闻，上甚悼惜之，赠户部尚书，谥宣靖，赗赠加等，特遣中使存问其母，赐白金五百两。（《续资治通鉴长编》卷五五）

著有：《太宗实录》八十卷（《宋史·艺文志二》）。

十二月

辛未(十六日),右谏议大夫、史馆修撰田锡卒,64 岁。田锡,字表圣,嘉州洪雅人。太平兴国三年,进士高等,释褐将作监丞、通判宣州。迁著作郎、京西北路转运判官。改左拾遗、直史馆,赐绯鱼。六年,为河北转运副使。七年,徙知相州,改右补阙。明年,移睦州。转起居舍人,还判登闻鼓院,上书请封禅。以本官知制诰,寻加兵部员外郎。端拱二年,忤宰相,罢为户部郎中,出知陈州。坐稽留杀人狱,责授海州团练副使,后徙单州。召为工部员外郎,俄诏直集贤院。至道中,复旧官。真宗嗣位,迁吏部。以议论不协求罢,出知泰州。咸平三年,诏近臣举贤良方正,翰林学士承旨宋白以锡应诏。还朝,屡召对言事。五年,再掌银台。六年冬,病卒,年六十四。特赠工部侍郎。所著有《咸平集》五十卷。(《宋史》本传)

著有:《三朝奏议》五卷(《宋史·艺文志二》)、《田锡集》五十卷(《宋史·艺文志七》)、《别集》三卷(《宋史·艺文志七》)、《奏议》二卷(《宋史·艺文志七》)、《唐明皇制诰后集》一百卷(《宋史·艺文志八》)。

著录:范仲淹《田司徒墓志铭》、曾巩《隆平集·田锡传》、晁公武《郡斋读书志·别集类》、王偁《东都事略·田锡传》、尤袤《遂初堂书目·别集类》、陈振孙《直斋书录解题·别集类中》、马端临《文献通考》卷二三四、《宋史·艺文志七》、焦竑《国史经籍志》卷五、《四库提要》卷六五、陆心源《皕宋楼藏书志》卷七二、丁丙《善本书室藏书志》卷二六、瞿镛《铁琴铜剑楼藏书目》卷二〇、缪荃孙《艺风藏书记》卷六、傅增湘《藏园群书经眼录》卷一三、李盛铎《木犀轩藏书书录》、《北京图书馆古籍善本书目》、台湾《中央图书馆善本书目》)。

田锡表圣,太宗朝为翰苑,有《咸平集》,中多佳语。如"磬韵似烟和烛袅,松声如雨入窗流";"行色迎秋清似画,别情因景化为诗";"秋色数行江上雁,残阳一簇渡头人。"《咏挑灯杖》云:"自知不是明时用,烂额焦头力漫多。"《赋杨花》云:"乍如乱峰之下,落泉飞练,喷岚洒烟,沫花相溅。"政自不凡也。(周密《浩然斋雅谈》卷中)

宋人律赋,大率以清便为宗,流丽有余,而琢练不足。故意致平浅,远逊唐人。田锡《晓莺赋》云:"关关枝上,带花露之清香;喋喋风前,入月帘之静影。"文彦博《雁字赋》云:"水宿近兼葭露下,垂露势全;云飞经蟏蛛桥边,题桥象著。"范仲淹《天骥呈才赋》云:"首登华厩,嘶风休忆于穷途;高骈康衢,逐日讵思于长坂。"唯此数公,犹有唐人遗意。(李调元《赋话》卷五)

《咸平集》三十卷,宋田锡撰。此本载奏议一卷、书三卷、赋五卷、论三卷、箴铭二卷、诗六卷、颂策笏记表状七卷、制考词三卷,以奏议与诗文集合为一编,仅三十卷,则亦后人重辑之本,非其旧也。锡常慕魏征、李绛之为人,以献纳为己任。《国老谈苑》记太宗幸龙图阁阅书,指西北架一漆画箧,上亲自署钥者,谓学士陈尧叟曰:"此田锡之奏疏也。"怆然者久之。则当时已重其言,故其没也,范仲淹作墓志,司马光作神道碑,而苏轼序其奏议。亦比之贾谊,为之操笔者皆天下伟人,则锡之平生可知也。诗文乃其余事,然亦具有典型。其气体光明磊落,如其为人,固终非澌涊者所

得仿佛焉。(《四库提要》卷一五二)

洪湛卒，41 岁。洪比部湛，字惟清，升州上元人。(咸平)六年会赦，移惠州，至化州卒，年四十一。有集十五卷。(王珪《洪比部传》)

著有：《龆年集》十卷(《宋史》本传)、《洪湛集》十五卷(王珪《洪比部传》)。

王尧臣(1003—1058)**生**。王尧臣，字伯庸，应天府虞城人。举进士第一，授将作监丞、通判湖州。召试，改秘书省著作郎、直集贤院。为三司度支判官，再迁右司谏。以户部郎中权三司使，辟张温之、杜杞等十余人为副使、判官。转右谏议大夫。大享明堂，加给事中。与三司更议茶法，较天下每岁财赋出入，上其数，遂拜枢密副使。久之，帝欲以为枢密使，而当制学士胡宿固抑之，乃进吏部侍郎。卒，赠尚书左仆射，谥文安。尧臣以文学进，典内外制十余年，其为文辞温丽。执政时，尝与宰相文彦博、富弼、刘沆劝帝早立嗣，且言英宗尝养宫中，宜为后，为诏草挟以进，未果立。元丰三年，子同老进遗稿论父功，帝以访文彦博，具奏本末，遂加赠太师、中书令，改谥文忠。(《宋史》本传)

毛洵(1003—1034)**生**。君讳洵，字子仁。幼精敏，能属辞。及冠，举进士，试秘书省校书郎。凡守四官，再以亲解。初，补抚州司法参军，弃官去。再调洪之新建簿。以书判拔萃，天子御便殿试之，所对入等，改试大理评事，迁镇东军节度推官、知宣州宣城县事。未逾岁，江淮制置使器其能，奏监扬州推盐仓。诏既下，留侍亲疾，不就职。居忧凡二十一月。自庐次得疾，归家数日卒，享年三十二。郡以孝行闻，诏赐其家粟帛百，以旌显之。(余靖《宋故镇东军节度推官毛君墓志铭》)

本年重要作品：

文：杨亿《洞霄宫碑铭》、杨亿《与内弟李休复序》。

诗：杨亿《仆射李相公宅观花烛》、杨亿《窦咏从事淮阳军》、杨亿《大理黄丞宗旦通判颍州》、杨亿《陈小著从易知邵武军》、杨亿《大名温尚书之任》、杨亿《景阳谏议赴余杭》、杨亿《喜贺梁三入翰林》、杨亿《鄱阳皮录事》、杨亿《弟伋归宁》、杨亿《集贤刘工部骘知衡州》、杨亿《王尚食知凤翔》、杨亿《并州王谏议》、杨亿《秘阁舒职方知舒州》、杨亿《史馆杨峝学士以诗话及空门之事次韵和之》。

公元 1004 年 (宋真宗景德元年　甲辰)

一日，改元景德。

一日，杨亿以家贫，上表乞领郡江左。(杨亿《求解职领郡表》)

先朝翰林学士，不领他局，故俸给最薄。杨亿久为学士，有乞郡表，其略曰："虚忝甘泉之从官，终作莫敖之饥鬼。"又有"方朔之饥欲死"之句，自后乃得判他局。至元丰改官制，而学士无主判如先朝矣。（魏泰《东轩笔录》卷十）

度支副使、工部员外郎查道儒雅迁缓，治剧非所长。与盐铁副使卞衮同候对，将升殿，衮遽出奏牍，遣道同署。及上询问，则事本度支，道素未省视，错愕不能对。己卯（二十五日），罢职。道卒不自辩，亦无愠色。道为吏务行宽恕，胥吏有过，未尝笞责；民讼逋负者，或出己钱还之，以故颇不治。（《续资治通鉴长编》卷五六）

壬午（二十八日），翰林学士梁颢等上新定《阁门仪制》六卷。诏颁行之。上以阁门仪制多出于胥吏之言，殊无规矩，故颢等别加删修。（《续资治通鉴长编》卷五六）

夔州路转运使丁谓，招抚溪洞夷人，颇著威惠，部民借留，凡五年不得代。乃诏谓举自代者，谓以国子博士薛颜为请。癸未（二十九日），擢颜虞部员外郎、夔州路转运副使。召谓入朝。（《续资治通鉴长编》卷五六）

四月

辛巳（二十八日），命知制诰晁迥诣北岳祈雨。（《续资治通鉴长编》卷五六）

五月

丁酉（十四日），夏侯峤卒，72 岁。夏侯峤，字峻极，其先幽州人。峤幼好学，弱冠，以辞赋称，周相李谷延置门下。又依西京留守向拱，摄伊阳令；拱移安州，又令摄录事参军。太平兴国初，举进士甲科，解褐大理评事、通判兴州，累迁右赞善大夫。迁殿中丞、通判邠州。岁满，拜监察御史、通判兴元府，进秩殿中。雍熙二年代还，对便殿。即日改左补阙、直史馆，赐绯鱼，就命知莫州。逾月，徙洪州，改起居郎。真宗在襄邸，太宗择朝士谨厚者为官属，即召入为翊善，赐金紫，加直昭文馆。真宗尹京府，命兼推官，加司封员外郎。东宫建，复兼中舍，迁工部郎中。及嗣位，拜给事中、知审刑院。数月，擢枢密院副使。咸平元年，以户部郎中罢。二年，始建讲读之职，命峤为翰林侍读学士。及杨徽之卒，又命兼秘书监。是秋，江、浙饥，命为江南巡抚使。使还，又判吏部选事。峤善鼓琴，好读庄、老书，淳厚谨慎，居官无过失。景德元年五月，以选人俟对崇政殿，暴中风眩，亟诏取金丹，上尊酒饵之，肩舆还第，遣内侍召外内名医诊视。其夕卒，年七十二。诏赠兵部尚书。有集十五卷。（《宋史》本传）

著有：《夏侯峤集》十五卷（《宋史》本传）。

著录：郑樵《通志·艺文略八》、《宋史·艺文志七》。

六月

壬戌（九日），命知制诰陈尧咨诣北岳祈雨。（《续资治通鉴长编》卷五六）

柴成务卒，71 岁。柴成务，字宝臣，曹州济阴人也。成务乾德中京府拔解，太宗素知其名，首荐之，遂中进士甲科，解褐陕州军事推官。改曹、单观察推官，迁大理寺丞。太平兴国五年，转太常丞，充陕西转运副使，赐绯，再迁殿中侍御史。八年，与供奉官葛彦恭使河南，案行遥堤。历知果、苏二州，就为两浙转运使，改户部员外郎、直史馆，赐金紫。入为户部判官，迁本曹郎中。太宗选郎官为少卿监，以成务为光禄少卿。召拜司封郎中、知制诰，赐钱三十万。俄与魏庠同知京朝官考课。四年，又与庠同知给事中事，凡制敕有所不便者，许封驳以闻。蜀寇平，使峡路安抚，改左谏议大夫、知河中府。真宗即位，迁给事中、知梓州。未几代还，又遣知青州。旋受诏与钱若水等同修《太宗实录》，书成，知扬州。入判尚书刑部。乃求解职。景德初，卒，年七十一。成务有词学，博闻稽古，善谈论，好谐笑，士人重其文雅。文集二十卷。（《宋史》本传）

著有：《咸平编敕》十二卷（《宋史·艺文志三》）、《柴成务集》二十卷（《宋史·艺文志七》）。

梁颢卒，42 岁。梁颢，字太素，郓州项城人也。从王禹偁为学，禹偁颇器之。举进士，太宗召升殿，擢冠甲科。为大名府观察推官，迁右拾遗、直史馆。除知制诰，迁右谏议大夫，拜翰林学士，知开封府。卒，年四十二。

著有：《阁门仪制》十二卷（《宋史·艺文志三》）、《梁颢集》十五卷（《宋史》本传）。

七月

先是，上召翰林学士梁颢夜对。询及当世台阁人物，颢曰："晁迥笃于词学，盛玄敏于吏事。"上不答，徐问曰："文行兼著如赵安仁者有几？"颢曰："安仁材识兼茂，体裁凝远，求之具美，未见其比也。"既而，颢卒。乙酉（三日），以知制诰赵安仁为翰林学士。（《续资治通鉴长编》卷五六）

丙戌（四日），右仆射、平章事李沆卒，58 岁。李沆，字太初，洺州肥乡人。太平兴国五年，举进士甲科，为将作监丞、通判潭州，迁右赞善大夫，转著作郎。雍熙三年，除右补阙、知制诰。四年，与翰林学士宋白同知贡举。迁职方员外郎，召入翰林为学士。淳化二年，判吏部铨。三年，拜给事中、参知政事。四年，以本官罢，奉朝请。未几，丁内艰，起复，遂出知升州。未行，改知河南府。真宗即位，迁户部侍郎、参知政事。咸平初，以本官平章事，监修国史，改中书侍郎。累加门下侍郎、尚书右仆射。景德元年七月，沆待漏将朝，疾作而归，诏太医诊视，抚问之使相望于道。明日，驾往临问，赐白金五千两。方还宫而沆薨，年五十八。上闻之惊叹，趣驾再往，临哭之恸。废朝五日，赠太尉、中书令，谥文靖。乾兴元年，仁宗即位，诏配享真宗庙庭。（《宋史》本传）

著有：《宋太祖实录》五十卷（《宋史·艺文志二》）。

李沆死，中书无宰相，上意欲擢任三司使寇准，乃先置宿德以镇之。庚寅（八日），迁翰林侍读学士、兵部侍郎毕士安为吏部侍郎、参知政事。士安入谢，上曰："未也，行且相卿。谁可与卿同进者？"士安因言："准天资忠义，能断大事，臣所不如。"上曰:"闻准刚,使气,奈何?"士安曰:"准忘身殉国,秉道嫉邪,故不为流俗所喜。今天下之民,虽蒙休德,涵养安佚,而北戎跳梁未服。若准者,正宜用也。"不阅月,遂与准俱相。(《续资治通鉴长编》卷五六)

八月

己未(七日),以参知政事吏部侍郎毕士安、三司使兵部侍郎寇准并依前官平章事。(《续资治通鉴长编》卷五七)

十月

己亥(十八日),夺给事中吕祐之半月俸,监察御史朱搏赎铜四十斤,太仆卿直秘阁钱惟演、右骁卫将军钱惟济各赎铜三十斤。明德皇后发引前夕,百官赴临,祐之班定方至,搏临毕而至,惟演等不至,为御史所纠劾故也。(《续资治通鉴长编》卷五八)

己酉(二十八日),初置龙图阁待制,以都官郎中直秘阁杜镐、右正言秘阁校理戚纶为之。(《续资治通鉴长编》卷五八)

十二月

四日,宋、辽和议始定,史称"澶渊之盟"。

戊戌(十九日),车驾至自澶州。寇准在澶州,每夕与知制诰杨亿痛饮,讴歌谐谑,喧哗达旦。上使人觇知之,喜曰:"得渠如此,吾复何忧乎!"时人比之谢安。既而,曹利用与韩杞至行在议和,准初欲勿许,且画策以进,曰:"如此可保百年无事。不然,数十岁后,戎且生心矣。"上曰:"数十岁后,当有能扞御之者。吾不忍生灵重困,姑听其和也。"准处分军士,或违上旨,及是,谢曰:"使臣尽用诏令,兹事岂得速成。"上笑而劳焉。(《续资治通鉴长编》卷五八)

癸卯(二十四日),命知制诰李宗谔、杨亿,直史馆陈彭年,详定《正辞录》。(《续资治通鉴长编》卷五八)

冬

孙何卒,44岁。孙何,字汉公,蔡州人。幼嗜学,为文必本经,与丁谓同为王禹偁所题奖,时谓之"孙、丁"。淳化三年举进士,殿试及省闱俱为第一。累擢起居舍人,知制诰。卒,年四十四。性卞急,尝任京西两浙转运使,颇事苛察。然独喜称誉后进,有《文集》四十卷。(曾巩《隆平集》卷一三)

著有:《孙何集》四十卷(《宋史·艺文志七》)。

本年

张知白安抚江南，以神童荐晏殊。

陈充序《九僧诗集》。

国朝浮图以诗名于世者九人，故时有集号《九僧诗》，今不复传矣。余少时闻人多称之。其一曰惠崇，余八人者忘其名字也。余亦略记其诗，有云："马放降来地，雕盘战后云。"又云："春生桂岭外，人在海门西。"其佳句多类此。其集已亡，今人多不知有所谓九僧者矣，是可叹也！当时有进士许洞者，善为词章，俊逸之士也。因会诸诗僧分题，出一纸约，曰："不得犯此一字。"其字乃山、水、风、云、竹、石、花、草、雪、霜、星、月、禽、鸟之类，于是诸僧皆阁笔。洞咸平三年进士及第，时无名子嘲曰"张康浑裹马，许洞闹装妻"者是也。（欧阳修《六一诗话》）

欧阳公云："《九僧诗集》已亡。"元丰元年秋，余游万安山玉泉寺，于进士闵交如舍得之。所谓九诗僧者，剑南希昼、金华保暹、南越文兆、天台行肇、沃州简长、青城惟凤、淮南惠崇、江南宇昭、峨眉怀古也。直昭文馆陈充集而序之。其美者亦止于世人所称数联耳。（司马光《温公续诗话》）

惠崇诗有"剑静龙归匣，旗闲虎绕竿"。其尤自负者，有"河分冈势断，春入烧痕青"。时人或有讥其犯古者，嘲之："河分冈势司空曙，春入烧痕刘长卿。不是师兄多犯古，古人诗句犯师兄。"进士潘阆尝谑之曰："崇师，尔当忧狱事，吾去夜梦尔拜我，尔岂当归俗耶？"惠崇曰："此乃秀才忧狱事尔。惠崇，沙门也，惠崇拜，沙门倒也，秀才得毋诣沙门岛耶？"（司马光《温公续诗话》）

《九僧诗》一卷。九僧者：希昼、保暹、文兆、行肇、简长、惟凤、惠崇、宇昭、怀古，凡一百七首。景德元年，直昭文馆陈充序，目之曰"琢玉工"，以对姚合"射雕手"。九人唯惠崇有别集。欧公《诗话》乃云其集已亡，唯记惠崇一人。（陈振孙《直斋书录解题·总集类》）

大抵九僧诗规模大历十子，稍窘篇幅。若"河分冈势断，春入烧痕青"，自是佳句。而轻薄子有司空曙、刘长卿之嘲，非笃论也。（王士禛《带经堂诗话》卷二〇）

著录：郑樵《通志·艺文略八》、晁公武《郡斋读书志·别集类下》、周辉《清波杂志》卷一一、陈振孙《直斋书录解题·总集类》、马端临《文献通考》卷二八四、《宋史·艺文志八》、毛扆《汲古阁珍藏秘本书目》、王士禛《带经堂诗话》卷二〇、黄丕烈《荛圃藏书题识》卷一〇、丁丙《善本书室藏书志》卷三八、缪荃孙《艺风藏书续记》卷六、李盛铎《木犀轩藏书书录》、傅增湘《藏园群书经眼录》卷一八、《北京图书馆古籍善本书目》、台湾《中央图书馆善本书目》。

版本：明毛扆汲古阁影宋精钞本、清黄丕烈荛圃影宋钞本。

（辽圣宗统和二十二年）是岁，放进士李可封等三人。（《辽史·圣宗纪五》）

富弼（1004—1083）生。富弼，字彦国，河南人。少笃学，举茂材异等，授将作监丞、签书河阳判官。通判绛州，迁直集贤院。召为开封府推官、知谏院。除盐铁判官、史馆修撰，奉使契丹。庆历二年，为知制诰，纠察在京刑狱。三年，拜枢密副使，辞之愈力，改授资政殿学士兼侍读学士。七月，复拜枢密副使。求宣抚河北，还，以资政殿学士出知郓州。岁余，加给事中，移青州，兼京东路安抚使。迁大学士，徙知郑、蔡、河阳，加观文殿学士，改宣徽南院使、判并州。至和二年，召拜同中书门下平章事、集贤殿大学士，与文彦博并命。嘉祐三年，进昭文馆大学士、监修国史。六年三月，以母忧去位。英宗立，召为枢密使。居二年，以足疾求解，拜镇海军节度使、同中书门下平章事、判扬州，封祁国公，进封郑。熙宁元年，徙判汝州。诏入觐，许肩舆至殿门。明年二月，召拜司空兼侍中，赐甲第，悉辞之，以左仆射、门下侍郎同平章事。拜武宁节度使、同中书门下平章事、判河南，改亳州。遂请老，加拜司空，进封韩国公致仕。元丰三年，以为司徒。六年八月，薨，年八十，赠太尉，谥曰文忠。（《宋史》本传）

吴育（1004—1058）生。吴育，字春卿，建安人也。少奇颖博学，举进士，试礼部第一，中甲科。除大理评事，迁寺丞。历知临安、诸暨、襄城三县。举贤良方正，擢著作郎、直集贤院、通判苏州。还知太常礼院，奏定礼文，名《太常新礼庆历祀仪》。改右正言，历三司盐铁、户部二判官。寻以本官供谏职。因录上真宗时通西域诸蕃事迹。除同修起居注，遂知制诰，进翰林学士，累迁礼部郎中。寻知开封府。庆历五年，拜右谏议大夫、枢密副使。居数月，改参知政事。未几，出知许州，徙蔡州。寻以资政殿学士知河南府，徙陕州。迁礼部侍郎、知永兴军，召兼翰林侍读学士。以疾辞，且请便郡。因命知汝州，遣内侍赐以禁中良药。会疾不已，又请居散地，以集贤院学士判西京留司御史台。复为资政殿学士兼翰林侍读学士、知陕州，进资政殿大学士。召还，判尚书都省。久之，除宣徽南院使、鄜延路经略安抚使、判延州。求解宣徽使，复以为资政殿大学士、尚书左丞、知河中府，徙河南。已而卒，年五十五。赠吏部尚书，谥正肃。与宋庠相唱酬，追裒、白遗事至数百篇。有集五十卷。（《宋史》本传）

杨景略（1004—1086）生。公讳景略，字康功。四岁因祖荫，守将作监主簿。十四上书皇帝言天下事，又谒执政论所以言者，丞相富文忠公尤奇爱之。初监咸平县酒务，已有能称。治平二年擢进士第，知寿州安丰县。代还，监京东竹木场，兼三司主管，权度支判官公事。徙开封府推官，就迁判官。夺一官，仍故职。满岁移河北东路，过都，留为提点开封府界诸县镇公事，再领府判官，管勾使院公事，提举三司帐。元丰六年，右司阙员，宰相荐者数人，神宗曰："杨某可称其任。"即拜尚书右司郎中。迁起居郎，擢试中书舍人。明年，避亲嫌，换龙图阁待制、知扬州，移苏州，复徙维扬。元祐元年八月遘疾，丁未终于州寝，享年四十七。尤喜读书，平居占毕之外，无它玩好。常以雠校得失为乐事，所藏书万余卷，犹缮写不辍。又集周、秦以来金石刻文至七千卷，用以考验前史疏捂与夫放佚之事，其辩博通洽，抑有资焉。著《文集》十五卷、《西掖草》二卷、《奏议》三卷、《执政年表》一卷、《奉使句骊丛抄》十二卷、《少林居士闻见录》十卷。（苏颂《龙图阁待制知扬州杨公墓志铭》）

陈习（1004—1079）生。讳习，字传正。少鞠于外氏，能抗志从学。为辞章，举进士，声名赫然，中庆历二年甲科。调武昌军节度推官、掌永兴军书记。改著作佐郎、勾当开封府检校库，转秘书丞。遭工部公忧，服除，授太常博士、通判庆州永康军。历尚书屯田、都官、职方三员外郎，为屯田郎中，监齐州新孙耿镇盐酒税。知处州，不赴，改渝州，迁都官郎中。岁满还朝，年六十有五，遂告老。元丰初官制行，易朝散大夫。公刚简静重，气守完固，博学通古今。元丰元年二月十二日疾终于家，享年

七十有六。有集三十卷，其文如其为人。尤好为诗，有古作者体。（吕陶《朝散大夫致仕陈公墓志铭》）

本年重要作品：

文：杨亿《古清规序》、杨亿《佛祖同参集序》、寇准《议澶渊事宜》。

诗：杨亿《陈太博知建州》、杨亿《再别陈建州因以抒意》、杨亿《和酬秘阁钱少卿夜直见寄次韵》、杨亿《黄小著震知兴元府南郑县》、杨亿《送石枕与参政王给事》、杨亿《梁四谏议知凤翔府》、杨亿《陈尧拱廷评致仕归蜀》、杨亿《钱易赴蕲春》、张咏《蜀中伤陈恕左丞》、张咏《送张及三人赴举》。

公元 1005 年（宋真宗景德二年　乙巳）

正月

甲寅（五日），工部侍郎、参知政事王钦若自天雄军来朝。（《续资治通鉴长编》卷五九）

十四日，以翰林学士赵安仁权知贡举，右谏议大夫晁迥、龙图阁待制戚纶、直昭文馆陈充、直史馆朱巽权同知贡举，合格奏名进士刘滋已下四百九十二人。（《宋会要辑稿·选举一》）

己巳（二十日），参知政事王钦若加阶邑，实封。中谢，又赐袭衣、金带、鞍马。故事，辅臣加恩，无所赐。上以钦若守藩有劳，特宠异之。自是遂为故事。（《续资治通鉴长编》卷五九）

潘慎修卒，69 岁。潘慎修，字成德，泉州莆田县人。父仕李景，至刑部尚书致仕。慎修少以父任为秘书省正字，累迁至水部郎中兼起居舍人。煜归朝，以慎修为太子右赞善大夫。煜表求慎修掌记室，许之。煜卒，改太常博士。历膳部、仓部、考功三员外，通判寿州，知开封县，又知湖、梓二州。淳化中，秘书监李至荐之，命以本官知直秘阁。慎修善弈棋，太宗屡召对弈，因作《棋说》以献。俄与直昭文馆韩援使淮南巡抚，累迁仓部、考功二部郎中。咸平中，同修起居注。景德初，上言衰老，求外任。真宗以儒雅宜留秘府，止听解记注之职。数月，擢为右谏议大夫、翰林侍读学士。从幸澶州，遘寒疾，诏令肩舆先归。明年正月，卒，年六十九。赙钱二十万，绢一百匹。慎修风度酝藉，博涉文史，多读道书，善清谈。先是，江南旧臣多言李煜暗懦，事多过实。真宗一日以问慎修，对曰："煜或懵理若此，何以享国十余年？"他日，对宰相语及之，且言慎修温雅不忘本，得臣子之操，深嘉奖之。当时士大夫与之游者，咸推其素尚。然颇恃前辈，待后进倨慢，人以此少之。有集五卷。（《宋史》本传）

著有：《潘慎修集》五卷（《宋史》本传）。

二月

癸卯（二十五日），命开封府推官、太子中允、直集贤院孙仅为契丹国母生辰使，右侍禁、阁门祇候康宗元副之，行李、仆从、什器并从官给。（《续资治通鉴长编》卷

五九）

太子太师吕蒙正请归西京养疾，诏许之。丁未（二十九日）召见，听肩舆至殿门外，命二子光禄寺丞从简、校书郎知简掖以升殿，劳问累刻。（《续资治通鉴长编》卷五九）

三月

六日，帝御崇政殿，试礼部奏名进士。内出《天道犹张弓赋》、《德輶如毛诗》、《以八则治都鄙论》题。（《宋会要辑稿·选举七》）

得进士李迪以下二百四十六人，第为五等。第一、第二、第三等赐及第，第四、第五等同出身。又得特奏名五举以上一百一十人，第为三等，并赐同进士、《三传》、学究出身。翌日，试诸科，得《九经》以下五百七十人，第为三等并赐本科及第、出身、同出身。又得特奏名诸科《三礼》以下七十五人，第为三等，赐同学究出身，授试衔官。上谓宰相曰："昨亲阅考官所定试卷，意其入末等者过多，即别令详考，往往合格。比缘临试多士，糊名校复，务于精当。而考官不谕朕意，过抑等第，欲自明绝私，甚无谓也。迪所试最优，李咨亦有可观。闻其幼年，母为父所弃，归舅族。咨日夜号泣，求还其母，乃至绝荤茹素以祷祈。又能刻苦为学，自取名级，亦可嘉也。"以迪为将作监丞，咨及夏侯麟为大理评事，通判诸州。进士第一等为试校书郎、知令录，余为判、司、簿、尉。迪，濮州人；咨，新喻人也。先是，迪与贾边皆有声场屋，及礼部奏名，而两人皆不与。考官取其文观之，迪赋落韵，边论"当仁不让于师"，以师为众，与注疏异，特奏令就御试。参知政事王旦议落韵者，失于不详审耳；舍注疏而立异论，辄不可许，恐士子从今放荡无所准的，遂取迪而黜边。当时朝论，大率如此。（《续资治通鉴长编》卷五九）

景德中，李迪、贾边皆举进士，有名当时。及就省试，主文咸欲取之，既而二人皆不与。取其卷视之，迪以赋落韵，边以"当仁不让于师"，论以"师"为"众"，与注疏异说。乃为奏，具道所以，乞特收试。时王文正公为相，议曰："迪虽犯不考，然出于不意，其过可恕。如边特立异说，此渐不可启，将令后生务为穿凿，破坏科场旧格。"遂收迪而黜边。（范镇《东斋记事》卷一）

戊午（十日），礼部贡院以新及第进士车马服从逾制，请申约束，第一人听一节呵导，余皆双控马首，遇常参官并敛马侧立。从之。（《续资治通鉴长编》卷五九）

辛酉（十三日），诏诸王、公主、近臣无得以下第亲族宾客求赐科名。时毕士安、寇准各以所亲为请，上不得已而从之，因有是诏。（《续资治通鉴长编》卷五九）

己巳（二十一日），将作监丞王曾为著作郎、直史馆，赐绯。旧制，试文当属学士、舍人院。宰相寇准雅知曾，特召试政事堂。（《续资治通鉴长编》卷五九）

四月

戊戌（二十一日），幸龙图阁，近臣毕从，起居舍人、直昭文馆种放预焉。阅太宗御书，又观诸阁图画。龙图阁在会庆殿之西偏北，连禁中，阁上藏太宗御书五千一百十五卷轴。下设六阁：经典阁三千七百六十二卷，史传阁八百二十一卷，子书阁一万三百六十二卷，文集阁八千三十一卷，天文阁二千五百六十四卷，图画阁一千四百二十一轴卷册。上曰："朕退朝之暇，无所用心，聚此图书，以自娱耳。"（《续资治通鉴长编》卷五九）

壬寅（二十五日），工部侍郎、参知政事王钦若素与寇准不协，还自天雄，再表求罢。继以面请，上敦谕不能夺，乃置资政殿学士，以钦若为之，仍迁刑部侍郎。中书定其班在翰林学士之下、侍读学士之上。（《续资治通鉴长编》卷五九）

五月

戊申朔（一日），幸国子监阅书库，问祭酒邢昺书板几何。昺曰："国初不及四千，今十余万，经、史、正义皆具。臣少时业儒，观学徒能具经疏者百无一二，盖传写不给。今板本大备，士庶家皆有之，斯乃儒者逢时之幸也。"上喜曰："国家虽尚儒术，然非四海无事，何以及此！"先是，馆阁博聚群书，精加雠校。经、史未有印板者，悉令刊刻。或言《三国志》乃奸雄角立之事，不当传布。上曰："君臣善恶，足为鉴戒。仲尼《春秋》岂非列国争斗之书乎？"（《续资治通鉴长编》卷六〇）

翰林学士承旨宋白、翰林学士梁周翰，年衰思减，书诏多不称旨，乙卯（八日）并罢。白为刑部尚书、集贤院学士、判院事，周翰为给事中、判昭文馆事。以起复右谏议大夫知制诰晁迥、起居舍人知制诰李宗谔，并为翰林学士。刑部员外郎、知制诰丁谓为右谏议大夫，权三司使事。仍诏谓内殿起居立知制诰上。（《续资治通鉴长编》卷六〇）

十三日，帝御崇政殿，试礼部奏名河北举人。内出《建用皇极赋》、《昭德塞违诗》、《汉文宣二帝政理孰优论》题。帝召王钦若等一十一人于内阁糊名考校，分为六等，别录本，去其姓名。召两制、尚书丞郎、两省给谏、馆阁官凡三十人，分处殿东西阁，复考之。帝遣中使宣谕，令尽公平，无得压降等第，令钦若总详之。是夕，内阁十人于殿后及试诸科举人，糊名、考定如例。（《宋会要辑稿·选举七》）

先是，诏礼部贡院别试河北贡举人，其曾援城者，进士虽不合格，特许奏名。诸科例进二场至三场者，许终场。五举及经御试并年五十者，并以名闻。虽不更城守，应七举、年六十及瀛州有劳效者，亦如之。庚申（十三日），上御崇政殿亲试，凡七日，得进士范昭等五十一人赐及第、四十五人出身、诸科赐及第、同出身并试秩署州助教者六百九十八人，特奏名进士、诸科，赐及第、出身至摄助教隶殿侍者六百六十二人。上以去岁河北用兵，民甚惊扰，其乘城捍寇奋勇力者，多出士人，欲广示甄采。所问经义有两出者，或具引为对，考官将黜去，上亲为发明焉。特奏名进士李正辞论文武先后，以为"文者本乎静，武者本乎动，动以止乱，而至乎静，则先后可知"。上嘉其近理，将擢上第，会有言其尝犯杖刑，遂补三班奉职。（《续资治通鉴长编》卷六〇）

十五日，召抚州进士晏殊试诗、赋各一首。（《宋会要辑稿·选举九》）

抚州进士晏殊年十四，大名府进士姜盖年十二，皆以俊秀闻，特召试。殊试诗赋各一首，盖试诗六篇。殊属辞敏赡，上深叹赏。宰相寇准以殊江左人，欲抑之而进盖。上曰："朝廷取士，唯才是求，四海一家，岂限遐迩。如前代张九龄辈何尝以僻陋而弃置耶？"乃赐殊进士出身，盖同学究出身。后二日，复召殊试诗、赋、论，殊具言赋题尝所私习，上益爱其淳直，改试他题。既成，数称善。擢秘书省正字，秘阁读书，仍命直史馆陈彭年视其所学，及检察其所与游者。（《续资治通鉴长编》卷六〇）

登进士第者：李迪、夏侯麟、李谘、郎简、张保雍、郭昭著、覃庆元、张及、张君房、吴涟、徐舜俞、江任、江白、黄觉、翁纬、司马池、鲍当、张存、卢察、陈贯、钱冶、范昭、马至、王矩、李畋、张逵、宋武、林从周、张弇、叶宾、高清等。

六月

丁丑朔（一日），诏应进士、诸科同出身试将作监主簿者，并令守选。故事，登科皆有选限。近制，及第即命以官。咸平三年，初复廷试，赐出身者，亦免选。至是，策名之士尤众，多设等级以振淹滞，虽艺不及格，悉赐同出身，试秩解褐。故令有司循用常调，以示甄别。又下诏劝学，权停贡举二年。时命二制各撰《劝学诏》，赵安仁所作最切于科试之病，特俾用之。（《续资治通鉴长编》卷六０）

七月

甲子（十八日），诏复置贤良方正能言直谏、博通坟典达于教化、才识兼茂明于体用、武足安边洞明韬略、运筹决胜军谋宏远、才任边寄等科。令尚书吏部传告诸路，许文武群臣、草泽隐逸之士来应，委中书门下先加考试，如器业可观，具名奏闻。时上谓寇准等曰："方今文武多士，岂无才识优异、未升进者耶？至于将帅之任，尤难得人。前代试以制策，观其能否，用求材实，亦为国之远图也。"因出唐朝制科之目，采其六用之。（《续资治通鉴长编》卷六〇）

丙子（三十日），龙图阁待制戚纶与礼部贡院上言。曰："今岁诸道进士仅三千人，诸科万余人，其中文理纰缪、经义十否九否者甚众，苟非特行约束，必恐益长因循。又虑官吏坐此殿罚，因而避事，全不荐人。窃惟取士之方，合垂经远之制。今请诸色举人各归本贯取解，不得寄应及权买田产立户。诸州取解，发寄应举人，长吏以下请依解十否人例科罪，其开封府委官吏觉察，犯者罪如之。乡里遐远久住京师者，许于国子监取解，仍须本乡命官委保，判监引验，乃得附学，发解日奏请差官考试。近年进士多务浇浮，不敦实学，唯钞略古今文赋，怀挟入试。昨者廷试以正经命题，多懵所出。旧敕只许以篇韵入试，今请除官《韵略》外，不得怀挟书策，令监门巡铺官潜加觉察，犯者即时扶出，仍殿一举。咸平三年诏旨，进士就试，不许继烛，每岁贡院虽预榜示，然有达曙未出者。今请除书案外，不将茶厨、蜡烛等人。入酉后未就者，驳放之，仍请戒励专习经史。自今开封府、国子监、诸路州府，据秋赋投状举人，解十之四。如艺业优长，或荒缪至甚，则不拘多少。《开宝通礼义纂》请改为《义疏》，今后《通礼》每场问本经四道，《义疏》六道，六通为合格，本经通二、《义疏》通三亦同。今岁秋赋，止解旧人，新人且令习业。西川、广南旧取解举人，并许免解。今后及第《三史》、《通礼》、《三礼》、《三传》，除官日比学究、明法，望授月俸多处，贵存激劝。"上以分数至多，约束过严，恐沮仕进之路，乃诏两制、知贡举官同详定以闻。于是，翰林学士晁迥等上议："令诸州约数解送。或自来举子止有三两人者，欲听全解；或其间才业卓然不群者，别以名闻。南省引试前一日，分定坐次，榜名晓谕，勿容移徙。远人无籍者，令召命官保职就京府取解。文武升朝官嫡亲，许附国学。先寄应令还本贯者，不得叙理。前举《尚书》、《周易》、学究、明法，经义不广，宜各问疏义六道、经注四道，六通为合格。《三礼》、《三传》所习浩大，精熟尤难，请问经注四道，疏义六道，以疏通三以上为合格。余如戚纶等条奏。"从之。（《续资治通鉴长编》卷六〇）

八月

丁丑朔（一日），以翰林学士李宗谔、左谏议大夫张秉同判太常寺，仍命内臣监修乐器。（《续资治通鉴长编》卷六一）

丙戌（十日），西川转运使黄观言：益州将吏、民庶举留知州张咏，诏褒之。（《续资治通鉴长编》卷六一）

丁亥（十一日），翰林学士、右谏议大夫晁迥责授左司郎中，依前充职。初，迥与给事中冯起等五人并为郓王元份留守官属，王以狱逸囚惊悸得疾，遂死。迥等坐辅导无状，并及于责。（《续资治通鉴长编》卷六一）

九月

丁卯，命资政殿学士王钦若、知制诰杨亿修《历代君臣事迹》，钦若请以直秘阁钱惟演等十人同编修。（《续资治通鉴长编》卷六一）

景德二年九月，命刑部侍郎资政殿学士王钦若、右司谏知制诰杨亿修《历代君臣事迹》。钦若等奏请以太仆少卿直秘阁钱惟演、都官郎中直秘阁龙图阁待制杜镐、驾部员外郎直秘阁刁衎、户部员外郎直集贤院李维、右正言秘阁校理龙图阁待制戚纶、太常博士直史馆王希逸、秘书丞直史馆陈彭年、姜屿、太子右赞善大夫宋贻序、著作佐郎直史馆陈越同编修。初命钦若、亿等编修，俄又取秘书丞陈从易、秘阁校理刘筠。及希逸卒，贻序贬官，又取直史馆查道、太常博士王曙，后复取直集贤院夏竦。又命职方员外郎孙奭注撰音义。凡九年，至大中祥符六年，成一千卷上之。总三十一部，部有总序；一千一百四门，门有小类；外目录、音义各十卷。上览久之，赐名《册府元龟》。又录前人事迹为八十卷，赐名《彤范》。（程俱《麟台故事》卷二）

编修期间，杨亿、刘筠、钱惟演等相互唱和，后由杨亿编撰成集，为《西昆酬唱集》二卷。

予景德中，忝佐修书之任，得接群公之游。时今紫微钱君希圣、秘阁刘君子仪，并负懿文，尤精雅道，雕章丽句，脍炙人口，予得以游其墙藩而咨其模楷。二君成人之美，不我遐弃，博约诱掖，置之同声。因以历览遗编，研味前作，挹其芳润，发于希慕，更迭昌和，互相切劘。而予以固陋之姿，参酬继之末。入兰游雾，虽获益以居多；观海学山，欲知量而中止。既恨其不至，又犯乎不逮。虽荣于托骥，亦愧乎续貂。间然于兹，颜厚而已。凡五七言律诗二百五十章，其属而和者，计十有五人。析为二卷，取玉山策府之名，命之曰《西昆酬唱集》云尔。翰林学士、户部郎中、知制诰杨亿述。（杨亿《西昆酬唱集序》）

唐二百八十年，朝以诗取士，士以诗为业。童而习焉，长而精焉。其法同也，其义同也，其所读书同也。所不同者，时世先后、风气淳薄而已。初未有各树其说、自立墙户者也。历来作家，或以清真胜，或以雅艳胜，门庭施设各各不同。究于《三百》六义之旨何尝不同，归一辙哉。自宋以来，试士易制，诗各一途，遂将李唐一代制作四分五裂。若黄山谷、陈后山辈，雅好粗豪，尊昌黎为鼻祖，而牵连杜工部径直之作为证，遂名黄、陈，号"江西体"。或无事刍狗衣冠，专事清永淡寂，以韦、孟、高、岑为宗，谓之"九僧"、"四灵"体。有以李玉溪为宗，而佐之以温飞卿、曹唐、罗邺，若钱思公、杨大年诸公，一以细润清丽为贵，谓之"西昆体"。要皆自宋人分之，而唐初无是说焉。元和、太和之代，李义山杰起中原，与太原温庭筠、南郡段成式皆以格韵清拔、才藻优裕，为"西昆"三十六，以三人俱行十六也。西昆者，取玉山策府之意云尔。赵宋之钱、杨、刘诸君子竞效其体，互相酬唱，悉反江西之旧，制为文锦之章，录成一集，名曰《西昆酬唱集》。（冯武《西昆酬唱集序》）

杨、刘诸公唱和《西昆集》，盖学义山而过者，六一翁恐其流靡不返，故以优游坦夷之辞矫而变之，其功不可少，然亦未尝不有取于昆体也。徂徕、冷斋著为怪说、诗厄，和者又从而张之，昆体遂废，其实何可废也？夫子一叹由瑟，门人不敬子路，信耳者难以言喻如此。故曰游于艺，夫诚以艺游，晚唐亦可也，不然，圣唐犹是物也，奚得于彼哉，要必有为之根深者耳。（张綖《西昆酬唱集序》）

盖自杨、刘唱和，《西昆集》行，后进学者争效之，风雅一变，谓之"昆体"。由是唐贤诸诗集几废而不行。（欧阳修《六一诗话》）

杨亿在两禁，变文章之体，刘筠、钱惟演辈皆从而效之，时号"杨刘"。三公以新诗更相属和，极一时之丽。亿乃编而叙之，题曰《西昆酬唱集》，当时佻薄者谓之"西昆体"。其它赋颂章奏，虽颇伤于雕摘，然五代以来芜鄙之气由兹尽矣。（田况《儒林公议》卷上）

祥符、天禧中，杨大年、钱文僖、晏元献、刘子仪以文章立朝，为诗皆崇尚李义山，号"西昆体"。后进效之，多窃取义山语句。赐宴，优人有为义山者，衣服败敝，告人曰："我为诸馆职挦扯至此。"闻者欢笑。大年《汉武诗》曰："力通青海求龙种，死讳文成食马肝。待诏先生齿编贝，忍令乞米向长安！"义山不能过也。（刘攽《中山诗话》）

《蔡宽夫诗话》云：王荆公晚年亦喜称义山诗，以为唐人知学老杜而得其藩篱，唯义山一人而已。每诵其"雪岭未归天外使，松州犹驻殿前军"、"永忆江湖归白发，欲回天地入扁舟"、与"池光不受月，暮气欲沉山"、"江海三年客，乾坤百战场"之类，虽老杜亡以过也。义山诗合处，信有过人。若其用事深僻，语工而意不及，自是其短。世人反以为奇而效之，故昆体之弊，适重其失，义山本不至是云。（胡仔《苕溪渔隐丛话》前集卷二二）

宋杨亿、钱惟演、刘筠《西昆酬唱集》，凡五、七言律诗二百四十七首，属和者十五人，有杨文公自序。和者：翰林学士李宗谔，户部员外郎、直集贤院李维，著作佐郎、直史馆陈越，工部员外郎、直集贤院刘骘，枢密直学士丁谓，驾部员外郎、直秘阁刁衎，太常丞、直集贤院任随，枢密直学士张咏，恩州刺史钱惟济，职方员外郎、秘阁校理、监舒州灵仙观舒雅，翰林学士晁迥，左司谏、直史馆崔遵度，右谏议大夫薛映、刘秉。（王士禛《带经堂诗话》卷六）

收录：杨亿七十五首、刘筠七十三首、钱惟演五十四首、李宗谔七首、陈越一首、李维三首、刘骘五首、丁谓五首、刁衎二首、任随三首、张咏三首、钱惟济二首、舒雅三首、晁迥二首、崔遵度一首、薛映六首、刘秉六首。

著录：田况《儒林公议》卷上、郑樵《通志·艺文略八》、晁公武《郡斋读书志·总集类》、陈振孙《直斋书录解题·总集类》、王应麟《玉海》卷五四、马端临《文献通考》卷二四八、《宋史·艺文志八》、杨士奇等《文渊阁书目》卷一〇、叶盛《菉竹堂书目》卷四、毛扆《汲古阁珍藏秘本书目》、钱曾《读书敏求记》卷四、《四库提要》卷一八六、顾广圻《思适斋书跋》卷四、邵懿辰《增订四库简明目录标注》卷一五、瞿镛《铁琴铜剑楼藏书目》卷二三、《北京图书馆古籍善本书目》。

版本：嘉靖十六年张继玩珠堂刻本、明末冯班钞本、毛扆汲古阁钞本、清初徐乾学刊本、康熙四十七年朱俊生刻本、壹是堂本、留香室本、浦城丛书本、粤雅堂丛书本、邵武徐氏丛书本。

十月

十日，毕士安卒，68 岁。毕士安，字仁叟，代州云中人。少好学，乾德四年，举进士。杨廷璋辟幕府，掌书奏。开宝四年，历济州团练推官，改兖州观察推官。太平兴国初，为大理寺丞，领三门发运事。选知台州，明年，迁左赞善大夫，徙饶州，改殿中丞。召还，为监察御史。复出知乾州，以母老愿降任就养，改监汝州稻田务。迁考功员外郎。端拱中，以本官知制诰。淳化二年，召入翰林为学士。三年，与苏易简同知贡举，加主客郎中。以疾请外，改右谏议大夫、知颍州。真宗以寿王尹开封府，召为判官。及为皇太子，以兼右庶子迁给事中。登位，命权知开封府事，拜工部侍郎、枢密直学士。咸平初，辞府职，拜礼部侍郎，复为翰林学士。士安以目疾求解，改兵部侍郎，出知潞州，特加月给之数。入为翰林侍读学士。景德初，兼秘书监。李沆卒，进士安吏部侍郎、参知政事。未阅月，以本官与准同拜平章事。士安兼监修国史，居准上。景德元年九月，契丹统军挞览引兵分掠威虏、顺安、北平，侵保州，攻定武，士安与寇准条所以御备状，又合议请真宗幸澶渊。二年，章七八上，以病求免，优诏不允。遣使敦谕，不得已，复起视事。十月晨朝，至崇政殿庐，疾暴作，真宗步出临视，已不能言。卒，年六十八。车驾临哭，废朝五日，赠太傅、中书令，谥文简。士安端方沉雅，有清识，又精意词翰，有《文集》三十卷。（《宋史》本传）

著有：《毕士安集》三十卷（《宋史》本传）。

著录：杨亿《文简毕公墓志铭》、刘挚《毕文简神道碑》、曾巩《隆平集·毕士安传》、《宋史·毕士安传》。

十一月

乙巳朔（一日），王钦若上《卤簿记》三卷，诏付史馆。（《续资治通鉴长编》卷六一）

戊申（四日），命翰林侍读学士邢昺、户部侍郎张雍、龙图阁待制杜镐、诸王府侍讲孙奭，于京朝、幕府、州县官中，荐儒术该博、士行端良、堪充学官者十人以闻。翰林学士李宗谔、东上阁门使忠州刺史曹利用，在京接伴契丹贺承天节使。（《续资治通鉴长编》卷六一）

癸亥（十九日），兵部侍郎、平章事寇准加中书侍郎，兼工部尚书。（《续资治通鉴长编》卷六一）

十二月

己卯（五日），礼部贡院言："昨详进士所纳公卷，多假借他人文字，或用旧卷装饰重行，或为佣书人易换文本，是致考校无准。请自今并令举人亲自投纳，仍于试纸前亲书家状，如将来程式与公卷全异，及所试文字与家状书体不同，并驳放之。或假用他人文字，辨认彰露，即依例扶出，永不得赴举。其知举官亦望先一月差入贡院考校公卷，分为等第，如事业殊异者，至日更精加试验。所冀抱艺者不失搜罗，躁进者难施伪滥。"又言："《尚书》、《周易》、学究，近年并为一科，欲请试本经日，每十道义，二经各问二道，仍杂问疏义五道。《三礼》、《三传》经业稍大，难为精熟，请每十道义中问经注六道、疏义四道，以六通及疏通二、经注通三为合格。"诏翰林学士邢昺与国子监官同议可否，昺等言："《尚书》、《周易》、学究、明法，经籍不多，望各问疏义六道、经注四道，六通者为合格。其《三礼》、《三传》请如贡院所奏。"并从之。（《续资治通鉴长编》卷六一）

辛巳（七日），以刑部侍郎、资政殿学士王钦若为兵部侍郎，资政殿大学士班在文明殿学士之下、翰林学士承旨之上。上初见钦若班在翰林学士李宗谔下，怪之，以问左右，左右以故事对。钦若因诉上曰："臣前自翰林学士为参知政事，无罪而罢，其班乃下故官一等，是贬也。"上悟，即日改焉。资政殿置大学士自此始。钦若善迎人主意，上望见辄喜。每拜一官，中谢日，辄问曰："除此官且可意否？"其宠遇如此。（《续资治通鉴长编》卷六一）

乙未（二十一日），命虞部员外郎、权盐铁判官冯亮，太常丞、直史馆陈尧佐，内殿崇班阁门祗候高继忠、侍其振，分诣开封府界，提点刑狱、钱帛。（《续资治通鉴长编》卷六一）

本年

石介（1005—1045）生。石介，字守道，兖州奉符人。进士及第，历郓州、南京推官。御史台辟为主簿，未至，罢为镇南掌书记。代父丙远官，为嘉州军事判官。丁父母忧，耕徂徕山下，葬五世之未葬者七十丧。以《易》教授于家，鲁人号介徂徕先生。入为国子监直讲，学者从之甚众，太学由此益盛。介为文有气，尝患文章之弊，佛、老为蠹，著《怪说》、《中国论》，言去此三者，乃可以有为。又著《唐鉴》以戒奸臣、宦官、宫女，指切当时，无所讳忌。杜衍、韩琦荐，擢太子中允、直集贤院。求出，通判濮州，未赴，卒。有《徂徕集》行于世。（《宋史》本传）

田况（1005—1063）生。田况，字元均，其先冀州信都人。举进士甲科，补江陵府推官，再调楚州判官，迁秘书省著作佐郎。举贤良方正，改太常丞、通判江宁府。迁右正言，管勾国子监、判三司理欠凭由司，专供谏职，权修起居注，遂知制诰。寻为陕西宣抚副使，还领三班院。既而除龙图阁直学士、知成德军。以功迁起居舍人，徙秦州。丁父忧，服除，以枢密直学士、尚书礼部郎中知渭州。迁右谏议大夫、知成都府。迁给事中，召为御史中丞。既至，权三司使，加龙图阁学士、翰林学士。以礼部侍郎为三司使。至和元年，擢枢密副使，遂为枢密使。以疾，罢为尚书右丞、观文殿学士兼翰林侍读学士，提举景灵宫，遂以太子少傅致仕，卒。赠太子太保，谥宣简。况宽厚明敏，有文武材，其论甚伟，然不尽行也。有奏议二十卷。（《宋史》本传）

江休复（1005—1060）生。江休复，字邻几，开封陈留人。少强学博览，为文淳雅，尤善于诗。喜琴、弈、饮酒，不以声利为意。进士起家，为桂阳监蓝山尉，骑驴之官，每据鞍读书至迷失道，家人求得之。举书判拔萃，改大理寺丞，迁殿中丞。献其所著书，召试，为集贤校理，判尚书刑部。与苏舜钦游，坐预进奏院祠神会落职，监蔡州商税。久之，知奉符县，通判睦州，徙庐州，复集贤校理，判吏部南曹、登闻鼓院，为群牧判官，出知同州，提点陕西路刑狱，入判三司盐铁勾院，修起居注，累迁尚书刑部郎中，卒。著《唐宜鉴》十五卷、《春秋世论》三十卷、文集二十卷。（《宋史》本传）

王逢（1005—1063）生。王逢，字会之，太平州当涂人。博学能属文，尤长于讲说。少举进士不中，去，教授苏州，学者尝数百人。晚始登第，补南雄州军事判官，归为国子监直讲兼陇西郡王宅教授，李玮从学，事之甚谨。岐国公主既降，玮为逢求迁官，且有命，逢辞不受。久之，以太常博士通判徐州，卒。逢为人乐易，笃于朋友，与胡瑗最善。喜著书，有《易传》十卷、《乾德指说》一卷、《复书》七卷。（据《宋史》本传）

杜杞（1005—1050）生。杜杞，字伟长。荫补将作监主簿，知建阳县。累迁尚书虞部员外郎、知横州。改通判真州，徙知解州，权发遣度支判官。授京西转运、按察使。居数月，贼平。擢刑部员外郎、直集贤院、广南西路转运按察安抚使。为两浙转运使。明年，徙河北，拜天章阁待制、环庆路经略安抚使、知庆州。杞性强记，博览书传，通阴阳数术之学，自言吾年四十六死矣。未几卒。有《奏议》十二卷。（《宋史》本传）

朱融（1005—1077）生。叔晦，讳融，姓朱氏，韶州曲江人。君幼聪警好学，年十五，不预乡贡。慨然自以为身处遐僻，无良师友，不足以广闻见，成远业。遂挟策游京师，所从皆一时英俊。屡举进士不第，南归至襄阳，乐其土风山水，因买田宜城以居。益治经，讲求周公、孔子之道，间则赋文缀诗以自娱乐。如是者几三十年，所著杂文歌诗近千篇。不幸熙宁十年六月二十日以疾终于家，享年七十三。（韩维《宋故进士朱叔晦墓志铭》）

范师道（1005—1063）生。范师道，字贯之，苏州长洲人。进士及第，为抚州判官，后知广德县。通判许州，累迁都官员外郎，吴育举为御史。出知常州。徙广南东路转运使。召为盐铁判官，道改两浙转运使，迁起居舍人、同知谏院，管勾国子监。迁兵部员外郎，兼侍御史知杂事、判都水监。与谏官、御史数奏枢密副使陈升之不当用，升之罢，师道亦出知福州。顷之，以工部郎中入为三司盐铁副使。感风眩，迁户部，直龙图阁、知明州，卒。（《宋史》本传）

唐询（1005—1064）生。询字彦猷，以父任为将作监主簿。天圣中，诏许天下士献文章，应诏者百数，有司第其善者，询数人而已，诏赐进士及第、知长兴县。后以太常博士知归州，用翰林学士吴育荐为御史，未至，丧母。服除，育方参政事，宰相贾昌朝与询有亲嫌，育数与昌朝言，询用故事当罢御史，昌朝欲留询，不得已，以知庐州。后询终以故事罢御史，除尚书工部员外郎、直史馆、知湖州，徙江西转运使。会诏淮南、江、浙、荆湖六路转运司移文发运使如所属，询争以为不可，乃移福建路。还，为三司户部判官，又判磨勘司，出为江东转运使。未几，起居注阙人，帝特用询，遂知制诰。以参知政事曾公亮亲嫌，出知苏州，徙杭、青二州，进翰林侍读学士，累迁右谏议大夫。召还，勾当三班院，判太常寺，进给事中，卒，赠礼部侍郎。有集三十卷。询少刻励自修，已而不固所守，及知湖州，悦官妓取以为妾。好畜砚，客至辄出而玩之，有《砚录》三卷。（《宋史》本传）

本年重要作品：

文：杨亿《承天禅院记》、杨亿《大藏经楼记》、张咏《许昌诗集序》。

诗：杨亿《喜王虞部赐进士及第》、杨亿《送章四十舅翁东归》、杨亿《受诏修书述怀感事三十韵》、杨亿《章频宰南昌》、杨亿《表弟廷评章得象知信州玉山县》、杨亿《元奉宗宰绩溪》、杨亿《吴待问之蒙城簿》、杨亿《从叔郎中知潭州》、杨亿《书怀寄刘五》。

公元 1006 年（宋真宗景德三年　丙午）

二月

庚辰（七日），贡举人因事殿举及永不得入科场，非被杖者，并许复应举。（《续资治通鉴长编》卷六二）

戊戌（二十五日），中书侍郎、兼工部尚书、平章事寇准罢为刑部尚书。以尚书左丞、参知政事王旦为工部尚书、平章事。旦入谢，便坐，上谓曰："寇准以国家爵赏过求虚誉，无大臣体，罢其重柄，庶保终吉也。"既而，命准出知陕州。将行，又遣近臣传旨戒约。（《续资治通鉴长编》卷六二）

己亥（二十六日），刑部侍郎、参知政事冯拯为兵部侍郎，资政殿大学士、兵部侍郎王钦若为尚书左丞，刑部侍郎、签署枢密院事陈尧叟为兵部侍郎，并知枢密院事。翰林学士、工部员外郎、知制诰赵安仁为右谏议大夫。（《续资治通鉴长编》卷六二）

三月

十日，丁谓为《西湖莲社集》作序。

钱塘山水，三吴、百越之极品，而西湖之胜又为最。环山背水二百寺，据上游而控胜概者，今常师所栖之寺曰昭庆者也。开阖物表，出入空隙，清光百会，野声四来。云水之状奇，鱼鸟之心乐，居处有遥观，游者踌躇。岂非万类之静界，达人之道场乎？师励志学佛，而余力于好事，尝谓："庐山东林由远公白莲社而著称，我今居是山，学是道，不力慕于前贤，是无勇也。"由是贻诗京师，以招卿大夫。自是，贵有位者闻师之请，原人者十八九。故三公四辅、宥密禁林、西垣之词人、东观之史官、泊台省素有望之士，咸寄诗以为入社之盟文。自相国向公（敏中）而降，凡得若干篇，悉置意空寂，投迹无何。虽轩冕其身，而林泉其心。噫！作诗者其有意乎！观其辞，皆若续画乎绝致，飞动乎高情。往心东南，如将傲富贵、趣遗逸。朝夕思慕，飘飘然不知何许之为东林也，孰氏之为远公也，宗、雷之辈果何人也？远公之道，常师之知，宗、雷之迹，群公悦之；西湖之胜，天下尚之，则结社之名，亦千载之美谈也。谓爱常师能树立其事，指名其境，而为当世名公巨贤依归趋向之若是，真所谓不可多得之人也。（丁谓《西湖莲社集序》）

太宗在宥之大宝，淳化纪号之元年。杭州昭庆寺僧曰省常，结八十僧同为一社。乃有朝廷缙绅之伦，泉石枕漱之士，猗顿豪右之族，生肇高洁之流，皆指正途，趋法会，如川赴海，如麟宗龙，贲然来思，其应如响。（宋白《大宋杭州西湖昭庆寺结社碑铭》）

三十余年，为莫逆之交，预白莲之侣者，凡一百二十三人，其化成也如此。公每顾门人曰："国初以来，缙绅先生宗古为文，大率学退之之为人，以挤排佛氏为意。故我假远公之迹，以结社事。往往从我化，而丛碑委颂，称道佛法，以为归向之盟辞，适足以枳棘异途，墙堑吾教焉。世不我知，或以我为设奇沽誉者，吾非斯人之徒也。"（释智圆《白莲社主碑文》）

（西湖白莲社），王文正公旦为社首，翰林承旨宋白撰碑，翰林学士苏易简作《净行品序》，状元孙何题社客于碑阴，亦系以记。士夫预会，皆称净行社弟子。社友八十比丘，一千大众。（释宗晓《莲社继祖碑》）

著录：《宋史·艺文志四》、杨士奇等《文渊阁书目》卷一〇、叶盛《菉竹堂书目》卷四、焦竑《国史经籍志》卷五。

庚申（十八日），寇准出知陕州。

四月

丙子（五日），幸崇文院，观四库图籍及所修君臣事迹。遍阅门类，询其次序，王钦若、杨亿悉以条对，有伦理未当者，立命改之。谓侍臣曰："朕此书盖欲著历代事

实，为将来典法，使开卷者动有资益也。"赐编修官金帛有差。（《续资治通鉴长编》卷六二）

五月

丙午（五日），命知枢密院王钦若、陈尧叟同修《时政记》，每次月十五日送中书。（《续资治通鉴长编》卷六三）

戊午（十七日），知枢密院事陈尧叟起复故官。尧叟表请终丧，不允。（《续资治通鉴长编》卷六三）

七月

丙寅（二十六日），赐翰林侍讲学士邢昺白金千两。又诏其妻乐氏对宫庭，赐宝冠、霞帔。（《续资治通鉴长编》卷六三）

己巳（二十九日），以应制举人所纳文卷付中书详较。初，命翰林学士晁迥等考定。又命侍读学士吕文仲、吕祐之，龙图阁待制戚纶、陈彭年重考。上犹虑遗才，故复委辅臣裁择。（《续资治通鉴长编》卷六三）

八月

甲戌（四日），上御崇政殿，张宫悬，阅试李宗谔等新习雅乐。召宰相、亲王临观，宗谔执乐谱立侍。先以钟磬按律，准次令登歌，钟、磬、埙、箎、琴、阮、笙、箫各二色合奏，筝、瑟、筑三色合奏，迭为一曲。复击钟镈，为六变、九变，又为朝会上寿之乐及文武二舞、鼓吹导引、警夜六周之曲。旧制，巢笙每变宫之际，必换义管，然难于遽易。乐工单仲辛改为一定之制，不复旋易，与诸宫调皆协。上甚悦，赐宗谔等器币有差。自是，乐府制度顿有伦理矣。上以两署见用乐词非雅，乃命两制别为之。（《续资治通鉴长编》卷六三）

九月

庚戌（十一日），诏以稼穑屡登，几务多暇，自今群臣不妨职事，并听游宴，御史勿得纠察。上巳、二社、端午、重阳并旬时休务一日，祁寒、盛暑、大雨雪议放朝，著于令。（《续资治通鉴长编》卷六四）

壬子（十三日），诏："民以书籍赴缘边榷场博易者，自非《九经》书疏，悉禁之。违者案罪，其书没官。"（《续资治通鉴长编》卷六四）

丙辰（十七日），御崇政殿亲试贤良方正直言极谏，光禄寺丞钱易、广德军判官石待问并入第四等。以易为秘书丞，待问为殿中丞。（《续资治通鉴长编》卷六四）

秋

晏殊召试中书，迁太常寺奉礼郎，赐告归宁。

十月

初，右谏议大夫、知杭州薛映临决锋锐，州无留事。时起居舍人、直史馆姚铉为转运使，亦隽爽尚气，檄属州当直司，毋得辄断徒以上罪。映即奏："徒、流、杖、笞，自有科条。苟情状明白，何须系狱，以累和气？请诏天下，凡徒流罪人，于长吏前对辨无异，听遣决之。"朝廷既施用其言，铉与映滋不协。映遂发铉纳部内女口，鬻铅器多取其直，广市绫罗不输税，占留州胥，在司擅增修廨宇。上遣御史台推勘官储拱劾铉得实，法寺议罪当夺一官，特诏除名，为连州文学。拱亦奏映尝召人取告铉状，坐赎铜九斤，特释之。因下诏以戒诸路转运使。（《续资治通鉴长编》卷六四）

十一月

先是，工部郎中陈若拙接伴契丹贺正旦使。若拙谈词鄙近，丙午（七日），命太子中允、直集贤院孙仅代之。若拙多诞妄，寡学术，虽以第三人及第，素无文。旧语第三人及第号"榜眼"，因目若拙为"瞎榜"。（《续资治通鉴长编》卷六四）

七日，杨亿召为翰林学士。（杨亿《武夷新集自序》）

本年

（辽圣宗统和二十四年）是岁，放进士杨佶等二十三人及第。（《辽史·圣宗纪五》）

梁鼎卒，52 岁。梁鼎字凝正，益州华阳人。太平兴国八年进士甲科，解褐大理评事、知秭归县，再迁著作佐郎。端拱初，献《圣德徽号颂》万余言，试文，迁殿中丞、通判歙州，以能声闻，有诏嘉奖。徙知吉州。代还，赐绯鱼。俄为开封府判官，迁太常博士、三司右计判官，又为总计判官，会复三部，换度支判官。迁都官员外郎、江南转运副使，就改起居舍人，徙陕西。二年，五将分道击李继迁，李继隆擅出赤柽路无功，还奏军储失期，鼎坐削三任。复为殿中丞，领职如故。以母老求郡，历知徐、密二州。真宗践位，复旧官。咸平四年，迁兵部员外郎、知制诰，赐金紫。逾月，拜右谏议大夫、度支使。时西鄙未宁，以鼎为制置使。诏罢度支使，守本官。未几，丁内艰，起复。景德初，知三班院、通进银台司兼门下封驳事，出知凤翔府。以居忧哭泣伤目，表求判西京留司御史台。三年，卒，年五十二。鼎伟姿貌，好学，工篆、籀、八分。尝著《隐书》三卷、《史论》二十篇、《学古诗》五十篇。（《宋史》本传）

著有：《隐书》三卷（《宋史》本传）、《史论》二十篇（《宋史》本传）、《学古诗》五十篇（《宋史》本传）。

张去华卒，69 岁。张去华，字信臣，开封襄邑人。幼励学，敏于属辞，以荫补太庙斋郎。周世宗平淮南，去华时年十八，因著《南征赋》、《治民论》，献于行在。召试，授御史台主簿。建隆初，始携文游京师，大为李昉所称。明年，举进士甲科，即拜秘书郎、直史馆。以岁满不迁，上章自诉，因言制诰张澹、卢多逊、殿中侍御史师颂文学肤浅，愿得校其优劣。太祖立召澹辈与去华临轩策试，命陶毂等考之。澹以所对不应问，降秩，即擢去华为右补阙，赐袭衣、银带、鞍勒马。朝议薄其躁进，以是不迁秩者十六年。荆湖平，命通判道州。代还，知磁、乾二州，选为益州通判，迁起居舍人、知凤翔府。从太宗征太原，监随驾左藏库，就命为京东转运使。历左司员外郎、礼部郎中。太平兴国七年，为江南转运使。雍熙中，王师讨幽州，去华督宋州馈运至拒马河，就命掌河北转运事。三年，知陕州，未行，著《大政要录》三十篇以献。会许王尹京，命为开封府判官，殿中侍御史陈载为推官，并赐金紫。逾岁，就拜左谏议大夫。贬安州司马。岁余，召授将作少监、知兴元府，未行，改晋州。迁秘书少监、知许州。真宗嗣位，复拜左谏议大夫。未几，迁给事中、知杭州。咸平二年，徙苏州。顷之，以疾求分司西京。在洛葺园庐，作中隐亭以见志。景德元年，改工部侍郎致仕。三年，卒，年六十九。有集十五卷。（《宋史》本传）

著有：《大政要录》三卷（《宋史·艺文志四》）、《张去华集》十五卷（《宋史》本传）。

陈省华卒，68 岁。省华字善则，事孟昶为西水尉。蜀平，授陇城主簿，累迁栎阳令。县之郑白渠为邻邑强族所据，省华尽去壅遏，水利均及，民皆赖之，徙楼烦令。端拱三年，太宗亲试进士，伯子尧叟登甲科，占谢，辞气明辨，太宗顾左右曰："此谁子？"王沔以省华对。即召省华为太子中允，俄判三司都凭由司，改盐铁判官，迁殿中丞。河决郓州，命省华领其事。俄为京东转运使，超拜祠部员外郎、知苏州，赐金紫。历户部、吏部二员外郎，改知潭州。省华智辨有吏干，入掌左藏库，判吏部南曹，擢鸿胪少卿。景德初，判吏部铨，权知开封府，转光禄卿。旧制，卿监坐朵殿，太宗以省华权莅京府，别设其位，升于两省五品之南。省华以府事繁剧，请禁宾友相过，从之。未几，因疾求解任，拜左谏议大夫，再表乞骸骨，不许，手诏存问，亲阅方药赐之。三年，卒，年六十八，特赠太子少师。（《宋史》本传）

文彦博（1006—1097）生。文彦博，字宽夫，汾州介休人。进士第，知翼城县，通判绛州，为监察御史，转殿中侍御史。以直史馆为河东转运副使。迁天章阁待制、都转运使，进龙图阁、枢密直学士、知秦州，改益州。召拜枢密副使、参知政事。拜同中书门下平章事、集贤殿大学士。罢为观文殿大学士、知许州，改忠武军节度使、知永兴军。至和二年，复以吏部尚书同中书门下平章事、昭文馆大学士。久之，以河阳三城节度使同平章事、判河南府，封潞国公，改镇保平、判大名府。又改镇成德，迁尚书左仆射、判太原府。俄复镇保平、判河南。丁母忧，英宗即位，起复成德军节度使，三上表乞终丧，许之。寻除侍中、徙镇淮南、判永兴军，入为枢密使、剑南西川节度使。为安石所恶，力引去。拜司空、河东节度使、判河阳，徙大名府。元丰三年，拜太尉，复判河南。久之，请老，以太师致仕，居洛阳。元祐初，命平章军国重事，六日一朝，一月两赴经筵，恩礼甚渥。居五年，复致仕。绍圣初，降太子少保。卒，年九十二。（《宋史》本传）

司马旦（1006—1087）生。旦字伯康。以父任，为秘书省校书郎，历郑县主簿。丁内外艰，服除，监饶州永平铸钱监。知祁县。通判乾州，未行，举监在京杂物库。

知宜兴县，历知梁山军、安州。再监凤翔太平宫，以熙宁八年致仕。历官十七，迁至太中大夫。元祐二年卒，年八十二。旦与弟光尤友爱终始，人无间言。旦生于丙午，与文彦博、程公珦、席汝言为同年会，赋诗绘像，世以为盛事，比唐九老。（《宋史》本传）

祖无择（1006—1085）生。祖无择，字择之，上蔡人。进士高第。历知南康军、海州，提点淮南广东刑狱、广南转运使，入直集贤院。出知袁州。自庆历诏天下立学，十年间其敝徒文具，无命教之实。无择首建学官，置生徒，郡国弦诵之风，由此始盛。同修起居注、知制诰，加龙图阁直学士、权知开封府，进学士，知郑、杭二州。神宗立，知通进、银台司。初，词臣作诰命，许受润笔物。王安石与无择同知制诰，安石辞一家所馈不获，义不欲取，置诸院梁上。安石忧去，无择用为公费，安石闻而恶之。熙宁初，安石得政，乃讽监司求无择罪。知明州苗振以贪闻，御史王子韶使两浙，廉其状，事连无择。苏颂言无择列侍从，不当与故吏对曲直，御史张戬亦救之，皆不听。及狱成，无贪状，但得其贷官钱、接部民坐及乘船过制而已。遂谪忠正军节度副使。寻复光禄卿、秘书监、集贤院学士，主管西京御史台，移知信阳军，卒。无择为人好义，笃于师友，少从孙明复学经术，又从穆修为文章。两人死，力求其遗文汇次之，传于世。（《宋史》本传）

程珦（1006—1090）生。珦，仁宗录旧臣后，以为黄陂尉。久之，知龚州。徙知磁州，又徙汉州。尝宴客开元僧舍，酒方行，人欢言佛光见，观者相腾践，不可禁，珦安坐不动，顷之遂定。熙宁法行，为守令者奉命唯恐后，珦向独抗议，指其未便。使者李元瑜怒，即移病归，旋致仕，累转太中大夫。元祐五年，卒，年八十五。（《宋史》本传）

苏舜元（1006—1054）生。舜元，字才翁，为人精悍任气节，为歌诗亦豪健，尤善草书，舜钦不能及。官至尚书度支员外郎、三司度支判官。（《宋史》本传）

本年重要作品：

文：杨亿《建安郡斋三亭记》。

诗：杨亿《寄刘秀州》、杨亿《许洞归吴中》、杨亿《密直任学士知益州》、杨亿《七夕》、杨亿《建溪十韵》、杨亿《枢密王左丞宅新菊》、杨亿《寄灵仙观舒职方学士》、杨亿《直夜》、杨亿《晏殊奉礼归宁》、杨亿《休沐端居有怀希圣少卿学士》、杨亿《汉武》、魏野《谢知府寇相公降访》。

公元 1007 年（宋真宗景德四年　丁未）

正月

甲辰（六日），以知枢密院事陈尧叟为东京留守。（《续资治通鉴长编》卷六五）

乙巳（七日），以权三司使事丁谓为随驾三司使，盐铁副使林特副之。（《续资治通鉴长编》卷六五）

二月

辛未（四日），命吏部尚书张齐贤祭周六庙。（《续资治通鉴长编》卷六五）

乙亥（八日），命翰林侍讲学士邢昺等编集车驾所经古迹。（《续资治通鉴长编》卷六五）

戊寅（十一日），刑部尚书、知陕州寇准来朝，召之也。留浃旬，还任。（《续资治通鉴长编》卷六五）

诏令校正《西京图经》。

上因览《西京图经》，颇多疏漏。庚辰（十三日），令诸道、州、府、军、监选文学官校正图经，补其阙略来上，命知制诰孙仅等总校之。仅等言：诸道所上体制不一，遂请创例重修，奏可。（《续资治通鉴长编》卷六五）

上之次巩县也，太子太师吕蒙正舆疾来见，不能拜命，中使掖之以进。赐坐，劳问甚久。壬午（十五日），幸其第，赐袭衣、金带、器币、药物、上尊酒，悉如宰相例。（《续资治通鉴长编》卷六五）

丁酉（三十日），发郑州，遣就赐隐士杨朴缯帛，令吏部铨注其子从政，近官以便侍养。（《续资治通鉴长编》卷六五）

杨朴，字契玄，郑州人，善为诗，不仕。少时尝与毕相同学，毕荐之，太宗召见，面赋《蓑衣诗》云："狂脱酒家春醉后，乱堆渔舍晚晴时。"除官不受，听归山，以其子从政为长水尉。朴尝为《七夕诗》云："年年乞与人间巧，不道人间巧已多。"（司马光《温公续诗话》）

昔年过洛，见李公简言："真宗既东封，访天下隐者，得杞人杨朴，能诗。及召对，自言不能。上问：'临行有人作诗送卿否？'朴曰：'唯臣妾有一首云：更休落魄耽杯酒，且莫猖狂爱咏诗。今日捉将官里去，这回断送老头皮。'上大笑，放还山。"（苏轼《东坡志林》卷二）

三月

太清楼藏太宗御制及墨迹石本九百三十四卷、轴，四部群书三万三千七百二十五卷。是日（乙巳，八日），上召辅臣对苑中，遂登楼阅视。又至景福玉宸殿、翔鸾仪凤阁，上置酒作诗，王旦等皆赋。马知节辞以不能，上不许，亦赋焉。因赐食楼下。玉宸殿乃上宴息之所，中施御榻，帷幄皆黄缯为之，无文采之饰。殿东西聚书八千余卷。上曰："此唯正经、正史屡校定者，小说、它书不预焉。"其后，群书增及一万一千二百九十三卷，太宗御集、御书又七百五十三卷。（《续资治通鉴长编》卷六五）

甲寅（十七日），大宴于后苑，赏花、钓鱼。上赋诗，从臣皆赋。吏部尚书张齐贤、刑部尚书温仲舒、工部尚书王化基，以久在外任，求免应制，不许。（《续资治通鉴长编》卷六五）

五月

丁酉（二日），乃诏分内藏、西库地，以广秘阁。上谓辅臣曰："国家搜访图书，其数渐广，非时平无事，安能及此也？"（《续资治通鉴长编》卷六五）

闰五月

壬申（七日），御崇政殿，试贤良方正著作佐郎陈绛、溧水县令史良、文丹阳县主簿夏竦。先是，上谓宰臣曰："比设此科，欲求才识。若但考文义，则积学者方能中选。苟有济时之用，安得而知？朕以为《六经》之旨，圣人用心，固与子史异矣。今策问宜用经义，参之时务。"王旦曰："臣等每奉清问，语及儒教，未尝不以《六经》为首。迩来文风丕变，实由陛下化之。"上因命两制各上策问，择而问焉。绛、竦所对入第四等，擢绛为右正言，竦为光禄寺丞。竦，德安人，承皓子也。（《续资治通鉴长编》卷六五）

甲戌（九日），以户部员外郎、直集贤院李维为兵部员外郎，著作郎、直史馆王曾，太子中允、直集贤院孙仅，皆为右正言、知制诰。先是，上谓宰臣曰："李维、王曾、孙仅，文行可称，并宜召试。"翌日，览所试，曰："曾颇得诏诰之体，而书翰兼美，是其精勤不怠也。"因并命焉。（《续资治通鉴长编》卷六五）

壬辰（二十七日），龙图阁待制陈彭年上言："请令有司详定考校进士诗赋、杂文程式，付礼部贡院遵行。又请许流内选人应宏词拔萃科，明经人投状自荐策试经义，以劝儒学。"诏贡院考校程式，宜令彭年与待制戚纶、直史馆崔遵度、姜屿议定，余令彭年各具条奏以闻。（《续资治通鉴长编》卷六五）

六月

癸丑（十九日），以枢密直学士、户部员外郎刘综知并州，同管勾并代兵马事。（《续资治通鉴长编》卷六五）

枢密直学士刘综出镇并门，两制、馆阁皆以诗宠其行，因进呈。真宗深究诗雅，时方竞务西昆体，碟裂雕篆，亲以御笔选其平淡者，止得八联。晁迥云："凤驾都门晓，微凉苑树秋。"杨亿止选断句："关榆渐落边鸿过，谁劝刘郎酒十分。"朱巽云："塞垣古木含秋色，祖帐行尘起夕阳。"李维云："秋声和暮角，膏雨逐行轩。"孙仅云："汾水冷光摇画载，蒙山秋色锁层楼。"钱惟演云："置酒军中乐，闻笳塞上情。"都尉王贻永云："河朔雪深思爱日，并门春暖咏甘棠。"刘筠云："极目关山高倚汉，顺风雕鹗远凌秋。"（文莹《玉壶清话》卷一）

二十一日，欧阳修（1007—1072）生。欧阳修，字永叔，庐陵人。幼敏悟过人，读书辄成诵。举进士，试南宫第一，擢甲科，调西京推官。始从尹洙游，为古文，议论当世事，迭相师友，与梅尧臣游，为歌诗相唱和，遂以文章名冠天下。入朝，为馆阁校勘。坐贬夷陵令，稍徙乾德令、武成节度判官。久之，复校勘，进集贤校理。庆历三年，知谏院。奉使河东。使还，会保州兵乱，以为龙图阁直学士、河北都转运使。左迁知制诰、知滁州。居二年，徙扬州、颍州。复学士，留守南京，以母忧去。服除，召判流内铨。迁翰林学士，俾修《唐书》。知嘉祐二年贡举。时士子尚为险怪奇涩之文,号"太学体",修痛排抑之,凡如是者辄黜。场屋之习,从是遂变。加龙图阁学士、知开封府。旬月,改群牧使。《唐书》成,拜礼部侍郎兼翰林侍读学士。五年,拜枢密副使。六年,参知政事。神宗时,修力求退,罢为观文殿学士、刑部尚书、知亳州。明年,迁兵部尚书、知青州,改宣徽南院使、判太原府。辞不拜,徙蔡州。熙宁四年,以太子少师致仕。五年,卒,赠太子太师,谥曰文忠。修始在滁州,号醉翁,晚更号六一居士。为文天才自然,丰约中度。其言简而明,信而通,引物连类,折之于至理,以服人心。超然独骛,众莫能及,故天下翕然师尊之。好古嗜学,凡周、汉以降金石遗文、断编残简,一切掇拾,研稽异同,立说于左,的的可表证,谓之《集古录》。奉诏修《唐书》纪、志、表,自撰《五代史记》,法严词约,多取《春秋》遗旨。苏轼叙其文曰:"论大道似韩愈,论事似陆贽,记事似司马迁,诗赋似李白。"识者以为知言。(《宋史》本传)

枢密直学士、吏部侍郎张咏疡生于脑,颇妨巾栉,求知颍州。上以咏公直,有时望,再任益州,著声绩,不当莅小郡。令中书召问,将委以青社或真定,使自择。咏辞不就,又问金陵,咏欣然请行。辛酉(二十七日),以咏知升州。(《续资治通鉴长编》卷六五)

七月

壬申(八日),上谓辅臣曰:"近见词人献文,多故违经旨以立说,此所谓非圣人者无法也。傥有太甚者,当黜以为戒。"(《续资治通鉴长编》卷六六)

丙子(十二日),先是,将作监丞李迪、大理评事李谘、范昭同召试,上览所试诗赋,谓王旦曰:"迪稍优,谘、昭又其次也。迪可与著作郎、直史馆,谘太子中允,昭著作佐郎,并直集贤院。仍于制词述朕此旨,庶使知劝。"(《续资治通鉴长编》卷六六)

八月

壬寅(九日),上幸崇文院,观新编君臣事迹。王钦若、杨亿等以草本进御,上遍览之。入四库,阅视图籍,谓宰臣曰:"著书难事,议者称先朝实录尚有漏落。"亿进曰:"史臣记事,诚合详备。臣预修《太宗实录》,凡事有依据可载简册者,方得记录。"上然之。赐修书官器币有差。(《续资治通鉴长编》卷六六)

丁未(十四日),以右监门卫上将军钱惟治为右武卫上将军,月给俸钱百万,仍许在家养疾。时惟治弟太仆少卿惟演上《圣德论》,上览之,谓宰臣曰:"惟演文学可称,且公王贵族而能留意翰墨,有足嘉者,可记其名,并以论付史馆。"因曰:"钱氏继世忠顺,子孙可念,闻惟治颇贫乏,尤可轸恻也。"遂有是命。(《续资治通鉴长编》卷六六)

己酉(十六日),命知制诰孙仅、龙图阁待制戚纶重修《十道图》,其书不及成。(《续资治通鉴长编》卷六六)

翰林侍讲学士、刑部侍郎、兼国子祭酒邢昺,以赢老步趋艰梗,见上自陈曹州故乡，愿给假，一归视田里，俟明年郊禋。上命坐，慰劳之，因谓昺曰："便可权知本州，何须假耶？"昺又言："杨砺、夏侯峤，同为府僚，二臣已没，皆赠尚书。"上悯之，谓宰相曰："此可见其志矣。"壬子（十九日），即拜工部尚书、知曹州，职如故，迁其班在翰林学士上。入辞日，赐袭衣、金带。是日，特开龙图阁，召近臣宴崇和殿，上作诗二章赐之，预宴者咸赋。昺视壁间《尚书》、《礼记图》，指《中庸篇》曰："凡为天下国家，有九经。"因陈其大义，上嘉纳之。及行，又令近臣相送，设会于宜春苑。翰林侍讲学士外使，自昺始。（《续资治通鉴长编》卷六六）

丁巳（二十四日），诏修太祖、太宗正史，宰臣王旦监修国史，知枢密院事王钦若、陈尧叟，参知政事赵安仁，翰林学士晁迥、杨亿并修国史。景德二年，毕士安卒时，寇准止领集贤殿大学士，旦以参知政事权领史馆事。及旦为相，虽未兼监修，其领史职如故。于是，始正其名。权三司使丁谓上《景德会稽录》六卷，诏奖之，以其书付秘阁。（《续资治通鉴长编》卷六六）

二十四日，王素（1007—1073）生。（按：王素生日，见吴处厚《青箱杂记》卷四）

王素，字仲仪。赐进士出身，至屯田员外郎。擢天章阁待制、淮南都转运按察使。改知渭州，坐市木河东有扰民状，降华州，又夺职徙汝。俄悉还其故，迁龙图阁直学士。出知定州、成都府。复知开封。御史纠其过，出知许州。治平初，召拜端明殿学士，复知渭州，换澶州观察使、知成德军，改青州观察使。熙宁初。还，以学士知太原府。入知通进、银台司，转工部尚书，仍故职致仕。卒，年六十七，谥曰懿敏。（《宋史》本传）

九月

二十三日，张方平（1007—1091）生。（按，张方平生日，见吴处厚《青箱杂记》卷四）张方平，字安道，南京人。举茂材异等，为校书郎、知昆山县。又中贤良方正，选迁著作佐郎、通判睦州。当召试馆职，仁宗曰："是非两策制科者乎？何试也？"命直集贤院，俄知谏院。进翰林学士，拜御史中丞，改三司使。加端明殿学士、判太常寺。出知滁州。顷之，知江宁府，入判流内铨。以侍讲学士知滑州，徙益州。复以三司使召。迁尚书左丞、知南京。未几，以工部尚书帅秦州。英宗立，迁礼部尚书，请知郓州。还，为学士承旨。神宗即位，拜参知政事。数日，遭父忧，服阕，以观文殿学士留守西京。入觐，留判尚书都省，力请知陈州。进使南院，判应天府。数请老，以太子少师致仕。哲宗立，加太子太保。元祐六年，薨，年八十五。赠司空。遗令毋请谥，尚书右丞苏辙为请，乃谥曰文定。方平慷慨有气节，守蜀日，得眉山苏洵与其二子轼、辙，深器异之。尝荐轼为谏官。轼下制狱，又抗章为请，故轼终身敬事之，叙其文，以比孔融、诸葛亮。（《宋史》本传）

十月

乙巳（十二日），翰林学士晁迥等上《考试进士新格》，诏颁行之。初，陈彭年举

进士，轻俊，喜谤主司。宋白知贡举，恶其为人，黜落之，彭年憾焉。于是更定条制，多因白旧事而设关防。所取士不复拣择文行，止较一日之艺。虽杜绝请托，然置甲等者，或非人望，自彭年始也。（《续资治通鉴长编》卷六七）

三十日，杨亿编定《武夷新集》二十卷，并为之序。

予咸平戊戌岁九月，受诏知括苍郡，逮十有二月戊子朏，始达治所。凡再更年钥，复朝于京师。未半载，入西台掌诰命。迄景德三祀龙集丙午仲冬之七日，被召入翰林。会庚戌诏书许百执事以旬休出沐，颇燕居多暇，因取十年来诗笔，条次为二十编，目之曰《武夷新集》。盖山林之士，不忘维桑之情；雕篆之文，窃怀敝帚之爱。命题之意，良在是也。予亦励精为学，抗心希古，期漱先民之芳润，思窥作者之壶奥。而志力浅局，襟灵底滞，大惧夫绝膑于龙文之鼎，伤吻于蚁封之垤，非不勉也，恐致败焉。亦由凫鹤之质自然，胡能损益；姜桂之性素定，岂可变迁？鸿丽之客，当见恕矣。辄将假词大手，序以冠篇，又虑其相先与进，掩瑕溢美，刻画无盐，祇足益其陋，穿凿混沌，弥以丧其真。故不避乎厚颜，聊援笔以自述云耳。（杨亿《武夷新集序》）

夏英公竦尝言："杨文公文如锦绣屏风，但无骨耳。"（范镇《东斋纪事》卷三）

大年以西昆体擅名宋初，其诗在同时钱、刘诸公之上。览其全集，警策绝少，文皆骈体，大抵五季以来风气如此。而石介作《怪说》三卷刺之，张皇其词，亦过矣。（王士禛《跋武夷集》）

《武夷新集》二十卷，宋杨亿撰。《武夷新集》者，亿景德丙午入翰林，明年辑其十年以来诗笔而自序之。凡诗五卷、杂文十五卷，大致宗法李商隐。而时际升平，春容典赡，无唐末五代衰飒之气。田况《儒林公议》称亿在两禁变文章之体，刘筠、钱惟演辈皆从而效之，时号"杨、刘"。三人以诗更相属和，极一时之丽。唯石介不以为然，至作《怪记》以讥之，见所著《徂徕集》中。近时吴之振作《宋诗钞》，遂置亿集不录，未免随声附和。观苏轼深以介说为谬，至形之于奏牍，知文章之不可以一格限矣。（《四库提要》卷一五二）

著录：郑樵《通志·艺文略八》、尤袤《遂初堂书目·别集类》、陈振孙《直斋书录解题·别集类中》、《宋史·艺文志七》、杨士奇等《文渊阁书目》卷九、叶盛《菉竹堂书目》卷三、焦竑《国史经籍志》卷五、陈第《世善堂藏书目录》卷下、《四库提要》卷一五二、金檀《文瑞楼藏书目录》卷六、丁丙《善本书室藏书志》卷二六、邵懿辰《增订四库简明目录标注》卷一五、李盛铎《木犀轩藏书书录》、台湾《中央图书馆善本书目》。

版本：明正德嘉靖间陈璋校刊本、明嘉靖间宛委堂刻本、清康熙中杨氏刊本、四库全书文渊阁本、清嘉庆十六年祖望之留香室刻本、清知圣道斋钞本。

十一月

辛未（八日），右正言、知制诰孙仅知永兴军，代四方馆使孙全照也。（《续资治通鉴长编》卷六七）

丁丑（十四日），刑部尚书宋白为兵部尚书致仕。白年逾耳顺，图进不休，御史中丞王嗣宗屡使人讽之。知枢密院事陈尧叟，其子婿也，亦数恳劝，白不得已，始上表。上犹以旧臣，眷然未许。再表，乃许焉。（《续资治通鉴长编》卷六七）

十二月

乙未（三日），手札赐王钦若曰："编修君臣事迹官，皆出遴选。朕于此书，匪独听政之暇，资于披览，亦乃区别善恶，垂之后世，俾君臣、父子有所监戒。起今后，自初修官至杨亿，各依新式，递相检视。内有脱误，门目不类，年代、帝号失次者，并署历，仍书逐人名下，随卷奏知。异时比较功程，等第酬奖，庶分勤惰。委刘承珪专差人署历。"钦若为人倾巧，所修书或当上意，褒赏所及，钦若即书名表首以谢；或谬误，有所谴问，则戒书吏称杨亿已下所为以对。同僚皆疾之，使陈越寝如尸，以为钦若；石中立作钦若妻，哭其旁，余人歌虞殡于前。钦若闻之，密奏，将尽绌责。王旦持之，得寝。亿在馆中，钦若或继至，必避出，他所亦然。及钦若出知杭州，举朝皆有诗，独亿不作。钦若辞日具奏，诏谕亿，令作诗，竟迁延不送。（《续资治通鉴长编》卷六七）

二十二日，以翰林学士晁迥权知贡举，知制诰朱巽、王曾、龙图阁待制陈彭年权同知贡举，合格奏名进士郑向已下并诸科八百九十一人。（《宋会要辑稿·选举一》）

先是，上尝问辅臣以天下贡举人数，王旦曰："万三千有余，约常例，奏名十一而已。"上曰："若此，则当黜者不只万人矣。典领之臣，必须审择。晁迥兢畏，当以委之。周起、王曾、陈彭年皆可参预。"冯拯曰："封印卷首，若朝廷遣官主之，于理亦顺，尤宜用素有操守之人。"旦曰："滕元晏于士大夫间少交游。"上曰："今当以朱巽代周起知举，令起与元晏同掌封印事。"于是，命翰林学士晁迥，知制诰朱巽、王曾、龙图阁待制陈彭年同知贡举。既受诏，上谕以取士之意务在至公，擢寒酸有艺者。又命监察御史严颖、张士逊监贡院门，都官员外郎乔颜、太常博士郑彝、太常丞陈既济巡试铺，太常丞直集贤院任随、著作佐郎陈覃点检进士程试，大理寺丞马龟符等六人考校诸科程试。又命知制诰周起、京东转运使祠部员外郎滕元晏封印举人卷首，用封使印；殿中丞李道监封印院门。进士诸科试卷，悉封印卷首，送知举官考校，仍颁其式。知举官既考定等级，复令封之进入，送复考所考毕，然后参校得失。凡礼部封印卷首及点检程试别命官，皆始此。（《续资治通鉴长编》卷六七）

先是，上降诏榜下礼部贡院，序所以杜绝私请、搜扬寒秀之意，举人见者咸喜。丙辰（二十四日），上与王旦等言及之，旦等曰："昨颁《考较新格》，周行中颇有议论，且言中书不能守科场大体，但疑春官有私。及诏榜出，天下士乃知陛下务尽至公，恐多遗才，故更此条贯也。"给事中梁周翰尝请将试进士先试诗二十首，取可采者再试。上曰："如此，则工诗者乃能中选，长于文者无以自见矣。"（《续资治通鉴长编》卷六七）

本年

朱昂卒，83 岁。朱昂，字举之，其先京兆人，徙家南阳。宋初，为衡州录事参军，

历宜城令。开宝中，拜太子洗马、知蓬州，徙广安军。迁殿中丞、知泗州。迁监察御史、江南转运副使。太平兴国二年，知鄂州，加殿中侍御史，为峡路转运副使，就改库部员外郎，迁转运使。端拱二年，以本官直秘阁，赐金紫。久之，出知复州，表求谢事，不许。迁水部郎中，复请老，召还，再直秘阁，寻兼越王府记室参军。真宗即位，迁秩司封郎中，俄知制诰，判史馆，受诏编次三馆秘阁书籍，既毕，加吏部。咸平二年，召入翰林为学士。逾年，拜章乞骸骨，乃拜工部侍郎致仕。昂前后所得奉赐，以三之一购奇书，以讽诵为乐。及是闲居，自称退叟，著《资理论》三卷上之，诏以其书付史馆。景德四年卒，年八十三，门人谥曰正裕先生。诏加赗赠。昂好学，有集三十卷。（《宋史》本传）

著有：《资理论》三卷（《宋史·艺文志四》）、《朱昂集》三十卷（《宋史·艺文志七》）。

著录：夏竦《朱公行状》、曾巩《隆平集·朱昂传》、郑樵《通志·艺文略八》、《宋史·艺文志七》。

乐史卒，78 岁。 乐史，字子正，抚州宜春人也。史有文辞，初仕江南，为秘书郎。归朝，举进士，得佐武成军。史上书言事，擢著作佐郎，知陵州。献《金明池赋》，召为三馆编修，迁著作郎、直史馆。转太常博士，知许、黄二州，又知商州。史所至不修谨，以贿闻，遂分司西京。积官至职方员外郎，卒，年七十八。史尝编《寰宇记》二百卷，与其他杂编又四百九十余卷，自为文百卷。（《东都事略》本传）

著有：《贡举故事》二十卷（《宋史·艺文志二》）、《登科记》三十卷（《宋史·艺文志二》）、《登科记解题》二十卷（《宋史·艺文志二》）、《孝悌录》二十卷（《宋史·艺文志二》）、《孝悌录赞》五卷（《宋史·艺文志二》）、《唐滕王外传》一卷（《宋史·艺文志二》）、《坐知天下记》四十卷（《宋史·艺文志三》）、《太平寰宇记》二百卷（《宋史·艺文志三》）、《总仙秘录》一百三十卷（《宋史·艺文志四》）、《续广卓异记》三卷（《宋史·艺文志五》）、《广卓异记》二十卷（《宋史·艺文志五》）、《唐登科文选》五十卷（《宋史·艺文志八》）、《杨妃外传》一卷（陈振孙《直斋书录解题·传记类》）、《绿珠传》一卷（晁公武《郡斋读书志·传记类》）。

吕祐之卒，61 岁。 吕祐之，字元吉，济州钜野人。太平兴国初，举进士，解褐大理评事、通判洋州。改右赞善大夫，出为泰宁军节度判官，移天雄军。召拜殿中侍御史，决狱西蜀。还知贝州，换右补阙、直史馆、同判吏部南曹，迁起居舍人。端拱中，副吕端使高丽。复献《海外覃皇泽诗》十九首，太宗嘉之。淳化初，判户部勾院，会分备三馆职，以祐之与赵昂、安德裕并直昭文馆。俄以本官知制诰，赐金紫，同知贡举。降授殿中丞，再直史馆。未几，复知制诰。至道初，拜右谏议大夫，赐金紫，知审官院。出知襄州，徙寿州。真宗即位，转给事中，复知襄州，移升州。岁余，又典襄阳。归，掌吏部选事，知通进、银台司，与吕文仲并拜工部侍郎、翰林侍读学士。出为集贤院学士，仍并迁刑部侍郎。景德四年，卒，年六十一。有集三十卷。（范祖禹《左中散大夫守少府监吕公墓志铭》）

著有：《吕祐之集》三十卷（范祖禹《吕公墓志铭》）。

王尚恭（1007—1084）**生。** 公讳尚恭，字安之。景祐元年兄弟同登进士科，公调庆成军判官。迁袁州判官,举监解州盐池,兼知解县。改著作佐郎,知陕州芮城县。权通判宁州,移知开封府阳武县。嘉祐中,求知河南府司录,又知缑氏县,磨勘西京修内司,历兼判西京勾院、同判西京国子监。丁母忧,服除,再判监管勾西京崇福宫。自著作佐郎,九迁太常少卿。遇更官制,改朝议大夫,勋至护军,封太原县开国子,食邑户六百,赐服三品。所居虽庳俭,而扫洒清洁,疏竹幽花,列植前后,与乡里高人贤士文酒相娱。故韩国公、今潞国文公、留守丞相韩公,高年者为耆英会,画其像而赋诗者凡十二人,公居第四。且命公书其诗于石,笔力精健,过于壮年。平生有诗千首,文士多爱重之。(范纯仁《朝议大夫王公墓志铭》)

释契嵩(1007—1072)生。禅师字仲灵,自号潜子,姓李。庆历中,居钱塘。后游京师,开封尹王仲仪上其所著释书,仁宗览之,诏付传法院编次,仍赐名教师号。蔡襄知杭州,延置佛日山。熙宁五年六月,于灵隐寺入寂。(《咸淳临安志》本传)

杨畋(1007—1062)生。杨畋,字乐道。进士及第,授秘书省校书郎、并州录事参军,再迁大理寺丞、知岳州。庆历三年,擢殿中丞、提点本路刑狱,专治盗贼事。以功,迁太常博士。未几,坐部将胡元战死,降知太平州。蛮平,愿还旧官,改尚书屯田员外郎、直史馆、知随州。召还,为三司户部判官,奉使河东。丁父忧,会侬智高陷邕州,召至都门外,入对便殿。即日,除起居舍人、知谏院、广南东西路体量安抚、经制贼盗。贼势愈炽,畋不能抗。坐是落知谏院、知鄂州,再降为屯田员外郎、知光化军。明年,又降为太常博士。复起居舍人,为河东转运使。入为三司户部副使,迁吏部员外郎。进龙图阁直学士,复知谏院。卒,赠右谏议大夫。畋出于将家,折节喜学问,为士大夫所称。(《宋史》本传)

本年重要作品:

诗:杨亿《洞户》、杨亿《刘校理属疾》、杨亿《与客启明》、杨亿《宣曲》、杨亿《译经光梵大师》、寇准《赠魏野处士》、魏野《谢呈寇相公召宴》、魏野《上知府寇相公》、魏野《和呈寇相公见赠》。

公元 1008 年(宋真宗大中祥符元年 戊申)

正月

乙丑(三日),上召宰臣王旦、知枢密院事王钦若等对于崇政殿之西序。上曰:"左承天门屋之南角,有黄帛曳于鸱吻之上,所谓天降之书也。"戊辰(六日),大赦改元。(《续资治通鉴长编》卷六八)

癸未(二十一日),诏礼部贡院:诸科举人虽初举而材艺可取者,与进场第。上谓王旦等曰:"今兹举人,颇以糊名考校为惧。然有材艺者,皆喜于尽公。"旦曰:"诸路发解拘限程制,虑遗俊秀,当稍宽之。"冯拯曰:"比来省试,但以诗赋进退,不考文论。江浙士人,专业诗赋,以取科第。望令于诗赋人内兼考策论。"上然之。(《续资治通鉴长编》卷六八)

太仆少卿、直秘阁钱惟演献《祥符颂》,上嘉之。甲申(二十二日),擢司封郎中、

知制诰。(《续资治通鉴长编》卷六八)

三月

庚辰(十九日),晁迥等上合格进士、诸科八百九十一人,免解一百八十六人。又学究二十二人得四通,三史五人一通,并准格落下,诏特奏名。命给事中张秉等七人锁宿于御书院,复考试卷,遣中使监视,考讫又送中书看详。(《续资治通鉴长编》卷六八)

四月

乙未(五日),以知枢密院事王钦若、参知政事赵安仁并为封禅经度制置使。初议封禅未决,上以经费问权三司使丁谓,谓曰:"大计固有余矣。"议乃决。(《续资治通鉴长编》卷六八)

十二日,帝御崇政殿,试礼部奏名进士。内出《清明像天赋》、《明证定保诗》、《盛德大业论》题。(《宋会要辑稿·选举七》)

上御崇政殿亲试进士,仍录题解,摹印以示之。初于殿廊设幔,列坐席,标其姓名,又揭榜表其次序,令视讫就坐。命翰林学士李宗谔等八人为考官,直史馆张复等八人为复考官,侍御史周师望等二人糊名,给事中张秉、知制诰周起详定等第。上遍至幄次,谕宗谔等务极精详,勿遗贤俊。时南省下第举人周叔良等百二十人讼知举官朋附权要,抑塞孤寒,列上势家子弟四十余人文学浅近,不合奏名。上曰:"举贡谤议,前代不免。朕今召所谓势家子弟者,别坐就试。"既而叔良所陈皆妄,令配隶许州。翌日,又名宗谔等出诸科义题,复令同判太常礼院兼判国子监孙奭详审以进,刻版摹本,遣中使就坐给之。宗谔等上所定进士文卷,诏宰相复考讫,乃临轩赐进士姚晔等一百六人及第,三人同出身,十五人同三礼出身,八十三人学究出身,九经以下及第、出身试衔助教者六百五十二人。先是,谢恩始令释褐,是日,特赐绿袍、靴、笏。以晔等三人为将作监丞、大理评事,通判诸州,第四、第五人为两使推官,第六人已下凡五十人并九经关头为试衔知县,余为判、司、簿、尉。晔,郑州人也。初,宗谔等考诸科义卷,通有差舛,上召宗谔等面责焉,即令王旦及孙奭改正。诏诘宗谔等皆奉表待罪,诏特释之。(《续资治通鉴长编》卷六八)

登进士第者:姚晔、祖士衡、郑向、冯元、袁抗、曹修古、饶奭、杜衍、彭齐、陈诂、陈宗道、陈清、周世南、杨偕、张锡、葛宫等。

甲寅(二十四日),中书试贤良方正能直言极谏,草泽刘若冲、周启明才识兼茂明于体用,大理寺丞吕夷简、草泽许申皆中等。诏以申等虽敏赡可赏,而理道未精,不复召对;若冲、启明、申并许应举,仍免取解;夷简优与亲民差使。夷简,蒙亨子。启明,处州人也。时上封者言:"两汉举贤良,多因兵荒灾变,所以询访阙政。今国家受瑞建封,不当复设此科。"于是,悉罢吏部科目。(《续资治通鉴长编》卷六八)

戊午(二十八日),龙图阁待制戚纶言:"方修天下图经,其东封路,望令先次修撰,以备检讨。"从之。(《续资治通鉴长编》卷六八)

先是，监察御史张士逊为贡院监门官。时贡举初用糊名之法，士逊白主司有亲戚在进士中，明日当引试，愿出以避嫌。主司不听，士逊乃自言引去。上是之，记名于御屏，遂诏自今举人与试官有亲嫌者，皆移试别头。是月，江南转运使阙，中书进拟人，数见却，上乃自除士逊为之。（《续资治通鉴长编》卷六八）

六月

甲午（五日），命都官员外郎孙奭至契丹境上，告以将有事于泰山。（《续资治通鉴长编》卷六九）

八月

甲午（六日），知枢密院事陈尧叟落起复。（《续资治通鉴长编》卷六九）

乙巳（十七日），翰林侍讲学士邢昺等上《景德朝陵地里记》六十卷，诏褒之。（《续资治通鉴长编》卷六九）

十二月

辛丑（十五日），工部尚书、平章事王旦为中书侍郎，兼刑部尚书、平章事。（《续资治通鉴长编》卷七〇）

癸卯（十七日），知枢密院事王钦若、参知政事冯拯、知枢密院事陈尧叟、参知政事赵安仁、签署枢密院事马知节，并进官一等；太子太师、莱国公吕蒙正进封徐国公；群臣并以次覃恩。（《续资治通鉴长编》卷七〇）

辛亥（二十五日），命户部尚书寇准知天雄军兼驻泊都部署。契丹使尝过大名，谓准曰："相公望重，何故不在中书？"准曰："主上以朝廷无事，北门锁钥非准不可尔。"（《续资治通鉴长编》卷七〇）

本年

范仲淹入长白山醴泉寺读书。

（辽圣宗统和二十六年）是岁，放进士史克忠等一十三人及第。（《辽史·圣宗纪五》）

苏舜钦（1008—1048）生。苏舜钦，字子美，参知政事易简之孙。舜钦少慷慨有大志，当天圣中，学者为文多病偶对，独舜钦与河南穆修好为古文、歌诗，一时豪俊多从之游。初以父任补太庙斋郎，调荥阳县尉。寻举进士，改光禄寺主簿，知长垣县，迁大理评事，监在京店宅务。范仲淹荐其才，召试，为集贤校理、监进奏院。会进奏院祠神，舜钦与右班殿直刘巽辄用鬻故纸公钱召妓乐，间夕会宾客。于是舜钦与巽俱坐自盗除名。舜钦既放废，寓于吴中。后得湖州长史，卒。舜钦数上书论朝廷事，在苏州买水石作沧浪亭，益读书，时发愤懑于歌诗，其体豪放，往往惊人。善草书，每酣酒落笔，争为人所传。及谪死。世尤惜之。（《宋史》本传）

韩琦（1008—1075）生。韩琦，字稚圭，相州安阳人。弱冠举进士，授将作监丞、通判淄州，入直集贤院、监左藏库。历开封府推官、三司度支判官，拜右司谏。权知制诰，进枢密直学士，副夏竦为经略安抚、招讨使。会四路置帅，以琦兼秦凤经略安抚、招讨使。未几，还旧职，为陕西四路经略安抚、招讨使，屯泾州。召为枢密副使。请外，以资政殿学士知扬州，徙郓州、成德军、定州。兼安抚使，进大学士，又加观文殿学士。拜武康军节度使、知并州。嘉祐元年，召为三司使，未至，迎拜枢密使。三年六月，拜同中书门下平章事、集贤殿大学士。六年闰八月，迁昭文馆大学士、监修国史，封仪国公。英宗嗣位，以琦为仁宗山陵使，加门下侍郎，进封卫国公。太后还政，拜琦右仆射，封魏国公。神宗立，拜司空兼侍中，坚辞位。除镇安武胜军节度使、司徒兼侍中、判相州。熙宁元年七月，复请相州以归。徙判大名府，充安抚使。请解四路安抚使，止领一路，即从之。六年，还判相州。八年，换节永兴军，再任，未拜而薨，年六十八。辍朝三日，赐银三千两，绢三千匹，篆其碑曰"两朝顾命定策元勋"。赠尚书令，谥曰忠献，配享英宗庙庭。（《宋史》本传）

范镇（1008—1088）生。范镇，字景仁，成都华阳人。举进士，调新安主簿，西京留守宋绶延置国子监，荐为东监直讲。召试学士院，当得馆阁校理，主司妄以为失韵，补校勘。经四年，超授直秘阁，判吏部南曹、开封府推官。擢起居舍人、知谏院。除兼侍御史知杂事，镇以言不从，固辞。朝廷知不能夺，乃罢知谏院，改集贤殿修撰，纠察在京刑狱，同修起居注，遂知制诰。迁翰林学士，判太常寺。改侍读学士。明年，还翰林，出知陈州。神宗即位，复为翰林学士兼侍读、知通进银台司。以户部侍郎致仕。哲宗立，拜端明殿学士，起提举中太一宫兼侍读，且欲以为门下侍郎。遂固辞，改提举崇福宫。复告老，以银青光禄大夫再致仕，累封蜀郡公。镇于乐尤注意，乃请太府铜为之，逾年而成，比李照乐下一律有奇。镇时已属疾，乐奏三日而薨，年八十一。赠金紫光禄大夫，谥曰忠文。

元绛（1008—1083）生。元绛，字厚之。五岁能作诗，九岁谒荆南太守，试以三题，上诸朝，贫不能行。长，举进士，以廷试误赋韵，得学究出身。再举登第，调江宁推官，摄上元令。知通州海门县。依智高叛岭南，绛以直集贤院为广东转运使。以功迁工部郎中，历两浙、河北转运使，召拜盐铁副使，擢天章阁待制、知福州，进龙图阁直学士，徙广、越、荆南，为翰林学士、知开封府，拜三司使、参知政事。数请老，罢知亳州。入辞，愿得颍，即以为颍州。明年，加资政殿学士、知青州，过都，留提举中太一宫。又明年，以太子少保致仕。绛工于文辞，为流辈推许。绛至吴逾岁，以老病奏，恐不能奉诏。三年而薨，年七十六。赠太子少师，谥曰章简。（《宋史》本传）

赵抃（1008—1084）生。赵抃，字阅道，衢州西安人。进士及第，为武安军节度推官。知崇安、海陵、江原三县，通判泗州。请知睦州，移梓州路转运使，改益州，徙知虔州。召为侍御史知杂事，改度支副使，进天章阁待制、河北都转运使。加龙图阁直学士、知成都。神宗立，召知谏院。未几，擢参知政事。王安石用事，恳乞去位，拜资政殿学士、知杭州，改青州、越州，复徙杭。以太子少保致仕，元丰七年，薨，年七十七。赠太子少师，谥曰清献。（《宋史》本传）

刘几（1008—1088）生。几字伯寿，以烨任为将作监主簿。生而豪俊，长折节读书，第进士。从范仲淹辟，通判邠州。孙沔荐其才堪将帅，换如京使、知宁州。加本路兵马钤辖、知邠州。侬智高犯岭南，几上书愿自效，以为广东、西捉杀。大战于归仁铺。前锋孙节死，几以右军搏斗，自辰至巳，胜负未决。几言于青，出劲骑五千，张左右翼捣其中坚，贼骇溃。进皇城使、知泾州。陛见，辞以母老，丐复文阶归养。领循州刺史，迁西上阁门使，再归郎中班。曾公亮荐之，复以嘉州团练使为太原、泾原路总管。召判三班院。以为秦凤总管。神宗即位，转四方馆使、知保州，治状为河北第一。逾六年，即请老，还为秘书监致仕。元丰三年，祀明堂，大臣言几知音，诏诣太常定雅乐。乐成，予一子官。几得谢二十年，放旷嵩、少间，遇唐末异人靖长官者得养生诀，故益老不衰。再加通议大夫，卒，年八十一。（《宋史》本传）

冯行己（1008—1091）生。行己字肃之，以父任为右侍禁、泾原路驻泊都监、知宪州，因治状增秩。历石、保、霸、冀、莫五州，所至有能称。皇祐中，知定州，韩琦荐为路钤辖。徙知代州，管干河东缘边安抚事。进西上阁门使，四迁客省使，更高阳关、秦凤、定州、大名府路马步总管，以卫州防御使致仕，预洛阳耆英之集。元祐中，终金州观察使，年八十四。（《宋史》本传）

本年重要作品：

文：杨亿《金绳院记》。

诗：钱惟演《灯夕寄内翰虢略公》、钱惟演《戊申年七夕五绝》、晁迥《清风十韵》、刘筠《萤》、刘筠《戊申年七夕五绝》、杨亿《李舍人独直》、杨亿《怀旧居》、杨亿《偶怀》、杨亿《戊申年七夕五绝》、杨亿《直夜二首》、杨亿《暑咏寄梅集贤》、杨亿《属疾》、杨亿《因人话建溪旧居》、杨亿《偶作》。

公元 1009 年（宋真宗大中祥符二年　己酉）

正月

己巳（十三日），御史中丞王嗣宗言："翰林学士杨亿、知制诰钱惟演、秘阁校理刘筠，唱和《宣曲诗》，述前代掖庭事，词涉浮靡。"上曰："词臣，学者宗师也，安可不戒其流宕！"乃下诏风励学者："自今有属词浮靡、不遵典式者，当加严谴。其雕印文集，令转运使择部内官看详，以可者录奏。"（《续资治通鉴长编》卷七一）

己卯（二十三日），诏龙图阁待制班视知制诰，在其下。于是，龙图阁待制、户部郎中、直昭文馆戚纶，工部郎中、直史馆陈彭年，并兼集贤殿修撰。上既升待制之秩，以馆职弗称，又不欲罢纶等兼俸，故有此授。（《续资治通鉴长编》卷七一）

初，苏州僧道元缵佛祖讫近世名臣禅语，为《传灯录》三十卷以献。诏翰林学士杨亿、知制诰李维、太常丞王曙刊定，昭宣使刘承珪领护其事。庚辰（二十四日），亿等上其书，命刻板宣布。（《续资治通鉴长编》卷七一）

职方员外郎、秘阁校理舒雅前知舒州，秩满，请监州之灵仙观，许之。雅常荐王钦若，至是，钦若言其淡于荣利，癸未（二十七日），命雅直昭文馆。（《续资治通鉴

长编》卷七一）

乙酉（二十九日），命户部尚书温仲舒、右丞向敏中与吏部流内铨注拟选人。命右司谏、直史馆张知白按巡陕西路。（《续资治通鉴长编》卷七一）

二月

甲寅（二十八日），以枢密直学士、权三司使事丁谓为三司使。（《续资治通鉴长编》卷七一）

四月

给事中、判集贤院种放得告归终南山，是日（七日）召见，宴饯于龙图阁，上作诗赐放，命群臣皆赋，且制序。杜镐辞以素不属文，诏令引名臣归山故事，镐因诵《北山移文》，其意盖讥放也。明日，上出晁迥已下诗、序示王旦等，因品题之，以迥诗及杨亿、王曾序为优，诏令别自缮写送放，时论荣之。（《续资治通鉴长编》卷七一）

癸巳（八日），晏殊献《大酺赋》，召试学士院，命为集贤校理。（《玉海》七三）

己亥（十四日），以三司使丁谓为修昭应宫使，翰林学士李宗谔为同修宫使。（《续资治通鉴长编》卷七一）

六月

二十七日，帝御崇政殿，试服勤词学经明行修举人，内出《大德曰生赋》、《神无方诗》、《升降者礼之末节论》题。（《宋会要辑稿·选举七》）

先是，工部侍郎张秉、知制诰周起以所试服勤词学经明行修合格人名闻。诏工部侍郎冯起、给事中薛映、龙图阁待制戚纶、陈彭年锁宿于秘阁，复考定之。庚戌（二十七日），上御崇政殿亲试，仍别录本考较，取《玉篇》中字为号。始令第进士程试为五等，曰"上次"，曰"中上"，曰"中次"，曰"下上"，曰"下次"。取考官、复考官所定试卷参较等第，有不同者，命再考之。考讫，又付右仆射张齐贤等详审，仍以高第十卷付宰相重定。赐进士梁固等二十六人及第，同出身者三人，同《三礼》出身者二人，《九经》、《五经》、《三礼》、学究、明法及第者四十八人，同出身者六人。第五人以上除官，同元年榜；余为试衔知县、判、司、簿、尉。固，颢之子也，初以颢遗荫进士出身。服除，诣登闻，让前命，愿赴乡贡，许之。（《续资治通鉴长编》卷七一）

登进士第者：梁固、宋程、麻温舒、徐陟、穆修等。

七月

十一日，遣入内都知邓永迁赐新及第进士梁固等宴于琼林苑，帝作五言六韵诗赐之。时学士杨亿请朝假，谕旨令赴。（《宋会要辑稿·选举二》）

十九日，以新及第进士第一人梁固将作监丞；第二人宋程、第三人麻温舒为大理评事，通判诸州；第四、第五人为节察推官；余为试校书郎、知县，判司、簿、尉。（《宋会要辑稿·选举二》）

十一月

庚辰（二十九日），赐近臣宴于王旦第。旧制，赐宴当以冬至，今就旦生日，宠之也。（《续资治通鉴长编》卷七二）

十二月

辛丑（二十一日），三司使丁谓等上《泰山封禅朝觐祥瑞图》百五十，昭宣使刘承珪上《天书仪仗图》一，召近臣观于滋福殿。（《续资治通鉴长编》卷七二）

本年

（辽圣宗统和二十七年）是岁，御前引试刘二宜等三人。（《辽史·圣宗纪五》）

潘阆卒。潘阆居钱塘，今太学前有潘阆巷。阆工唐风，归自富春，有"渔浦风波恶，钱塘灯火微"之句，识者称之。唯落魄不检。为秦王记室参军，王坐罪，捕阆急甚，阆自髡其发，易缁衣持磬出南薰门。上怒既急，有为阆说上者，曰："阆不南走粤，则北走胡尔，唯上招安之。"上旋悟，时阆已再入京，敕授四门助教。阆以老懒不任朝谒为辞，自封还敕命。时文法疏简犹若此。未几，论者谓阆终秦党，语多怨望，编置信上。先是，卢多逊与潘善故，有四门之命。多逊潜赵普不行，普相，多逊罢，故阆终不免。（《咸淳临安志》卷九三）

著有：《潘道遥诗》三卷（晁公武《郡斋读书志·别集类中》）。

茂秀茂秀，颇有吟性，若或忘倦，必取大名，老夫之言又非佞也。闻诵诗云："人郭无人识，归山有鹤归。"又云："犬睡长廊静，僧归片石闲。"虽无妙用，亦可播于人口耶。然诗家之流，古自尤少，间代而出，或谓比肩。当其用意欲深，放情须远，变风雅之道，岂可容易而闻之哉！其所要《酒泉子》曲子十一首，并写封在宅内也。若或水榭高歌，松轩静唱，盘泊之意，缥缈之情，亦尽见于兹矣。其间作用，理且一焉。（潘阆《逍遥词附记》）

《逍遥集》一卷，宋潘阆撰。阆，大明人。太宗时召对，赐进士第。后坐事亡命，真宗捕得之，释其罪，以为滁州参军。阆在宋初，去五代余风未远，其诗如《秋夕旅舍书怀》一篇、《喜腊雪》一篇，间有五代粗犷之习。而其他风格孤峭，亦尚有晚唐作者之遗。苏轼尝称其《夏日宿西禅》诗，又称其《题资福院石井》诗，不在石曼卿、苏子美下；刘攽《中山诗话》称其《岁暮自桐庐归钱塘》诗，不减刘长卿；《事实类苑》称其《苦吟》诗、《贫居》诗、《峡中闻猿》诗、《哭高舍人》诗、《寄张咏》诗诸佳句；刘克庄《后村诗话》称其《客舍》诗；方回《瀛奎律随》称其《渭上秋夕闲望》诗、《秋日题琅琊寺》诗、《落叶》诗。《事实类苑》又记其在浙江时，好事者画

为潘阆咏潮图。郭若虚《图画见闻志》又记长安许道宁爱其华山诗，画为潘阆倒骑驴图。一时若王禹偁、柳开、寇准、宋白、林逋诸人，皆与赠答，盖宋人绝重之也。《读书志》载《逍遥诗》三卷，《宋史·艺文志》则作《潘阆集》一卷，原本久失，未详孰是。今考《永乐大典》所载，裒而录之，编为一卷。而逸篇遗句载在他书者，亦并采辑以补其阙。虽不能如晁氏著录之数，而较《宋志》所载则约略得其八九矣。(《四库提要》卷一五二)

著录：晁公武《郡斋读书志·别集类中》、陈振孙《直斋书录解题·诗集类下》、《景定严州续志》卷四、《咸淳临安志》卷六五、马端临《文献通考》卷二四四、《宋史·艺文志七》、杨士奇等《文渊阁书目》卷一〇、叶盛《菉竹堂书目》卷四、焦竑《国史经籍志》卷五、《四库提要》卷一五二、孙星衍《孙氏祠堂书目内编》卷四、丁丙《善本书室藏书志》卷四〇、邵懿辰《增订四库简明目录标注》卷一五、傅增湘《藏园群书经眼录》卷一三、《江苏国学图书馆图书总目》。

梁周翰卒，81 岁。梁周翰，字元褒，郑州管城人。幼好学，十岁能属词。周广顺二年举进士，授虞城主簿，改开封府户曹参军。宋初，为秘书郎、直史馆。乾德中，献《拟制》二十编，擢为右拾遗。会修大内，上《五凤楼赋》，人多传诵之。五代以来，文体卑弱，周翰与高锡、柳开、范杲习尚淳古，齐名友善，当时有"高、梁、柳、范"之称。历通判绵、眉二州，起授太子左赞善大夫。开宝三年，迁右拾遗，改左补阙兼知大理正事。止左授司农寺丞。逾年，为太子中允。太平兴国中，知苏州。周翰善音律，郡务不治，以本官分司西京。逾月，授左赞善大夫，仍分司。俄除楚州团练副使。雍熙中，召为右补阙，赐绯鱼，使江、淮提点茶盐。寻迁起居舍人。至道中，迁工部郎中。真宗即位，未行庆，首擢为驾部郎中、知制诰，俄判史馆、昭文馆。咸平三年，召入翰林为学士，受诏与赵安易同修属籍。唐末丧乱，籍谱罕存，无所取则，周翰创意为之，颇有伦贯。明年，授给事中，与宋白俱罢学士。大中祥符元年，迁工部侍郎。逾年，被疾卒，年八十一。有集五十卷及《续因话录》。(《宋史》本传)

著有：《翰苑制草集》二十卷 (《宋史·艺文志七》)、《续因话录》(《宋史》本传)。

苏洵 (1009—1066) 生。苏洵，字明允，眉州眉山人。年二十七始发愤为学，岁余举进士，又举茂才异等，皆不中。悉焚常所为文，闭户益读书，遂通《六经》、百家之说，下笔顷刻数千言。至和、嘉祐间，与其二子轼、辙皆至京师，翰林学士欧阳修上其所著书二十二篇，既出，士大夫争传之，一时学者竞效苏氏为文章。所著《权书》、《衡论》、《机策》，文多不可悉录。宰相韩琦见其书，善之，奏于朝，召试舍人院，辞疾不至，遂除秘书省校书郎。会太常修纂建隆以来礼书，乃以为霸州文安县主簿，与陈州项城令姚辟同修礼书，为《太常因革礼》一百卷。书成，方奏未报，卒。赐其家缣、银二百，子轼辞所赐，求赠官，特赠光禄寺丞，敕有司具舟载其丧归蜀。有文集二十卷、《谥法》三卷。(《宋史》本传)

李觏 (1009—1059) 生。李觏，字泰伯，建昌军南城人。俊辩能文，举茂才异等不中。亲老，以教授自资，学者常数十百人。皇祐初，范仲淹荐为试太学助教。嘉祐中，用国子监奏，召为海门主簿、太学说书而卒。觏尝著《周礼致太平论》、《平土

书》、《礼论》。门人邓润甫熙宁中上其《退居类稿》、《皇续稿》并《后集》。(《宋史》本传)

高赋（1009—1092）生。高赋字正臣，中山人。以父任为右班殿直。复举进士，改奉礼郎，四迁太常博士。历知真定县，通判剑刑石州、成德军。知衢州。擢提点河东刑狱，又加直龙图阁、知沧州。历蔡、潞二州，入同判太常寺，进集贤院学士。以通议大夫致仕，退居襄阳，卒年八十四。(《宋史》本传)

程师孟（1009—1086）生。程师孟，字公辟，吴人。进士甲科。累知南康军、楚州，提点夔路刑狱。徙河东路。为度支判官，知洪州。判三司都磨勘司。接伴契丹使。出为江西转运使。加直昭文馆、知福州。筑子城，建学舍，治行最东南。徙广州，在广六年，作西城。召还，朝廷念前功，以为给事中、集贤殿修撰、判都水监。贺契丹生辰，坐罢归班。复起知越州、青州，遂致仕，以光禄大夫卒，年七十八。(《宋史》本传)

本年重要作品：

文：杨亿《景德传灯录序》、张咏《昇州重修转运司公署记》。

公元 1010 年（宋真宗大中祥符三年　庚戌）

二月

癸巳（十三日），升州民以知州张咏秩满，愿借留。即授工部尚书，令再任，仍赐诏奖焉。(《续资治通鉴长编》卷七三)

戊戌（十八日），礼部尚书、赠右仆射王化基卒，67 岁。王化基，字永图，镇定人。太平兴国二年，举进士，为大理评事，通判常州。迁太子右赞善大夫、知岚州。时赵普为相，建议以骤用人无益于治，改淮南节度判官，入为著作郎，迁右拾遗，抗疏自荐。召试，知制诰，以右谏议大夫权御史中丞。淳化中，拜中丞，俄知京朝官考课，迁工部侍郎。至道三年，超拜参知政事。咸平四年，以工部尚书罢知扬州。移知河南府，进礼部尚书。大中祥符三年，卒，年六十七。赠右仆射，谥惠献。(《宋史》本传)

王参政化基，兴国二年及第于吕蒙正榜，释褐授赞善，知岚州。翘楚有望，尤善为诗，《感怀》有"美璞未成终是宝，精钢宁折不为钩"之句，可见其志矣。(文莹《玉壶清话》卷八)

右仆射、判都省张齐贤言玉清昭应宫绘画符瑞有损谦德，及违奉天之意，又屡请罢土木之役，不听。辛丑（二十一日），齐贤出判孟州。(《续资治通鉴长编》卷七三)

戊申（二十八日），社宴群臣于王旦第。先是，社日止赐会中书，不张乐，唯辅臣泊待制已上奉内朝者预焉。至是，始宴私第，张乐，仆射、尚书、丞郎、给谏悉集，遂为定制。(《续资治通鉴长编》卷七三)

四月

丁巳（八日），龙图阁待制陈彭年上奉诏纂《历代帝王集》二十五卷，上作序，名《宸章集》。（《续资治通鉴长编》卷七三）

十四日，仁宗生。仁宗体天法道极功全德神文圣武睿哲明孝皇帝，讳祯，初名受益，真宗第六子，母李宸妃也。大中祥符三年四月十四日生。章献皇后无子，取为己子养之。（《宋史》本传）

五月

丁未（二十七日），封州刺史钱惟济献所为诗，上以其王公之后，留意文学，甚嘉之。因谓王旦等曰：“今文章体格与近代不同，馆阁中颇勤职业，每览歌颂，皆以典雅相尚。至于该洽之士，如杜镐者亦少。”旦言：“镐虽老，手不释卷。陈彭年亦勤于笔砚，常日书万字。”又曰：“彭年近令编次龙图阁、太清楼书，又赴编修君臣事迹所，以备讨论。仍掌三馆检讨，修起居注，凡有询访，应答甚敏，亦不多得也。”（《续资治通鉴长编》卷七三）

六月

辛未（二十四日），翰林侍读学士、礼部尚书邢昺被病请告，诏太医诊视。上亲临问，赐名药一奁、白金器千两、缯彩千匹。（《续资治通鉴长编》卷七三）

七月

戊子（十一日），尚书左丞、参知政事冯拯以疾赐告，表求罢任，优诏不许。拯再上表，亦不许，遣中使促其入。复赐手札谕旨，又命宰相王旦就第敦劝，拯乃起视事。（《续资治通鉴长编》卷七四）

丙申（十九日），置龙图阁学士，以直学士杜镐为之，待制陈彭年为直学士。又诏龙图阁学士在枢密直学士上，给俸如之。（《续资治通鉴长编》卷七四）

邢昺卒，79岁。邢昺，字叔明，曹州济阴人。太平兴国初举《五经》，廷试日，召升殿讲《师》、《比》二卦，又问以群经发题。太宗嘉其精博，擢《九经》及第，授大理评事、知泰州盐城监，赐钱二十万。明年，召为国子监丞，专讲学之任。迁尚书博士，出知仪州，就转国子博士。代还，赐绯，选为诸王府侍讲。雍熙中，迁水部员外郎，改司勋。端拱初，赐金紫，累迁金部郎中。真宗即位，改司勋郎中，俄知审刑院。受诏与杜镐、舒雅等校定《周礼》、《仪礼》、《公羊》、《谷梁春秋传》、《孝经》、《论语》、《尔雅义疏》，及成，并加阶勋。俄为淮南、两浙巡抚使。仍迁工部侍郎，兼国子祭酒、学士如故。知审官院陈恕丁内艰，以昺权知院事。景德三年，加刑部侍郎。四年，超拜工部尚书、知曹州、职如故。入辞日，赐袭衣、金带。是日，特开龙图阁，召近臣宴崇和殿，上作五、七言诗二首赐之，预宴者皆赋。俄召还。车驾进发，命判留司御史台。礼毕，进位礼部尚书。被病请告，诏太医诊视。逾月卒，年七十九。（《宋史》本传）

著有:《孝经正义》三卷（《宋史·艺文志一》）、《论语注疏解经》十卷（陈振孙《直斋书录解题·语孟类》）、《尔雅疏》十卷（《宋史·艺文志一》）、《景德朝陵地理记》三十卷（《宋史·艺文志三》）。

八月

戊申（二日），以知枢密院事陈尧叟为祀汾阴经度制置使，翰林学士李宗谔副之。尧叟权判河中府，宗谔权同知府事。枢密直学士戚纶、昭宣使刘承珪计度转运事。纶寻出知杭州，以龙图阁待制王曙代之。（《续资治通鉴长编》卷七四）

庚戌（四日），命翰林学士晁迥、杨亿，龙图阁学士杜镐、直学士陈彭年、知制诰王曾与太常礼院详定祀汾阴仪注。（《续资治通鉴长编》卷七四）

甲寅（八日），诏近臣观书龙图阁。遂宴于崇政殿，上作诗，从臣皆赋。（《续资治通鉴长编》卷七四）

甲子（十八日），赐大理评事苏耆进士及第。耆，易简子，宰相王旦女婿也。耆先举进士，及唱第，格在诸科。知枢密院陈尧叟为上具言之，上顾问旦，旦却立不对。耆曰：“愿且修学。”既出，尧叟谓旦曰：“公一言，则耆及第矣。”旦笑曰：“上亲临轩试天下士，示至公也。旦为宰相，自荐亲属于冕旒之前，士子盈庭，得无失体？”尧叟愧谢之，曰：“乃知宰相真自有体。”至是，耆献所为文，召试学士院，而有是命。（《续资治通鉴长编》卷七四）

十月

庚申（十五日），丁谓等上《大中祥符封禅记》五十卷，制序，藏秘阁，赐谓等器帛。（《续资治通鉴长编》卷七四）

戊辰（二十三日），命三司使丁谓赴汾阴路计度粮草。（《续资治通鉴长编》卷七四）

十一月

壬辰（十七日），召资政殿大学士向敏中、龙图阁学士杜镐、直学士陈彭年、待制张知白孙奭查道，泊编修君臣事迹官监察御史陈从易、大理寺丞秘阁校理刘筠，对于崇政殿，命坐。上顾敏中等曰：“从易辈屡进文字，皆有可观。”因命笔砚，令即席赋《瑞雪歌》、《祀汾阴诗》。上命题，彭年笔授。既进，上览之，曰：“筠辞采颇赡。”并赐绯鱼。又谓敏中曰：“今学者易得书籍。”敏中曰：“国初唯张昭家有三史。太祖克定四方，太宗崇尚儒学，继以陛下稽古好文，今三史、《三国志》、《晋书》皆镂板，士大夫不劳力而家有旧典，此实千龄之盛也。”（《续资治通鉴长编》卷七四）

十二月

乙巳朔（一日），陈尧叟自汾阴来朝，宴于长春殿。故事，内殿曲宴，三司使不

预。时丁谓计度粮草还，特召预焉。（《续资治通鉴长编》卷七四）

丙午（二日），宝鼎县黄河再清，经度制置副使李宗谔以闻。上作诗，近臣毕贺。（《续资治通鉴长编》卷七四）

庚戌（六日），集贤校理晏殊献《河清颂》，迁著作佐郎。

丁巳（十三日），翰林学士李宗谔等上《新修诸道图经》千五百六十六卷。诏奖之，宗谔而下赐器帛有差。（《续资治通鉴长编》卷七四）

初，胡旦编两汉事为《春秋》，言于太宗，愿给借馆吏缮写。太宗语侍臣曰："吕不韦《春秋》，皆门下名贤所作，尚悬千金咸阳市，曰：'有能增损一字者与之。'如闻旦所撰，止用其家书，褒贬出于胸臆，岂得容易流传耶？俟其功毕，且令史馆参校以闻。"旦惧，遂止。于是（丙寅，二十二日），旦通判襄州，书成，凡百卷。知州谢泌又为言，乃诏官给笔札，录本以进。天圣二年始上之。（《续资治通鉴长编》卷七四）

己巳（二十五日），诏天书仪卫司副使王钦若、赵安仁、扶侍使丁谓、龙图阁直学士陈彭年与太常礼院详定奉事天书仪制以闻。既而，钦若等著为五卷上之。（《续资治通鉴长编》卷七四）

癸酉（二十九日），知杂御史赵湘请依《周礼》置土训、诵训，纂录所经山川古迹风俗，以资宸览。诏直集贤院钱易、直史馆陈越、秘阁校理刘筠、集贤校理宋绶掌其事，每顿进一卷。（《续资治通鉴长编》卷七四）

本年

唐介（1010—1069）生。 唐介，字子方，江陵人。擢第，为武陵尉，调平江令。知莫州任丘县，入为监察御史里行，转殿中侍御史。无何，复除宣徽使、知河阳。劾宰相文彦博守蜀日造间金奇锦，缘阉侍通宫掖，以得执政，贬春州别驾，改置英州，而罢彦博相，吴奎亦出。又虑介或道死，有杀直臣名，命中使护之。梅尧臣、李师中皆赋诗激美，由是直声动天下，士大夫称真御史，必曰唐子方而不名。数月，起监郴州税，通判潭州，知复州，召为殿中侍御史。遣使赐告。趣诣阙下。换工部员外郎、直集贤院，为开封府判官，出知扬州，徙江东转运使。久之，入为度支副使，进天章阁待制，复知谏院。旋以论罢陈升之，亦出知洪州。加龙图阁直学士、河北都转运使，枢密直学士、知瀛州。治平元年，召为御史中丞。神宗立，以三司使召。熙宁元年，拜参知政事。数与安石争论。安石强辩，而帝主其说。介不胜愤，疽发于背，薨，年六十。赠礼部尚书，谥曰质肃。（《宋史》本传）

丁宝臣（1010—1067）生。 君讳宝臣，字元珍，姓丁氏，常州晋陵人也。景祐元年举进士及第，为峡州军事判官，淮南节度掌书记，杭州观察判官，改太子中允、知剡县。徙知端州，迁太常丞、博士。坐海贼侬智高陷城失守夺一官，徙置黄州。久之，复得太常丞，监湖州酒税。又复博士，知诸暨县。编校秘阁书籍，遂为校理，同知太常礼院。以治平四年四月某甲子，暴中风眩，一夕卒，享年五十有八。累官至尚书司封员外郎，阶朝奉郎，勋上轻车都尉。（欧阳修《集贤校理丁君墓表》）

吴奎（1010—1067）生。 吴奎，字长文，潍州北海人。性强记，于书无所不读。

举《五经》，至大理丞，监京东排岸。再迁殿中丞，策贤良方正入等，擢太常博士、通判陈州。入为右司谏，改起居舍人，同知谏院。唐介论文彦博，指奎为党，出知密州。加直集贤院，徙两浙转运使。入判登闻检院、同修起居注、知制诰。出知寿州。至和三年，拜翰林学士，权开封府。除端明殿学士、知成都府，以亲辞，改郓州，复还翰林，拜枢密副使。治平中，丁父忧，居丧毁瘠，庐于墓侧。神宗初立，奎适终制，以故职还朝。逾月，参知政事。出知青州。明年薨，年五十八。赠兵部尚书，谥曰文肃。（《宋史》本传）

楚建中（1010—1090）生。楚建中，字正叔，洛阳人。第进士，知荥河县。累迁提点京东刑狱、盐铁判官。历夔路、淮南、京西转运使，进度支副使。出知沧州。久之，为天章阁待制、陕西都转运使，知庆州、江宁、成德军，以正议大夫致仕。元祐初，文彦博荐为户部侍郎，不拜。卒，年八十一。（《宋史》本传）

龚鼎臣（1010—1086）生。龚鼎臣，字辅之，郓之须城人。景祐元年第进士，为平阴主簿。调孟州司法参军，以荐，为泰宁军节度掌书记。举为秘书省著作佐郎、知莱芜县。大臣荐试馆职，坐与石介善，不召。徙知濮阳县，转秘书丞。丁母忧，服除，知安丘县。以贤良方正召试秘阁，转太常博士，赐五品服，知渠州。召入编校史馆书籍，转都官，擢起居舍人、同知谏院。寻兼管勾国子监，判登闻检院。俄拜户部员外郎兼侍御史知杂事，赐三品服。转吏、礼二部郎中。英宗登位，改集贤殿修撰、知应天府，徙江宁。召还，判太常寺兼礼仪事。神宗即位，判吏部流内铨、太常寺。求补外，知兖州。拜谏议大夫、京东东路安抚使、知青州，改太中大夫，请老，提举亳州太清宫。寻以正议大夫致仕，年七十七，元祐元年卒。（《宋史》本传）

公元 1011 年（宋真宗大中祥符四年　辛亥）

三月

甲戌朔（一日），次陕州，召草泽魏野，辞疾不至。野居州之东郊，不求闻达。赵昌言、寇准来守是州，皆宾礼焉。为诗精苦，有唐人风。契丹使者尝言：本国得其《草堂集》半帙，愿求全部，诏与之。野既辞，召命即遣使，图上其所居，令长吏常加存抚。（《续资治通鉴长编》卷七五）

魏野，陕府人，亦有诗名。寇莱公每加前席，野献《莱公生日诗》云："何时生上相，明日是中元。"以莱公七月十四日生故也。又有《赠莱公诗》云："有官居鼎鼐，无地起楼台。"而其诗传播漠北，故真宗末年尝有北使诣阙，询于译者曰："哪个是'无地起楼台'的宰相？"时莱公方居散地，真宗即召还，授以北门管钥。世传魏野尝从莱公游陕府僧舍，各有留题。后复同游，见莱公之诗已用碧纱笼护，而野诗独否，尘昏满壁。时有从行官妓颇慧黠，即以袂就拂之。野徐曰："若得常将红袖拂，也应胜似碧纱笼。"莱公大笑。（吴处厚《青箱杂记》卷六）

癸未（十日），张齐贤自河阳来朝，召之也。（《续资治通鉴长编》卷七五）

甲申（十一日），陈尧叟、李宗谔自河中府来朝。（《续资治通鉴长编》卷七五）

戊子（十五日），丁谓言有鹤二百余翔天书殿上，又有百余飞集太清楼。（《续资

治通鉴长编》卷七五)

韩绛（1011—1087）生。韩绛，字子华。举进士甲科，通判陈州。直集贤院，为开封府推官。历户部判官。江南饥，为体量安抚使。使还，同修起居注，擢右正言。力争不得，遂解言职。明年，知制诰，乞守河阳，召判流内铨。迁龙图阁直学士、知瀛州。留知谏院，纠察在京刑狱。为翰林学士、御史中丞。谏官论之，罢知蔡州。数月，以翰林侍读学士知庆州。加端明殿学士、知成都府。召知开封府，为三司使。神宗立，韩琦荐绛有公辅器，拜枢密副使。熙宁三年，参知政事。夏人犯塞，绛请行边，乃以为陕西宣抚使。既，又兼河东。十二月，即军中拜同中书门下平章事、昭文馆大学士，开幕府于延安。议者罪绛，罢知邓州。明年，以观文殿学士徙许州，进大学士，徙大名府。七年，复代王安石相。未几，绛亦出知许州。元丰元年，拜建雄军节度使、知定州。入为西太一宫使。六年，知河南府。哲宗立，更镇江军节度使、开府仪同三司，封康国公，为北京留守。元祐二年，请老，以司空、检校太尉致仕。明年，卒，年七十七（按：范纯仁《韩公墓志铭》："元祐二年三月二日薨于第，享年七十有七"）。赠太傅，谥曰献肃。（《宋史》本传）

韩子华以辰年（按：辰年之说，与《墓志铭》、《宋史》本传所载相去甚远，待考）**辰月辰日辰时生，亦异事也。**陆农师为作挽章云："非关庚子曾占鹏，自是辰年并值龙。"（吴曾《能改斋漫录》卷十一）

四月

赠中书令、许国文穆公吕蒙正卒，68 岁。吕蒙正，字圣功，河南人。太平兴国二年擢进士第一，授将作监丞，通判升州。代还，会征太原，召见行在，授著作郎、直史馆，加左拾遗。五年，亲拜左补阙、知制诰。未几，迁都官郎中，入为翰林学士，擢左谏议大夫、参知政事，赐第丽景门。李昉罢相，蒙正拜中书侍郎兼户部尚书、平章事，监修国史。淳化中，右正言宋抗上疏忤旨，抗，蒙正妻族，坐是罢为吏部尚书，四年，蒙正复以本官入相。至道初，以右仆射出判河南府兼西京留守。真宗即位，进左仆射。咸平四年，以本官同平章事、昭文馆大学士。国朝以来三人相者，唯赵普与蒙正焉。郊祀礼成，加司空兼门下侍郎。六年，授太子太师，封蔡国公，改封随，又封许。景德二年春，表请归洛。许国之命甫下而卒，年六十八。赠中书令，谥曰文穆。（《宋史》本传）

著有：《吕文穆集》十卷（郑樵《通志·艺文略八》）。

吕文穆公，讳蒙正。微时于洛阳之龙门利涉院士室中，与温仲舒读书，有诗云："八滩风急浪花飞，手把鱼竿傍钓矶。自是钓头香饵别，此心终待得鱼归。"又云："怪得池塘春水满，夜来雷雨起南山。"后状元及第，位至宰相。（邵伯温《邵氏闻见录》卷七）

寇准改兵部尚书。

六月

庚申（十八日），命龙图阁直学士陈彭年、待制张知白、王曙同详定阁门仪制。（《续资治通鉴长编》卷七六）

七月

庚辰（九日），诏丁谓、李宗谔与礼官详定五岳衣冠制度及崇饰神像之礼。（《续资治通鉴长编》卷七六）

工部尚书、参知政事冯拯以疾求辞，优诏不许，且作诗谕意。拯复三表固请，甲午（二十三日），罢为刑部尚书、知河南府、知西京留守司事。仍令委事官属，听养疾自便。（《续资治通鉴长编》卷七六）

八月

初，龙图阁直学士陈彭年言："前所颁诸路发解条式，与礼部新格不同，虑官吏惑于行用，望申明之。"诏翰林学士晁迥等重加详定。癸卯（二日），迥等上其书，乃颁于诸路。（《续资治通鉴长编》卷七六）

九月

丙子（六日），秘书监向敏中等请集御制，藏于馆阁，从之，仍诏不得与《太宗御集》同处。于是，内出杂文篇什付敏中等，各以类分，其继作即续附之。（《续资治通鉴长编》卷七六）

己丑（十九日），以工部郎中、龙图阁待制张知白为契丹国主生辰使，崇仪副使薛惟正副之；兵部员外郎、兼侍御史知杂事赵湘为正旦使，供奉官、阁门祗候符承翰副之。（《续资治通鉴长编》卷七六）

辛卯（二十一日），命资政殿大学士、刑部尚书向敏中为东岳奉册使，兵部郎中、龙图阁待制孙奭副之；工部侍郎、集贤院学士薛映为南岳奉册使，给事中钱惟演副之；翰林学士、工部侍郎、知制诰晁迥为西岳奉册使，刑部郎中、龙图阁待制查道副之；礼部侍郎冯起为北岳奉册使，太仆寺少卿裴庄副之；右谏议大夫、龙图阁直学士陈彭年为中岳奉册使，光禄少卿沈继宗副之。（《续资治通鉴长编》卷七六）

十月

丙寅（二十七日），召辅臣至苑中山亭观太宗圣制及四部书，由玉宸殿佛阁至东西洞观古书，读御制书籍记石。上作诗，王旦等赋和。（《续资治通鉴长编》卷七六）

戊辰（二十九日），诏修玉清昭应宫使丁谓、同修宫使李宗谔、副使刘承珪、都监蓝继宗视内殿功德及御书，因命宴，而承珪、继宗赐食于别次，上作诗赐谓等。上又曰："翰林清华之地，前贤扬历，多有故事，卿父子为之，必周知也。"宗谔尝著《翰林杂记》，以纪国朝新制。翌日上之，手诏褒答，命藏内署。（《续资治通鉴长编》卷七六）

十一月

七日，帝御崇政殿，试服勤词学经明行修举人，内出《礼以承天道赋》、《神以知来诗》、《何以为大道之序论》题。（《宋会要辑稿·选举七》）

先是，汾阴赦书，举服勤词学经明行修之士，如东封例，唯不复考。丙子（七日），上御崇政殿亲试，进士扣殿槛请谕诗赋论题所出，上令录示之。始令赋论中不得用小臣儒生字。又以冬昼景短，罢常务不决。即令引试，内出新定条制：举人纳试卷，内臣收之，先付编排官去其卷首乡贯状，以字号第之，付弥封官誊写校勘，用御书院印，始付考官。定等讫，复弥封送复考官，再定等。编排官阅其同异，未同者再考之；如复不同，即以相附近者为定。始取乡贯状字号合之，乃第其姓名差次并试卷以闻，遂临轩唱第。其考第之制，学识优长、词理精绝为第一等，才思该通、文理周密为第二等，文理俱通为第三等，文理中平为第四等，文理疏浅为第五等。自余率如贡院旧制。赐进士张师德等二十一人及第，十人同出身；诸科及第者四十二人，同出身者八人。师德，去华子也。（《续资治通鉴长编》卷七六）

登进士第者：张师德、丁度、陈宽、富严、方偕等。

祥符二年真宗东封岱山，六月，放梁固已下进士三十一人及第。四年，祀后土于汾阴，十一月，放张师德以下三十一人及第。固，雍熙二年状元颢之子；师德，建隆二年状元去华之子。两家父子状元，当时士大夫荣之。甘棠魏野闻而以诗贺之曰："封禅、汾阴连岁榜，状元俱是状元儿。"（王辟之《渑水燕谈录》卷六）

辛巳（十二日），诏自今知贡举及发解官，并令门辞，遣官伴送入院，不得更求上殿及进呈题目。（《续资治通鉴长编》卷七六）

十二月

一日，以新及第进士第一人张师德为将作监丞；第二人丁度、第三人陈宽为大理评事，通判诸州；余授官如东封之例。（《宋会要辑稿·选举二》）

庚戌（十一日），兵部郎中、龙图阁待制孙奭以亲老解官归侍，不许。（《续资治通鉴长编》卷七六）

本年

范仲淹入应天府书院读书。

（辽圣宗统和二十九年）是岁，御试，放高承颜等二人及第。（《辽史·圣宗纪六》）

黄夷简卒，77岁。黄夷简，字明举，福州人。少孤，好学，有名于江东，为钱惟治明州判官。太平兴国初来朝，授检校秘书少监、元帅府掌书记，赐以袭衣、器币、鞍勒马。八年，改授夷简淮海国王府判官。雍熙四年，加夷简仓部员外郎，充许王府判官。归朝，为考功员外郎。累迁都官郎中，掌名表，人颇称其得体。至道二年，命直秘阁，俄判吏部南曹。咸平中，召试翰林，迁光禄少卿。大中祥符初，迁秘书少监。三年，丁内艰，上遣中使存问，赙赠有加，因请护母丧归浙右，许之。且欲不绝其奉给，特授检校秘书监、平江军节度副使。逾年卒，年七十七。夷简喜谈论，善属文，尤工诗咏，老而不辍。(《宋史》本传)

黄夷简闲雅有诗名，在钱忠懿王俶幕中陪尊俎二十年。夷简《山居》诗有"宿雨一番蔬甲嫩，春山几焙茗旗香"之句。雅喜治释。咸平中，归朝为光禄少卿，后以寿终焉。(文莹《玉壶清话》卷一)

邵雍 (1011—1077) 生。邵雍字尧夫。其先范阳人，徙衡漳，又徙共城。雍年三十，游河南，葬其亲伊水上，遂为河南人。雍少时，于书无所不读。初至洛，蓬荜环堵，不芘风雨，躬樵爨以事父母，虽平居屡空，而怡然有所甚乐，人莫能窥也。富弼、司马光、吕公著诸贤退居洛中，雅敬雍，恒相从游，为市园宅。雍岁时耕稼，仅给衣食。名其居曰"安乐窝"，因自号安乐先生。旦则焚香燕坐，晡时酌酒三四瓯，微醺即止，常不及醉也，兴至辄哦诗自咏。春秋时出游城中，风雨常不出，出则乘小车，一人挽之，唯意所适。好事者别作屋如雍所居，以候其至，名曰"行窝"。嘉祐诏求遗逸，留守王拱辰以雍应诏，授将作监主簿，复举逸士，补颍州团推官，皆固辞乃受命，竟称疾不之官。熙宁十年，卒，年六十七，赠秘书省著作郎。元祐中赐谥康节。雍高明英迈，迥出千古，所著书曰《皇极经世》、《观物内外篇》、《渔樵问对》，诗曰《伊川击壤集》。(《宋史》本传)

释元净 (1011—1091) 生。本姓徐，字无象。师之终，是八十有一岁。师生十岁出家，二十五赐紫衣，其辩才号知杭州。吕溱请师住大悲宝阁。居十年，沈文通治杭，命住上天竺。乃以教易禅师，凿山增室，几至万础，重楼杰阁，冠于浙西，学者数倍。其故，诏名其院曰"灵感观音"。居十七年，还于潜。逾年，复归天竺。清献公赵抃与师为世外友，赞之曰："师去天竺，山空鬼哭；天竺师归，道场光辉。"复留三年，谢去，老于南山龙井之上。与僧熙仲会食，仲视师眉间有光如荧，遽起揽之，得舍利。自是常有于其卧处得之者。及其将化，召常所往来僧道，潜告之，曰："吾西方业成，克期而逝。"门下侍郎苏辙撰碑，翰林学士苏轼书，集贤校理欧阳棐书额。(《咸淳临安志》本传)

吴中复 (1011—1078) 生。吴中复，字仲庶，兴国永兴人。进士及第，知峨眉县。廉于居官，代还，不载一物。通判潭州，御史中丞孙抃荐为监察御史，迁殿中侍御史。弹宰相梁适，适罢，中复亦通判虔州，未至，复还台。又弹宰相刘沆，沆罢。改右司谏，同知谏院。迁御史知杂事、户部副使，擢天章阁待制，知泽州、瀛州，移河东都转运使，进龙图阁直学士、知江宁府。历成德军、成都府、永兴军。提举玉隆观。起知荆南，坐过用公使酒，免。卒，年六十八。(《宋史》本传)

杨察 (1011—1056) 生。杨察，字隐甫。景祐元年，举进士甲科，除将作监丞、通判宿州。迁秘书省著作郎、直集贤院，出知颍、寿二州，入为开封府推官，判三司盐铁、度支勾院，修起居注，历江南东路转运使。召为右正言、知制诰，权判礼部贡院。晏殊执政，以妻父嫌，换龙图阁待制。母忧去职，服除，复为知制诰，拜翰林学士、权知开封府，擢右谏议大夫、权御史中丞。又数以言事忤宰相陈执中。未几，三司户部判官杨仪以请求贬官，察坐前在府失出笞罪，虽去官，犹罢知信州。徙扬州，复为翰林侍读学士，又兼龙图阁学士、知永兴军，加端明殿学士、知益州。再迁礼部侍郎，复权知开封府，复兼翰林学士、权三司使。乞罢三司，乃迁户部侍郎兼三学士，提举集禧观，进承旨。逾年，复以本官充三司使。饵钟乳过剂，病痈卒。赠礼部尚书，谥宣懿。察美风仪，敏于属文，其为制诰，初若不用意；及稿成，皆雅致有体，当世称之。有《文集》二十卷。（《宋史》本传）

本年重要作品：

诗：杨亿《京府狱空降诏因寄大尹学士》。

公元 1012 年（宋真宗大中祥符五年　壬子）

正月

四日，以翰林学士晁迥权知贡举，枢密直学士刘综、知制诰李维、龙图阁待制孙奭权同知贡举，合格奏名进士某乙已下一百九十人。（《宋会要辑稿·选举一》）

乙亥（七日），赠左仆射宋白卒，77 岁。有司议谥曰文宪，内出密奏言白素无检操，不当获此谥，遂改为文安。（《续资治通鉴长编》卷七七）

宋白，字太素，大名人。年十三，善属文。建隆二年，窦仪典贡部，擢进士甲科。乾德初，献文百轴，试拔萃高等，解褐授著作佐郎，廷赐袭衣、犀带。蜀平，授玉津县令。开宝中，连知蒲城、卫南二县。太宗潜藩时，白尝贽文，及即位，擢为左拾遗，权知兖州，岁余召还。预修《太祖实录》，俄直史馆，判吏部南曹。从征太原，判行在御史台。寻拜中书舍人，赐金紫。太平兴国五年，与程羽同知贡举，俄充史馆修撰、判馆事。八年，复典贡部，改集贤殿直学士、判院事。未几，召入翰林为学士。端拱初，加礼部侍郎，又知贡举。真宗即位，改吏部侍郎、判昭文馆。咸平四年，以白宿旧，拜礼部尚书。景德二年，与梁周翰俱罢，拜刑部尚书、集贤院学士、判院事。未几，抗表引年。上以旧臣，眷顾未允。再上表辞，乃以兵部尚书致仕。大中祥符五年正月，卒，年七十七，赠左仆射。白善谈谑，不拘小节，聚书数万卷，图画亦多奇古者。尝类故事千余门，号《建章集》。唐贤编集遗落者，白多缵缀之。有集百卷。（《宋史》本传）

宋白尚书诗云："风骚坠地欲成尘，春锁南宫入试频。三百俊才衣似雪，可怜无个解诗人。"又云："对花莫道浑无过，曾与常人举好诗。"大抵宋诗虽多疵颣，而语意绝有警拔者，故其自负如此。（陆游《老学庵笔记》卷八）

著有：《续通典》二百卷（《宋史·艺文志六》）、《宋白集》一百卷（《宋史·艺文志七》）、《柳枝词》一卷（《宋史·艺文志七》）、《文苑英华》一千卷（《宋史·艺文志八》）。

著录：晁公武《郡斋读书志·别集类中》、尤袤《遂初堂书目·别集类》、陈振孙《直斋书录解题·别集类中》、郑樵《通志·艺文略八》、马端临《文献通考》卷二三三、《宋史·艺文志七》、焦竑《国史经籍志》卷五、《北京图书馆古籍善本书目》。

上封者言：贡院锁宿后，即有晁迥、李维家僮旦夕至省前诳求财货，望令开封府捕逐。上遣中使谕迥等止绝之，使还，具言迥、维忧畏状。甲午（二十六日），赐迥、维手诏，慰抚焉。（《续资治通鉴长编》卷七七）

二月

初，命王旦撰《祀汾阴坛颂》，王钦若撰《朝觐坛颂》，陈尧叟撰《亲谒后土庙颂》。庚戌（十二日），旦等以颂成，并加特进、邑封。旦自集贤殿大学士改昭文馆大学士，上将如东封例，并迁其官，旦等固辞得免。（《续资治通鉴长编》卷七七）

癸丑（十五日），上谓宰臣曰："闻贡院试诸科举人皆解衣阅视，虑其挟藏书册，颇失取士之礼，宜令止之。"先是，直史馆刘锴请挟书并同保人殿一举。是岁，诸科以挟书扶出者十八人，并同保九十三人，而十二人当奏名。有司以闻，上特令赴殿试。乃诏礼部别加裁定，罢同保殿举之制。（《续资治通鉴长编》卷七七）

壬戌（二十四日），令礼部贡院录诸州发解试题进内，上将亲试贡士，虑其重复故也。自是，用为常例。（《续资治通鉴长编》卷七七）

三月

癸未（十六日），奏礼部奏名人隐匿服纪者，并令自陈，无得辄赴殿试。（《续资治通鉴长编》卷七七）

二十二日，帝御崇政殿，试礼部奏名进士。内出《铸鼎象物赋》、《天险不可升诗》、《以人占天论》题。（《宋会要辑稿·选举七》）

上御崇政殿亲试礼部合格贡举人。殿之廊庑分列位次，署其名氏，仍揭于榜，使无得迁易。始摹印诗赋论题以赐，官给纸起草。得进士建安徐奭而下及第者百人，同出身者二十六人；诸科及第者三百二十四人，同出身者五十二人。先是，考进士卷入第四等者止九十人，令取五举已上者再考，乃及前数。诏入第四等者以赋、论为先，诗次之。又以高等十卷，命辅臣重定，始诏放焉。（《续资治通鉴长编》卷七七）

登进士第者：徐奭、曹修睦、蒋堂、章俛、胥偃、刘若冲、陆轸、彭乘、王周、吴遵路、张奎、王嘉言、江镐、聂冠卿等。

真宗好文，虽以文辞取士，然必视其器识。每御崇政赐进士及第，必召其高第三四人，并列于庭，更察其形神磊落者，始赐第一人及第，或取其所试文辞有理趣者。徐奭《铸鼎象物赋》云："足唯下正，讵闻公餗之欹倾；铉乃上居，实取王臣之威重。"遂以为第一。（欧阳修《归田录》卷一）

庚寅（二十三日），上作《诸王唱酬诗集序》示宰相，仍命以集赴秘阁。（《续资治通鉴长编》卷七七）

四月

八日，诏：新及第进士徐奭已下授官守选如元年之例。（《宋会要辑稿·选举二》）

戊申（十一日）命资政殿大学士、刑部尚书向敏中守本官、平章事。敏中再掌留任，以厚重镇静，人情帖然，上愈嘉之，故复使相。（《续资治通鉴长编》卷七七）

五月

（辽圣宗开泰元年）戊辰朔（一日），诏：裴玄感、邢祥知礼部贡举，放进士史简等十九人及第。（《辽史·圣宗纪六》）

壬辰（二十五日），祠部员外郎、直集贤院钱易等坐所解国子监举人有十不，责监诸州商税。（《续资治通鉴长编》卷七七）

曾致尧卒，66岁。曾致尧字正臣，抚州南丰人。太平兴国八年进士，解褐符离主簿、梁州录事参军，三迁著作佐郎、直史馆，改秘书丞，出为两浙转运使。俄徙知寿州，转太常博士。真宗即位，迁主客员外郎、判盐铁勾院。张齐贤荐其材，任祠职，命翰林试制诰，既而以舆议未允而罢。李继迁扰西鄙，灵武危急，命张齐贤为泾、原、邠、宁、环、庆等州经略使，选致尧为判官，仍迁户部员外郎。既受命，因抗疏自陈，词旨狂躁。诏御史府鞫其罪，黜为黄州副使，夺金紫。未几，复旧官，改吏部员外郎，历知泰、泉、苏、扬、鄂五州。大中祥符初，迁礼部郎中，坐知扬州日冒请一月奉，降掌升州榷酤，转户部郎中。五年，卒，年六十六。致尧颇好纂录，所著有《仙凫习翼》三十卷、《广中台志》八十卷、《清边前要》三十卷、《西陲要纪》十卷、《为臣要纪》一十五篇。（《宋史》本传）

著有：《清边前要》五十卷（《宋史·艺文志二》）、《广中台记》八十卷（《宋史·艺文志二》）、《仙凫羽翼》三十卷（《宋史·艺文志六》）、《直言集》一卷（《宋史·艺文志七》）、《西陲要纪》十卷（《宋史》本传）、《为臣要纪》一十五篇（《宋史》本传）。

胡尧卿（1012—1082）生。宗元少孤，自力问学。年十九，以进士荐于其乡。二十有五，再试礼部，再不利。益自刻苦，治经术，厉操行。客游高安，太子中允蔡公奇其孤立，以兄子妻之。为辟书馆，留与甥息共学，旁近士家多就之者。已而，讲授常数十百人，致温饱以奉之。迄年四十，筑草堂于高安之鲁公岭。捐十万钱买官书，无所不读，务为汪洋无涯，终日与其徒辩析义理。初不经意时事，艺松竹，灌圃畦，隐约林丘之下，盖二十年。熙宁癸丑，里人强起之，乃行应诏。宗元丘墓在新喻数世矣，故授临江军长史而归。归则病，缓然犹读书不休。颇著诗及他文章，以自悼其屈于时命。元丰壬戌五月丁亥，迄以足痹终焉，寿七十一。胡氏，讳尧卿，宗元其字也。（黄庭坚《胡宗元墓志铭》）

六月

丁未（十一日），龙图阁直学士陈彭年等上新定阁门仪制，诏付有司。（《续资治通鉴长编》卷七八）

戊申（十二日），翰林学士李宗谔等上准诏分定监试发解官荐送纰谬十不、九不刑名，诏从之。（《续资治通鉴长编》卷七八）

钱塘人林逋，少孤力学，不为章句。性恬淡，好古，不趋荣利，家贫衣食不足，宴如也。初泛游江湖间，久之，归杭州，结庐西湖之孤山，二十年足不及城市。转运使陈尧佐以其名闻。庚申（二十四日），诏赐粟帛，长吏岁时劳问。（《续资治通鉴长编》卷七八）

壬戌（二十六日），令枢密院修《时政记》，月送史馆。先是，枢密院月录附史事送中书，编于《时政记》。及是，王钦若、陈尧叟请别撰，许之。枢密院《时政记》始此。（《续资治通鉴长编》卷七八）

八月

左仆射张齐贤再表请老，戊戌（三日），以司空致仕，还洛阳别业。入辞，便坐，方拜而仆。上遂止之，许二子扶掖升殿，命并坐墪为三以优之。（《续资治通鉴长编》卷七八）

知升州张咏头疡甚，饮食则楚痛增剧。咏累求分务西洛，壬寅（七日），命工部侍郎、集贤院学士薛映代之。咏既还，不能朝谒，即命知陈州。（《续资治通鉴长编》卷七八）

丙辰（二十一日），知制诰王曾判大理寺判寺。（《续资治通鉴长编》卷七八）

辛酉（二十六日），龙图阁直学士陈彭年上编录太宗圣制合二百四十卷。诏中书门下详校，奉安于太清楼、资政殿、崇文殿、秘阁、西京三馆各一本。（《续资治通鉴长编》卷七八）

九月

癸酉（八日），诏知天雄军寇准都大提举河北巡检。时河北颇有盗贼，而奏报不实，又不实时擒捕，故命督之。（《续资治通鉴长编》卷七八）

戊子（二十三日），以吏部尚书、知枢密院事王钦若，户部尚书、知枢密院事陈尧叟，并依前官，加检校太傅、同平章事，充枢密使；签署枢密院事马知节为副使。学士晁迥草制，误削去钦若、尧叟本官，诏各存之，遂改制而行。儒臣领枢密使相，自钦若、尧叟始。三司使、礼部侍郎丁谓为户部侍郎、参知政事，仍领修玉清昭应宫使。初，翰林学士李宗谔与王旦善，旦欲引宗谔参知政事，尝以告王钦若，钦若唯唯。旦曰："当白上。"宗谔家贫，禄廪不足以给婚嫁，旦前后资借之甚多，钦若知之。故事，参知政事谢日，所赐之物几三千缗。钦若因密奏："宗谔负王旦私钱，不能偿，且欲引宗谔参知政事，得赐物以偿己债，非为国择贤也。"明日，旦果以宗谔名闻，上变色，不许。及赵安仁罢，谓时奉诏谒亳州太清宫，犹未还，即命谓代之，盖钦若所荐云。钦若与刘承珪、陈彭年、林特及谓等交通，踪迹诡异，时论谓之"五鬼"。（《续资治通鉴长编》卷七八）

癸巳（二十八日），翰林学士杨亿以疾赐告，遣中使挟太医疗之。拜章为谢，上作二韵诗，批纸尾，有"副予侧席待名贤"之句。寻以久疾，求解近职，优诏不许，但权免朝直。亿刚介寡合，在书局唯与李维、路振、刁衎、陈越、刘筠辈善。当时文士咸赖其品题，或被贬议者，退多怨诽。王钦若骤贵，亿素薄其为人，钦若衔之。陈彭年方以文史售进，忌亿名出己右，相与毁訾于上。上素重亿，未始听也。（《续资治通鉴长编》卷七八）

十月

同修玉清昭应宫使李宗谔以丁谓参知政事，请差降等威。辛丑（七日），改命宗谔为修宫副使。（《续资治通鉴长编》卷七九）

丁未（十三日），上以宗室所进《和幸诸王宫赐宴诗》示辅臣。因曰："宗亲好学，大是美事。苟述作不已，自得诣趣。得诣趣，即忘倦矣。然当戒于好奇而尚浮靡，好奇则失实，尚浮靡则少理也。"（《续资治通鉴长编》卷七九）

己酉（十五日），以主客郎中、知制诰王曾为契丹国主生辰使。（《续资治通鉴长编》卷七九）

丁巳（二十三日），以知制诰陈尧咨权同判吏部流内铨。（《续资治通鉴长编》卷七九）

己未（二十五日），命参知政事丁谓、翰林学士李宗谔、龙图阁直学士陈彭年与太常礼院检讨官详定崇奉天尊仪制以闻。（《续资治通鉴长编》卷七九）

闰十月

庚寅（二十六日），龙图阁直学士陈彭年等上新定《阁门仪制》十卷、《客省事例》六卷、《四方馆仪》一卷，诏奖之，仍第赐金帛。（《续资治通鉴长编》卷七九）

十二月

己卯（十六日），知天雄军寇准言狱空，诏奖之。（《续资治通鉴长编》卷七九）

本年

谢泌卒，63岁。谢泌，字宗源，歙州歙人。少好学，有志操。太平兴国五年进士，解褐大理评事、知清川县，徙彰明，迁著作佐郎。端拱初，为殿中丞，献所著文十编、《古今类要》三十卷，召试中书，以直史馆赐绯。令直馆分典四部，以泌知集库。改左正言，使岭南采访。俄判三司盐铁勾院。奉诏解送国学举人，黜落既多，群聚喧诟，怀甓以伺泌出。泌知之，潜由他途入史馆，数宿不敢出，请对自陈。即授泌虞部员外郎兼侍御史知杂事。上元观灯，泌特预召，自是为例。转金部员外郎，充盐铁副使。俄知三班、通进银台司，出知湖州。再迁主客郎中、知虢州。咸平二年，徙知同州。代还，知鼓司、登闻院。五年，与陈恕同知贡举，复知通进、银台司，加刑部，出为两浙转运使。徙知福州，代还，转兵部郎中，复知审官院，直昭文馆。知荆南府，改襄州，迁太常少卿、右谏议大夫、判吏部铨。大中祥符五年卒，年六十三。（《宋史》本传）

著有：《古今类要》三十卷（《宋史》本传）。

陈越卒，40 岁。

蔡襄（1012—1067）生。蔡襄，字君谟，兴化仙游人。举进士，为西京留守推官、馆阁校勘。庆历三年，仁宗更用辅相，命襄知谏院。进直史馆，兼修起居注。以母老，求知福州，改福建路转运使。复修起居注。进知制诰，迁龙图阁直学士、知开封府。以枢密直学士再知福州。郡士周希孟、陈烈、陈襄、郑穆以行义著，襄备礼招延，诲诸生以经学。徙知泉州，召为翰林学士、三司使。后乞为杭州，拜端明殿学士以往。治平三年，丁母忧。明年卒，年五十六。赠吏部侍郎。襄工于书，为当时第一，仁宗尤爱之，制《元舅陇西王碑文》，命书之。（《宋史》本传）

王拱辰（1012—1085）生。王拱辰，字君贶，开封咸平人。原名拱寿，年十九，举进士第一，仁宗赐以今名。通判怀州，入直集贤院，历盐铁判官、修起居注、知制诰。庆历元年，为翰林学士。权知开封府，拜御史中丞。复以翰林学士权三司使。出知郑州，徙澶、瀛、并三州。数岁还，为学士承旨兼侍读。至和三年，复拜三司使。后以端明殿学士知永兴军，历泰定二州、河南大名府，积官至吏部尚书。神宗登极，迁太子少保。熙宁元年，复以北院使召还。八年，入朝，为中太一宫使。元丰初，转南院使，赐金方团带。再判大名，改武安军节度使。哲宗立，徙节彰德，加检校太师。是年薨，年七十四。赠开府仪同三司，谥懿恪。（《宋史》本传）

晁仲衍（1012—1053）生。君字子长，其先澶之清丰人，后徙彭城，今家开封之昭德坊。明道中，举礼部尝中选矣。寻召试西掖，赐进士第。庆历初，作为歌颂以献，继进文三十轴。后召试禁林，充秘阁校理。君初以祖任将作监主簿，七迁祠部员外郎，始监金耀门文书库，又监京曲院、权判尚书祠部，同判太常礼院、兼判尚书刑部。出知怀州，就除京东提点刑狱，累阶朝散大夫，勋上轻车都尉，赐五品服。（王珪《晁君墓志铭》）

释惟简（1012—1095）生。宝月大师惟简，字宗古，姓苏氏，眉之眉山人。于余为无服兄。九岁，事成都中和胜相院慧悟大师。十九得度，二十九赐紫，三十六赐号。其同门友文雅大师惟庆为成都僧统，所治万余人，鞭笞不用，中外肃伏。庆博学通古今，善为诗，至于持律总众，酬酢事物，则师密相之也。凡三十余年，人莫知其出于师者。师清亮敏达，综练万事，端身以律物，劳己以裕人，人皆高其才，服其心。绍圣二年六月九日始得微疾，即以书告于往来者，敕其子孙皆佛法大事，无一语私其身。至二十二日，集其徒，问日蚤莫。及辰，曰："吾行矣。"遂化，年八十四。（苏轼《宝月大师塔》）

本年重要作品：

诗：宋庠《壬子岁四月甲申夜纪梦》。

词：寇准《甘草子》（春早）。

公元 1013 年（宋真宗大中祥符六年　癸丑）

二月

癸亥（一日），向敏中、陈尧叟、马知节、丁谓等言：自今圣制歌诗，望各赐一本。从之。先是，每赐，唯及班首，故敏中等有是请。（《续资治通鉴长编》卷八〇）

三月

龙图阁待制张知白以疾固请补外，甲辰（十三日），命知青州。（《续资治通鉴长编》卷八〇）

四月

己卯（十八日），出太宗《游艺集》并亲制乐曲、九弦琴、五弦阮谱，付史官及太乐署。（《续资治通鉴长编》卷八〇）

庚辰（十九日），判大理寺王曾言："自咸平编敕后，续降宣敕千一百余道，及杂行者又三千六百余道。条件既众，检视尤难，望遣官删定。"乃诏曾与翰林学士陈彭年等同加详定。（《续资治通鉴长编》卷八〇）

五月

二日，杨亿母得疾，请归省，不待报而行。

祥符中，杨文公以母疾，不俟报，归阳翟。初，真皇欲立庄献为皇后，文公不草诏。庄献既立，不自安，乃托母疾而行。上犹亲封药，加以金帛赐之。（范镇《东斋记事》卷一）

己未（二十九日），翰林学士、右谏议大夫、知制诰李宗谔卒，49岁。宗谔字昌武，昉第三子。七岁能属文，耻于父任得官，独由乡举，端拱二年登进士第。宗谔博学晓音律，尤精于典章沿革，朝廷创制损益，莫不与闻。其书字势倾侧，后进多扰笔效之，罕有类者。为时之所贵如此。有《文集》六十卷、《内外制集》四十卷，又有《家传》、《谈录》行于世。（曾巩《隆平集》卷四）

著有：《乐纂》一卷（《宋史·艺文志一》）、《翰林杂记》一卷（《宋史·艺文志二》）、《李昉谈录》一卷（《宋史·艺文志二》）、《图经》九十八卷（《宋史·艺文志三》）、《续通典》二百卷（《宋史·艺文志六》）、《李宗谔集》六十卷（《宋史》本传）、《内外制集》四十卷（曾巩《隆平集》卷四）。

六月

翰林学士、户部郎中、知制诰杨亿素体羸，于是称疾，请解官。辛未（十一日），以亿为太常少卿，分司西京，仍许就所居养疗，俟损日赴任。（《续资治通鉴长编》卷八〇）

杨文公亿以文章擅天下，然性特刚劲寡合。有恶之者，以事谮之。大年在学士院，忽夜召见于一小阁，深在禁中。既见，赐茶，从容顾问。久之，出文稿数箧以示大年云："卿识朕书迹乎？皆朕自起草，未尝命臣下代作也。"大年惶恐，不知所对，顿首再拜而出，乃知必为人所潜矣。由是佯狂，奔于阳翟。真宗好文，初待大年眷顾无比，晚年恩礼渐衰，亦由此也。（欧阳修《归田录》卷一）

杨文公既佯狂，逃归阳翟，时祥符六年也。中朝士大夫自王魏公而下，书问常不辍，皆自为文，而用其弟倚士曹名，奏牍则托之母氏。其《答王魏公》一书末云："介推母子，绝希绵上之田；伯夷弟兄，甘守西山之饿。"当时服其微而婉云。（叶梦得《石林燕语》卷七）

以右谏议大夫、龙图阁直学士陈彭年为翰林学士，学士兼职自此始。甲戌（十四日），上作歌赐彭年，因谓向敏中等曰："顷命学士，罕曾赐歌诗，彭年不同他人，故有是作。"因曰："彭年词笔优长，擢居清近，久益谨密，多闻好学，人鲜俦者，平居日写万余言。复精详典礼，深明法令。人或请益，应答如流，皆有依据。常令检讨典故、质正文义，每一事必具载经史子集所出，备而后已。自非强记，何由至此？"敏中曰："彭年兼有器识。"丁谓曰："彭年全才也，岂止以文雅雍容侍从。至如参酌时务，详求物理，皆出人意表。"上然之。因曰："详定所事无大小，皆俟彭年裁制而后定，此一司不可废也。往者参酌典礼，虽遍历攸司，而所见皆出胥史，今已为定式矣。"（《续资治通鉴长编》卷八〇）

八月

辛酉（二日），以参知政事丁谓为奉祀经度制置使，翰林院学士陈彭年副之，谓仍判亳州。（《续资治通鉴长编》卷八一）

己巳（十日），以起居舍人、知制诰陈尧咨为工部郎中、龙图阁直学士、知永兴军府。（《续资治通鉴长编》卷八一）

庚午（十一日），改起居院详定所为礼仪院，以兵部侍郎赵安仁、翰林学士陈彭年同知院事。初置详定所，即命彭年领之。彭年时修起居注，故就起居院置局。于是，徙起居院于三馆。（《续资治通鉴长编》卷八一）

壬申（十三日），枢密使王钦若等上《新编修君臣事迹》一千卷，上亲制序，赐名《册府元龟》，编修官并加赏赉。左正言、直史馆陈越前死，无子，同列为奏其事。上闵之，赐其兄咸同三传出身。故事，中书章表皆舍人为之。东封后，朝廷多庆礼，舍人或以它务婴率。乃择三馆、秘阁官，得盛度、路振、刘筠、夏竦、宋绶洎越分撰，宰相尝以名闻。其后皆相次掌外制，唯越不及登擢，时论惜之（《续资治通鉴长编》卷八一）

《册府元龟》一千卷，宋王钦若、杨亿等奉敕撰。真宗景德二年，诏编修《历代君臣事迹》，以钦若提总，同修者十五人。至祥符六年书成，赐名制序。周必大《文苑英华跋》、王明清《挥尘录》并称太宗太平兴国中修者，误也。其书分帝王、闰位、僭伪、列国、君储、宫室、外戚、宰辅、将帅、台省、邦计、宪官、谏诤、词臣、国史、掌礼、学校、刑法、卿监、环卫、铨选、贡举、奉使、内臣、牧守、令长、宫臣、幕府、陪臣、总录、外臣，共三十一部，部有总序。又子目一千一百四门，门有小序。皆撰自李维等六人，而窜定于杨亿，其间义例多出真宗亲定。唯取六经、子、史，不录小说,于悖逆非礼之事亦多所刊削,裁断极为精审。洪迈《容斋随笔》谓其时编修官上言,凡臣僚自述,及子孙追叙家世,如《郏侯传》之类并不采取。遗弃既多,故亦不能赅备。袁氏《枫窗小牍》亦谓开卷皆目所常见,无罕觏异闻,不为艺林所重。夫典籍至繁,势不能遍为掇拾。去诬存实,未可概以挂漏相绳。况纂辑诸臣,皆一时淹贯之士,虽卷帙既富,难免抵牾。而考订明晰,亦多可资览古之助。张末《明道杂志》称杨亿修《册府元龟》,数卷成,辄奏之。每进本到,真宗即降付陈彭年。彭年博洽,不可欺毫发,故谬误处皆签贴。有小差误必见,至有数十签。亿心颇自愧,乃盛荐彭年文字,请与同修。其言虽不可尽信,然亦足见当时校核之勤,讨论之密,务臻详慎。故能甄综贯串,使数千年事无不条理秩然也。(《四库提要》卷一三五)

丁丑(十八日),参知政事丁谓上新修《祀汾阴记》五十卷。(《续资治通鉴长编》卷八一)

丙戌(二十七日),出御制《静居集》三卷并《法宝录序》示王旦等。先是,赵安仁准诏编修《藏经》,表乞赐名制序,诏从其请,赐名《大中祥符法宝录》。(《续资治通鉴长编》卷八一)

九月

乙卯(二十六日),以翰林学士晁迥为契丹国主生辰使,崇仪副使王希范副之;龙图阁待制查道为正旦使,供奉官、阁门祗候蔚信副之。(《续资治通鉴长编》卷八一)

十一月

甲寅(二十六日),丁谓自亳州来朝,献芝草三万七千余本。(《续资治通鉴长编》卷八一)

十二月

丙寅(九日),以兵部尚书寇准权东京留守。(《续资治通鉴长编》卷八一)

辛未(十四日),内出丁谓所贡芝草,列文德殿庭,宣示百官,从寇准所请也。(《续资治通鉴长编》卷八一)

辛巳(二十四日),以翰林学士王曾摄御史大夫、为考制度使,刑部员外郎、兼侍御史知杂事段晔摄中丞、副之。知制诰钱惟演等编次迎驾父老及州县系囚,右谏议大夫慎从吉等详定词状,唯不置编次贡奉。(《续资治通鉴长编》卷八一)

兵部郎中、龙图阁待制孙奭自言父年八十二,家居郓州,求典近郡,以便侍养。癸未(二十六日),命知密州。奭请扈从还赴任,从之。(《续资治通鉴长编》卷八一)

本年

(辽圣宗开泰二年)放进士鲜于茂昭等六人及第。(《辽史·圣宗纪六》)

刁衎卒,69岁。刁衎,字元宾,升州人。衎用荫为秘书郎、集贤校理,衣五品服,以文翰入侍，甚被亲昵。金陵平，从煜归宋，太祖赐绯鱼，授太常寺太祝。太平兴国初，出知睦州桐庐县。俄知婺州，迁国子博士。得知光州，就改虞部员外郎。转运使状其政绩，优诏嘉奖，徙知庐州。真宗即位，迁比部员外郎。代还，献所著《本说》十卷，得以本官充秘阁校理，出知颍州。入为比部员外郎，改直秘阁，充崇文院检讨。预修《册府元龟》，加主客郎中。求领外任，得知湖州，转刑部郎中。岁满，复预编修。大中祥符六年，书成，授兵部郎中。入朝，暴中风眩，真宗遣使驰赐金丹，已不救，年六十九。

著有：《本说》十卷（《宋史·艺文志四》）、《治道中术》三卷（《宋史·艺文志四》）。

杜镐卒，76 岁。杜镐，字文周，常州无锡人。举明经，解褐集贤校理，入直澄心堂。江南平，授千乘县主簿。太宗即位，江左旧儒多荐其能，改国子监丞、崇文院检讨。会将祀南郊，彗星见，翌日，迁著作佐郎，改太子左赞善大夫，赐绯鱼。历殿中丞、国子博士，加秘阁校理。太宗观书秘阁，询镐经义，进对称旨，即日改虞部员外郎，加赐金帛。再迁驾部员外郎，判太常礼院，与朱昂、刘承珪编次馆阁书籍，事毕，赐金紫，改直秘阁。会修《太祖实录》，命镐检讨故事，以备访问。景德初，置龙图阁待制，因以命赐镐，加都官郎中。预修《册府元龟》，改司封郎中。四年，拜右谏议大夫、龙图阁直学士，赐袭衣、金带，班在枢密直学士下。时特置此职，儒者荣之。大中祥符中，同详定东封仪注，迁给事中。三年，又置本阁学士，迁镐工部侍郎，充其职。上日，赐宴秘阁，上作诗赐之，进秩礼部侍郎。六年冬，卒，年七十六。（《宋史》本传）

著有：《铸钱故事》一卷（《宋史·艺文志二》）、《龙图阁书目》七卷（《宋史·艺文志三》）、《君臣赓载集》三十卷（《宋史·艺文志八》）。

郑文宝卒，61 岁。郑文宝，字仲贤，右千牛卫大将军彦华之子。彦华初事李煜，文宝以荫授奉礼郎，掌煜子清源公仲寓书籍，迁校书郎。太平兴国八年登进士第，除修武主簿。迁大理评事、知梓州录事参军事。州将表荐，转光禄寺丞。留一岁，代归。献所著文，召试翰林，改著作佐郎、通判颍州。丁外艰，起知州事。召拜殿中丞。授陕西转运副使，许便宜从事。俄加工部员外郎。贬蓝山令。未几，移枝江令。真宗即位，徙京山。咸平中召还，授殿中丞，掌京南榷货。景德元年冬，契丹犯边，又徙河东。文宝安辑所部，募乡兵，张边备，又领蕃汉兵赴河北，手诏褒谕。未几，复莅京西。契丹请和，文宝陈经久之策，上嘉之。三年，召还，未至，遇疾，表求藩郡散秩。诏听不除其籍，续奉养疾。大中祥符初，改兵部员外郎。车驾祀汾阴还，文宝至郑州请见。上以其久疾，除忠武军行军司马。文宝不就，以前官归襄城别墅。六年，卒，年六十一。文宝好谈方略，以功名为己任。能为诗，善篆书，工鼓琴。有集二十卷，又撰《谈苑》二十卷、《江表志》三卷。（《宋史》本传）

著有：《玉玺记》一卷（《宋史·艺文志一》）、《南唐近事集》一卷（《宋史·艺文志三》）、《江表志》二卷（《宋史·艺文志》）、《郑文宝集》三十卷、（《宋史·艺文志七》）、《谈苑》二十卷（《宋史》本传）。

李建中卒，69 岁。李建中，字得中，其先京兆人。太平兴国八年进士甲科，解褐大理评事，知岳州录事参军。转运使李惟清荐其能，再迁著作佐郎、监潭州茶场，改殿中丞，历通判道、郢二州。坐降授殿中丞，监在京榷易院。苏易简方被恩顾，多得对，尝言蜀中文士，因及建中，太宗亦素知之，命直昭文馆。建中父名昭文，恳辞，改集贤院。数月，出为两浙转运副使，再迁主客员外郎，历通判河南府，知曹、解、颍、蔡四州。景德中，以久次，进金部员外郎。建中性简静，风神雅秀，恬于荣利，前后三求掌西京留司御史台，尤爱洛中风土，就构园池，号曰"静居"。好吟咏，每游山水，多留题，自称岩夫民伯。加司封员外郎、工部郎中。又判太府寺。大中祥符五年冬，命使泗州，奉御制《汴水发愿文》，就致设醮。使还得疾，明年卒，年六十九。建中善书札，行笔尤工，多构新体，草、隶、篆、籀、八分亦妙，人多摹习，争取以为楷法。尝手写郭忠恕《汗简集》以献，皆科斗文字，有诏嘉奖。好古勤学，多藏古器名画。有集三十卷。（《宋史》本传）

著有：《李建中集》三十卷（《宋史》本传）。

陈充卒，70 岁。陈充，字若虚，益州成都人。家素豪盛，少以声酒自娱，不乐从宦。邑人敦迫赴举，至京师，有名场屋间。雍熙中，天府、礼部奏名皆为进士之冠，廷试擢甲科，释褐孟州观察推官，就改掌书记。会寇准荐其文学，得召试，授殿中丞，出知明州。入为太常博士、直昭文馆，迁工部、刑部员外郎。久病告满，除籍，真宗怜其贫病，令致仕，给半俸。未几病间，守本官，仍充职。以久次，迁兵部员外郎。景德中，与赵安仁同知贡举，改工部、刑部郎中。大中祥符六年，以足疾不任朝谒，出权西京留守御史台，旋以本官分司，卒，年七十。充词学典赡，唐牛僧孺著《善恶无余论》，言尧舜之善、伯鲧之恶，俱不能庆殃及其子，充因作论以反之，文多不载。性旷达，善谈谑，澹于荣利，自号"中庸子"。上颇熟其名，以疾故不登词职。临终自为墓志。有集二十卷。（《宋史》本传）

著有：《民士编》二十卷（《宋史·艺文志七》）。

李绚（1013—1052）生。李绚，字公素，邛州依政人。能属文，尤工歌诗。擢进士第，再授大理评事、通判郯州。还为太子中允、直集贤院，历开封府推官、三司度支判官，为京西转运使。未几，召修起居注，纠察在京刑狱。出知润州。改太常丞，徙洪州。复修起居注，权判三司盐铁勾院，复纠察在京刑狱。以右正言、知制诰奉使契丹，知审官院，迁龙图阁直学士、起居舍人、权知开封府，治有能名。绚夜醉，晨奏事酒未解，帝曰："开封府事剧，岂可沉湎于酒耶?"改提举在京诸司库务，权判吏部流内铨。初，慈孝寺亡章献太后神御物，盗得，而绚误释之，黜知苏州，未行，卒。（《宋史》本传）

李师中（1013—1078）生。李师中，字诚之，楚丘人。举进士，辟知洛川县。庞籍为枢密副使，荐其才。召对，转太子中允、知敷政县，权主管经略司文字。提点广西刑狱。还，知济、兖二州。迁直史馆、知凤翔府。熙宁初，拜天章阁待制、河东都转运使。削职知舒州。徙洪、登、齐，复待制，知瀛州。又乞召司马光、苏轼等置左右。师中言时政得失，遂贬和州团练副使安置。还右司郎中，卒，年六十六。（《宋史》本传）

张焘（1013—1082）生。张焘，字景元，枢密直学士奎之子也。举进士，通判单州。知沂、潍二州。提点河北刑狱，摄领澶州，七日而商胡决。数年，复提点河东、陕西、京西刑狱，为盐铁判官、淮南转运使、江淮发运副使。入为户部副使。迁天章阁待制、陕西都转运使。加龙图阁直学士、知成都府。改知瀛州。母丧服阕。故事，起执政以诏，近臣以堂帖；神宗特命赐诏。判太常寺，知邓、许二州，复判太常，知通进、银台司，提举崇福宫，由给事中易通议大夫。卒，年七十。（《宋史》本传）

公元 1014 年（宋真宗大中祥符七年　甲寅）

正月

丙午（十九日），至奉元宫，斋于迎禧殿。判亳州丁谓献白鹿一、灵芝九万五千本。（《续资治通鉴长编》卷八二）

丁未（二十日），令奉礼经度制置副使陈彭年诣宫殿大醮。（《续资治通鉴长编》卷八二）

晏殊从真宗祀亳州太清宫，同判太常礼院。

二月

庚辰（二十四日），以参知政事丁谓判礼仪院，翰林学士陈彭年知院。（《续资治通鉴长编》卷八二）

三月

乙未（十日），召宰相观太宗圣文神笔于玉宸殿，宴翔鸾阁，浮觞曲水，奏《云韶乐》。上作诗，群臣皆赋。（《续资治通鉴长编》卷八二）

戊戌（十三日），翰林学士、右谏议大夫、知制诰、龙图阁学士陈彭年，右谏议大夫、权三司使公事林特，并为给事中。先是，户部侍郎、参知政事丁谓以奉祀之劳，当进秩，谓固让不受，但加阶勋、爵邑。于是，彭年援谓例恳辞，上不许，仍作诗赐之。（《续资治通鉴长编》卷八二）

枢密直学士、吏部郎中刘综得风疾，求典河中。上以太宁宫庙长吏奉祠，综艰于拜起，虑不克恭事，弗许。己亥（十四日），命知庐州。综强敏有吏材，所至抑挫豪右，提举文法，时称干治。然涉学素浅，又尚气好胜，不为物论所许。（《续资治通鉴长编》卷八二）

江南制置发运使胡则尝居杭州，肆纵无检，知州戚纶恶之。通判吴耀卿，则之党也，伺纶动静，密以报则。则又厚结李溥，溥方为当涂者所昵，因共捃摭纶过。癸卯（十八日），诏徙知扬州。维扬亦溥、则巡内，持之益急，纶求换僻郡。是冬，又徙徐州。（《续资治通鉴长编》卷八二）

四月

己巳（十四日），令群臣诣国子监观太宗御书，及新刻御制辨论，遂宴本监。

（《续资治通鉴长编》卷八二）

五月

壬辰（八日），命右仆射、平章事王旦为兖州景灵宫朝修使。（《续资治通鉴长编》卷八二）

乙未（十一日），诏模刻天书，奉安于玉清昭应宫。命王旦为天书刻玉使，王钦若为同刻玉使，丁谓为副使，兵部侍郎赵安仁、翰林学士陈彭年为同刻玉副使，入内押班周怀政为都监。上作《奉祀礼成述怀》五言百韵诗，赐近臣、馆阁官属和，咸奉章求免，不许。修玉清昭应宫使丁谓表请御制本宫碑颂及御书额，从之。（《续资治通鉴长编》卷八二）

六月

壬戌（八日），遣使赍御药，赐景灵宫朝修使王旦。癸亥（九日），旦入辞，又赐袭衣、金带、鞍勒马，仍赋诗以宠其行。诏：自今至兖州，察吏治民隐，听以便宜从事。（《续资治通鉴长编》卷八二）

乙亥（二十一日），枢密使王钦若罢为吏部尚书，陈尧叟为户部尚书，副使马知节为颍州防御使。兵部尚书寇准为枢密使，同平章事王旦荐之也。（《续资治通鉴长编》卷八二）

丁丑（二十三日），司空致仕张齐贤卒，72 岁。张齐贤，曹州冤句人。擢进士，以大理评事通判衡州。代还，迁秘书丞。忻州新下，命知州事。明年召还，改著作佐郎，直史馆，改左拾遗。六年，为江南西路转运副使，冬，改右补阙，加正使。召还，拜枢密直学士，擢右谏议大夫、签书枢密院事。雍熙初，迁左谏议大夫。端拱元年冬，拜工部侍郎。二年，置屯田，领河东制置言方田都部署，入拜刑部侍郎、枢密副使。淳化二年夏，参知政事，数月，拜吏部侍郎、同中书门下平章事。四年六月，罢为尚书左丞。十月，命知定州，以母老不愿往，未几，丁内艰。寻复转礼部尚书、知河南府。俄徙襄州，移荆南，又徙安州。逾年，加刑部尚书。真宗即位，召拜兵部尚书、同中书门下平章事。坐冬至朝会被酒失仪，免相。四年闰十二月，拜右仆射、判汾州，不行，改判永兴军兼马步军部署。坐责太常卿、分司西京。景德初，起为兵部尚书、知青州。上幸澶渊，命兼青、淄、潍州安抚使。二年，改吏部尚书。从东封还，复拜右仆射。三年，出判河阳，从祀汾阴还，进左仆射。五年，代还，请老，以司空致仕。归洛，得裴度午桥庄，有池、榭、松、竹之盛，日与亲旧觞咏其间，意甚旷适。七年夏，薨，年七十二。赠司徒，谥文定。（《宋史》本传）

著有：《洛阳缙绅旧闻记》五卷（《宋史·艺文志二》）、《太平杂编》二卷（《宋史·艺文志五》）。

齐贤常作诗自警，兼遗子孙。虽词语质朴，而事理切当，足为规戒。其诗曰："慎言浑不畏，忍事又何妨。国法须遵守，人非莫举扬。无私仍克己，直道更和光。此个如端的，天应降吉祥。"余尝广其意，就每句一篇，命曰《八咏警戒诗》。（吴处厚

《青箱杂记》卷二）

庚辰（二十六日），上作《悯农歌》，又作《读十一经诗》，赐近臣和。上每著歌诗，间命宰辅、宗室、两制、三馆、秘阁官属继和，而资政殿、龙图阁学士所和尤多。至是，遍咏经史，三司、谏官、御史或预赓载。若大礼庆成及醵会，则百僚并赋。其后，梅洵等以馆职居外任，表求次韵，诏写本附驿赐之。（《续资治通鉴长编》卷八二）

刘师道卒，54 岁。六月，师道暴病卒，年五十四。师道性慷慨尚气，善谈世务，与人交敦笃。工为诗，多与杨亿辈酬唱，当时称之。（《宋史》本传）

七月

庚寅（六日），复以户部尚书陈尧叟为群牧制置使。（《续资治通鉴长编》卷八三）

辛卯（七日），开封府考试举人。旧例，试官更互封弥卷首，直集贤院杨侃等请别差官，从之。（《续资治通鉴长编》卷八三）

辛卯（七日），钱惟治卒，66 岁。惟治字和世，俶爱之，养为己子。幼好读书。八岁授两浙牙内诸军指挥使，判军粮营田事，又改德化军使，迁检校太保、台州团练使。乾德四年四月，制授宁远军节度、检校太傅，仍兼衔职。太宗嗣位，进检校太尉。俶改领镇国军节度。惟治善草隶，尤好二王书，家藏书帖、图书甚众。雍熙三年，大出师征幽州，命惟治知真定军府兼兵马都部署。前一日曲宴内殿，惟治献诗，帝览之悦。俶薨召还，起复检校太师。移疾就第百日，有司请罢奉，特诏续给。累上表请罢节镇，优诏不许。晚年颇贫匮。景德中，特转右武卫上将军，月给俸十万。累加左骁卫上将军、左神武统军。大中祥符七年七月，卒，年六十六，赠太师。惟治好学，聚图书万余卷，多异本。慕皮、陆为诗，有集十卷。（《宋史》本传）

著有：《钱惟治集》十卷（《宋史》本传）。

丙申（十二日），改命王钦若为天书同刻玉副使。钦若既罢枢密，名位亦当差降故也。（《续资治通鉴长编》卷八三）

八月

甲寅朔（一日），置景灵宫使，以中书侍郎、兼刑部尚书、平章事向敏中为之。（《续资治通鉴长编》卷八三）

甲子（十一日），以参知政事丁谓为修景灵宫使，权三司使林特副之。（《续资治通鉴长编》卷八三）

秘书监、分司西京杨亿以疾愈求入朝。上谓王旦曰："亿性峭直，无所附会。文学固无及者，然或言其好窃议朝政，何也？"旦曰："此盖与亿不足，诬谤之耳。亿受国深恩，非土木类。谐谑过当，则恐有之；讪讟之事，保其必无也。"戊辰（十五日），命亿知汝州。既而，监察御史姜遵奏："亿顷以母疾，擅去阙廷。所宜屏迹衡茅，尽心甘旨，忽求领郡，深属要君，请罢之。"上曰："亿前告归，本无终焉侍养之请，今以疾愈求入朝，故特与郡，遵未谕此意耳。"乃诏中书，召遵谕之。（《续资治通鉴长编》

卷八三）

祥符六年，杨公大年以翰林学士请急还阳翟省亲疾，继称病求解官。章圣皇帝以其才高名重，排群议，贷不加罪。逾年，以秘书监知汝州。公至汝，常称病，以事付僚吏，以文墨自虞，得诗百余篇。既还朝，汝人刻之于石。皇祐中，郡守王君为建思贤亭于北园之东偏。绍圣元年四月，予自门下侍郎得罪出守兹土。时亭弊已甚，诗石散落，亡者过半，取公汝阳编诗而刻之，乃增广思贤，龛石于左右壁。呜呼！公以文学鉴裁，独步咸平、祥符间，事业比唐燕、许无愧，所与交皆贤公相，一时名士多出其门。然方其时，则已有流落之叹。既没十有五年，声名犹籍籍于士大夫，而思贤废于隶舍马厩之后，诗石散于高台华屋之下矣。凡假外物以为荣观，盖不足恃，而公之清风雅量，固自不随世磨灭耶！然予独拳拳未忍其委于荒榛野草而复完之，抑非陋欤？抑非陋欤？（苏辙《汝州杨文公诗石记》）

九月

十五日，帝御景福殿，试服勤词学经明行修举人。内出《道无常名赋》、《冲气为和诗》、《天地何以犹橐龠论》题。（《宋会要辑稿·选举七》）

上御景福殿，试亳州、南京路服勤辞学经明行修举人，得进士张观等二十一人，诸科二十一人，赐及第，除官如东封西祀例。观，绛人也。上谓宰相曰："近岁举人，文艺颇精，孤贫得路。然为主司者亦大不易。徇请求则害公，绝荐托则获谤。"王旦曰："今郡县至广，人数亦繁，必须临轩亲试。至于南省发解，非朝廷特为主张，则虽责成主司，亦难以集事也。"（《续资治通鉴长编》卷八三）

上尝观书龙图阁，得王禹偁章奏，嗟美切直。因访其后，宰相言其子嘉言举进士及第，为江都尉，颇勤词学，而家贫母老。是日（二十九日），亦召对，特授大理评事。（《续资治通鉴长编》卷八三）

十月

癸亥（十日），召左正言、直史馆刘筠，右司谏、直史馆陈知微，并试于中书。上览筠所试，特称善。遂迁右司谏，而以知微为比部员外郎，并知制诰。仍令筠在知微上。（《续资治通鉴长编》卷八三）

十一月

己丑（七日），加玉清昭应宫使王旦司空，修宫使丁谓工部尚书，副使林特工部侍郎、为三司使。置玉清昭应宫副使，以丁谓为之。（《续资治通鉴长编》卷八三）

辛卯（九日），翰林学士晁迥上《玉清昭应宫颂》，其子秘书省正字宗操继上《景灵宫庆成歌》。上曰："迥高年，勤于著述，而善训子弟，亦缙绅佳事也。"（《续资治通鉴长编》卷八三）

壬辰（十日），户部尚书陈尧叟上《汾阴奉祀记》三卷，有诏褒答。（《续资治通

鉴长编》卷八三)

丁未（二十五日），刑部尚书冯拯兼御史中丞。（《续资治通鉴长编》卷八三）

己酉（二十七日），置玉清昭应宫判官、都监，以左正言、直集贤院夏竦为判官。王旦之为景灵宫朝修使也，竦实掌其笺奏。竦尝卧病，旦亲为调药饮之，数称其才，因使教庆国公书，又同修起居注。及是为判官，皆旦所荐也。（《续资治通鉴长编》卷八三）

冬

路振卒，58 岁。路振，字子发，永州祁阳人，唐相岩之四世孙。振幼颖悟，五岁诵《孝经》、《论语》。十二丁外艰，母氏虑其废业，日加诲激，虽隆冬盛暑，未始有懈。淳化中举进士，太宗以词场之弊，多事轻浅，不能该贯古道，因试《厄言日出赋》，观其学术。振寒素，游京师人罕知者，所作赋尤为典赡，太宗甚嘉之。擢置甲科，释褐大理评事，通判邠州，徙徐州。召还，直史馆，复遣之任，迁太子中允、知滨州。入判大理寺，改太常丞、知河中府，徙知邓州。代还，判吏部南曹三司催欠凭由司。景德中使福建巡抚，俄判鼓司登闻院。会修《两朝国史》，以振为编修官。大中祥符初，使契丹，撰《乘轺录》以献。改太常博士、左司谏，擢知制诰。振文词温丽，屡奏赋颂，为名辈所称，尤长诗咏，多警句。及居文翰之职，深惬物议，自是弥加精厉。七年，同修起居注。嗜酒得疾，其冬卒，年五十八。振纯厚无城府，恂恂如也，时人惜其登用之晚。有集二十卷。又尝采五代末九国君臣行事作世家、列传，书未成而卒。（《宋史》本传）

著有：《乘轺录》一卷（《宋史·艺文志二》）、《九国志》五十一卷（《宋史·艺文志三》）、《楚书》五卷（《宋史·艺文志三》）、《路振集》二十卷（《宋史》本传）。

本年

（辽圣宗开泰三年）放进士张用行等三十一人及第出身。（《辽史·圣宗纪六》）

程师孟六岁能诗。程师孟自幼颖悟，年五六岁时，戏剧灶下，家奴慢之曰："汝能狭劣尔，岂解为文章耶？"公怒曰："吾岂不能！"家奴曰："试为我吟一烧火诗。"即应声曰："吹火莺唇敛，投柴玉腕斜。回看烟里面，恰似雾中花。"甫冠登第。（龚明之《中吴纪闻》卷四）

蔡挺（1014—1079）**生**。蔡挺，字子政，宋城人。第进士，调虔州推官。秩满，授陵州团练推官。范仲淹宣抚陕西、河东，奏挺通判泾州，知博州。为开封府推官、提点府界公事。越数岁，稍起知南安军，提点江西刑狱，提举虔州盐。改陕西转运副使，进直龙图阁、知庆州。神宗即位，加天章阁待制、知渭州。熙宁五年，拜枢密副使。七年冬，奏事殿中，疾作而仆，帝亲临赐药，罢为资政殿学士、判南京留司御史台。元丰二年，薨，年六十六。赠工部尚书，谥曰敏肃。挺谲而多知，人莫能窥其城府。在渭久，郁郁不自聊，寓意词曲，有"玉关人老"之叹。中使至，则使优伶歌之，以达于禁掖。神宗愍焉，遂有枢密之拜云。（《宋史》本传）

孔延之（1014—1074）生。君姓孔氏，讳延之，字长源。乡举进士第一，遂中其科，授钦州军事推官。监杭州龙山税，知洪州新建县，又知筠州新昌县。迁为广南西路转运判官，召为开封府判官。知越州，移知泉州，改知宣州。未至，坐罢。乃以君为权管勾三司都理欠凭由司。出知润州，未行，暴得疾，卒京师。熙宁七年二月癸未也，年六十有一。君临江军新淦县人，孔子之后，四十七世孙。有文集二十卷。（曾巩《司封郎中孔君墓志铭》）

吕诲（1014—1071）生。吕诲，字献可，开封人。进士登第，由屯田员外郎为殿中侍御史。出知江州，时嘉祐六年也。召为侍御史，改同知谏院。治平二年，迁兵部员外郎，兼侍御史知杂事。下迁诲工部员外郎、知蕲州。神宗立，徙晋州，加集贤殿修撰、知河中府。召为盐铁副使，擢天章阁待制，复知谏院，拜御史中丞。出诲知邓州。明年，改知河南，命未下而寝疾矣。旋提举崇福宫，以疾表求致仕。诲三居言责，皆以弹奏大臣而去，一时推其鲠直。居病困，犹旦夕愤叹，以天下事为忧。既革，司马光往省之，至则目已瞑。闻光哭，蹶然而起，张目强视，遂卒，年五十八，海内闻者痛惜之。（《宋史》本传）

邵亢（1014—1074）生。邵亢，字兴宗，丹阳人。幼聪发过人，方十岁，日诵书五千言。赋诗豪纵，乡先生见者皆惊伟之。再试开封，当第一，以赋失韵，弗取。范仲淹举亢茂才异等，时布衣被召者十四人，试崇政殿，独亢策入等，除建康军节度推官。或言所对策字少，不应式，宰相张士逊与之姻家，故得预选，遂报罢。而士逊子实娶它邵，与亢同姓耳。士逊既不能与直，亢亦不自言。召试秘阁，授颍州团练推官。晏殊为守，一以事诿之。徙为府推官，改度支判官。以知制诰知谏院。东宫建，为右庶子。神宗立，迁龙图阁直学士。进枢密直学士、知开封府。拜枢密副使。亢在枢密逾年，引疾辞，以资政殿学士知越州。历郑、郓、亳三州。薨，年六十一。赠吏部尚书，即其乡赐以居宅，谥曰安简。（《宋史》本传）

本年重要作品：

文：杨亿《汾阳无德禅师语录序》。

公元 1015 年（宋真宗大中祥符八年　乙卯）

正月

甲午（十三日），命兵部侍郎、修国史赵安仁知礼部贡举，翰林学士李维、知制诰盛度、刘筠同知。上览诸道贡举人数减于常岁，因曰："外郡官吏未体朕意耶！比者诏命累下，但戒其徇私尔。若能精择寒畯，虽多何害？"又曰："闻所试诸科，六通已上卷中，小有点污粘缀，若记验者即驳放。苟实缘误失，亦可悯也。当谕主司勿即驳放，次场面试，以辨其真伪。"是岁，始置誊录院，令封弥印官封所试卷付之，集书吏录本，诸司供帐，内侍二人监焉。命京官校对，用两京奉使印讫，复送封印院。始送知举官考校。（《续资治通鉴长编》卷八四）

二月

丙子（二十五日），诏礼部贡院，进士六举、诸科九举以上，虽不合格，并许奏名。（《续资治通鉴长编》卷八四）

知永兴军、龙图阁直学士陈尧咨，好以气凌人，转运使乐黄目表陈，因求解职，诏不许。己卯（二十八日），徙尧咨知河南府兼留守司事。上闻尧咨多纵恣不法，诏黄目察之，尽得其实。上不欲穷治，止落职，徙知邓州。（《续资治通鉴长编》卷八四）

三月

戊戌（十八日），赵安仁等上礼部合格人数姓名。上顾谓宰相曰："今岁举场，似少谤议。安仁等适对，朕亦以此语之矣。"王旦曰："条式备具，可守而行。至公无私，其实由此。"（《续资治通鉴长编》卷八四）

二十三日，帝御崇政殿，试礼部合格奏名、特奏名进士。内出《置天下如置器赋》、《君子以恐惧修省诗》、《顺时慎微其用何先论》题。初，有司请以六举已上特奏名者各试之。帝曰："且令同试，其中或有及格，便随正奏名人入等，益彰至公也。"（《宋会要辑稿·选举七》）

上御崇政殿复试，多所黜落。又疑所点抹或未当，命宰相阅视之。旦曰："考官过为艰难，公在其中矣。"于是，得进士蔡齐以下百九十七人，并赐及第，六人同出身。又赐六举以上特奏名进士七十八人同《三礼》出身，赐诸科三百六十三人及第、同出身，试将作监、主簿，除官如元年之制。齐等既考定，上顾问王旦等曰："有知姓名者否？"皆曰："人无知者，真所谓搜求寒畯也。"故事，当赐第，必召其高第数人并见，又参择其才智可者然后赐第一。时新喻人萧贯与齐并见，齐仪状秀伟，举止端重，上意亦属之。知枢密院寇准又言："南方下国人不宜冠多士。"齐遂居第一。上喜谓准曰："得人矣！"特诏金吾给七驺，出两节传呼，因以为例。准性自矜，尤恶南人轻巧。既出，谓同列曰："又与中原夺得一状元。"齐，胶水人也。上之亲试进士也，召崇文院检讨冯元讲《周易·泰卦》，元因推言："君道至尊，臣道至卑。必以诚相感，乃能辅相财成。"上说，特赐五品服。（《续资治通鉴长编》卷八四）

登进士第者：蔡齐、李仲偃、刘燁、章倬、高铼、王淭、张观、何拯、詹中正、黄虚舟、黄鉴、祖士衡、庞籍、范仲淹、滕宗谅、萧贯、王益、谢绛、郭震、王丝、林冀、张晶之、韩琚、周骙等。

真宗好文，虽以文辞取士，然必视其器识。每御崇政赐进士及第，必召其高第三四人，并列于庭，更察其形神磊落者，始赐第一人及第，或取其所试文辞有理趣者。蔡齐《置器赋》云："安天下于覆盂，其功可大。"遂以为第一人。（欧阳修《归田录》卷一）

蔡文忠公齐状元及第，真宗视其形貌秀伟，举止安重，顾谓寇莱公曰："得人矣！"因诏金吾给驺从传呼。状元给驺从，始于此也。（范镇《东斋记事》卷一）

范仲淹任广德军司理参军。

四月

乙卯（六日），令翰林学士陈彭年以赵安仁等知贡举起请事件著于式。（《续资治通鉴长编》卷八四）

壬戌（十三日），以枢密使、同平章事寇准为武胜军节度、同平章事。以吏部尚书王钦若、户部尚书陈尧叟并为枢密使、同平章事。（《续资治通鉴长编》卷八四）

辛未（二十二日），以监察御史李仲容为右司谏、直史馆。上之亲试进士也，内出诗、赋、论题，先令考官析其义。仲容所对颇详备，上嘉之，特命中书召试，而有授焉。（《续资治通鉴长编》卷八四）

壬申（二十三日），命参知政事丁谓为大内修葺使。（《续资治通鉴长编》卷八四）

五月

甲申（四日），命寇准知河南府兼西京留守司事。（《续资治通鉴长编》卷八四）

壬辰（十二日），诏于右掖门外创崇文外院，别置三馆书库。时宫城申严火禁甚峻，上以群臣更直寓宿，寒冱之月，饮食非便，乃命翰林学士陈彭年检唐故事而修复之。（《续资治通鉴长编》卷八四）

癸巳（十三日），知制诰钱惟演献其父所赐礼贤宅，优诏奖之。赐惟演钱五千万，令均给六房，仍各赐宅一区。（《续资治通鉴长编》卷八四）

闰六月

庚辰（二日），王钦若上准诏编修后妃事迹七十卷，赐名《彤管懿范》。（《续资治通鉴长编》卷）八五）

七月

丙辰（九日），王钦若准诏讨阅道藏赵氏神仙事迹，凡得四十人，诏画于景灵宫之廊庑。（《续资治通鉴长编》卷八五）

己未（十二日），命知制诰刘筠乘传祭汴口，以河流浅涩故也。（《续资治通鉴长编》卷八五）

庚午（二十三日），上作《读十九代史》诗，赐近臣和。（《续资治通鉴长编》卷八五）

冯拯、王曾等受诏同详定博易新法，皆以谨重敦信为言，而上封者犹竞陈改法之弊，内臣蓝继宗等亦屡陈其不便。上以问辅臣，丁谓对："臣夙知利害，愿得与之辩。"寻召继宗等询其始末，悉不能对，谓亟以闻。（《续资治通鉴长编》卷八五）

八月

一日，枢密直学士、礼部尚书张咏卒，70岁。张咏，字复之，濮州鄄城人。太平兴国五年登进士乙科，大理评事、知鄂州崇阳县。再迁著作佐郎。入为太子中允，迁秘书丞、通判麟、相二州，乞掌濮州市征以便养。俄召还，赐绯鱼，知浚仪县。迁为荆湖北路转运使，转太常博士。召还，超拜虞部郎中，赐金紫。旬日，与向敏中并擢为枢密直学士、同知银台通进封驳司、兼掌三班院。出知益州。丁外艰，起复，改兵部郎中。真宗即位，加左谏议大夫。咸平初，入拜给事中、户部使，改御史中丞。二年，同知贡举。是夏，以工部侍郎出知杭州。五年，复命知益州，仍加刑部侍郎、枢密直学士，就迁吏部侍郎。大中祥符初，加左丞。三年春，就转工部尚书，再出知陈州。卒，年七十。赠左仆射，谥忠定。自号乖崖，以为"乖"则违众，"崖"不利物。有集十卷。（《宋史》本传）

以大中祥符八年八月一日齐终于理下，享年七十。公雅好著文，深切警迈，以不偶俗尚，自号"乖崖"。公尤善诗笔，必核情理，故重次薛能诗，序之曰："放言既奇，意在言外。"议者以公自道也。生平论著，仲氏诜集之成十卷以行。（宋祁《张尚书行状》）

著有：《乖崖语录》一卷（《宋史·艺文志二》）、《张咏集》十卷（《宋史·艺文志七》）。

故礼部尚书忠定张公以直道事太宗、真宗，虽不登相位而眷倚特隆，天下诵其事业而鲜有知其文者。今观其文，大抵脱去翰墨畦径，无属词缀文之迹，而磊磊落落，实大以肆。方国初踵五季文气之陋，柳仲涂、穆伯长辈力为古文以振之。公初不闻切磨于此，而当时老于文学者，称其秉笔为文有三代风。盖其光明硕大之学，尊主庇民之道，英华发外而雄奇典雅，得于天韵之自然，殆非语言文字之学所能到也。崇阳本公遗民也，后之君子欲诵其诗、读其书，将于是乎取，而无传焉可乎？森卿初至邑会，旧尹三山陈侯朴授一编书，乃公遗文，欲刊之县斋而未果，属使成之。读其歌诗，有古乐府风气，律句得唐人体。若声赋之作，又其杰然雄伟者，因揭以冠篇首。或者以《小英歌》等不类公作，然其词艳而不流，政自不害为宋广平梅花赋耳！《语录》旧传有三卷，今采摭传记，仅为一卷，附焉。遗事所载未备，辄以所闻增广。又于石刻中增收诗八篇，好事者有为公年谱，亦加删次，别为一卷。尚论其世者，宜有取尔。旧本得之通城杨君津家，凡十卷，今为十二卷。（郭森卿《乖崖集序》）

《乖崖集》十二卷，宋张咏撰。其集宋代有两本：一本十卷，见于赵希弁《读书附志》，所称钱易《墓志》、李畋《语录》附于后者是也；一本十二卷，见于陈振孙《书录解题》，所称郭森卿宰崇阳刻此集，旧本十卷、今增广并语录为十二卷者是也。此本前有森卿序，盖即振孙所见之本。其文乃疏通平易，不为崭绝之语。其诗亦列名"西昆体"中。其声赋一首，穷极幽渺，梁周翰至叹为一百年不见此作。则亦非无意于为文者，特其光明俊伟发于自然，故真气流露，无雕章琢句之态耳。（《四库提要》卷一五二）

著录：宋祁《张尚书行状》、钱易《张公墓志铭》、韩琦《张公神道碑铭》、曾巩《隆平集·张咏传》、晁公武《郡斋读书志·别集类中》、尤袤《遂初堂书目·别集类》、陈振孙《直斋书录解题·别集类中》、《宋史·艺文志七》、叶盛《菉竹堂书目》卷三、焦竑《国史经籍志》卷五、毛扆《汲古阁珍藏秘本书目》、陆心源《皕宋楼藏书志》卷七二、丁丙《善本书室藏书志》卷二六、《四库提要》卷一五二、邵懿辰《增订四库简明目录标注》卷一五、王重民《中国善本书提要》、傅增湘《藏园群书经眼录》卷一三、《北京图书馆古籍善本书目》、台湾《中央图书馆善本书目》。

版本：明万历淡生堂钞本、清滂喜斋影印本、清《四库全书》文渊阁本、清鸣野山房钞本、康熙十七年张青芝钞本、康熙四十九年吕无隐钞本、清光绪八年莫祥芝刻印本、清光绪十五年李嘉绩刻印本、清宣统二年李嘉绩铅印本。

庚寅（十三日），知汝州、秘书监杨亿言："部内秋稼甚盛，粟一本至四十穗，麻一本至九百角。"上览其章，谓辅臣曰："亿之词笔冠映当世，后学皆慕之。"王旦曰："如刘筠、宋绶、晏殊辈相继，属文有贞元、元和风格者，自亿始也。"（《续资治通鉴长编》卷八五）

九月

庚戌（三日），以工部郎中、知邓州陈尧咨守本官、知制诰。先是，尧咨兄枢密使尧叟因奏事言："尧咨会赦，当复龙图阁直学士。"上曰："学士清近之职，非会赦可复。"尧咨请用苏易简前自知制诰落职、未几复为知制诰例，上不许，曰："尧咨亦尝为知制诰，且授此职可也。"（《续资治通鉴长编》卷八五）

壬戌（十五日），命左司谏、知制诰刘筠为契丹国主生辰国信使。（《续资治通鉴长编》卷八五）

十月

辛巳（四日），以刑部尚书、兼御史中丞冯拯为户部尚书、知陈州，赠给公用钱岁百万。（《续资治通鉴长编》卷八五）

辛卯（十四日），以翰林学士晁迥权判吏部流内铨，知制诰盛度知通进银台司、兼门下封驳事。迥以父名佺为辞，遂命与度两换其任。时翰林学士王曾亦领银台司，宰相议令迥代曾，上曰："朕闻外议，谓曾尝封驳诏敕，自是中书衔之，多沮曾所奏。今若罢去，是符外议。"旦曰："臣等本无忌曾之意，今圣慈宣谕，为宰司避谤，请迥与度相易，曾如旧。"上可之。（《续资治通鉴长编》卷八五）

壬辰（十五日），盛度上《圣祖天源录》五卷。因上言：所编事迹虑有未备，愿别命儒臣就馆阁群书，更广编撰，以志先烈。诏从之。仍命王曾及集贤校理晏殊与度同纂集。（《续资治通鉴长编》卷八五）

甲辰（二十七日），兵部侍郎赵安仁上《大中祥符法宝箓》二十三卷，有诏褒饰，仍赐金帛。知汝州杨亿以尝预编修，赍物如之。（《续资治通鉴长编》卷八五）

乙巳（二十八日），王钦若上《圣祖事迹》十二卷，上制序，赐名《先天记》。钦若又续成三十二卷，上之。（《续资治通鉴长编》卷八五）

十一月

乙丑（十九日），种放卒，61 岁。种放，字明逸，河南洛阳人也。放沉默好学，七岁能属文，不与群儿戏。父尝令举进士，放辞以业未成，不可妄动。每往来嵩、华间，慨然有山林意。未几父卒，数兄皆干进，独放与母俱隐终南豹林谷之东明峰，结草为庐，仅庇风雨。以请习为业，从学者众。每曰空山清寂，聊以养和，因号云溪醉侯。所著《蒙书》十卷及《嗣禹说》、《表孟子》上下篇、《太一祠录》，人颇称之。多为歌诗，自称"退士"，尝作传以述其志。淳化三年，陕西转运宋惟干言其才行，诏使召之。放称疾不起。太宗嘉其节，诏京兆赐以缗钱使养母，不夺其志，有司岁时存问。咸平四年，兵部尚书张齐贤言放隐居三十年，不游城市十五载，孝行纯至，可励风俗，简朴退静，无谢古人。复诏本府遣官诣山，以礼发遣赴阙，赍装钱五万，放辞不起。明年，齐贤出守京兆，复条陈放操行，请加旌贲。九月，放至，对崇政殿，以幅巾见，命坐与语，询以民政边事。数日，复召见，赐绯衣、象简、犀带、银鱼，御制五言诗宠之，赐昭庆坊第一区，加帷帐什物，银器五百两，钱三十万。中谢日，赐食学士院，自是屡得召对。六年春，再表谢暂归故山，诏许其请。将行，又迁起居舍人，命馆阁官宴饯于琼林苑，上赐七言诗三章，在席皆赋。十月，遣使就山抚问，图其林泉居处以献，优诏趣其入觐，放以疾未平为请。景德元年十月，来朝，言归山之久，请计月不受奉，诏特给之。放每至京师，秦雍生徒多就而受业。二年，擢为右谏议大夫。表乞嵩少养疾，许之，令河南府检校。召对资政殿，曲宴学士院，王钦若泊当直学士、舍人、待制悉预。既罢，又赐宴于钦若直庐。表乞免都门置钱之礼。屡遣中使劳问，赐以茶药。是冬，复来朝。三年，以兄丧请告归终南营葬，复召宴赐诗。大中祥符元年，命判集贤院，从封泰山，拜给事中。二年四月，求归山，宴饯于龙图阁，命学士即席赋诗，制序。上作诗，卒章云："我心虚伫日，无复醉山中。"初，放作诗尝有"溪上醉眠都不知"之句，故及之。三年正月，复召赴阙，表乞赐告，手诏优答之。作歌赐之，乃赏衣服、器币，令京兆府每季遣幕职就山存问。四年正月，复来朝，从祠汾阴，拜工部侍郎。放屡至阙下，俄复还山，人有诮书嘲其出处之迹，且劝以弃位居岩谷，放不答。尝曲宴令群臣赋诗，杜镐以素不属辞，诵《北山移文》以讥之。八年十一月乙丑，晨兴，忽取前后章疏稿悉焚之，服道士衣，召诸生会饮于次，酒数行而卒。讣闻，上甚嗟悼，亲制文遣内侍朱允中致祭。归葬终南，赠工部尚书。（《宋史》本传）

著有：《种放集》十卷（《宋史·艺文志七》）。

著录：曾巩《隆平集·种放传》、晁公武《郡斋读书志·别集类》、郑樵《通志·艺文略八》、陈振孙《直斋书录解题·别集类中》、《宋史·艺文志七》。

十二月

壬午（六日），枢密使、同平章事王钦若上《承天节四裔同献寿歌》，上和之。（《续资治通鉴长编》卷八五）

戊子（十二日），著作佐郎、集贤校理晏殊上《皇子冠礼赋》，诏奖之。上曰："殊少年孤立，力学自奋，人鲜及之。加以沉谨，造次不逾矩，甚为缙绅所器。或闻有大族欲妻以女，殊坚拒之。京城赐酺，京官不得预会，同辈召之出游，不答，但掩关与弟颖读书著文而已。颖亦幼能属词，朕尝遣取其所业，且戒殊勿为改窜，其弟请加涂乙，终不之省，亦不言其故。周密至此，信其禀赋本异也。"（《续资治通鉴长编》卷八五）

己亥（二十三日），以御制《陈书》诗并注赐辅臣。因曰："隋炀帝初平陈，斩五佞人以谢三吴，当时天下称贤。及其无道，乃过后主，深可叹也。"王旦等曰："陛下博观载籍，非惟多闻广记，实皆取其规鉴。谈经典必稽其道，语史籍必穷其事，论为君必究其治乱，言为臣必志其邪正，加以秉笔立言，皆化人垂世之作。今之文章典雅，缙绅稽古，皆圣训所及也。"（《续资治通鉴长编》卷八五）

甲辰（二十八日），命枢密使同平章事王钦若都大提举抄写校勘馆阁书籍，翰林学士陈彭年副焉。铸印给之。初，荣王宫火，燔崇文院、秘阁，所存无几。既别建外院，重写书籍。彭年请内降书本，选官详定，然后抄写。命馆阁官及择吏部常选人校勘，校毕，令判馆阁官详校，两制内选官覆点检。又令两制举服勤文学官五人覆校。其校勘、详校计课用秘书省式，群官迭相检察。每旬奏课及上其勤惰之状，疑舛未辨正者聚议裁之。诏可。惟覆点检官之职，命覆校勘官兼之。乃出太清楼书籍，令彭年提举管勾，募笔工二百人。彭年仍奏监书籍内侍刘崇超预其事。又请募人以书籍鬻于官者，验真本酬其直，五百卷以上优其赐，或艺能可采者别奏候旨。前后献书者十九人，悉赐出身及补三班，得一万八千七百五十四卷。彭年参知政事，仍领其务。钦若为相，以李迪代之。自是，常以参知政事一人兼领。然彭年既入中书，不复至馆，其总领之务，但委崇超，判馆阁官亦不复关预云。（《续资治通鉴长编》卷八五）

本年

王益柔（1015—1086）生。益柔字胜之。用荫至殿中丞。以学术政事荐，知介丘县。范仲淹未识面，以馆阁荐之，除集贤校理。预苏舜钦奏邸会，醉作《傲歌》，黜监复州酒。久之，为开封府推官、盐铁判官。熙宁元年，入判度支审院。判吏部流内铨。直舍人院、知制诰兼直学士院。迁龙图阁直学士、秘书监，知蔡扬亳州、江宁应天府。卒，年七十二。益柔少力学，通群书，为文日数千言。尹洙见之曰："赡而不流，制而不窘，语淳而厉，气壮而长，未可量也。"时方以诗赋取士，益柔去不为。范仲淹荐试馆职，以其不善词赋，乞试以策论，特听之。司马光尝语人曰："自吾为《资治通鉴》，人多欲求观读，未终一纸，已欠伸思睡。能阅之终篇者，唯王胜之耳。"其好学类此。（《宋史》本传）

石牧之（1015—1093）生。朝议大夫致仕新昌石君，讳牧之，字圣咨。庆历二年进士。姿韵沉雅，志操高远，幼无它好，唯读书是嗜。二十七登科，试秘书省校书郎、知县。下补杭州新城尉，移台州天台令。改著作佐郎，九迁至朝议。凡知江宁、盐城、雍丘三县，通判温、湖、舒、建四州。入朝为越王宫太学教授，监在京曲院。最后朝选知温州。无事间或会宾僚，追文酒之乐，继以酬唱篇咏，不日盈编轴。好事者集成二十卷，目曰《永嘉唱和》云。罢郡时，年才六十六，遂有归休之志。上封告老，以本官致仕。一日盥沐更衣，就寝无一语，嗒然而逝，虽脱屣蝉蜕无易于此。时元祐八年冬十一月十三日也。（苏颂《朝议大夫致仕石君墓碣铭》）

李中师（1015—1075）生。李中师，字君锡，开封人。举进士，陈执中荐为集贤校理、提点开封府界。进秩，辞不受，乃擢度支判官，为淮南转运使。徙河东，入为度支副使，拜天章阁待制、陕西都转运使，知澶州、河南府。召权三司使、龙图阁直学士，复为河南。召为群牧使。权发遣开封府，卒，年六十一。（《宋史》本传）

张刍（1015—1080）生。公讳刍，字圣民。公力学，为文章起家，应乡举为州第一人。覆试礼部，公名复第一，由是声誉翕然。吏部补江州司户参军，迁余杭令。改著作佐郎，知大名府永济县事。时贝州军乱，丞相潞公宣抚河北，表公从军，得预军议。贝州平，迁国子监直讲。潞公监修国史，以公为史馆检讨。未几，同知太常礼院。是时，太常方议温成后园寝，公论不合，夺职，监潭州酒务。久之，除秘阁校理，判登闻鼓院、吏部南曹，知登州。召为群牧判官、开封府推官，迁三司户部判官。丁亲丧去，起为淮南转运使。不累月，除荆湖、江浙、淮南制置发运副使。再迁刑部郎。四年，除三司盐铁副使。既而，以集贤殿修撰知越州。州远不便亲养，改密州。少时，复移沧州。入提举在京诸司库务。俄拜谏议大夫，安抚京师南路。逾岁，复以亲乱，徙知应天府，兼南京留守司公事。元丰三年九月丙戌暴疾，终于官，年六十有六。所为文章，凡四十卷，其好学笃志又如此。（沈括《张公墓志铭》）

陶弼（1015—1078）生。陶弼，字商翁，永州人。庆历中，杨畋讨湖南徭，弼上谒，畋授之兵使往袭，大破之。以功得阳朔主簿。知宾、容、钦三州，换崇仪副使，迁为使，知邕州。久于邕，请便郡，徙鼎州。章惇经理五溪蛮事，荐为辰州，迁皇城使。降北江彭师宴，授忠州刺史。郭逵南征，转弼康州团练使，复知邕州。进弼西上阁门使，留知顺州。加东上阁门使，未拜而卒。弼能为诗，好士乐施。（《宋史》本传）

刘彝（1015—1091）生。刘彝，字执中，福州人。幼介特，居乡以行义称。从胡瑗学，瑗称其善治水，凡所立纲纪规式，彝力居多。第进士，为邵武尉，调高邮簿，移朐山令。熙宁初，为制置三司条例官属，以言新法非便罢。神宗择水官，以彝悉东南水利，除都水丞。为两浙转运判官。知虔州，俗尚巫鬼，不事医药。彝著《正俗方》以训，斥淫巫三千七百家，使以医易业，俗遂变。加直史馆，知桂州。坐贬均州团练副使，安置随州。又除名为民，编隶涪州，徙襄州。元祐初，复以都水丞召还，病卒于道，年七十七。著《七经中义》百七十卷、《明善集》三十卷、《居阳集》三十卷。（《宋史》本传）

钱明逸（1015—1071）生。明逸字子飞。繇殿中丞策制科，转太常博士。为吕夷简所知，擢右正言。首劾范仲淹、富弼，盖希章得象、陈执中意也。进同修起居注、知制诰，擢知谏院，为翰林学士。自登科至是，才五年。加史馆修撰、知开封府。罢为龙图阁学士、知蔡州。历扬、青、郓、曹州、应天府，还，判流内铨、知通进银台司，复出知成德军、渭州。加端明殿学士、知秦州。治平初，复为翰林学士。神宗立，乃罢学士。久之，知永兴军。熙宁四年，卒，年五十七。赠礼部尚书，谥曰修懿。（《宋史》本传）

本年重要作品：

　　文：张咏《答汝州杨大监书》。

　　诗：寇准《洛阳有怀岐山旧游》、寇准《忆岐下旧游》。

公元 1016 年（宋真宗大中祥符九年　丙辰）

正月

　　丙辰（十一日），置会灵观使，以参知政事丁谓为之，仍加刑部尚书。（《续资治通鉴长编》卷八六）

二月

　　壬午（六日），徙知河南府寇准判永兴军，知永兴军李迪为陕西都转运使。（《续资治通鉴长编》卷八六）

　　向敏中、寇准同以太平兴国五年登科，后向秉钧，寇以使相知永兴军。向作绝句赠寇，寇酬之，曰："玉殿登科四十年，当时僚友尽英贤。岁寒惟有君兼我，白首犹持将相权。"（吴处厚《青箱杂记》卷五）

　　丁亥（十一日），监修国史王旦等上《两朝国史》一百二十卷，优诏答之。戊子（十二日），加旦守司徒，修史官赵安仁、晁迥、陈彭年、夏竦、崔度并进秩，赐物有差。王钦若、陈尧叟、杨亿尝预修史，亦赐之。（《续资治通鉴长编》卷八六）

　　己丑（十三日），修国史院言：《两朝实录》，事有未备，望降赴本院增修，从之。（《续资治通鉴长编》卷八六）

　　癸卯（二十七日），召近臣于翔鸾阁观太宗御书及御制《圣文神笔颂》、《玉宸殿记》等，上作诗，命从臣和。又幸流杯殿泛觞，登象瀛山翠芳亭，宴玉宸殿。（《续资治通鉴长编》卷八六）

三月

　　戊申（四日），枢密使王钦若上新校《道藏经》，赐目录，名《宝文统录》，上制序，赐钦若及校勘官器币有差。寻又加钦若食邑，校勘官阶勋，或赐服色。初，东封后，令两街集有行业道士修斋醮科仪，命钦若详定，成《罗天醮仪》十卷。又选道士十人校定《道藏经》，明年，于崇文院集官详校，钦若总领，铸印给之。旧藏三千七百三十七卷，太宗尝命散骑侍郎徐铉、知制诰王禹偁、太常少卿孔承恭校正写本，送大宫观，钦若增六百二十二卷。又以《道德》、《阴符经》乃老君圣祖所述，自四辅部升于洞真部。钦若自以深达教法，多所建白。时职方员外郎曹谷亦称练习，钦若奏校藏经。未几，出为淮南转运使，奏还，卒业。诠整部类，升降品第，多其所为也。令著作佐郎张君房就杭州监写本。初，诏取道、释藏经互相毁訾者皆删去之，钦若言："老子《化胡经》，乃古圣遗迹，不可削去。"又言："《九天生神章》、《玉京》、《通神》、

《消灾》、《救苦》、《五星》、《秘授》、《延寿》、《定观》、《内保命》、《六斋》、《十直》凡十二经，溥济于民，请摹印颁行。"从之。（《续资治通鉴长编》卷八六）

壬子（八日），翰林学士、给事中钱惟演罢学士。（《续资治通鉴长编》卷八六）

四月

壬辰（十九日），以工部郎中、龙图阁待制张知白为右谏议大夫、权御史中丞。知白自青州归朝，表求判国子监。上曰："知白岂倦于处剧耶？"宰臣言："知白更践中外，未尝为身谋，亦可嘉也。"时执宪久阙，特命授之。（《续资治通鉴长编》卷八六）

枢密使、同平章事陈尧叟以足疾请逊位，诏不许。尧叟久在告，庚子（二十七日），车驾幸其第，劳赐加等。（《续资治通鉴长编》卷八六）

五月

十日，释智圆集所作为《闲居编》，自为之序。

钱唐释智圆，字无外，自号中庸子。于讲佛经外，好读周、孔、扬、孟书。往往学为古文，以宗其道；又爱吟五七言诗，以乐其性情。（智圆《闲居编序》）

上人神宇清明，道韵凝粹，德贯幽显，学该内外。开卷游目，必沿波而讨源；属笔缀词，率劝善而惩恶。蔑闻可择之行，不观非圣之书。克己为仁，无亡于终食；服膺讲道，靡舍于寸阴。仰止高山，温其如玉。至性乐善，盖禀于天姿；妙岁能文，匪由于师授。尤好静默，专务隐居，屏去尘游，杜绝人事。处方丈之室，晏如覆杅；玩一卷之书，嗒然隐几。旁涉庄、老，兼通儒、墨。至于论撰，多所宪章，吟咏情灵，悠扬风雅。小文短札，初不经心；遗言放辞，咸有奇致。师早婴痾瘵，常居疲薾，伏枕方榻，罕事笔精，授简门人，多出口占。辞条错综，文律铿锵。率尔混成，不烦刊定。夫折理者，意远则理优；宣理者，理高则文胜。盖先本而后末，撼实遗华。然后大羹不致而遗味存，大圭不琢而天质露。岂与夫咬哇之末响、雕刻之繁文较其能否哉！（吴遵路《闲居编序》）

著录：《宋史·艺文志七》、赵琦美《脉望馆书目》、邵懿辰《增订四库简明目录标注》卷一五。

丁巳（十四日），命中书侍郎、兼刑部尚书、平章事向敏中为兖州景灵宫太极观庆成使。所至仍察吏治民隐，听以便宜从事。辞日，上赋诗宠其行。（《续资治通鉴长编》卷八七）

戊午（十五日），晏殊献《景灵宫》、《会灵观》二赋，上嘉之，迁太常寺丞。（《玉海》卷一〇〇）

庚申（十七日），景灵宫使向敏中、修宫使丁谓并加兵部尚书。（《续资治通鉴长编》卷八七）

乙丑（二十二日），以王旦为恭上宝册南郊恭谢大礼使，向敏中为仪仗使，王钦若为礼仪使。又以旦为天书仪卫使，钦若为同仪卫使，丁谓为扶侍使。又以谓为修奉宝册及参详仪制使，同玉清昭应宫副使林特、翰林学士陈彭年分为副使。陈尧叟言以疾

在告，请停生日恩赐，诏辍宴而赐物如例。（《续资治通鉴长编》卷八七）

八月

癸未（十二日），宰臣王旦以衰病求罢，诏不许，仍断来章。（《续资治通鉴长编》卷八七）

丙戌（十五日），枢密使、同平章事陈尧叟罢为右仆射。（《续资治通鉴长编》卷八七）

九月

甲辰（三日），兵部尚书、参知政事丁谓罢为平江节度使。谓上章请外，即授本镇旌钺，以宠其行。寻命谓知升州。谓请归拜墓，许之。（《续资治通鉴长编》卷八八）

丙午（五日），以翰林学士陈彭年为刑部侍郎，王曾为左谏议大夫，权御史中丞张知白为给事中，并参知政事。（《续资治通鉴长编》卷八八）

甲寅（十三日），上作诗赐新授参知政事陈彭年。（《续资治通鉴长编》卷八八）

杨亿以秘书监判秘阁。杨文公在翰林，以谗伴狂去职，然圣眷之不衰。闻疾愈，即起为郡，未几，复以判秘监召。既到阙，以诗赐之曰："琐闱往年司制诰，共嘉藻思类相如。蓬山今日诠坟史，还仰多闻过仲舒。报政列城归觐后，疏恩高阁拜官初。诸生济济弥瞻望，铅椠谘询辨鲁鱼。"祖宗爱惜人材，保全忠贤之意如此。（叶梦得《石林诗话》卷中）

十月

己卯（八日），王钦若表上《翊圣保德真君传》三卷，上制序。（《续资治通鉴长编》卷八八）

十一月

癸亥（二十三日），召近臣观书龙图阁，秘书监杨亿、知杂御史吕夷简预焉。上作诗五章，分赐宰辅、宗室、两制、诸帅、待制等，命儒臣即席皆赋。（《续资治通鉴长编》卷八八）

本年

穆修谪池州参军。

（辽圣宗开泰五年）是岁，放进士孙杰等四十八人及第。（《辽史·圣宗纪六》）

本年重要作品：

诗：寇准《和向相公见寄》、寇准《初到长安书怀》。

公元 1017 年（宋真宗天禧元年　丁巳）

正月

一日，改元。

孙仅卒，49 岁。仅字邻几，咸平初登进士第。兄弟皆冠，天下士学者荣之。仅复举贤良方正科，入等，累擢知制诰、集贤院学士、给事中。卒，年四十九。仅端懿无竞，笃于儒学，士大夫高其履尚。有《文集》五十卷。（曾巩《隆平集》卷十三）

著有：《孙仅诗》一卷（《宋史·艺文志七》）、《孙仅集》五十卷（曾巩《隆平集》卷十三）。

二月

戊寅（九日），内外官并加恩。司徒、兼门下侍郎、平章事王旦加太保，中书侍郎、兼兵部尚书、平章事向敏中加吏部尚书，枢密使、同平章事王钦若加右仆射。上作《会灵观铭》、《元符论》、《颂思政论》，仍出《正说》十卷、《春秋要言》三卷、清景殿书事诗百篇，召辅臣至龙图阁示之。（《续资治通鉴长编》卷八九）

辛巳（十二日），上作《三惑论》、《三惑歌》并注，仍绩画刻板摹本，以赐辅臣。（《续资治通鉴长编》卷八九）

癸未（十四日），以新除工部侍郎、参知政事张知白为金紫光禄大夫，依前给事中，加功臣勋邑，余如故。（《续资治通鉴长编》卷八九）

丁酉（二十八日），寇准除山南东道节度使、判襄州。丁酉，新除山南东道节度使寇准言父名湘，与州名音同，望且守旧镇。宰相曰："枢密使王继英父名忠，而功臣有'推忠'之号，诏旨不避。况'湘'、'襄'嫌名也，成命已行，不可追改。"乃诏谕准焉。（《续资治通鉴长编》卷八九）

己亥（三十日），刑部侍郎、参知政事陈彭年卒，57 岁。上闻之，即幸其第，涕泗良久。又睹其所居陋敝，叹惜数四。赠右仆射，谥文僖。彭年性敏给强记，尤好仪制沿革、刑名之学。平居手不释卷，属词顷刻而就，未尝抒思。慕唐四子为文，体制繁靡。上多令检讨典故，自大中祥符后，礼典交举，彭年无不参预。或别殿访对，或中使手札临问，彭年从宜应答，无所凝滞，皆合上意。凡典章文法之事，每密有询访。自升内阁，即以翰墨为己任，不欲领他务。然李宗谔、杨亿皆在朝，及宗谔卒，亿病退，则彭年专文翰之任矣。前后赐御歌诗凡六篇，其恩遇如此。性卑俭，每得俸赐，多市坟籍，虽处贵显，无改平素。（《续资治通鉴长编》卷八九）

著有：《重修广韵》五卷（《宋史·艺文志一》）、《韵诠》十四卷（《宋史·艺文志一》）、《唐纪》四十卷（《宋史·艺文志二》）、《大中祥符编敕》四十卷（《宋史·艺文志三》）、《转运司编敕》三十卷（《宋史·艺文志三》）、《江南别录》四卷（《宋史·艺文志三》）、《志异》十卷（《宋史·艺文志五》）、《宸章集》二十五卷（《宋史·艺文志八》）。

三月

戊午（十九日），以枢密使王钦若为会灵观使。（《续资治通鉴长编》卷八九）

四月

庚辰（十二日），徙封州刺史、知绛州钱惟济知潞州。（《续资治通鉴长编》卷八九）

十二日，右仆射陈尧叟卒，57 岁，赠侍中，谥文惠。

著有：《请盟录》二十卷（《宋史》本传）。

壬午（十四日），赐进士杨伟及第，贾昌朝同出身。大礼之初，贡举人献赋颂者甚众，诏近臣详考，唯伟及昌朝可采，故召试学士院而命之。伟，建阳人；昌朝，获鹿人，璘孙也。（《续资治通鉴长编》卷八九）

五月

庚子（三日），宰臣王旦以疾，表求罢免，不许。壬寅（五日），王旦再表求罢，不许。戊申（十一日），制授太尉、兼侍中，听五日一赴起居，因入中书，遇军国重事，不限时，入预参决。旦闻命愈恐，家居不出，手疏恳请去位。既旬浃，乃诏止加封邑，其余优礼悉如前制。（《续资治通鉴长编》卷八九）

癸亥（二十六日），以枢密使王钦若为奉安太祖圣容礼仪使，赞导乘舆。（《续资治通鉴长编》卷八九）

六月

己丑（二十二日），召王旦对于崇政殿数刻。向敏中至自京西。（《续资治通鉴长编》卷九〇）

七月

庚戌（十四日），知永兴军寇准言部内民稼蝗伤之后，茎叶再茂，蝗多抱草死。（《续资治通鉴长编》卷九〇）

癸丑（十七日），宰臣向敏中奉表求罢，诏不许。（《续资治通鉴长编》卷九〇）

王旦以病，坚求罢相。甲寅（十八日），召对滋福殿，左右掖扶而升。丁巳（二十一日），以旦为太尉，仍领玉清昭应宫使，特给宰相俸料之半。令礼官草仪，赴上尚书省。遣其子大理评事雍就第赐诰命，赐赍器服，悉如宰相。（《续资治通鉴长编》卷九〇）

己未（二十三日），向敏中再表求罢，不许。（《续资治通鉴长编》卷九〇）

八月

庚午（五日），以枢密使、同平章事王钦若为左仆射、平章事。（《续资治通鉴长编》卷九〇）

壬申（七日），中书侍郎、兼吏部尚书、平章事向敏中加右仆射、门下侍郎。（《续资治通鉴长编》卷九〇）

己丑（二十四日），以祠部员外郎、直集贤院钱易判三司都磨勘司。（《续资治通鉴长编》卷九〇）

九月

癸卯（八日），给事中、参知政事王曾罢为礼部侍郎。（《续资治通鉴长编》卷九〇）

己酉（十四日），太尉玉清昭应宫使王旦卒，61 岁。王旦，字子明，大名莘人。太平兴国五年，进士及第，为大理评事、知平江县。代还，命监潭州银场。何承矩典郡，荐入为著作佐郎，预编《文苑英华》、《诗类》。迁殿中丞、通判郑州。淳化初，召试，命直史馆。二年，拜右正言、知制诰。至道元年，知理检院。二年，进兵部郎中。真宗即位，拜中书舍人，数月，为翰林学士兼知审官院、通进银台封驳司。咸平三年，又知贡举，锁宿旬日，拜给事中、同知枢密院事。逾年，以工部侍郎参知政事。二年，加尚书左丞。三年，拜工部尚书、同中书门下平章事、集贤殿大学士、监修《两朝国史》。大中祥符初，进中书侍郎兼刑部尚书。加兵部尚书。四年，迁右仆射、昭文馆大学士。俄兼门下侍郎、玉清昭应宫使。五年，为玉清奉圣像大礼使。景灵宫建，又为朝修使。《国史》成，迁司空。天禧初，进位太保，为兖州太极观奉上宝册使，复加太尉兼侍中。以太尉领玉清昭应宫使，给宰相半俸。薨，年六十一。帝临其丧恸，废朝三日，赠太师、尚书令、魏国公，谥文正，乾兴初，诏配享真宗庙廷。及建碑，仁宗篆其首曰："全德元老之碑。"（《宋史》本传）

著有：《国史》一百二十卷（《宋史·艺文志二》）、《名贤遗范录》十四卷（《宋史·艺文志二》）、《王旦集》二十卷（《宋史·艺文志七》）。

王文正公旦，相真宗仅二十年。时值四夷纳款，海内无事，天书荐降，祥瑞沓臻。而大驾封岱祠汾，皆为仪卫使扈跸。处士魏野献诗曰："太平宰相年年出，君在中书十四秋。西祀东封俱已毕，可能来伴赤松游。"（吴处厚《青箱杂记》卷一）

甲寅（十九日），诏：自今特旨召试者，并问时务策一道，仍别试赋论或杂文一首。（《续资治通鉴长编》卷九〇）

癸亥（二十八日），右正言鲁宗道言："进士所试诗赋，不近治道。诸科对义，但以念诵为工，罔究大义。"上谓辅臣曰："前已降诏，进士兼取策论，诸科有能明经者，别与考校，可申明之。"（《续资治通鉴长编》卷九〇）

十月

丁卯（二日），太常丞、集贤校理晏殊以岁经蝗旱，上轸圣虑，灾沴已息，稼穑大稔，献《唯德动天颂》，诏褒之。（《续资治通鉴长编》卷九〇）

十一月

庚子（六日），龙图阁待制李虚己等上《新编御集》百二十卷，召辅臣至滋福殿示之，赐虚己等银帛。（《续资治通鉴长编》卷九〇）

辛亥（十七日），翰林学士李维等上新修《大中祥符降圣记》五十卷、《迎奉圣像记》二十卷、《奉祀记》五十卷，诏褒之，赐帛有差。（《续资治通鉴长编》卷九〇）

本年

范仲淹迁文林郎、权集庆军节度推官。始复范姓。

陈襄（1017—1080）生。陈襄，字述古，福州侯官人。少孤，能自立，出游乡校，与陈烈、周希孟、郑穆为友。时学者沉溺于雕琢之文，所谓知天尽性之说，皆指为迂阔而莫之讲。四人者始相与倡道于海滨，闻者皆笑以惊，守之不为变，卒从而化，谓之"四先生"。襄举进士，调浦城主簿，摄令事。迁知河阳县，再知常州，入为开封府推官、盐铁判官。神宗立，坐出知明州。明年，同修起居注，知谏院，改侍御史知杂事。召试知制诰。襄以言不行，辞不肯试，愿补外。帝惜其去，留修起居注。襄恳辞，手诏谕之，乃就职。逾年，为知制诰，寻直学士院。出知陈州，徙杭州，以枢密直学士知通进、银台司兼侍读，判尚书都省。卒，年六十四，赠给事中。（《宋史》本传）

周敦颐（1017—1073）生。周敦颐，字茂叔，道州营道人。原名敦实，避英宗旧讳改焉。以舅龙图阁学士郑向任，为分宁主簿。部使者荐之，调南安军司理参军。移郴之桂阳令，治绩尤著。历合州判官，通判虔州。熙宁初，知郴州。因荐，为广东转运判官，提点刑狱。以疾求知南康军。因家庐山莲花峰下。前有溪，合于湓江，取营道所居濂溪以名之。抃再镇蜀，将奏用之，未及而卒，年五十七。博学行力，著《太极图》，明天理之根源，究万物之终始。又著《通书》四十篇，发明太极之蕴。序者谓"其言约而道大，文质而义精，得孔、孟之本源，大有功于学者也"。嘉定十三年，赐谥曰元公，淳祐元年，封汝南伯，从祀孔子庙庭。（《宋史》本传）

韩维（1017—1098）生。韩维，字持国。受荫入官。富弼辟河东幕府，史馆修撰欧阳修荐为检讨、知太常礼院。乞罢礼院。以秘阁校理通判泾州。同修起居注、侍迩英讲。进知制诰、知通进银台司。颍王为皇太子，兼右庶子。神宗即位，除龙图阁直学士。知汝州。数月，召兼侍讲、判太常寺。兼侍读学士，充群牧使。出知襄州，改许州。七年二月，召为学士承旨。王安石罢，会绛入相，加端明殿学士、知河阳，复知许州。进资政殿学士。请提举嵩山崇福宫。未几，起知陈州，未行，召兼侍读，加大学士。维处东省逾年，有忌之者密为谗诉，诏分司南京。还大学士、知邓州。改汝州。久之，以太子少傅致仕，转少师。绍圣中，坐元祐党，降左朝议大夫，再谪崇信军节度副使，均州安置。元符元年，以幸睿成宫，复左朝议大夫，是岁卒。年八十二。徽宗初，悉追复旧官。（《宋史》本传）

刘羲叟（1017—1060）生。刘羲叟，字仲更，泽州晋城人。欧阳修使河东，荐其学术。试大理评事，权赵州军事判官。精算术，兼通《大衍》诸历。及修唐史，令专修《律历》、《天文》、《五行志》。寻为编修官，改秘书省著作佐郎。以母丧去，诏令家居编修。书成，擢崇文院检讨，未入谢，疽发背卒。羲叟强记多识，尤长于星历、术数。著《十三代史志》、《刘氏辑历》、《春秋灾异》诸书。（《宋史》本传）

　　张师正（1017—?）生。文莹丙午岁访辰帅张不疑师正，时不疑方五十，齿已疏摇，咀嚼颇艰。后熙宁丁巳，不疑帅鼎，复见招，为武陵之游。不疑晚学益深，经史沿革，讲摩纵横，文章诗歌，举笔则就。著《括异志》数万言，《倦游录》八卷。观其余蕴，尚盘错于胸中。与余武陵之别，慨然口占二诗云："忆昔荆州屡过从，当时心已慕冥鸿。渚宫禅伯唐齐己，淮甸诗豪宋惠崇。老格疏闲松倚涧，清谈潇洒坐生风。史官若觅高僧事，莫把名参伎术中。"又云："碧嶂孤云冉冉归，解携情绪异常时。余生岁月能多少，此别应难约后期。"风义见于诗焉。（文莹《玉壶清话》卷五）

本年重要作品：

　　文：杨亿《天禧观礼赋》。

　　诗：杨亿《送高学士知越》。

公元 1018 年（宋真宗天禧二年　戊午）

正月

　　丙辰（二十二日），知青州戚纶请以官廪菽粟二千斛设粥，米万斛减直出粜，以惠贫民。从之。（《续资治通鉴长编》卷九一）

　　戊午（二十四日），宰相王钦若等上《天禧大礼记》四十卷。（《续资治通鉴长编》卷九一）

二月

　　晏殊为昇王府记室参军，再迁左正言、直史馆。

　　晏元献公及为馆职时，天下无事，许臣僚择胜燕饮。当时侍从、文馆、士大夫为燕集，以至市楼、酒肆往往皆供为游息之地。公是时贫甚，不能出，独家居，与昆弟讲习。一日选东宫官，忽自中批除晏殊，执政莫谕所因。次日进覆，上谕之曰："近闻馆阁臣僚无不嬉游燕赏，弥日继夕，唯殊杜门与兄弟读书。如此谨厚，正可为东宫官。"公既受命，得对，上面谕除授之意。公语言质野，则曰："臣非不乐燕游者，直以贫无可为之。臣若有钱，亦须往，但无钱不能出耳。"上益嘉其诚实，知事君体，眷注日深，仁宗朝卒至大用。（沈括《梦溪笔谈》卷九）

三月

　　戊戌（五日），徙河北都转运使李士衡知青州，代戚纶，以纶知郓州。（《续资治通鉴长编》卷九一）

　　十日，张景卒，49岁。遘疾，终官，下年四十九，实天禧二年三月十日。平生文

章，门人万称集为二十五。（宋祁《故大理评事张公墓志铭》）

著有：《张景集》二十卷（《宋史·艺文志七》）。

丁巳（二十四日），景灵宫判官、知制诰刘筠请令礼仪院、宗正寺约唐朝《大清祠令》，撰《集景灵宫祠》，令付本司遵守，从之。筠又言："兖州景灵宫、太极观事体尤盛，亦望别加撰集，永使遵守。"诏付礼仪院。（《续资治通鉴长编》卷九一）

四月

丁卯（四日），召近臣及馆阁、三司、京府、谏官、御史谒太宗圣容于宜圣殿，观龙图阁书及御制赞颂石本。时昇王未出阁，始预坐。令从臣赋赏花诗。（《续资治通鉴长编》卷九一）

五月

壬戌朔（一日），刑部员外郎、兼侍御史知杂事吕夷简守本官，同勾当通进银台司、兼门下封驳事。（《续资治通鉴长编》卷九二）

丁卯（六日），命宰臣王钦若管勾修祥源观事。（《续资治通鉴长编》卷九二）

己卯（十八日），御史中丞、尚书右丞、兼宗正卿、赠吏部尚书赵安仁卒，61岁。赵安仁，字乐道，河南洛阳人。生而颖悟，幼时执笔能大字，十三通经传大旨，早以文艺称。雍熙二年，登进士第，补梓州榷盐院判官，以亲老弗果往。会国子监刻《五经正义》板本，以安仁善楷隶，遂奏留书之。历大理评事、光禄寺丞，召试翰林，以著作佐郎直集贤院，赐绯。时王侯、内戚家多以铭诔为托。改迁太常丞。真宗即位，拜右正言，预重修《太祖实录》。咸平三年，同知贡举。未几，知制诰，副夏侯峤巡抚江南，还，知审刑院。继判尚书刑部兼制置群牧使，同知三班、审官院。景德初，以为工部员外郎，充翰林学士。二年春，又与晁迥等同知贡举。三年，以右谏议大夫参知政事，俄修国史。大中祥符初，议封禅，与王钦若并为泰山经制度置使、判兖州。礼毕，复拜工部侍郎。内外书诏有切要者，必经其裁。进秩刑部。五年，以兵部侍郎仍兼修史，奉祀，又同知礼仪院。八年，知贡举。寻知兼宗正卿。国史成，迁右丞。是夏，又为景灵宫副使。天禧二年，改御史中丞。五月，暴疾卒，年六十一。废朝，赠吏部尚书，谥文定。安仁尤嗜读书，所得禄赐，多以购书。虽至显宠，简俭若平素。时阅典籍，手自雠校。三馆旧阙虞世南《北堂书钞》，惟安仁家有本，真宗命内侍取之，嘉其好古，手诏褒美。尤知典故，凡近世典章人物之盛，悉能记之。喜诲诱后进，成其声名，当世推重之。有集五十卷。（《宋史》本传）

著有：《赵安仁集》五十卷（《宋史》本传）。

丁亥（二十六日），翰林学士李维罢为户部侍郎、集贤院学士。初，维三兄皆年五十八而卒，及是，维亦得疾，因力辞近职云。维疾稍间，命知许州，集贤院学士出藩自维始。（《续资治通鉴长编》卷九二）

查道卒，64岁。查道，字湛然，歙州休宁人。未冠，以词业称。端拱初，举进士高第，解褐馆陶尉。曹彬镇徐州，辟为从事，深被礼遇。改兴元观察推官。寇准荐其才，授著作佐郎。淳化中，蜀寇叛，命道通判遂州。召对，出御书历，俾录其课，给以实俸。至道三年，有使两川者，得道公正清洁之状以闻，优诏嘉奖。迁秘书丞，俄徙知果州。咸平四年代归，赐绯鱼。俄出知宁州。会举贤良方正之士，李宗谔以道名闻，策入第四等，拜左正言、直史馆。未几，出为西京转运副使。六年，始令三司使分部置副，召入，拜工部员外郎、充度支副使，赐金紫。道儒雅迂缓，治剧非所长。遂以本官罢，出知襄州。大中祥符元年，归直史馆，迁刑部员外郎，预修《册府元龟》。三年，进秩兵部，为龙图阁待制。加刑部郎中、判吏部选事，纠察在京刑狱。奉使契丹，以久次，进右司郎中。天禧元年，以耳聩难于对问，表求外任，得知虢州。二年五月，卒，讣闻，真宗轸惜之。享年六十四。有集二十卷。（《宋史》本传）

著有：《查道集》二十卷。（《宋史》本传）

七月

辛未（十二日），徙知陈州冯拯知河南府、兼西京留守司事，代王嗣宗，以嗣宗知陕州。（《续资治通鉴长编》卷九二）

壬申（十三日），诏："自今锁庭应举人，所在长吏先考艺业，合格，即听取解。如至礼部不合格，当停见任，其前后考试官、举送长吏并重置其罪。"（《续资治通鉴长编》卷九二）

八月

甲辰（十六日），立昇王受益为皇太子，改名祯，大赦天下。（《续资治通鉴长编》卷九二）

乙巳（十七日），以翰林学士晁迥为册立皇太子礼仪使，命秘书监杨亿撰皇太子册文，知制诰盛度书册，陈尧咨书宝。（《续资治通鉴长编》卷九二）

庚戌（二十一日），记室参军、左正言、直史馆晏殊兼太子舍人，赐金紫。（《续资治通鉴长编》卷九二）

九月

壬申（十三日），龙图阁待制李虚己上奉诏编群臣所和御制诗为《明良集》五百卷，诏赐银帛。（《续资治通鉴长编》卷九二）

壬午（二十三日），右正言刘烨言："今岁秋赋，食禄之家锁庭应举者颇众。望谕中外，自今食禄家弟侄子孙，若文艺必可程试者，不得就资荫；其有官者，不得与孤寒竞进。"诏不许，但令诸州精加考校。（《续资治通鉴长编》卷九二）

甲申（二十五日），起居舍人吕夷简为契丹国主生辰使，供奉官阁门祗候曹琮副之；工部郎中、直史馆陈尧佐为正旦使，侍禁、阁门祗候张君平副之。（《续资治通鉴长编》卷九二）

十一月

己未（一日），翰林学士晁迥为承旨。时朝廷数举大礼，诏令每下，多出迥手。尝夜召对，上令内侍持御前炬烛送归院。他日，曲宴宜圣殿，内出牡丹百余盘，千叶者唯十余蒂，以赐宰臣、亲王。上顾迥与学士钱惟演，亦皆赐焉。（《续资治通鉴长编》卷九二）

辛未（十三日），召近臣观太清楼书、太宗墨迹及御制，遂赐宴。上作诗，从官毕和。（《续资治通鉴长编》卷九二）

甲戌（十六日），命翰林学士钱惟演、盛度，枢密直学士王曙，龙图阁待制李虚己、李行简，于秘阁再考定开封府得解举人试卷，令秘阁校理王准封弥，定为三等，具名以闻。乃诏从上解百五十人。（《续资治通鉴长编》卷九二）

乙亥（十七日），上作《冬至宴亲贤诗》。又出御制《三教诗》各百首、《歌论》九首，示宰相。（《续资治通鉴长编》卷九二）

丁亥（二十九日），命翰林学士承旨晁迥、知制诰陈尧咨于秘阁再考国子监及太常寺别试进士文卷，上其名。诏：国子监从上解二十人、太常寺六人。开封府、国子监、太常寺发解官皆坐荐举不实，责监诸州酒税。屯田员外郎、判度支勾院任布，邓州；著作郎、直集贤院徐奭，洪州；太子中允、直集贤院麻温其，池州；度支判官、太子中允、直集贤院杨侃，汝州；太子中允、直集贤院丁度，齐州。太常少卿、直史馆张复，罚铜十斤。初作祥源观，布论之，既忤宰相，及考试开封，而奭潜发封卷视之，遂与奭等俱责。度，祥符人也。（《续资治通鉴长编》卷九二）

十二月

工部侍郎、参知政事张知白与宰相王钦若议论多相失，因称疾辞位。丙午（十八日），罢为刑部侍郎、翰林侍读学士、知天雄军，上赋诗饯之。辅臣以杂学士出藩，并翰林侍读学士外使，皆自知白始。将作监丞蔡齐为著作郎、直集贤院。故事，第一人及第，到任一年，即召试。齐自兖州通判徙潍州，献所为文，乃得召试。（《续资治通鉴长编》卷九二）

本年

（辽圣宗开泰七年）放进士张克恭等三十七人及第。（《辽史·圣宗纪七》）

文同（1018—1079）生。文同，字与可，梓州梓潼人。以学名世，操韵高洁，自号笑笑先生。善诗、文、篆、隶、行、草、飞白。文彦博守成都，奇之，致书同曰："与可襟韵洒落，如晴云秋月，尘埃不到。"司马光、苏轼尤敬重之。轼，同之从表弟也。同又善画竹，初不自贵重，四方之人持缣素请者，足相蹑于门。同厌之，投缣于地，骂曰："吾将以为袜。"好事者传之以为口实。初举进士，稍迁太常博士、集贤校理，知陵州，又知洋州。元丰初，知湖州，明年，至陈州宛丘驿，忽留不行，沐浴衣冠，正坐而卒。有《丹渊集》四十卷行于世。（《宋史》本传）

吕公著（1018—1089）生。吕公著，字晦叔，幼嗜学，至忘寝食。恩补奉礼郎，登进士第，召试馆职，不就。通判颍州，郡守欧阳修与为讲学之友。后修使契丹，契丹主问中国学行之士，首以公著对。判吏部南曹，赐五品服。除崇文院检讨、同判太常寺。进知制诰，三辞不拜。改天章阁待制兼侍读。英宗亲政，加龙图阁直学士。出知蔡州。神宗立，召为翰林学士、知通进银台司。司马光以论事罢中丞，公著封还其命，请不已，竟解银台司。熙宁初，知开封府。二年，为御史中丞。出知颍州。起知河阳，召还，提举中太一宫，迁翰林学士承旨，改端明殿学士、知审官院。未几，同知枢密院事。元丰五年，以疾丐去位，除资政殿学士、定州安抚使。俄徙扬州，加大学士。将立太子，帝谓辅臣，当以吕公著、司马光为师傅。哲宗即位，以侍读还朝。拜尚书左丞、门下侍郎。元祐元年，拜尚书右仆射兼中书侍郎。三年四月，恳辞位，拜司空、同平章军国事。明年二月薨，年七十二。赠太师、申国公，谥曰正献，御笔碑首曰"纯诚厚德"。绍圣元年，章惇为相，削赠谥，毁所赐碑，再贬建武军节度副使、昌化军司户参军。徽宗立，追复太子太保。蔡京擅政，复降左光禄大夫，入党籍，寻复银青光禄大夫。绍兴初，悉还赠谥。（《宋史》本传）

郑穆（1018—1092）生。郑穆，字闳中，福州侯官人。性醇谨好学，读书至忘栉沐，进退容止必以礼。门人千数，与陈襄、陈烈、周希孟友，号"四先生"。举进士，四冠乡书，遂登第，为寿安主簿。召为国子监直讲，除编校集贤院书籍。岁满，为馆阁校勘，积官太常博士。乞纳一秩，先南郊追封考妣，从之。改集贤校理，求外补，通判汾州。熙宁三年，召为岐王侍讲。嘉王出阁，改诸王侍讲。凡居馆阁三十年，而在王邸一纪，非公事不及执政之门。元丰三年，出知越州，加朝散大夫。未满告老，管勾杭州洞霄宫。元祐初，召拜国子祭酒。三年，扬王、荆王请为侍讲，罢祭酒，除直集贤院，复入王府。荆王薨，为扬王翊善。太学生乞为师，复除祭酒，兼徐王翊善。四年，拜给事中兼祭酒；五年，除宝文阁待制，仍祭酒。六年，请老，提举洞霄宫。于是公卿大夫各为诗赠其行。空学出祖汴东门外，都人观者如堵，叹未尝见。明年卒，年七十五。（《宋史》本传）

本年重要作品：

诗：寇准《送转运梅学士询巡边郡四首》、刘筠《天禧戊午岁立夏奉祀太一宫斋宿有感》。

公元 1019 年（宋真宗天禧三年　己未）

正月

九日，以翰林学士钱惟演权知贡举，枢密直学士王晓、工部侍郎杨亿、知制诰李谘权同知贡举，合格奏名进士程戡已下二百六十四人。（《宋会要辑稿·选举一》）

乙亥（十七日），诸路贡举人郭稹等四千三百人见于崇政殿。时稹冒缌丧赴举，为同辈所讼，上命典谒诘之。稹即引咎，付御史台劾问，殿三举同保人并赎金，殿一举。时有司欲脱宋城王洙，问洙曰："果保稹否？不然，可易也。"洙曰："保之，不愿易也。"遂与积俱罢。京西转运使胡则言滑州进士杨世质等诉本州黜落。即取元试卷付许州通判崔立详看，立以为世质等所试不至纰缪，已牒滑州依例解发。诏：转运司具析不先奏裁、直令解发缘由以闻，其试卷仰本州缴进。世质等仍未得解发，及取到试卷，诏贡院定夺。乃言词理低次，不合充荐。诏落世质等，而劾转运使及崔立之罪。（《续资治通鉴长编》卷九三）

丙戌（二十八日），知江宁府丁谓言："启承天节道场，甘露降。"仍献五言诗，有诏褒答，又和诗赐焉。（《续资治通鉴长编》卷九三）

二月

丁未（十九日），出皇太子所书御诗赐宰相，上作《学书歌》赐皇太子。丙辰（二十八日），又作《劝学吟》赐之。宰相王钦若上《会灵志》百卷，上制序，名《五岳广闻记》。（《续资治通鉴长编》卷九三）

三月

壬戌（五日），诏南省下第举人，内曾经御试及诸科七举终场者，特以名闻。（《续资治通鉴长编》卷九三）

九日，帝御崇政殿，试礼部奏名进士。内出《君子以厚德载物赋》、《君子居易以俟命》诗、《日宣三德论》题。（《宋会要辑稿·选举七》）

上御崇政殿亲试礼部奏名贡举人，作诗赐考校官，令皇子书示宰相。得进士王整以下六十三人，赐及第，八十六人同出身。又赐学究出身者一十三人；诸科及第者一百二人，同出身者四十七人。试将作监、主簿者五人。除官如前例。（《续资治通鉴长编》卷九三）

登进士第者：王整、孙沔、程戡、郑平、苏绅、张亢、卢革、傅莹、景泰、吕谔、掌禹锡、王遽、王赟、李宗易、范祥、许渤、萧定基、王言（衢州）、王言（睦州）等。

壬申（十五日），翰林学士承旨晁迥以老疾求解近职，诏不许。特蠲其宿直，令三日、五日一至院。迥辞以非故事，乃听，俟秋还直。（《续资治通鉴长编》卷九三）

己卯（二十二日），工部郎中陈尧佐、右正言陈执中，并夺一官。尧佐为起居郎，依前直史馆，监鄂州茶场。执中卫尉寺丞，监岳州酒税。初，上累定考试条例，举人纳试卷，即先付编排官，去其卷首乡贯状，以字号第之，封弥官誊写校勘，始付考官定等讫，复封弥送复考官再定等，乃送详定官启封，阅其同异，参验著定，始付编排官取乡贯状、字号合之，即第其姓名差次，并试卷以闻，遂临轩放榜焉。大抵欲考校、详定官不获见举人姓名、书翰，编排官虽见姓名，而不复升降，用绝情弊。而尧佐、执中为编排官，不详此制，复改易其等级。翌日，内廷复验，多所同异，遂悉付中书，命直龙图阁冯元、太子右谕德鲁宗道阅视，仍召尧佐、执中洎考校、详定官对辨之，尧佐等具伏。王钦若等言："尧佐等所犯，诚合严谴。若属吏议，其责重，请止据罪降黜。"从之。而宗道又请以尧佐等安去留者，明谕贡举人。乃诏礼部揭榜贡院，其元定合格为编排误落者，并赐附榜及第；元定不合格误编排及第者，并追敕更令修学；元定稍及第者，量免省试。凡已落复及第者，进士、诸科各二人；免省试者，进士十四人，诸科二十三人。已及第、出身而追夺者二十一人。（《续资治通鉴长编》卷九三）

癸未（二十六日），**翰林学士钱惟演、枢密直学士王曙、工部侍郎杨亿、知制诰李谘、直史馆陈从易，并降一官。进士陈损、黄异等五人，并决杖配隶诸州，其连状人并殿一举。**初，损、异等率众伐登闻鼓，诉惟演等考校不公。命龙图阁直学士陈尧咨、左谏议大夫朱巽、起居舍人吕夷简于尚书省召损、异等，令具析所陈事，及阅视试卷以闻。尧咨等言：惟演等贡院所送进士内五人文理稍次，从易别头所送进士内三人文理荒谬，自余合格。而损、异等所讼有虚妄，故并责焉。（《续资治通鉴长编》卷九三）

是月梁固卒，**33 岁**。君讳固，字仲坚，东平须城人。年十三，笔削班固书，约鲁史褒贬，为《汉春秋》，具稿数秩。天禧三年三月遭疾，卒于京师，享年三十有三。独存《文集》十卷。（张方平《勾院轻车都尉赐绯鱼袋安定梁君墓志铭》）

著有：《梁固集》十卷（《宋史》本传）。

四月

己亥（十二日），**召山南东道节度使、同平章事、判永兴军府寇准赴阙。**（《续资治通鉴长编》卷九三）

五月

壬戌（六日），**左谏议大夫、知郓州戚纶责授岳州团练副使。**先是，有王遵诲者，尝任西边，寓家永兴，闺门不肃，事将发，知府寇准为平之。及是，遵诲为同提点刑狱官，纶因谐戏，语及准。遵诲怒，以为斥己，遂与提点刑狱官李仲容奏纶有讪上语，故坐责。纶笃于古学，善谈名理，喜言民政，颇近迂阔。事兄维友爱甚厚，维卒，闻讣哀恸，不食者数日。交于故旧，以信义著。士子谒见，必询所业，访其志尚，随才诱诲之。尝云："归老后，得十年在乡间讲习，亦可以恢道济世。"大中祥符中，继修礼文之事，纶悉参议。与陈彭年并职，屡召对，多建条式，恩宠甚盛。乐于荐士，每一奏十数人，皆当时知名者。晚节为权幸所排，遂不复振。后二年卒，家无余赀。家人于几合间得《遗戒》一篇，大抵劝子弟为学。（《续资治通鉴长编》卷九三）

甲申（二十八日），寇准自永兴来朝。准将发，其门生有劝准者曰："公若至河阳，称疾，坚求外补，此为上策。傥入见，即发乾祐天书诈妄之事，尚可全平生正直之名，斯为次也。最下则再入中书为宰相尔。"准不怿，揖而起。君子谓准之卒及于祸，盖自取之也。（《续资治通鉴长编》卷九三）

六月

戊子（三日），保信军节度使丁谓自江宁来朝，召之也。（《续资治通鉴长编》卷九三）

甲午（九日），左仆射、平章事王钦若罢为太子太保。寻命判杭州。（《续资治通鉴长编》卷九三）

戊戌（十三日），以山南东道节度使、同平章事寇准为中书侍郎、兼吏部尚书、平章事，保信节度使丁谓为吏部尚书、参知政事。（《续资治通鉴长编》卷九三）

九月

丙子（二十三日），诏宗室、辅臣、学士、三司使副、尚书丞郎、给谏、舍人、待制、直龙图阁于清景殿，观御制赐皇太子《元良述》、《六艺箴》、《承华要略》十卷、《授时要略》十二卷，又以《国史》、《两朝实录》、《太宗文集》并《御集》、《御览群书》赐皇太子，遂宴从官。（《续资治通鉴长编》卷九三）

十月

秘书监、知礼仪院、判秘阁太常寺杨亿丁内艰。时方讲郊祀，以亿典司礼乐之任。未卒哭，起复工部侍郎，令视事。（《续资治通鉴长编》卷九四）

十一月

戊午（六日），诏翰林侍读学士、刑部侍郎张知白序班在玉清昭应宫副使林特之上。时知白自天雄军徙应天，许便道朝觐故也。（《续资治通鉴长编》卷九三）

辛未（十九日），诏：翰林学士盛度、枢密直学士王曙、左谏议大夫王随，与判铨陈尧咨、宋绶，同试身、言、书、判优者与京官，次则幕职，循资令录与幕职，又次者皆补近便大处。自是，每有郊恩悉然。（《续资治通鉴长编》卷九三）

十二月

辛卯（九日），右仆射、门下侍郎、平章事向敏中加左仆射，中书侍郎、兼吏部尚书寇准加右仆射。宣徽北院使、知枢密院事、检校太尉曹利用，吏部尚书、参知政事丁谓，并为枢密使。赐宰相御制《正说》、《奉道诗》各十卷，《岁时新咏》三卷。（《续资治通鉴长编》卷九四）

丙午（二十四日），翰林学士钱惟演上言。曰："伏见每赐契丹、高丽使御筵，其乐人词语多涉浅俗。请自今赐外国使宴，其乐人词语，教坊即令舍人院撰，京府衙前令馆阁官撰。"从之。既而，知制诰晏殊等上章援引典故，深诋其失，乃诏教坊撰讫，诣舍人院呈本焉。（《续资治通鉴长编》卷九四）

魏野卒，60 岁。是月，河中府处士李渎、陕州处士魏野皆卒，诏各赠秘书省著作郎，赐其家帛二十四、米三斛，州县常加存恤，二税外蠲其差役。渎性嗜酒，人或勉之，答曰："扶羸养疾，舍此莫可从。吾所好以尽余年，不亦乐乎？"预知死期，因促家人置酒与诸子诀。野与溵有连，溵讣至，野哭之恸，谓其子曰："吾不可去，去必不至第。"遣其子赴之。才六日，野亦死，时甚异焉。野善王旦、寇准，每赠诗必劝以早退，旦、准皆不能用，识者高之。（《续资治通鉴长编》卷九四）

著有：《草堂集》二卷（《宋史·艺文志七》）、《钜鹿东观集》十卷（《宋史·艺文志七》）。

祥符中，契丹使至，因言本国喜诵魏野诗，但得上帙，愿求全部。真宗始知其名，将召之，死已数年，搜其诗，果得《草堂集》十卷，诏赐之。魏野字仲先，其诗固无飘逸俊迈之气，但平朴而常，不事虚语尔。如《赠寇莱公》云："有官居鼎鼐，无地起楼台。"及《谢寇莱公见访》云："惊回一觉游仙梦，村巷传呼宰相来。"中的易晓，故厖俗爱之。野与孟津诗人李溵为诗友，野凿室于陕郊，曰乐天洞；溵结庐于中条山，曰浮云堂。皆树石清幽，各得诗人之趣。溵字长源，一日自孟津访别于野，曰："数夕前，忽一人来床下，诵曰：'行到水穷处，未知天尽时。'予犹规其误曰：'岂非坐看云起时乎？'答曰：'此云安能起耶？'又非梦寐，呕窥之，空无一物。此必死期先报，故来相别。"遂痛饮数夕而还，还家未几而卒。（文莹《玉壶清话》卷七）

魏野处士，陕人，字仲先。少时未知名，尝题河上寺柱云："数声离岸橹，几点别州山。"时有幕僚，本江南文士也，见之大惊，邀与相见，赠诗曰："怪得名称野，元来性不群。借冠来谒我，倒屣起迎君。"仍为延誉，由是人始重之。其诗效白乐天体。真宗西祀，闻其名，遣中使召之，野闭户逾垣而遁。王太尉相旦从车驾过陕，野贻诗曰："昔年宰相年年替，君在中书十一秋。西祀东封俱已了，如今好逐赤松游。"王袖其诗以呈上，累表请退，上不许。野又尝上寇莱公准诗云："好去上天辞将相，却来平地作神仙。"又有《啄闹笋诗》云："千林蠹如尽，一腹馁何妨。"又《竹杯珓诗》云："吉凶终在我，反覆谩劳君。"有诗人规戒之风。卒，赠著作郎，仍诏子孙租税外，其余科役，皆无所预。仲先诗有"妻喜栽花活，童夸斗草赢"。真得野人之趣，以其皆非急务也。仲先诗有"烧叶炉中无宿火，读书窗下有残灯"。仲先既没，集其诗者嫌"烧叶"贫寒太甚，故改"叶"为"药"，不惟坏此一字，乃并一句亦无气味，所谓求益反损也。仲先赠先公诗，有"文虽如貌古，道不似家贫"。先公监安丰酒税，赴官，尝有《行色诗》："冷于陂水淡于秋，远陌初穷见渡头。犹赖丹青无处画，画成应遣一生愁。"岂非状难写之景也。（司马光《温公续诗话》）

本年

范仲淹除秘书省校书郎。

司马光（1019—1086）生。司马光，字君实，陕州夏县人也。仁宗宝元初，中进士甲科，除奉礼郎。丁内外艰，执丧累年。服除，签书武成军判官事，改大理评事，补国子直讲。枢密副使庞籍荐为馆阁校勘，同知礼院。从庞籍辟，通判并州。改直秘阁、开封府推官。修起居注，判礼部。同知谏院。进知制诰，固辞，改天章阁待制兼侍讲、知谏院。神宗即位，擢为翰林学士。以端明殿学士知永兴军。《资治通鉴》未就，帝尤重之，及书成，加资政殿学士。帝崩，起光知陈州，过阙，留为门下侍郎。

元祐元年复得疾，诏朝会再拜，拜尚书左仆射兼门下侍郎，免朝觐，许乘肩舆，三日一人省。是年九月薨，年六十八，赠太师、温国公。(《宋史》本传)

曾巩（1019—1083）生。曾巩，字子固，建昌南丰人。生而警敏，读书数百言，脱口辄诵。年十二，试作《六论》，援笔而成，辞甚伟。欧阳修见其文，奇之。中嘉祐二年进士第。调太平州司法参军，召编校史馆书籍，迁馆阁校勘、集贤校理，为实录检讨官。出通判越州，迁知齐州，徙明、亳、沧三州。过阙，神宗召见，劳问甚宠，遂留判三班院。帝以《三朝》、《两朝国史》各自为书，将合而为一，加巩史馆修撰，专典之。会官制行，拜中书舍人。甫数月，丁母艰去。又数月而卒，年六十五。巩为文章，上下驰骋，愈出而愈工，本原《六经》，斟酌于司马迁、韩愈，一时工作文词者，鲜能过也。吕公著尝告神宗，以巩为人行义不如政事，政事不如文章，以是不大用云。(《宋史》本传)

刘敞（1019—1068）生。刘敞，字原父，临江新喻人。举庆历进士，廷试第一。以亲嫌自列，乃以为第二。通判蔡州，直集贤院，判尚书考功。权度支判官，徙三司使。以同修起居注。未一月，擢知制诰。徙郓州。敞以识论与众忤，求知永兴军，拜翰林侍读学士。积苦眩瞀，屡予告。疾少间，复求外，以为汝州，旋改集贤院学士、判南京御史台。熙宁元年，卒，年五十。敞学问渊博，自佛老、卜筮、天文、方药、山经、地志，皆究知大略。尝得先秦彝鼎数十，铭识奇奥，皆案而读之，因以考知三代制度。朝廷每有礼乐之事，必就其家以取决焉。为文尤赡敏。欧阳修每于书有疑，折简来问，对其使挥笔，答之不停手，修服其博。长于《春秋》，为书四十卷，行于时。(《宋史》本传)

宋敏求（1019—1079）生。敏求字次道，赐进士及第，为馆阁校勘。预苏舜钦进奏院会，出签书集庆军判官。王尧臣修《唐书》，以敏求习唐事，奏为编修官。持祖母丧，诏令居家修书。卒丧，同知太常礼院。加集贤校理。从宋庠辟，通判西京。为群牧度支判官。坠马伤足，出知亳州。治平中，召为《仁宗实录》检讨官，同修起居注、知制诰、判太常寺。贬秩知绛州。是岁，即诏还。除史馆修撰、集贤院学士。加龙图阁直学士，命修《两朝正史》，掌均国公笺奏。元丰二年，卒，年六十一。特赠礼部侍郎。敏求家藏书三万卷，皆略诵习，熟于朝廷典故，士大夫疑议，必就正焉。补唐武宗以下《六世实录》百四十八卷，他所著书甚多，学者多咨之。(《宋史》本传)

王珪（1019—1085）生。王珪，字禹玉，成都华阳人，后徙舒。举进士甲科，通判扬州。召直集贤院，为盐铁判官、修起居注。进知制诰、知审官院，为翰林学士、知开封府。遭母忧，除丧，复为学士，兼侍读学士。熙宁三年，拜参知政事。九年，进同中书门下平章事、集贤殿大学士。元丰官制行，由礼部侍郎超授银青光禄大夫。五年，正三省官名，拜尚书左仆射兼门下侍郎，以蔡确为右仆射。进金紫光禄大夫，封岐国公。五月，卒于位，年六十七。特辍朝五日，赙金帛五千，赠太师，谥曰文恭。赐寿昌甲第。以文学进，流辈咸共推许。其文闳侈瑰丽，自成一家，朝廷大典策，多出其手，词林称之。(《宋史》本传)

韩缜（1019—1097）生。韩缜，字玉汝。登进士第，签书南京判官。刘沆荐其才，命编修三班敕。为殿中侍御史，迁侍御史、度支判官，出为两浙、淮南转运使，移河北。改使陕西。入知审官西院、直舍人院。以兄绛执政，改集贤殿修撰、盐铁副使，以天章阁待制知秦州。坐落职，分司南京。秦人语曰："宁逢乳虎，莫逢玉汝。"其暴酷如此。久之，还待制、知瀛州。熙宁七年，持图牒致辽主，复命，赐袭衣、金带，为枢密都承旨，还龙图阁直学士。元丰五年，官制行，易太中大夫、同知枢密，进知院事。哲宗立，拜尚书右仆射兼中书侍郎。元祐元年，罢为观文殿大学士、知颍昌府。移永兴、河南，拜安武军节度使、知太原府，易节奉宁军。请老，为西太一宫使，以太子太保致仕。绍圣四年卒，年七十九。赠司空，谥曰庄敏。（《宋史》本传）

鲜于侁（1019—1087）生。鲜于侁，字子骏，阆州人。性庄重，力学。举进士，为江陵右司理参军。唐介与同乡里，称其名于上官，交章论荐。调黟令，摄治婺源。通判绵州。从何郯辟，签书永兴军判官。神宗诏近臣举所知，范镇以侁应选，除利州路转运判官。徙京东西路。河决澶渊，作《议河书》上之，神宗嘉纳。后两路合为一，以侁为转运使。元丰二年召对，命知扬州。苏轼自湖州赴狱，亲朋皆绝交。道扬，侁往见，台吏不许通。为举吏所累，罢主管西京御史台。哲宗立，复以侁使京东。召为太常少卿。拜左谏议大夫。在职三月，以疾求去。除集贤殿修撰、知陈州。诏满岁进侍制。居无何，卒，年六十九。侁刻意经术，著《诗传》、《易断》，为范镇、孙甫推许。孙复与论《春秋》，谓今学者不能如之。作诗平澹渊粹，尤长于《楚辞》，苏轼读《九诵》，谓近屈原、宋玉，自以为不可及也。（《宋史》本传）

张彦博（1019—1067）生。君姓张氏，讳彦博，字文叔。其先家齐州之禹城，又徙其家于蔡州。君以荫为太庙斋郎，调武昌县尉。能禁抑淫祠，使尽去境内。再调抚州司法。徙亳州酂县令，用荐者，监蕲州石桥茶场。锁厅，应进士举，中其科。寻丁母忧，服除，调兴化军兴化县令。复调黄州黄陂县令，稍筑堤防以利农。告使者更盐利之法，自是役赖以均。改袁州军事判官。以治平四年十月六日卒于官，享年四十九。（王安石《尚书司封员外郎张君墓志铭》）

赵瞻（1019—1090）生。赵瞻，字大观，其先亳州永城人。举进士第，调孟州司户参军，移万泉令。改知夏县，作八监堂，书古贤令长治迹以自监。又以秘书丞知永昌县，升太常博士，知威州。迁尚书屯田员外郎。英宗治平初，自都官员外郎除侍御史。通判汾州。神宗即位，迁司封员外郎、知商州，又除提点陕西刑狱。熙宁三年，为开封府判官。出为陕西转运副使，改永兴军转运使。以亲老，请知同州。七年，移京西转运使。又以亲老不行，徙陕州，请还乡里，除提举凤翔太平宫。丁外艰，服除，易朝请大夫、知沧州。哲宗立，转朝议大夫，召为太常少卿，迁户部侍郎。元祐三年，擢枢密直学士、签书枢密院事。明年，以中大夫同知院事。五年，卒，年七十二。赠银青光禄大夫，谥曰懿简。绍圣中，言者以傅会元祐诸臣，追夺所赠官，列于党籍。瞻著《春秋论》二十卷、《史记牴牾论》五卷、《唐春秋》五十卷、《奏议》十卷、《文集》二十卷、《西山别录》一卷。（《宋史》本传）

释怀贤（1019—1085）生。师讳怀贤，字潜道，俗姓何氏，温州永嘉人也。在襁褓中能合掌僧坐，父母异之。时郡之西山有僧嗣仁，修西方白莲净观，行甚高，众归之勤，号嗣仁社主，乃以师从社主出家。天禧二年，普度天下僧，遂落发，受具戒，时年四岁也。以元丰五年九月甲午示寂，俗寿六十七，僧腊六十三。师操行卓越，又多才艺,工于诗,字画有法。当时贤士大夫闻其风,皆倾意愿与之游。始用参知政事高公若讷奏,赐紫方袍;又用节度使李公端愿奏,赐号圆通大师。(秦观《圆通禅师行状》)

孙侔(1019—1084) 生。孙侔,字少述。与王安石、曾巩游,名倾一时。早孤,事母尽孝。志于禄养,故屡举进士。及母病革,自誓终身不求仕。客居江、淮间,士大夫敬畏之。刘敞知扬州,言其孝弟忠信,足以扶世矫俗,求之朝廷,吕公著、王安石之流也。诏以为扬州教授,辞。敞守永兴,辟入幕府,亦辞。英宗时,沈遘及王陶、韩维连荐之,授忠武军推官、常州推官,皆不赴。少与安石友善,安石为相,过真州与相见,侔待之如布衣交。卒,年六十六。初,王回、王令、常秩与侔皆有盛名,回、令不寿,秩为隐不竟,唯侔以不仕始终。(《宋史》本传)

孙侔,字少述,世吴兴人。七岁能属文。既长,读书精识玄解,能得圣人深意,多所论撰。庆历、皇祐间,与临川王安石、南丰曾巩知名于江淮间。侔之诗文,严劲简古,卓然一出于己,自成法度,如其为人。有诗四千篇、杂文三百篇。(林希《孙少述传》)

本年重要作品:

诗:寇准《判都省感怀》。

公元1020年(宋真宗天禧四年 庚申)

二月

戊子(六日),右街讲僧秘演等表请以圣制述释典文章,命僧笺注,附于大藏。有司按太宗朝故事,请许之,诏可。(《续资治通鉴长编》卷九五)

滑州言河塞,诏奖之。**己亥**(十七日),命翰林学士承旨晁迥致祭。(《续资治通鉴长编》卷九五)

三月

先是,诏以近年开封府举人稍多,屡致词讼,令翰林学士承旨晁迥等议定条约。于是,迥等上言:"诸州举人多以身有服制,本贯难于取解,遂奔凑京毂,寓籍充赋。人数既众,混而为一。有司但考其才艺,解送之际,本府土著登名甚少,交起喧竞,亦由于此。欲请自今有期周卑幼以下服者,听取文解;寄应举人实无户籍者,许召官保任,于本府户籍人数外,别立分数荐送。"诏从之。仍取大中祥符七年寄贯人数中进士解十之三,诸科十之五。**癸酉**,诏川峡、广南诸州自今依先定条制解合格举人外,更有艺业可取者,悉取荐送。(《续资治通鉴长编》卷九五)

乙亥(二十四日),以益梓州路物价翔踊,命知制诰吕夷简、引进副使曹仪乘传赈恤之。(《续资治通鉴长编》卷九五)

己卯(二十八日),左仆射兼中书侍郎、平章事向敏中卒,72岁。向敏中,字常之,开封人。太平兴国五年进士,解褐将作监丞、通判吉州,就改右赞善大夫。代还,为著作郎。命为户部推官，出为淮南转运副使。召入，加直史馆，遣还任。以耕籍恩，超左司谏，入为户部判官、知制诰。未几，权判大理寺。出知广州，就擢广南东路转运使，召为工部郎中，命为枢密直学士。未几，拜右谏议大夫、同知枢密院事。至道初，迁给事中。真宗即位，进户部侍郎，俄改为枢密副使。咸平初，拜兵部侍郎、参知政事，代兼知枢密院事。四年，以本官同平章事，充集贤殿大学士。罢为户部侍郎，出知永兴军。景德初，复兵部侍郎。大中祥符初，权东京留守，拜尚书右丞。俄兼秘书监，又领工部尚书，充资政殿大学士，再拜为刑部尚书。五年，复拜同平章事，充集贤殿大学士，加中书侍郎。寻充景灵宫使，宫成，进兵部尚书，为兖州景灵宫庆成使。天禧初，加吏部尚书，又为应天院奉安太祖圣容礼仪使。进右仆射兼门下侍郎，监修国史。徙玉清昭应宫使。以年老，累请致政，优诏不许。三年重阳，宴苑中，暮归中风眩，郊祀不任陪从。进左仆射、昭文馆大学士，奉表恳让，又表求解，皆不许。明年三月卒，年七十二。帝亲临，哭之恸，废朝三日，赠太尉、中书令，谥文简。有文集十五卷。（《宋史》本传）

四月

翰林学士承旨晁迥累表求解近职，庚寅（九日），授工部尚书、集贤院学士、判西京留司御史台，许一子官河南以就养。命工部侍郎杨亿为翰林学士。大中祥符末，亿自汝州代还，久之不迁。或问王旦曰："杨大年何不且与旧职？"旦曰："大年顷以轻去上左右，人言可畏，赖上终始保全之。今此职欲出自清衷，以全君臣之契也。"逾六年，乃复入禁署。于是，令亿序班在惟演下、盛度上。惟演言："亿景德中已为学士，况今与臣并官丞郎，望升亿班在臣上。"从之。（《续资治通鉴长编》卷九五）

壬辰（十一日），京西转运使言：知襄州夏竦劝部民出粟八万余石，赈济饥民，诏奖之。（《续资治通鉴长编》卷九五）

五月

己未（九日），益梓路安抚吕夷简言：秦、陇、利等州饥民稍多，望令逐处募充本城诸军。从之。（《续资治通鉴长编》卷九五）

六月

十三日，进士姚嗣复献其父舒州团练副使铉所纂《唐文粹》百卷，召试舍人院，命为亳州永城县主簿。（《宋会要辑稿·选举三一》）

姚铉以大中祥符四年集《唐文粹》，其序有云："况今历代坟籍，略无亡逸。"观铉所类文集，盖亦多不存，诚为可叹！（洪迈《容斋五笔》卷七）

《昭明文选》，唐初最尚也，曰："《文选》烂，秀才半。"至宋废之，文日卑矣。姚铉《唐文粹》欲效之，不能匹也。赋多遗柳，柳赋，唐之冠也。又遗韩《平淮西碑》、柳《乞巧文》、皇甫湜《谕业篇》，遗固多矣。（王文禄《文脉》）

《唐文粹》一百卷，宋姚铉编。陈善《扪虱新话》以为徐铉者，误也。铉，字宝臣，庐州人。自署郡望，故曰吴兴。太平兴国中第进士，官至两浙转运使。事迹具《宋史》本传。是编文赋唯取古体，而四六之文不录；诗歌亦唯取古体，而五、七言近体不录。考阮阅《诗话总龟》载：铉于淳化中侍宴，赋赏花钓鱼七言律诗，赐金百两，时以比夺袍赐花故事。又江少虞《事实类苑》载：铉诗有"疏钟天竺晓，一雁海门秋"句，亦颇清远，则铉非不究心于声律者。盖诗文、俪偶皆莫盛于唐，盛极而衰，流为俗体，亦莫杂于唐。铉欲力挽其末流，故其体例如是。于欧、梅未出以前，毅然矫五代之弊，与穆修、柳开相应者，实自铉始其中。如杜审言《卧病人事绝》一首，较集本少后四句，则铉亦有所删削。又如岑文本请勤政改过疏之类，皆《文苑英华》所不载，其搜罗亦云广博。王得臣《麈史》乃讥其未见张登集，殊失之苛。唯文中芟韩愈《平淮西碑》，而仍录段文昌作，未免有心立异。诗中如陆龟蒙、江湖散人歌、皎然古意诗之类，一概收之，亦未免过求朴野，稍失别裁。然论唐文者，终以是书为总汇，不以一二小疵掩其全美也。（《四库提要》卷一八六）

甲午（十四日），诏从翰林学士杨亿等所请，选官笺注御制文集，仍令宰相等参详。（《续资治通鉴长编》卷九五）

丙申（十六日），以右仆射兼中书侍郎、平章事寇准为太子太傅、莱国公。（《续资治通鉴长编》卷九五）

二十二日，帝御崇政殿，试礼部下第特奏名举人李宗孟已下一百五十五人。内出《泽及四海诗》、《礼乐何以合天地之化论》题，命翰林学士杨亿已下充考试官。翌日已，宗孟已下一百五人补三班奉职，内五科所试不合格者特与本州上佐及东西班殿侍、三班借职，余以艺业全疏者补本州长史、司马、文学。（《宋会要辑稿·选举七》）

七月

庚戌朔（一日），吕夷简等还自东、西川。（《续资治通鉴长编》卷九六）

癸亥（十四日），上对参知政事李迪、兵部尚书冯拯、翰林学士钱惟演于滋福殿。（《续资治通鉴长编》卷九六）

丙寅（十七日），以礼部侍郎、参知政事李迪为吏部侍郎、兼太子少傅、平章事，兵部尚书冯拯为枢密使、吏部尚书、同平章事。（《续资治通鉴长编》卷九六）

戊辰（十九日），判杭州王钦若酒榷、增羡、狱空，诏奖之。（《续资治通鉴长编》卷九六）

庚午（二十一日），以枢密使、吏部尚书丁谓平章事。（《续资治通鉴长编》卷九六）

丁丑（二十八日），太子太傅寇准降授太常卿、知相州，翰林学士盛度、枢密直学士王曙并落职，度知光州，曙知汝州。皆坐与怀政交通，而曙又准婿也。朝士与准亲厚者，丁谓必斥之。杨亿尤善准，而请太子监国奏又亿所草也。及准败，丁谓召亿至中书，亿惧，便液俱下，面无人色。谓素重亿，无意害之，徐曰："谓当改官，烦公为一好词耳。"亿乃稍安，卒保全之。当时宰相爱才如此，谓虽奸邪，议者亦以此称焉。

（《续资治通鉴长编》卷九六）

八月

甲申（五日），徙知相州、太常卿寇准知安州。（《续资治通鉴长编》卷九六）

乙酉（六日），以枢密副使任中正、礼部侍郎王曾并参知政事，翰林学士钱惟演为枢密副使。（《续资治通鉴长编》卷九六）

壬寅（二十三日），太常卿、知安州寇准坐朱能叛，再贬道州司马。上崩，乃责雷州。（《续资治通鉴长编》卷九六）

二十六日，释智圆自序《病课集》。

吾以病中所得，病差而写出，谓之"病课"，不亦宜邪？然而辞语鄙野，旨趣漫浪，或宗乎周孔，或涉乎老庄，或归于释氏，于其道不能纯矣。苟君子以多爱见驳杂为讥者，吾安敢逃其责乎！然若由多爱以至于无驳杂，则亦俟知者知之耳。噫嘻！罪我者其《病课》乎！知我者其《病课》乎！（智圆《病课集序》）

崔遵度卒，67 岁。崔遵度，字坚白，本江陵人，后徙淄州之淄川。纯介好学，始七岁，授经于叔父宪，尝以《春秋》编年、《史》、《汉》纪传之例问于宪。太平兴国八年举进士，解褐和州主簿，换临汾。端拱初，转运副使夏侯涛上其勤状，召归，对便坐，因献文自荐。时新建秘阁，命中书试作颂一首，擢著作佐郎。淳化中，吏部侍郎李至荐之，迁殿中丞，出知忠州。咸平初，复为太子中允。景德初，内出遵度名，引对崇政殿，诏索所著文，召试舍人院，改太常丞、直史馆。会修《两朝国史》，与路振并为编修官。大中祥符元年，命同修起居注。东封，进博士，祀汾阴，是岁，真宗以两省官绝少，故因覃庆选补之，命为左司谏。坐谬误，降为右正言，复亦责为工部郎中。逾岁，并复其秩。九年，改户部员外郎，赐服金紫，又赉袭衣、犀带、缗钱。上作七言诗宠之。国史成，拜吏部员外郎，升邸进封，改礼部郎中，充谘议参军。储宫建，又加吏部兼左谕德。未几，命使契丹，判司农寺。遵度性寡合，喜读《易》，天禧四年八月卒，年六十七。仁宗即位，特诏赠工部侍郎，有集二十卷。（《宋史》本传）

著有：《琴笺》一卷（《宋史·艺文志一》）、《崔遵度集》二十卷（《宋史》本传）。

晏殊拜翰林学士。

九月

己酉（一日），以谏议大夫、兼太子右庶子、知开封府王随为给事中、知杭州，会灵观判官、兵部员外郎、知制诰吕夷简为刑部郎中、龙图阁直学士、权知开封府。（《续资治通鉴长编》卷九六）

钱塘林逋亦著高节，以诗名当世，名公多与之游。天圣中，丞相王公随以给事中知杭州（按，误。王随是年知杭州，乾兴元年二月离任）。日与唱和，亲访其庐，见其颓陋，即为出俸钱新之。逋乃以启谢王公，其略曰："伏蒙府主给事，差人送到留题唱和诗石一片，并创轩荣，以庇风日。衡茅改色，猿鸟交惊。夫何至陋之穷居，获此不朽之奇事？窃念顷者清贤钜公，出镇藩服，亦常顾邱樊之侧微，念土木之衰病，不过一枉驾，一式庐而已，未有迂回玉趾，历览环堵。当缨緌之盛集，摅风雅之秘思，率以赓载，始成编轴。且复构他山之坚润，刊群言之鸿丽，珠联绮错，雕镂相照，辇植置立，贲于空林，信可以夺山水之清晖，发斗牛之宝气者矣。"迨景祐初，逋尚无恙（按，误。林逋于天圣六年去世）。范文正公亦过其庐，赠逋诗曰："巢由不愿仕，尧舜岂遗人？"又曰："风俗因君厚，文章到老醇。"其激赏如此。（吴处厚《青箱杂记》卷六）

辛酉（十三日），命知制诰宋绶为契丹国主生辰使。（《续资治通鉴长编》卷九六）

二十三日，翰林学士刘筠等试到诸州、军续解进士姚随等十九人，奉职周普等二十九人，借职何从易等八人，当授诸州长史、司马，特补借职，并与家便差遣。帝曰："此皆孤寒之士，应举年深，俾之效官，必能干事。"（《宋会要辑稿·选举二》）

壬申（二十四日），太子太保王钦若自杭州来朝，令入赴内殿起居。（《续资治通鉴长编》卷九六）

十月

己丑（十二日），以前起居郎、直史馆陈尧佐免持服，知滑州。时三司使李士衡言滑州方召徒筑堤，尧佐素干事，望专委之，故有是命。尧佐创木龙以杀水怒，堤乃可筑。既又作长堤以护之，人号为"陈公堤"。（《续资治通鉴长编》卷九六）

壬辰（十五日），以太子太保王钦若为资政殿大学士，仍令日赴资善堂，侍皇太子讲读。（《续资治通鉴长编》卷九六）

十一月

癸丑（六日），对辅臣及王钦若于宣和门，赐御制《会灵观铭》石本各一。（《续资治通鉴长编》卷九六）

乙卯（八日），修尚书省，命龙图阁学士陈尧咨总其事。（《续资治通鉴长编》卷九六）

上御龙图阁，召近臣观圣制文论、歌诗。上曰："朕听览之暇，以翰墨自娱。虽不足垂范，亦平生游心于此。"丁谓等言："圣制广大，宜有宣布，请镂板以传不朽。"许之，遂宴于资政殿。庚申（十三日），内出圣制七百二十二卷示辅臣。（《续资治通鉴长编》卷九六）

戊辰（二十一日），晏殊为太子左庶子。以枢密副使钱惟演为都大管勾祥源观公事。惟演先领会灵观使，于是，乞改命故臣，故特置此职。（《续资治通鉴长编》卷九六）

庚午（二十三日），吏部尚书、平章事丁谓加左仆射，门下侍郎、兼太子少师、枢密使、同平章事冯拯为右仆射、中书侍郎、兼少傅、平章事。（《续资治通鉴长编》卷九六）

甲戌（二十七日），翰林学士、太子左庶子晏殊，礼宾副使、太子宫祗候杨怀玉，上新编赐东宫御制五十卷。时辅臣论次《御集》，乞降赐皇储文字，遂命怀玉编录，怀玉请令殊同纂集。至是来上。（《续资治通鉴长编》卷九六）

十二月

丁丑朔（一日），起复翰林学士杨亿卒，47 岁。亿天性颖悟，自幼及终，不离翰墨，文格雄健。自唐大中后，词气衰滥，国朝稍革其浮，至亿乃振起风末，与古之作者方驾矣。文思敏速，不凝滞，对客谈笑，挥毫无废，而精密有规裁，不烦不艳。善细字起草，一幅数千言，不加点窜。于时学者翕然宗尚，名闻外夷。书无不览，善强记，尤长典章制度之事，时多取正，盖一时文士之冠也。喜诲诱后进，赖以成名者甚众。闻人有片辞可纪，必为讽诵，手集当世之士述作为《笔苑时文录》数十编。重交游，耿介坦夷，敦尚名节，多周人急，所得廪赐随尽。谈吐有味，评品人物，善恶太明。留心释氏禅观之学，自属疾即屏荤茹素。临终前一日，为空门偈颂，识者称其达观云。（《续资治通鉴长编》卷九六）

著有：《杨亿谈苑》十五卷（《宋史·艺文志五》）、《虢略集》七卷（《宋史·艺文志七》）、《蓬山集》五十四卷（《宋史·艺文志七》）、《武夷新编集》二十卷（《宋史·艺文志七》）、《颖阴集》二十卷（《宋史·艺文志七》）、《刀笔集》二十卷（《宋史·艺文志七》）、《别集》十二卷（《宋史·艺文志七》）、《汝阳杂编》二十卷（《宋史·艺文志七》）、《銮坡遗札》十二卷（《宋史·艺文志七》）、《西昆酬唱集》二卷。（《宋史·艺文志八》）

丁酉（二十一日），以资政殿大学士、司空王钦若为山南东道节度使、同平章事、判河南府。（《续资治通鉴长编》卷九六）

闰十一月

癸丑（七日），赐辅臣《册府元龟》各一部，板本初成也。（《续资治通鉴长编》卷九六）

癸亥（十七日），知洋州、户部侍郎、集贤院学士李维表求归阙。上曰："知河中府、右谏议大夫李虚己尝居近职，亦久处外地，可并召之。"及至，命维为翰林学士承旨，虚己权御史中丞。知滑州陈尧佐请令兵马部署同管勾河堤事，从之。（《续资治通鉴长编》卷九六）

丁卯（二十一日），命龙图阁学士陈尧咨为鄜延、邠宁环庆、泾原仪渭、秦州路巡抚使。（《续资治通鉴长编》卷九六）

本年

（辽圣宗开泰九年）放进士张仲举等四十五人。（《辽史·圣宗纪七》）

姚铉卒，53 岁。

著有：《唐文粹》一百卷（《宋史·艺文志八》）。

滕元发（1020—1090） 生。滕元发，初名甫，字元发。以避高鲁王讳，改字为名，而字达道，东阳人。九岁能赋诗，范仲淹见而奇之。举进士，廷试第三，用声韵不中程，罢，再举，复第三。授大理评事、通判湖州。召试，为集贤校理、开封府推官、盐铁户部判官、同修起居注。神宗即位，进知制诰、知谏院。拜御史中丞。因事，以翰林侍读学士出知郓州。徙定州。历青州、应天府、齐、邓二州。黜为池州，未行，改安州。后以为湖州。哲宗登位，徙苏、扬二州，除龙图阁直学士，复知郓州。徙真定，又徙太原。以老力求淮南，乃为龙图阁学士，复知扬州，未至而卒，年七十一，赠左银青光禄大夫，谥曰章敏。（《宋史》本传）

张载（1020—1078） 生。张载，字子厚，长安人。少喜谈兵。年二十一，以书谒范仲淹，一见知其远器，因劝读《中庸》。载读其书，犹以为未足，又访诸释、老，累年究极其说，知无所得，反而求之《六经》。举进士，为祁州司法参军，云岩令。熙宁初，御史中丞吕公著言其有古学，以为崇文院校书。移疾屏居南山下，终日危坐一室，左右简编，俯而读，仰而思，有得则识之，或中夜起坐，取烛以书。其志道精思，未始须臾息，亦未尝须臾忘也。乃诏知太常礼院。与有司议礼不合，复以疾归，中道疾甚，沐浴更衣而寝，旦而卒。贫无以敛，门人共买棺奉其丧还。翰林学士许将等言其恬于进取，乞加赠恤，诏赐馆职半赙。载学古力行，为关中士人宗师，世称为横渠先生。著书号《正蒙》，又作《西铭》。学者至今尊其书。嘉定十三年，赐谥曰明公。淳祐元年封郿伯，从祀孔子庙庭。（《宋史》本传）

苏颂（1020—1101） 生。苏颂，字子容，泉州南安人。第进士，历宿州观察推官、知江宁县。调南京留守推官。皇祐五年，召试馆阁校勘，同知太常礼院。迁度支判官。久之，命为淮南转运使。召修起居注，擢知制诰、知通进银台司、知审刑院。岁余，知婺州。元丰初，权知开封府。贬秘书监、知濠州。未几，知河阳，改知沧州。除吏部侍郎，迁光禄大夫。元祐初，拜刑部尚书，迁吏部兼侍读。迁翰林学士承旨。五年，擢尚书左丞。尝行枢密事。七年，拜右仆射兼中书门下侍郎。上章辞位，罢为观文殿大学士、集禧观使，继出知扬州。徙河南，辞不行，告老，以中太一宫使居京口。绍圣四年，拜太子少师致仕。徽宗立，进太子太保，爵累赵郡公。建中靖国元年夏至，自草遗表，明日卒，年八十二。诏辍视朝二日，赠司空。（《宋史》本传）

王陶（1020—1080） 生。王陶，字乐道，京兆万年人。第进士，至太常丞而丁父忧。服阕，除太子中允。嘉祐初，为监察御史里行。英宗即位，加直史馆、修起居注、皇子位伴读、淮阳颖王府诩善、知制诰，进龙图阁学士、知永兴军，召为太子詹事。神宗立，迁枢密直学士，拜御史中丞。帝徙陶为翰林学士，旋出知陈州，入权三司使。又以侍读学士知蔡州，历河南府、许、汝、陈三州，以东宫旧臣加观文殿学士。帝终薄其为人，不复用。元丰三年，卒，年六十一，赠吏部尚书，谥曰文恪。（《宋史》本传）

石康伯（1020—?） 生。石康伯，字幼安，眉之眉山人。举进士不第，即弃去，当以荫得官，亦不就。读书、作诗以自娱而已，不求人知。独好法书、名画、古器、异物，遇有所见，脱衣辍食求之，不问有无。居京师四十年，出入闾巷，未尝骑马。长七尺，髯而黑，如世所画道人剑客。又善滑稽，巧发微中，旁人抵掌绝倒。今年六十二，状貌如四十许。其家书画数百轴，取其毫末杂碎者，以册编之，谓之《石氏画苑》。幼安与文与可游，如兄弟，故得其画为多。而余亦善画古木丛竹，因以遗之，使置之苑中。（苏轼《石氏画苑记》）

孙永（1020—1087）生。孙永，字曼叔，世为赵人，徙长社。年十岁孤，祖给事中冲，列为子行，荫将作监主簿，肄业西学，群试常第一。冲卒，丧除，复列为孙，换试衔，擢进士第，调襄城尉、宜城令，至太常博士。御史中丞贾黯荐为御史，以母老不就。韩琦读其诗，叹誉之，引为诸王府侍读。及为皇太子，进舍人；即位，擢天章阁待制，安抚陕西。历河北、陕西都转运使。加龙图阁直学士、知秦州。降天章阁待制、知和州，以详定编敕知审官东院召还。复学士，知瀛州。进枢密直学士、知开封府。罢为提举中太一宫。元丰中，判军器监。入判将作，进端明殿学士。病不能朝，至虚枢密位以待。辞去益力，提举崇福宫。逾年，起知陈州，徙颍昌。元祐元年，迁吏部，又属疾，改资政殿学士兼侍读，提举中太一宫，未拜而卒，年六十八。赠银青光禄大夫，赙金帛二千，谥曰康简。（《宋史》本传）

谢景初（1020—1084）生。公讳景初，字师厚。公以陈留公荫为太庙斋郎，再除试将作监主簿。初监苏州茶盐务，不赴，签书武胜军节度判官公事。中进士甲科，迁大理评事、知越州余姚县。九迁至司封郎中，历通判秀州、汾州、唐州、海州、湖北转运判官，成都府路提点刑狱。为怨者所诬，坐免司封都官郎中。又坐举官，免屯田郎中。复除职方员外郎。以病求分司西京，权通判许州。不赴，改权通判襄州。复屯田郎中。卒。公少奇俊，七岁能属文，十三从师受礼，通其义，讲解无滞。欧阳文忠公、梅圣俞见公所为文，相顾而惊，持以示留守钱文僖公。文僖公叹曰："真奇童也。"十六游京师，赫然有声，群公共称之。于书无所不该，详练本朝典故。宋次道最为博洽，每叹以为弗如。为文简重雄深，出言落笔皆有章采，若不经思，而人莫可及。尤喜为诗，梅圣俞与公少长，相陪而为酬唱之友。晏元献公、杜正献公、先君文正公皆器待之，与之议论，不敢以年少之。元丰七年四月乙酉，享年六十有五。有文集五十卷。（范纯仁《朝散大夫谢公墓志铭》）

李育（1020—1069）生。河南李君仲蒙，以司封郎、直史馆为记室岐王府。熙宁二年七月丙戌，终于京师。家贫，丧不时举。其僚相与赙之，既敛而归。君为人敦朴恺悌，学博而通，长于毛氏《诗》、司马氏《史》。始举进士甲科，为亳、润、邠三郡职官，后为应天府录曹。既为博士，议礼，据正不屈。晚入岐府，以经术辅导，笃实不阿，其言多验于后。君讳育，其先河内人。自高祖徙于缑氏。没时年五十。（苏轼《李仲蒙哀词》）

李育字仲蒙，吴人，冯当世榜第四人登第，能为诗，性高简，故官不甚显，亦少知之者。与外大父晁公善，尤爱其诗。先君尝得其亲书《飞骑桥》一篇于晁公，字画亦清丽，以为珍玩。《吴志》：孙权征合肥，为魏将张辽所袭，乘骏马上津桥，桥板撤丈余，超度得免，故以名桥，今在庐州境中。诗本后亡去，略追记之附于此："魏人野战如鹰扬，吴人水战如龙骧。气吞魏王唯吴王，建旗软到新城傍。霸主心当万夫敌，麾下仓皇无羽翼。途穷事变接短兵，生死之门不容息。马奔津桥桥半撤，汹汹有声如地裂。蛟怒横飞秋水空，鹗惊径度秋云缺。奋迅金羁汗沾臆，济主艰难天借力。艰难始是报主时，平日主君须爱惜。"此诗五七岁时先君口授，小儿识之。(叶梦得《避暑录话》卷下)

本年重要作品:

诗:寇准《途经方城》、寇准《题驿亭》、寇准《经郴州永兴驿》。

公元 1021 年 (宋真宗天禧五年　辛酉)

正月

乙酉 (九日)，司封员外郎章得象直史馆，秘书丞程琳直集贤院。前诏两制举词学清素之士，翰林学士刘筠、龙图阁直学士吕夷简、知制诰张师德等以得象等名闻，故召试而命焉。得象，浦城人;琳，博野人也。(《续资治通鉴长编》卷九七)

丁酉 (二十一日)，翰林学士刘筠见上久疾，丁谓浸擅权，叹曰:"奸人用事，安可一日居此!"表求外任，乃授右谏议大夫、知庐州。旧制，学士罢职，多为侍读学士或龙图阁学士，筠但除谏议大夫，谓沮之也。宰相拟他官为学士，上曰:"皆不如李谘。"遂以命谘。(《续资治通鉴长编》卷九七)

二月

给事中、知河阳孙奭再表求停官养父，上嘉纳之。庚戌 (五日)，命知兖州。奭父时居郓州，兖、郓相迩故也。(《续资治通鉴长编》卷九七)

壬戌 (十七日)，以光禄寺丞谢绛为秘阁校理，大理寺丞王质、大理评事石居简、李丕谅、奉礼郎李昭遘并充馆阁校勘。(《续资治通鉴长编》卷九七)

甲戌 (二十九日)，即命陈尧咨知秦州。(《续资治通鉴长编》卷九七)

三月

壬寅 (二十七日)，辅臣以天章阁成，并进秩。丁谓为司空，冯拯为左仆射，曹利用为右仆射，任中正为工部尚书，钱惟演为右丞，王曾为吏部侍郎，张士逊为给事中。(《续资治通鉴长编》卷九七)

春

范仲淹监泰州西溪镇盐仓。

六月

己未 (十六日)，国子监请以御制《至圣文宣王赞》及近臣所撰《十哲》、《七十

二贤赞》镂板，诏可。（《续资治通鉴长编》卷九七）

癸亥（二十日），诏奖知滑州陈尧佐。尧佐浚旧河，分水势，护州城有劳也。（《续资治通鉴长编》卷九七）

九月

丙戌（十三日），宰相丁谓等上笺注《释教御集》三十卷，诏赐谓及翰林学士晏殊、管勾使臣器币有差。（《续资治通鉴长编》卷九七）

丙申（二十三日），权知开封府吕夷简言狱空，诏奖之。（《续资治通鉴长编》卷九七）

十月

戊申（六日），祥源观成，总为屋六百一十三区。都大管勾观事、枢密副使钱惟演加工部尚书。惟演诣承明殿纳告敕，上不许，复令中使就第赐之。（《续资治通鉴长编》卷九七）

十一月

丁丑（五日），以司空、兼门下侍郎、太子少师、平章事丁谓为译经使兼润文，时译经三藏，法护等请依唐制，命宰臣充使故也。（《续资治通鉴长编》卷九七）

十二日，王安石（1021—1086）生。王安石，字介甫，抚州临川人。擢进士上第，签书淮南判官。再调知鄞县，寻召试馆职，不就。移提点江东刑狱，入为度支判官。俄直集贤院。明年，同修起居注，遂知制诰，纠察在京刑狱。以母忧去，终英宗世，召不起。神宗甫即位，命知江宁府。数月，召为翰林学士兼侍讲。熙宁元年四月，始造朝。二年二月，拜参知政事。于是，设制置三司条例司，令判知枢密院事陈升之同领之。安石令其党吕惠卿预其事。而农田水利、青苗、均输、保甲、免役、市易、保马、方田诸役相继并兴，号为新法。遣提举官四十余辈，颁行天下。三年十二月，拜同中书门下平章事。罢为观文殿大学士、知江宁府，自礼部侍郎超九转为吏部尚书。八年二月，复拜相，加尚书左仆射兼门下侍郎。安石之再相也，屡谢病求去，及子雱死，尤悲伤不堪，力请解几务。上益厌之，罢为镇南军节度使、同平章事、判江宁府。明年，改集禧观使，封舒国公。屡乞还将相印。元丰二年，复拜左仆射、观文殿大学士。换特进，改封荆。哲宗立，加司空。元祐元年，卒，年六十六，赠太傅。绍圣中，谥曰文，配享神宗庙庭。崇宁三年，又配食文宣王庙，列于颜、孟之次，追封舒王。钦宗时，诏停之。高宗用赵鼎、吕聪问言，停宗庙配享，削其王封。初，安石训释《诗》、《书》、《周礼》，既成，颁之学官，天下号曰"新义"。晚居金陵，又作《字说》，多穿凿傅会。其流入于佛、老。一时学者，无敢不传习，主司纯用以取士，士莫得自名一说，先儒传注，一切废不用。（《宋史》本传）

甲申（十二日），山南东道节度使、同平章事、判河南府王钦若有疾，诏遣中使将

太医诊视。先是，钦若累表请就医京师，未报。丁谓密使人绐钦若曰："上数语及君，甚思一见，君第上表径来，上必不讶也。"钦若信之，即令其子右赞善大夫从益移文河南府，舆疾而归。谓因言钦若擅去官守，无人臣礼，命御史中丞薛映就第按问，钦若惶恐伏罪。戊子（十六日），责授司农卿、分司南京，夺从益一官，转运使及河南府官皆被罪，仍颁谕天下。（《续资治通鉴长编》卷九七）

十二月

壬戌（二十一日），徙知应天府、翰林侍读学士、兵部侍郎张知白知亳州。初，知白在中书，与王钦若不协。于是，钦若分司南京，丁谓欲知白修怨也。已而，知白待钦若加厚，谓怒，故徙之。（《续资治通鉴长编》卷九七）

本年

王嗣宗卒，78 岁。王嗣宗，字希阮，汾州人。开宝八年，登进士甲科，补秦州司寇参军。太宗征河东，嗣宗陈边事，召赴行在，授大理寺丞、通判睦州，改右赞善大夫、徙河州。寻以秘书丞通判澶州，并河东西，入为三司开拆推官，以左正言充河北转运副使。改左司谏，入为度支判官，改驾部员外郎。顷之，出知兴元府，徙京西转运使。又移河北，迁虞部郎中。至道初，移河东转运使，徙知耀州，又知同州，加比部郎中、淮南转运使、江浙荆湖发运使。咸平三年，以漕运称职，就拜太常少卿。逾年，以右谏议大夫充三司户部使，改盐铁使。召拜御史中丞。大中祥符间，加兼工部侍郎、权判吏部铨。知永兴军府。真宗作诗赐之。召还，授枢密副使、检校太保。寇准为使，嗣宗与之不叶，累表解职，授检校太傅、大同军节度、知许州。移知河南府。天禧初，改感德军节度，徙知陕州。郊祀，改静难军节度。特命以左屯卫上将军、检校太尉致仕。五年，卒，年七十八。废朝，赠侍中。嗣宗好为文，而札尤甚。所著有《中陵子》三十卷。（《宋史》本传）

戚纶卒，68 岁。戚纶字仲言，应天楚丘人。纶少与兄维以文行知名，笃于古学，喜谈名教。太平兴国八年举进士，解褐沂水主簿。徙知太和县。同文卒于随州，纶徒步奔讣千里余。俄诏起复莅职，就加大理评事。江外民险悍多构讼，为《谕民诗》五十篇，因时俗耳目之事，以申规诲，老幼多传诵之。迁光禄丞，坐鞫狱陈州失实，免官。著《理道评》十二篇，钱若水、王禹偁深所赏重。久之，复授大理评事、知永嘉县。复为光禄寺丞。真宗即位，转著作佐郎、通判泰州。将行，秘书监杨徽之荐其文学纯谨，宜在馆阁，命为秘阁校理。诏馆阁官以旧文献，上嘉纶所著，特改太常丞，俄判鼓司、登闻院。景德元年，判三司开拆，赐绯鱼，改盐铁判官。十月，拜右正言、龙图阁待制，赐金紫。二年，与赵安仁、晁迥、陈充、朱巽同知贡举，纶上言取士之法，多所规制，并纳用焉。预修《册府元龟》。进秩右司谏、兵部员外郎。大中祥符元年，掌吏部选事。三年，擢枢密直学士，上作诗宠之。居无何，出知杭州，就加左司郎中。徙知扬州，徙徐州。八年，与刘综并罢学士，授左谏议大夫。代还，复知青州。徙郓州，坐左迁岳州团练副使，易和州。天禧四年，改保静军副使。是冬，以疾求归

故里，改太常少卿，分司南京。五年，卒，年六十八。有集二十卷。别为《论思集》十卷，分上下篇。（《宋史》本传）

著有：《戒纶集》二十卷（《宋史》本传）、《论思集》十卷（《宋史》本传）。

冯京（1021—1094）生。冯京，字当世，鄂州江夏人。举进士，自乡举、礼部以至廷试，皆第一。出守将作监丞、通判荆南军府事。还，直集贤院、判吏部南曹，同修起居注。试知制诰。避妇父富弼当国嫌，拜龙图阁待制、知扬州。改江宁府，以翰林侍读学士召还，纠察在京刑狱。为翰林学士、知开封府。除端明殿学士、知太原府。神宗立，复为翰林学士，改御史中丞，擢枢密副使。罢知亳州。未几，以资政殿学士知渭州。茂州夷叛，徙知成都府。顷之，以观文殿学士知河阳。哲宗即位，拜保宁军节度使、知大名府，又改镇彰德。时京已老，乃以为中太一宫使兼侍讲，改宣徽南院使，拜太子少师，致仕。绍圣元年，薨，年七十四。帝临奠于第，赠司徒，谥曰文简。（《宋史》本传）

吴充（1021—1080）生。吴充，字冲卿，建州浦城人。未冠举进士，与兄育、京、方皆高第。调谷熟主簿，入为国子监直讲、吴王宫教授。除集贤校理、判吏部南曹。改知太常礼院。忤执政意，出知高邮军。还为群牧判官、开封府推官，历知陕州，京西、淮南、河东转运使。英宗立，寻权盐铁副使。熙宁元年，知制诰。河北水灾、地震，为安抚使。使还，王安石参知政事，充子安持，其婿也，引嫌解谏职，知审刑院，权三司使，为翰林学士。三年，拜枢密副使。八年，进检校太傅、枢密使。充虽与安石连姻，而心不善其所为，安石去，遂代为同中书门下平章事、监修国史。素病瘤，积忧畏，疾益侵。元丰三年三月，舆归第，罢为观文殿大学士、西太一宫使。逾月，卒，年六十。赠司空兼侍中，谥曰正宪。（《宋史》本传）

吴瑛（1021—1104）生。吴瑛，字德仁，蕲州蕲春人。以父龙图阁学士遵路任补太庙斋郎，监西京竹木务，签书淮南判官，通判池州、黄州，知郴州，至虞部员外郎。治平三年，官满如京师，年四十六，即上书请致仕。公卿大夫知之者相与出力挽留之，不听，皆叹服以为不可及，相率赋诗饮饯于都门，遂归。蕲有田，仅足自给。临溪筑室，种花酿酒，家事一付子弟。宾客至必饮，饮必醉，或困卧花间，客去亦不问。有臧否人物者，不酬一语，但促奴益行酒，人莫不爱其乐易而敬其高。尝有贵客过之，瑛酒酣而歌，以乐器扣其头为节，客亦不以为忤。哲宗朝有荐之者，召为吏部郎中，就知蕲州，皆不起。崇宁三年感疾，即闭阁谢医药，至垂绝不乱。卒，年八十四。（《宋史》本传）

陈绎（1021—1088）生。陈绎，字和叔，开封人。中进士第，为馆阁校勘、集贤校理，刊定《前汉书》，居母丧，诏即家雠校。英宗临政渊嘿，绎献五箴。同判刑部，狱讼有情法相忤者，谳之。帝称其文学，以为实录检讨官。神宗立，为陕西转运副使，入直舍人院、修起居注、知制诰，拜翰林学士，以侍讲学士知邓州。召知通进、银台司，命权开封府。久之，还翰林，仍领府。治司农吏盗库钱狱未竟，中书检正张谔判寺事，惧失察，以帖诘稽留，绎遣吏示以成牍。言者论其徇宰属、纵有罪，出知滁州。郊祀恩，复知制诰，言者再论之，得秘书监、集贤院学士。元丰初，知广州。库有檀香佛像，绎以木易之。事觉，时绎已加龙图阁待制、知江宁府，乃贬建昌军，夺其职。

213

后复太中大夫以卒，年六十八。（《宋史》本传）

本年重要作品：

诗：范仲淹《西溪见牡丹》、范仲淹《西溪书事》、寇准《春陵闻雁》。

公元 1022 年（宋真宗乾兴元年 壬戌）

正月

一日，改元。

丁丑（七日），权度支判官、祠部郎中、直史馆章得象为梓州路转运使。得象自言母年逾七十，旁无兄弟，愿免遐适，庶遂色养，诏许之，仍领旧职。刑部员外郎、直史馆陈从易为荆湖南路转运使。（《续资治通鉴长编》卷九八）

二月

甲辰（五日），内外官并加恩。宰臣丁谓封晋国公，冯拯魏国公。（《续资治通鉴长编》卷九八）

戊午（十九日），上崩于延政殿。仁宗即皇帝位。（《续资治通鉴长编》卷九八）

真宗听政之暇，唯务观书。每观毕一书，即有篇咏，使近臣赓和。故有御制《看尚书诗》三章、《看春秋》三章、《看周礼》三章、《看毛诗》三章、《看礼记》三章、《看孝经》三章。复有御制《读史记》三章、《读前汉书》三首、《读后汉书》三首、读《三国志》三首、《读晋书》三首、《读宋书》二首、《读陈书》二首、《读魏书》三首、《读北齐书》二首、《读后周书》三首、《读隋书》三首、《读唐书》三首、《读五代梁史》三首、《读五代后唐史》三首、《读五代晋史》二首、《读五代汉史》二首、《读五代周史》二首，可谓近代好文之主也。（吴处厚《青箱杂记》卷三）

癸亥（二十四日），太后忽降手书，处分尽如谓所议。盖谓不欲令同列预闻机密，故潜结允恭，使白太后，卒行其意。及学士草词，允恭先持示谓阅讫，乃进。（《续资治通鉴长编》卷九八）

丙寅（二十七日），宰臣丁谓加司徒，冯拯加司空，枢密使曹利用加左仆射并兼侍中，参知政事任中正加兵部尚书，王曾加礼部尚书，枢密副使钱惟演加兵部尚书，张士逊加户部侍郎。（《续资治通鉴长编》卷九八）

戊辰（二十九日），贬道州司马寇准为雷州司户参军。既至，吏献以图经，首载州东南门至海岸十里，准恍然曰："吾少时尝为诗曰：'到海只十里，过山应万重。'今日思之，人生得丧，岂偶然耶！"（《续资治通鉴长编》卷九八）

释智圆卒，47 岁。智圆字无外，钱塘人，博学励行，号中庸子。时王文穆公罢相，知杭州，诸僧出迓。慈云禅师邀之偕往，圆以疾辞，曰："倾山倒壑，奔走红尘，暂留坐镇。"诸僧报服。与处士林逋为友。临化，命门人即后山敛陶器而护葬之，名陶器冢。自为铭曰："清净本然，无变无迁，为藏陶器，密迩闲泉。"（田汝成《西湖游览志》卷二）

著有：《闲居编》五十一卷（《宋史·艺文志四》）、《病课集》（智圆《病课集序》）。

晏殊拜右谏议大夫，兼侍读学士。

三月

壬申（三日），以枢密直学士、给事中李及知杭州。及性清介，所治简严，喜慰荐下吏，而乐道人之善。恶钱塘风俗轻靡，不事宴游。一旦冒雪出郊，众谓当置酒召客，乃独造林逋，清谈至暮而归。居官数年，未尝市吴物，比去，惟市《白乐天集》。（《续资治通鉴长编》卷九八）

六月

己亥朔（一日），翰林学士承旨李维上大行皇帝谥，曰：文明章圣元孝，庙号真宗。（《续资治通鉴长编》卷九八）

王曾欲因山陵事并去谓而未得，间一日，语同列曰："曾无子，将以弟之子为后，明日退朝，当留白此。"谓不疑曾有异志也。曾独对，具言谓包藏祸心，故令允恭擅移皇堂于绝地，太后始大惊。癸亥（二十五日），辅臣会食资善堂，召议事，谓独不与，知得罪，颇哀请。钱惟演遽曰："当致力，无大忧也。"冯拯熟视惟演，惟演踧踖。乃责谓为太子少保、分司西京。（《续资治通鉴长编》卷九八）

七月

辛未（四日），冯拯加司徒，曹利用加武宁节度使，王曾加中书侍郎、平章事，吕夷简为给事中，鲁宗道为右谏议大夫，并参知政事。（《续资治通鉴长编》卷九九）

壬申（五日），礼部郎中、知制诰、史馆修撰祖士衡落职、知吉州，坐丁谓党也。（《续资治通鉴长编》卷九九）

癸酉（六日），以翰林学士、右谏议大夫、知制诰晏殊为给事中。上即位，殊已进官，太后谓东宫旧臣恩不称，特加命焉。（《续资治通鉴长编》卷九九）

丙子（九日），枢密副使钱惟演为枢密使。（《续资治通鉴长编》卷九九）

八月

刘筠拜翰林学士。

十月

甲子（二十八日），翰林学士晏殊等言："先朝杨亿再为学士，班钱惟演上。今新除学士刘筠，天禧中已入翰林，请如故事，序班臣等之上。"从之，其后率如此例。（《续资治通鉴长编》卷九九）

十一月

丁卯朔（一日），枢密使钱惟演罢为保大节度使，知河阳。初，惟演见丁谓权盛，附离之，与为婚姻。谓逐寇准，惟演与有力焉。及序枢密直学士题名石，独刊去准名，曰："逆准削而不书。"谓祸萌，惟演虑并得罪，遂挤谓以自解。冯拯恶其为人，因言惟演以妹妻刘美，实太后姻家，不可预政，请出之。乃出惟演为镇国留后，即日改今命。（《续资治通鉴长编》卷九九）

庚午（四日），翰林学士刘筠为御史中丞。（《续资治通鉴长编》卷九九）

癸酉（七日），命翰林学士承旨李维、翰林学士晏殊修《真宗实录》。寻复命翰林侍讲学士孙奭、知制诰宋绶、度支副使陈尧佐同修。（《续资治通鉴长编》卷九九）

辛巳（十五日），始御崇政西阁，召翰林侍讲学士孙奭、龙图阁直学士兼侍讲冯元讲《论语》，侍读学士李维、晏殊与焉。（《续资治通鉴长编》卷九九）

壬午（十六日），以翰林侍读学士、尚书右丞张知白为枢密副使。（《续资治通鉴长编》卷九九）

十二月

甲辰（九日），召辅臣崇政殿西庑，观侍讲学士孙奭讲《论语》。既而，上亲书唐贤诗以分赐焉。自是，每召辅臣至经筵，多以御书赐之。（《续资治通鉴长编》卷九九）

戊午（二十三日），太常卿、知濠州王钦若为刑部尚书、知江宁府。（《续资治通鉴长编》卷九九）

本年

（辽圣宗太平二年）是年，放进士张渐等四十七人。（《辽史·圣宗纪七》）

郑獬（1022—1072）生。郑獬，字毅夫，安州安陆人。少负俊材，词章豪伟峭整，流辈莫敢望。进士第一。通判陈州，入直集贤院、度支判官、修起居注、知制诰。英宗即位，出知荆南。还，判三班院。神宗初，召獬夕对内东门，命草吴奎知青州及张方平、赵抃参政事三制，赐双烛送归舍人院，外廷无知者。遂拜翰林学士。权发遣开封府。为王安石所恶，出为侍读学士、知杭州。御史中丞吕诲乞还之，不听。未几，徙青州。引疾祈闲，提举鸿庆宫，卒，年五十一。（《宋史》本传）

强至（1022—1076）生。强至，字几圣，杭州吴山里人。少有志节，力学问。吴俗喜嬉游、请谒，至一切谢绝。读书属文，忘昼夜寒暑。乡试为举首，其赋传四方。庆历六年登进士第，遂悉破旧辙，学古文，尤积思于诗。居官听狱讼，不视势高下轻重，穷究辨析，平反甚众。居丧，毁瘠过制。其治终事，一出己力，不资于人。最受知于韩琦，琦罢政事，镇京兆，徙镇相魏，常引至自助。琦为诗，合宾客属和，至独思致逸发，不可追蹑。琦上奏及他书记，皆至属稿。琦数荐充馆阁，未及用而卒。官

216

至祠部员外郎，累赠金紫光禄大夫。有《文集》二十卷，曾巩为之序。谓其文简古，不少贬以徇俗。（《咸淳临安志》卷六六）

贾黯（1022—1065）生。贾黯，字直孺，邓州穰人。擢进士第一，起家将作临丞、通判襄州。还为秘书省著作佐郎、直集贤院，迁左正言、判三司开拆司。黯自以年少遭遇，备位谏官，果于言事。皇祐四年，同修起居注，徙判盐铁勾院，迁左司谏。擢知制诰。判吏部流内铨。后黯知许州，请徙郡及解官就养。不报，乃弃官去。而御史吴中复等劾黯辄委州印，挠朝廷法，绌知郢州。未及行，父死。服除，勾当三班院，为翰林学士。以疾请郡，改侍读学士、知邓州。未行，疾愈，复以为翰林学士、知审官院。累迁尚书左司郎中、权知开封府。罢为同提举在京诸司库务。英宗即位，迁中书舍人。受诏撰《仁宗实录》，权知审刑院，为群牧使。迁给事中、权御史中丞。既病，求出，以翰林侍读学士知陈州。未行，卒，年四十四。赠尚书礼部侍郎。（《宋史》本传）

钱藻（1022—1082）生。藻字醇老，明逸之从子也。幼孤，刻励为学。第进士，又中贤良方正科，为秘阁校理。慈圣后临朝，藻三上书乞还政。同修起居注、知制诰。加枢密直学士、知开封府。平居乐易无崖岸，而居官独立守绳墨，为政简静有条理，不肯徇私取显。数求退，改翰林侍读学士、知审官东院。卒，年六十一。神宗知其贫，赙钱五十万，赠太中大夫。（《宋史》本传）

本年重要作品：

　文：范仲淹《上张知白右丞书》。

　诗：寇准《临海驿夏日》。

第三章

天圣元年至庆历八年共 26 年

·引　言·

苏轼《苏轼文集》卷十《六一居士集叙》：宋兴七十余年，民不知兵，富而教之，至天圣、景祐极矣。而斯文终有愧于古，士亦因陋守旧，论卑气弱。自欧阳子出，天下争自濯磨。以通经学古为高，以救时行道为贤，以犯颜纳说为忠。长育成就，至嘉祐末，号称多士，欧阳子之功为多。呜呼！此岂人力也哉？非天其孰能使之。

朱长文《苏州学记》：神宋受命，遏乱兴治，乘舆尝幸国庠，亲临讲席。是时勋臣宿将并列藩镇，庠序虽未兴，而鸿儒硕生闻风以起。有若戚坚素在睢水，钟明逸在终南，皆聚徒讲授，髦俊归之。其后，陪京方面之守臣，稍请兴学。自景祐中范文正公作学于吴，又创于润，滕子京建于湖。庆历之盛，文正公参豫机政，而石守道、孙明复首居太学。是时仁宗开天章阁，召辅臣八人，问以治要。文正公复以学校为对。于是，诏天下皆立学。

张方平《贡院请戒励天下举人文章》：自景祐元年有以变体而擢高第者，后进传效，因是以习。尔来文格日失其旧，各出新意，相胜为奇。至太学之建，直讲石介课诸生，试所业，因其好尚，而遂成风。以怪诞诋讪为高，以流荡猥烦为赡，逾越规矩，或误后学。朝廷恶其然也，故下诏书丁宁戒励。而学者乐于放逸，罕能自还。

李觏《上宋舍人书》：天宇之广，颓风未绝。近年以来，新进之士，重为其所煽动。不求经术而撅小说以为新，不思理道而专雕镂以为丽，句千言万，莫辨首尾，览之若游于都市。但见其晨而合，夜而散，纷纷藉藉，不知其何名氏也。远近传习，四方一体。有司以备官之故，姑用泛取。琐辞谬举，无如之何。圣人之门，将复蓁芜矣。

苏颂《吕舍人文集序》：仁宗皇帝一朝，文章人物之盛跨越前代。天圣初，故相郑国宋公泊仲氏尚书景文公同时擢甲科。景祐中，故参知政事欧阳文忠公由铨选陟文馆，阅旬岁而历两禁，登二府，号令风采，悚动天下。豪英间出，相继进用。方是时，承平百年，礼乐兴起；亡书佚史，靡不搜辑；鸿笔大手，竞献所长。上之朝廷，诏诰词命与典谟相高；下之台阁，论议章奏有忠嘉之美。至于一篇一咏，尺牍片札，朝染翰墨，夕遍家户。彬彬然文雅之风，成于上而浃于下矣。

王政德《余师录》卷二：本朝自明道、景祐间，始以文学相高。故子瞻、师鲁兄弟、欧阳永叔、梅圣俞为文，皆宗主六经，发为文采，脱去晚唐五代气格，直造退之、子厚之阃奥，故能浑灏包含，莫测涯涘。见者皆晃耀耳目，天下学者争相矜尚，谓之古文，皆以不识其人、不习其文为深耻。

韩淲《涧泉日记》卷中：本朝庆历间诸公，韩魏公、富郑公、欧阳公、尹舍人、孙先生、石徂徕，虽有愤世疾邪之心，亦皆学道有所见，有所守。下至王介甫、王深甫、曾子固、王逢原，犹守道论学。至东坡诸人，便只有愤世疾邪之心，议论是非利害而已。

刘玉瓒《康熙本李泰伯先生文集叙》：宋之天圣、景祐，盖常治矣。非独其君相贤也，其下之学士君子，草茅诵读，亦能留心世务，原本经术，著为一家之言，以冀用于天下而一邀上之人省览焉。虽其或用或否，不可预期，然而其书炳然传之后世，上以羽翼圣经，铺扬治道，而下亦足以自见其人之生平本末。虽贯穿出入而皆较然有以知其不欺。蜀之苏明允、盱之李泰伯，其最著者也。

《宋景文公笔记》卷上：上即位，天圣初元以来，缙绅间为诗者益少，惟故丞相晏公殊、钱公惟演、翰林刘公筠数人而已。至丞相王公曙、参知政事宋公绶、翰林学士李公淑，文章外亦作诗，而不专也。其后石延年、苏舜卿、梅尧臣皆自谓好为诗，不能自名矣。

赵彦卫《云麓漫钞》卷八：本朝之文，循五代之旧，多骈俪之词；杨文公始为西昆体，穆伯长、六一先生以古文倡，学者宗之。

公元 1023 年（宋仁宗天圣元年　癸亥）

正月

一日，改元。

壬午（十七日），以度支副使、兵部员外郎陈尧佐为知制诰、史馆修撰。故事，知制诰皆先召试于中书，尧佐预修《真宗实录》，特免试焉。（《续资治通鉴长编》卷一〇〇）

三月

丙戌（二十三日），再责祖士衡监江州税。言者以士衡在吉州不能修饰，前责尚轻故也。（《续资治通鉴长编》卷一〇〇）

辛卯（二十八日），司天监上新历，赐名《崇天》，保章正张奎、灵台郎楚衍等所造也。命翰林学士晏殊为历序。

四月

辛丑（八日），罢礼仪院，从枢密副使张士逊等所请也。以知礼仪院翰林学士晏殊、龙图阁直学士冯元为判太常礼院。（《续资治通鉴长编》卷一〇〇）

五月

戊寅（十六日），诏吏部流内铨人自今出官者，并依长定格令归司。初，殿中侍御史大名李孝若言，百司吏频经庆恩，多减放选限，出官甚速，请加条约。因令翰林学士晏殊等与流内铨南曹同详定，而降是诏。（《续资治通鉴长编》卷一○○）

六月

丙申（四日），徙河阳保大节度使钱惟演知亳州。（《续资治通鉴长编》卷一○○）

八月

先是，钱惟演自河阳赴亳州，因朝京师，图入相。咏奏："惟演憸险，尝与丁谓为婚姻，缘此大用。后揣知谓奸状已萌，惧牵连得祸，因出力攻谓。今若遂以为相，必大失天下望。"太后遣内侍持奏示之，惟演犹顾望不行，咏语左正言刘随曰："若相惟演，当取白麻廷毁之。"惟演闻，乃亟去。（《续资治通鉴长编》卷一○一）

九月

丙寅（五日），冯拯罢为武胜节度使、检校太尉、兼侍中、判河南府，钦若守司徒、兼门下侍郎、平章事、昭文馆大学士。（《续资治通鉴长编》卷一○一）

闰九月

戊戌（七日），寇准卒于雷州，63岁。

初，太宗尝得通天犀，命工为二带，一以赐准。及是，准遣人取自洛。既至数日，沐浴，具朝服束带，北面再拜，呼左右趣设卧具，就榻而殁。癸卯（十二日），始命准为衡州司马，准弗及知也。其妻宋氏寻乞归葬西京，许之。道出荆南公安县，人皆设祭于路，折竹植地，挂纸钱焚之。逾月，枯竹尽出笋，众因为立庙，号"竹林寇公祠"。（《续资治通鉴长编》卷一○一）

准殁后十一年，复太子太傅，赠中书令、莱国公，后又赐谥曰忠愍。皇祐四年，诏翰林学士孙抃撰神道碑，帝为篆其首曰"旌忠"。（《宋史》本传）

著有：《寇忠愍诗》三卷（晁公武《郡斋读书志·别集类中》）、《巴东集》一卷（《宋史·艺文志七》）。

八日，冯拯卒，66岁。冯拯，字道济。举进士，补大理评事、通判峡州，权知泽州，徙坊州，迁太常丞。权知石州，擢右正言，岁余代归。出使河北，还，判三司户部理欠凭由司，为度支判官。淳化中，请立许王元僖，太宗怒，悉贬岭外。太宗欲召还参知政事，寇准素不悦拯，乃徙知鼎州。改通判广州。拯以母丧请内徙，命知江州。真宗即位，进比部员外郎。御史中丞李惟清表为推直官，判三司度支勾院，迁驾部。咸平初，坐试开封进士赋涉讥讪，下拯御史台，未几，释之。明年，兼侍御史知杂事。擢祠部郎中、枢密直学士，权判吏部流内铨。明年，以右谏议大夫同知枢密院事。迁尚书工部侍郎、签书枢密院事。景德中，为参知政事，再迁兵部侍郎。从祀汾阴，为仪仗使，迁工部尚书。复以疾求罢，拜刑部尚书、知河南府，听以府事委官属。七年，除御史中丞，又以疾辞，除户部尚书、知陈州。再知河南府，迁兵部尚书，入判尚书都省，以吏部尚书、检校太傅、同中书门下平章事充枢密使。其冬，拜右仆射兼中书侍郎、太子少傅、同平章事、集贤殿大学士，进左仆射。乾兴元年，进封魏国公，迁司空兼侍中。谓既贬，拯代谓为司徒、玉清昭应宫使、昭文馆大学士、监修国史。寻在病告，五上表愿罢相，拜武胜军节度使、检校太尉兼侍中、判河南府。既卒，赠太师、中书令，谥文懿。（《宋史》本传）

著有：《番禺纪异》五卷（晁公武《郡斋读书志·地理类》）。

秋

欧阳修应随州乡试，试《左氏失之诬论》，以赋落官韵而被黜。

欧阳文忠公年十七，随州取解，以落官韵而不收。天圣已后，文章多尚四六。是时随州试《左氏失之诬论》，文忠论之，条列左氏之诬甚悉，其句有"石言于宋，神降于莘。外蛇斗而内蛇伤，新鬼大而故鬼小"。虽被黜落，而奇警之句大传于时。今集中无此论，顷见连庠诵之耳。（魏泰《东轩笔录》卷一二）

是时，天下学者杨刘之作，号为时文，能者取科第、擅名声，以夸荣当世，未尝有道韩文者。予亦方举进士，以礼部诗赋为事，年十有七，试于州，为有司所黜。因取所藏韩氏之文，复阅之，则喟然叹曰："学者当至于是而止尔！"因怪时人之不道，而顾已亦未暇学，徒时时独念于予心，以为方从进士干禄以养亲，苟得禄矣，当尽力于斯文，以偿其素志。（欧阳修《记旧本韩文后》）

十二月

二十七日，薛田序魏野《钜鹿东观集》。钜鹿魏野，字仲先，甘棠东郭人也。秉心孤高，植性冲淡，视浮荣如脱屣，轻宠利若鸿毛，友义朋仁，世稀与比。自丱及长，善于诗笔。每叙事感发，见景立言，非拘方体圆，动能破的。故人之美恶、物之形态、时之兴替、事之正变，遇事激发，则可千里之外而应之。旧有《草堂集》行在人间，传之海外，真可谓一代之名流，讵俾乎逸才宏辨者知也。余与之交越三十年，凡遇景遣兴，迭为酬唱。每筒递往还，则驰无远迩。天禧季末岁冬，余尹正京洛，许造公居，岂谓未及其期而随物化去。今岁之春，余忝绥益部，载历郡阴憩止之辰，追访郊墅噫岩亭，索寞凄凉。此时竹树菁葱，依稀旧日。奈伊人之既往，而流风之如在。有令息闲，尤增素尚，绰有父风，能琴之外亦酷于风雅。出先君所著新旧诗三百篇，除零落外，以其国风教化、讽刺歌颂、比兴缘情者混而编之，汇为十卷。求为序述，欲使先君子之道、之行彬蔚而不泯耳。余既往知生，不当推让，聊陈梗概，用布之于编首。《汉书》班固引著作局为东观，因取诸赠典，故命之曰《钜鹿东观集》。（薛田《〈钜鹿东观集〉序》）

《东观集》十卷，宋魏野撰。与林逋同时，身后之名，不及逋装点湖山，供后人题咏，而当时则声价出逋上。野在宋初，其诗尚仍五代旧格，未能及林逋之超诣，而胸

次不俗，故究无龌龊凡鄙之气。较杨朴咏蓑诸篇固无多让，亦录隐逸诗者所不遗也。（《四库提要》卷一五二）

著录：晁公武《郡斋读书志·别集类中》、郑樵《通志·艺文略八》、陈振孙《直斋书录解题·诗集类下》、《宋史·艺文志七》、钱谦益《绛云楼书目》卷三、钱曾《述古堂藏书目》卷二、《四库提要》卷一五二、孙星衍《孙氏祠堂书目内编》、汪士钟《艺芸书舍宋本书目》、丁丙《善本书室藏书志》卷二六、邵懿辰《增订四库简明目录标注》、傅增湘《藏园群书经眼录》卷一三、《上海图书馆善本书目》、《北京图书馆古籍善本书目》、台湾《中央图书馆善本书目》。

版本：宋绍定元年严陵郡斋刊本、四库全书文渊阁本、清康熙二十五年翁栻手跋本、清鲍氏知不足斋钞本、清宣统三年赵诒琛刻峭帆楼丛书本。

本年

刘攽（1023—1089）生。攽字贡父，与敞同登科，仕州县二十年，始为国子监直讲。欧阳修、赵概荐试馆职，得馆阁校勘。熙宁中，判尚书考功、同知太常礼院。为开封府判官，复出为京东转运使。徙知兖、亳二州。黜监衡州盐仓。哲宗初，起知襄州。入为秘书少监，以疾求去，加直龙图阁、知蔡州。至蔡数月，召拜中书舍人。竟以疾不起，年六十七。攽所著书百卷，尤邃史学。作《东汉刊误》，为人所称。预司马光修《资治通鉴》，专职汉史。喜谐谑，数用以招怨悔，终不能改。（《宋史》本传）

王回（1023—1065）生。王回，字深父，福州侯官人。举进士中第，为卫真簿，有所不合，称病自免。退居颍州，久之不肯仕，在廷多荐者。治平中，以为忠武军节度推官、知南顿县，命下而卒。回在颍川，与处士常秩友善。熙宁中，秩上其文集。（《宋史》本传）

王存（1023—1101）生。王存，字正仲，润州丹阳人。庆历六年，登进士第，调嘉兴主簿，擢上虞令。治平中，入为国子监直讲，迁秘书省著作佐郎，历馆阁校勘、集贤校理、史馆检讨、知太常礼院。元丰元年，以为国史编修官、修起居注。明年，以右正言、知制诰、同修国史兼判太常寺。五年，迁龙图阁直学士、知开封府。进枢密直学士，改兵部尚书，转户部。元祐初，还户部，固辞不受。二年，拜中大夫、尚书右丞。三年，迁左丞。岁余，加资政殿学士、知扬州。召为吏部尚书。与任事者戾，除知大名府，改知杭州。绍圣初，请老，提举崇禧观，迁右正议大夫致仕。建中靖国元年卒，年七十九。赠左银青光禄大夫。（《宋史》本传）

刘庠（1023—1086）生。刘庠，字希道，彭城人。八岁能诗。蔡齐妻以子，用齐遗奏，补将作监主簿。复中进士第，为高密广平院教授。英宗求直言，庠上书论时事，除监察御史里行。神宗立，迁殿中侍御史，为右司谏。除集贤殿修撰、河东转运使。移知真定府，又为河东都转运使，召知开封府。庠不肯屈事王安石。遂以为龙图阁直学士、知太原府。徙秦州。坐失举，降知虢州，移江宁府、滁州，徙永兴军。元祐初，加枢密直学士、知渭州。卒，年六十四。（《宋史》本传）

本年重要作品:

诗:寇准《海康西馆有怀》。

公元 1024 年(宋仁宗天圣二年　甲子)

正月

甲午(五日),诏:"礼部贡院、开封府、国子监及别头各增置点检试卷、封弥、巡铺、监门官有差。开封府举人无户籍者,召有出身京朝官保二人,无出身曾历任者保一人;外州召命官、使臣为保,不得过一人。所保不实,以违制论。举人两处取解及犯徒而尝以荫赎者,永不得入科场。同保人殿五举,其殿三举者实殿一举,五举殿二举。进士不得以押韵入试,罢诸科旧人别院试者,听至复场入试。其被黜而毁谤主司及投匿名文字,令所在收捕之。即主司不公,许单名以告,不得期集连状。广南东西、益、梓、利、夔等路,旧制,于额外有合格者,亦听举送,如闻比来冒籍者多,自今毋得额外发解。"时承平岁久,天下贡士益众,间起争讼,故条约之。(《续资治通鉴长编》卷一〇二)

十四日,以御史中丞刘筠权知贡举,知制诰宋绶、陈尧佐、龙图阁待制刘烨权同知贡举,合格奏名进士吴感已下二百人。(《宋会要辑稿·选举一》)

诏贡举如咸平二年故事,令礼部放榜,仍先具合格等第字号以闻。

辛亥(二十二日),知贡举刘筠等请差复考及详定官。上曰:"非所以责成之意也。"诏筠等以公考校。巡铺官、左正言孔延鲁又请未试前令主司晓谕举人,不得上请,仍雕印试题,分明解说,就试卷内散,上曰:"文闱取士,条约已多,只依旧例施行可也。"(《续资治通鉴长编》卷一〇二)

二月

襄州上将作监致仕胡旦所撰《汉春秋》,上因问旦吏历及著书本末。宰臣王钦若对曰:"旦词学精博,举进士第一,再知制诰。然不矜细行,数败官,今已退居。尝谓三代之后,独汉得正统,因四百年行事立褒贬,以拟《春秋》。"上称叹之。癸亥(五日),命旦为秘书监,仍录其子彬为将作监主簿。(《续资治通鉴长编》卷一〇二)

庚午(十二日),上谓王钦若曰:"久罢贡举,虑遗天下贤俊,宜令礼部贡院精加校试,将来放进士特增至二百人,诸科三百五十人。"(《续资治通鉴长编》卷一〇二)

三月

戊子朔(一日),诏礼部:诸科举人不能对策者,未得退落。先是,上封者言经学不究经旨,乞于本科问策一道。至是,对者多纰缪,帝以执经肄业,不善为文,特令取其所长,用广仕路。(《续资治通鉴长编》卷一〇二)

壬寅(十五日),以卫尉寺丞陈执中为太子中允,同判歙州。执中初与陈尧佐同责官,尧佐已知制诰,而执中犹坐前累,监真州税,故稍迁之。(《续资治通鉴长编》卷

一〇二)

癸卯（十六日），王钦若等上《真宗实录》一百五十卷。先是，冯拯监修，拯卒，钦若代之。于是，钦若加司徒，修撰官李维、晏殊、孙奭、宋绶、陈尧佐，检讨官王举正、李淑，各迁秩，赐器币、袭衣、金犀带、鞍勒马。（《续资治通鉴长编》卷一〇二）

晏殊预修《真宗实录》成，迁礼部侍郎、知审官院。

十八日，礼部上合格进士姓名，诏翰林学士晏殊、龙图阁直学士冯元编排等第。乙巳（十九日），御崇政殿，赐宋郊、叶清臣、郑戬等一百五十四人及第，四十六人同出身。不中格者六人，以尝经真宗御试，特赐同《三礼》出身。丙午（二十日），又赐诸科一百九十六人及第，八十一人同出身。郊与其弟祁俱以辞赋得名，礼部奏祁名第三，太后不欲弟先兄，乃推郊第一，而置祁第十。刘筠得清臣所对策，奇之，故推第二。国朝以策擢高第，自清臣始。郊，安陆人；清臣，长洲人；戬，吴县人。郊授大理评事、同判襄州，戬授奉礼郎、签书宁国军节度判官事。（《续资治通鉴长编》卷一〇二）

登进士第者：宋郊、叶清臣、郑戬、王洙、周中复、曾易占、胡宿、曾公亮、余靖、尹洙、宋祁、苏涣、张环、黄仲通、孙锡、余良肱、刁绎、吴感、谢伯初、王珏、王琥、王初、王稷、张沃、宋咸、李乔、黄孝先、杨佐、杨申、吕造、周珣、郭稹、苏仲昌、周尧卿、李廷评、翟翚、张先、江休复、高若讷、毛洵、代渊、周沆、蔡充、刘居正、曾晔等。

（夏）文庄守安州，宋莒公兄弟尚皆布衣，文庄亦异待。命作《落花》诗，莒公一联曰："汉皋佩解临江失，金谷楼危到地香。"子京一联曰："将飞更作回风舞，已落犹成半面妆。"是岁诏下，兄弟将应举，文庄曰："咏落花而不言落，大宋君当状元及第。又风骨秀重，异日作宰相。小宋君非所及，然亦须登严近。"后皆如其言。故文庄在河阳，闻莒公登庸，以别纸贺曰："所喜者，昔年安陆已识台光。"盖为是也。（吴处厚《青箱杂记》卷四）

自科场用赋取人，进士不复留意于诗，故绝无可称者。唯天圣二年省试《采侯诗》，宋尚书祁最擅长，其句有"色映堋云烂，声迎羽月迟"。尤为京师传诵，当时举子曰公为"宋采侯"。（欧阳修《六一诗话》）

壬子（二十八日），赐乡贡进士张环、太常寺太祝吕宗简进士及第，仍附春榜。环，泪孙，宰臣王钦若女婿；宗简，参知政事夷简弟也。（《续资治通鉴长编》卷一〇二）

四月

辛酉（四日），御史中丞刘筠为枢密直学士、礼部侍郎、知颍州，筠引疾求补外故也。（《续资治通鉴长编》卷一〇二）

七日，宴新及第进士于琼林苑，诏翰林、龙图阁直学士、直馆已上并赴。（《宋会要辑稿·选举二》）

庚辰（二十三日），以特奏名进士李道宗等四十三人、诸科王播等七十七人为将作监、主簿及诸州长史、文学、司士参军。道宗等皆年逾五十，尝应六举；王播等皆年逾六十，尝应八举。上因谓辅臣曰："此虽举业非工，然闵其白首无成，故悉甄录之。"（《续资治通鉴长编》卷一○二）

七月

庚子（十五日），以宰臣王钦若为南郊大礼使，翰林学士承旨李维为礼仪使，翰林学士晏殊为仪仗使，权御史中丞薛奎为卤簿使。（《续资治通鉴长编》卷一○二）

十一月

辛亥（二十七日），王钦若封冀国公，曹利用改封鲁国公，文武百官并加恩。故事，辅臣例迁官，参知政事吕夷简与同列豫辞之，遂著于式。（《续资治通鉴长编》卷一○二）

本年

范仲淹迁大理寺丞。

（辽圣宗太平四年）放进士李炯等四十七人。（《辽史·圣宗纪七》）

王无咎（1024—1069）生。王无咎，字补之，建昌南城人。第进士，为江都尉、卫真主簿、天台令，弃而从王安石学，久之，无以衣食其妻子，复调南康主簿，已又弃去。好书力学，寒暑行役不暂释，所在学者归之，去来常数百人。王安石为政，无咎至京师，士大夫多从之游，有卜邻以考经质疑者。然与人寡合，常闭门治书，惟安石言论莫逆也。安石上章荐其才行该备，守道安贫，而久弃不用，诏以为国子直讲，命未下而卒，年四十六。（《宋史》本传）

傅尧俞（1024—1091）生。傅尧俞，字钦之，本郓州须城人，徙孟州济源。十岁能为文，及登第，犹未冠。知新息县，累迁太常博士。嘉祐末，为监察御史。英宗即位，转殿中侍御史，迁起居舍人。迁右司谏、同知谏院。俄命尧俞与赵瞻使契丹，比还，吕海、吕大防、范纯仁皆以谏濮议罢，复除尧俞侍御史知杂事。尧俞拜疏必求罢去，遂出知和州。神宗即位，徙知庐州。熙宁三年，至京师。徙许州、河阳、徐州，再岁六移官，困于道路，知不为时所容，请提举崇福宫。哲宗立，自知明州召为秘书少监兼侍讲，擢给事中、吏部侍郎、御史中丞。以尧俞为吏部侍郎，尧俞不可，遂以龙图阁待制知陈州。未几，复为吏部侍郎、御史中丞。进吏部尚书兼侍读。元祐四年，拜中书侍郎。六年，卒，年六十八。赠银青光禄大夫，谥曰献简。绍圣中，以元祐党人，夺赠谥，著名党籍。（《宋史》本传）

公元 1025 年（宋仁宗天圣三年 乙丑）

二月

癸酉（二十日），诏国子监：见刊印《初学记》、《六帖》、《韵对》等书，皆抄集小说，无益学者，罢之。（《续资治通鉴长编》卷一〇三）

三月

丙子（是月癸未朔，无丙子日），徙知河南府、枢密直学士陈尧佐知并州。每汾水涨，州人忧溺，尧佐为筑堤，植柳数万本，作柳溪亭，民赖其利。（《续资治通鉴长编》卷一〇三）

己卯（是月癸未朔，无己卯日），幸后苑。赏花钓鱼，遂燕太清楼，辅臣、宗室、两制、杂学士、待制、三司副使、知杂御史、三司判官、开封府推官、馆阁官、节度使至刺史皆预焉。（《续资治通鉴长编》卷一〇三）

己酉（二十七日），诏辅臣于崇政殿西庑，观孙奭讲《曲礼》，仍赐御书、古诗各一章。度支副使、礼部员外郎蔡齐为起居舍人，刑部郎中、直史馆章得象为兵部郎中，并知制诰。（《续资治通鉴长编》卷一〇三）

四月

丁丑（二十六日），诏三馆所写书万七千六百卷藏太清楼。初，大中祥符中，火焚馆阁书，乃借太清楼书补写。既而本多损蠹者，因命别写还之。（《续资治通鉴长编》卷一〇三）

五月

己亥（十八日），赐杭州隐士林逋粟帛。两浙转运司又言逋有节行，居西湖二十余年，未尝入城故也。（《续资治通鉴长编》卷一〇三）

六月

丙辰（六日），降直昭文馆陈从易为直史馆，集贤校理聂冠卿、李昭遘并落职。先是，从易等校太清楼所藏《十代兴亡论》，字非舛误，而妄涂窜，以为日课。上因禁中览之，故及于责。冠卿，新安人；昭遘，宗谔子也。（《续资治通鉴长编》卷一〇三）

七月

壬寅（二十三日），以前户部郎中夏竦起复知制诰。竦才术过人，然急于进取，喜交结，任术数，倾侧反复，世目为奸邪。尝上疏乞与修《真宗实录》，不报。既而丁母忧，潜至京师，求起复，依内官张怀德为内助。而王钦若雅善竦，因左右之，故有是命。（《续资治通鉴长编》卷一〇三）

九月

庚辰朔（一日），以户部郎中、知制诰夏竦为契丹生辰使。（《续资治通鉴长编》卷一〇三）

十月

辛酉（十三日），翰林学士、礼部侍郎晏殊为枢密副使。（《续资治通鉴长编》卷一〇三）

庚午（二十二日），宰臣王钦若为译经使。唐译经使以宰臣明佛学者兼领之，国朝翻译经论，初令朝官润文，及丁谓相，始置使。而钦若乃因译经僧法护等请为使，议者非之。（《续资治通鉴长编》卷一〇三）

十一月

前江都县主簿王琪上疏陈十事，上以琪学通世务，特命试学士院。甲申（六日），授大理评事、馆阁校勘。（《续资治通鉴长编》卷一〇三）

（辽圣宗太平五年）庚子（二十二日），求进士，得七十二人。命赋诗，第其工拙，以张昱等一十四人为太子校书郎，韩栾等五十八人为崇文馆校书郎。（《辽史·圣宗纪八》）

戊申（三十日），王钦若卒，64 岁。司徒、兼门下侍郎、平章事、冀国公王钦若既兼译经使，始赴传法院，感疾，亟归。车驾临门，赐白金五千两。戊申，卒。皇太后临奠，出涕，赠太师、中书令，谥文穆，遣官护葬事。录亲属及所亲信二十余人，女婿大理评事张环除秘阁校理。环，洎孙也。国朝以来，宰相恤恩未有钦若比者。（《续资治通鉴长编》卷一〇三）

著有：《天禧大礼记》五十卷（《宋史·艺文志二》）、《天书仪制》五卷（《宋史·艺文志三》）、《卤簿记》三卷（《宋史·艺文志三》）、《七元图》一卷（《宋史·艺文志四》）、《先天纪》三十六卷（《宋史·艺文志四》）、《翊圣保德传》三卷（《宋史·艺文志四》）、《彤管懿范》七十卷（《宋史·艺文志六》）、《彤管懿范音义》一卷（《宋史·艺文志六》）、《册府元龟》一千卷（《宋史·艺文志六》）、《华林义门书堂诗集》一卷（《宋史·艺文志八》）。

十二月

癸丑（五日），宰臣王曾加门下侍郎、兼户部尚书、昭文馆大学士，枢密副使、尚书右丞张知白加工部尚书、平章事、集贤殿大学士，枢密使曹利用加司空。甲寅（六日），枢密副使张士逊加左丞，参知政事吕夷简加礼部侍郎，鲁宗道加给事中，枢密副使晏殊加刑部侍郎。（《续资治通鉴长编》卷一〇三）

癸亥（十五日），徙崖州司户参军丁谓为雷州司户参军。谓家寓洛阳，尝为书自克责，叙国厚恩，戒家人毋辄怨望，遣人致于西京留守刘烨，祈付其家，戒使者伺烨会众僚时达之。烨得书，不敢私，即以闻。上见之感恻，故有是命。谓雅多智，是犹出于揣摩也。宰相言："谓，天下不容其罪而窜之。今不缘赦宥，未可内徙。"上曰："谓斥海上已数年，欲令生还岭表耳。"（《续资治通鉴长编》卷一〇三）

乙丑（十七日），保大节度使钱惟演加同平章事，判许州。（《续资治通鉴长编》卷一〇三）

本年

沈遘（1025—1067）生。沈遘，字文通，钱塘人，以荫为郊社斋郎。举进士，廷唱第一，大臣谓已官者不得先多士，乃以遘为第二。通判江宁府，归，奏《本治论》。除集贤校理。顷之，修起居注，遂知制诰。以父扶坐事免，求知越州，徙杭州。嘉祐遗诏至，为次于外，不饮酒食肉者二十七日。召知开封府，迁龙图阁直学士，治如在杭州。拜翰林学士、判流内铨。丁母忧，英宗闵其去，赉黄金百两，仍命扶丧归苏州。既葬，庐墓下，服未竟而卒，年四十（案：王安石《内翰沈公墓志铭》谓其卒年43岁，以《墓志铭》为准），世咸惜之。（《宋史》本传）

吕希道（1025—1091）生。公讳希道，字景纯。奏授守校书郎。庆历六年，献所为文二十卷，召试学士院，赐进士出身，出镇永兴、秦凤，皆以书写机密侍行。入判登闻鼓院，通判扬州，知和州郡。神宗方讲修马政，置河南北监牧二使，遂任为河南监牧使。左迁监南京粮料院。数月，迁知滁州，又知汝州，权发遣三司都勾院。除知澶州。今上即位，除知湖州，徙知亳州，入为少府监。元祐六年三月乙丑，寝疾，终于京师兴宁坊之第，享年六十七。有《文集》二十卷。其官自秘书省校书郎五迁为太常博士，又七迁至太常少卿，易朝议大夫、中散大夫、左中散大夫。（范祖禹《左中散大夫守少府监吕公墓志铭》）

释祖心（1025—1100）生。禅师出于邬氏，讳祖心，南雄始兴人也。少为书生，有声。年十九而目盲，父母许以出家，辄复见物，乃往依龙山寺沙门惠全。明年试经业，而公独献诗，得奏名。剃发继住受业院，不奉戒律。谒云峰悦禅师，留止三年。难其孤硬，告悦将去，悦曰："必往依黄檗南公。"公至黄檗四年。南公入灭，公继住持十有二年。然性真率，不乐从事于务，五求解去，乃得谢事闲居，而学者益亲。以元符三年十一月十六日中夜而殁，阅世七十有六，坐五十有五。夏，赐号"宝觉"。（《禅林僧宝传·黄龙宝觉心禅师》）

本年重要作品：

文：范仲淹《奏上时务书》。

公元1026年（宋仁宗天圣四年　丙寅）

正月

己亥（二十一日），命知制诰章得象、侍御史知杂事韩亿与吏流内铨南曹同试百司人。（《续资治通鉴长编》卷一〇四）

秘书监致仕胡旦言：撰成《演圣通论》七十卷，以校正《五经》，家贫，不能缮写

奏御。庚子（二十二日），赐旦钱十万、米百斛。（《续资治通鉴长编》卷一〇四）

二月

庚戌（三日），玉清昭应宫使王曾请下三馆校《道藏经》，从之。（《续资治通鉴长编》卷一〇四）

己未（十二日），保大节度使钱惟演言：次子大理评事晦乞换内殿承制，诏授内殿崇班。（《续资治通鉴长编》卷一〇四）

三月

戊寅朔（一日），以翰林学士承旨、兼侍读学士、工部尚书李维为相州观察使。（《续资治通鉴长编》卷一〇四）

四月

乙卯（九日），内出后苑《双头牡丹芍药花图》以示辅臣，仍令馆阁官为诗以献。（《续资治通鉴长编》卷一〇四）

五月

丁丑（一日），以知制诰蔡齐、章得象并为翰林学士。时舍人院无知制诰，待诏翰林学士夏竦草词。（《续资治通鉴长编》卷一〇四）

己卯（三日），诏礼部贡举，进士实应三举、诸科五举，并免取解。（《续资治通鉴长编》卷一〇四）

己亥（二十三日），诏举人虽文辞可采，而操检不修者，州郡毋得荐送。（《续资治通鉴长编》卷一0四）

范仲淹作《唐异诗序》。

皇宋处士唐异，字子正，人之秀也。之才之艺，揭乎清名。西京故留台李公建中，时谓善画，为士大夫之所尚，而子正之笔实左右焉。江东林君复，神于墨妙，一见而叹曰："唐公之笔，老而弥壮。"东宫故谕德崔公遵度，时谓善琴，为士大夫之所重，而子正之音尝唱和焉。高平范仲淹师其弦歌，尝贻之书曰："崔公既没，琴不在兹乎！"处士二妙之外，嗜于风雅。探幽索奇，不知其老之将至。一日，以集相示，俾为序焉。嘻！诗之为意也，范围乎一气，出入乎万物，卷舒变化，其体甚大。故夫喜焉如春，悲焉如秋，徘徊如云，峥嵘如山。高乎如日星，远乎如神仙，森如武库，锵如乐府，羽翰乎教化之声，献酬乎仁义之醇。上以德于君，下以风于民。不然，何以动天地而感鬼神哉！而诗家者流，厥情非一。失志之人其辞苦，得意之人其辞逸，乐天之人其辞达，觏闵之人其辞怒。如孟东野之清苦，薛许昌之英逸，白乐天之明达，罗江东之愤怒，此皆与时消息，不失其正者也。五代以还，斯文大剥，悲哀为主，风流不归。皇朝龙兴，颂声来复，大雅君子，当抗心于三代。然九州之广，庠序未振；四始之奥，讲议盖寡。其或不知而作，影响前辈，因人之尚，忘己之实。吟咏性情而不顾其分，风赋比兴而不观其时。故有非穷途而悲，非乱世而怨。华车有寒苦之述，白社为骄奢之语。学步不至，效颦则多。以至靡靡增华，惛惛相滥。仰不主乎规谏，俯不主乎劝诫。抱郑卫之奏、责夔旷之赏、游西北之流、望江海之宗者，有矣。观乎处士之作也，孑然弗伦，洗然无尘。意必以淳，语必以真，乐则歌之，忧则怀之，无虚美，无苟怨。隐居求志，多优游之咏；天下有道，无愤惋之作。骚雅之际，此无愧焉。览之者有以知诗道之艰、国风之正也。时天圣四年五月日序说。

闰五月

甲子（十九日），诏辅臣于崇政殿西庑，观侍读学士宋绶等读《唐书》。（《续资治通鉴长编》卷一〇四）

八月

丁亥（十四日），诏修泰州捍海堰。先是，堰久废不治，岁患海涛，冒民田畴。监西溪盐税范仲淹言于发运副使张纶，请修复之。纶奏以仲淹知兴化县，总其役。（《续资治通鉴长编》卷一〇四）

九月

壬申（二十九日），命翰林学士夏竦蔡齐、知制诰程琳等重删定编敕。（《续资治通鉴长编》卷一〇四）

秋

欧阳修随州州试中式，荐名礼部。

十二月

丙子（五日），翰林学士夏竦等上《国朝译经音义》七十卷，赐器币有差。因出皇太后发愿文，以示辅臣。（《续资治通鉴长编》卷一〇四）

冬

欧阳修赴汴京。

本年

范仲淹丁母夫人忧。

钱易卒，59岁。易俊逸过人，为文数千百言，顷刻而就。又善行、草书。有集一

百六十卷、《寿云总录》一百卷、《洞微志》十卷。（《东都事略》本传）

著有：《洞微志》三卷（《宋史·艺文志五》）、《滑稽集》一卷（《宋史·艺文志五》）、《南部新书》十卷（《宋史·艺文志五》）、《钱易集》六十卷（《宋史·艺文志七》）、《钱希白歌诗》二卷（陈振孙《直斋书录解题·诗集类下》）。

祖士衡卒，39 岁。

著有：《西斋话记》一卷（《宋史·艺文志五》）。

本年重要作品：

诗：晏殊《丙寅中秋咏月》。

公元 1027 年（宋仁宗天圣五年　丁卯）

正月

十二日，以枢密直学士刘筠权知贡举，龙图阁直学士冯元、知制诰石中立、龙图阁待制韩亿权同知贡举，合格奏名进士吴育已下四百九十八人。（《宋会要辑稿·选举一》）

己未（十八日），诏礼部贡院比进士以诗赋定去留。学者或病声律而不得聘其才，其以策论兼考之，诸科毋得离摘经注以为问目。又诏进士奏名，勿过五百人；诸科勿过千人。（《续资治通鉴长编》卷一〇五）

庚申（十九日），降枢密副使、刑部侍郎晏殊知宣州。寻改知应天府。殊至应天，乃大兴学，范仲淹方居母丧，殊延以教诸生。自五代以来，天下学废，兴自殊始。（《续资治通鉴长编》卷一〇五）

晏丞相殊留守南京，仲淹遭母忧，寓居城下，晏公请掌府学。仲淹尝宿学中，训督学者，皆有法度，勤劳恭谨，以身先之。夜课书生，读书寝食，皆立时刻。往往潜至斋舍诇之，见有先寝者诘之，其人绐云："适疲倦，暂就枕耳。"仲淹问："未就寝之时，观何书？"其人亦妄对。仲淹即取书问之，其人不能对，即罚之。出题使诸生作赋，必先自为之，欲知其难易及所当用意，亦使学者准以为法。由是四方从学者辐凑，其后诸人以文学有声名于场屋朝廷者，多其教也。（江少虞《事实类苑》卷九）

戊辰（二十七日），翰林学士、兼侍读学士、龙图阁直学士夏竦为右谏议大夫、枢密副使。（《续资治通鉴长编》卷一〇五）

二月

癸酉（二日），命参知政事吕夷简、枢密副使夏竦修《真宗国史》，翰林学士宋绶、枢密直学士刘筠陈尧佐同修，宰臣王曾提举。（《续资治通鉴长编》卷一〇五）

甲戌（三日），龙图阁学士、工部侍郎、权知开封府陈尧咨为翰林学士。仍以尧咨先朝初榜第一人，特班蔡齐上。（《续资治通鉴长编》卷一〇五）

己亥（二十八日），以大理评事、馆阁校勘王琪签书南京留守判官事。馆阁校勘，无出外者，琪为晏殊所辟，特许之。（《续资治通鉴长编》卷一〇五）

（晏殊）召（王琪）至同饭，饭已，又同步池上。时春晚，已有落花。晏云："每得句，书墙壁间，或弥年未尝强对。且如'无可奈何花落去'，至今未能对也。"王应声曰："似曾相识燕归来。"（胡仔《苕溪渔隐丛话》后集卷二十）

三月

二十日，帝御崇政殿，试礼部奏名进士。内出《圣有谟训赋》、《南风之薰诗》、《执政如金石论》题。进士吴育等以圣题渊奥，上请帝宣谕。久之，后录三题所出《经》、《疏》以示之。命翰林学士宋绶已下二十六人于崇政殿各设幕次，封弥、誊录、考校、编排、等第。（《宋会要辑稿·选举七》）

甲子（二十三日），诏进士五举年五十、诸科七举及六举终场年六十、淳化以前尝应举及经先朝御试者，不以举数，令贡院别具名以闻。（《续资治通鉴长编》卷一〇五）

乙丑（二十四日），赐进士王尧臣等一百九十七人及第，八十三人同出身，七十一人同学究出身，二十八人试衔。丙寅（二十五日），赐诸科及第并出身者又六百九十八人。尧臣，虞城人也。（《续资治通鉴长编》卷一〇五）

春

欧阳修试礼部不中。

四月

三日，帝御崇政殿，召礼部特奏名举人进士。试《天地节而四时成论》，经科止试墨义五道，仍命翰林学士宋绶已下考核优劣以闻。得进士孟楷已下一百九人，赐同学究出身，及试监簿四门助教、诸州文学、长史；诸科崔用化已下二百三十四人，授试监簿国子四门助教、文学。（《宋会要辑稿·选举七》）

登进士第者：王尧臣、吴育、赵概、章岷、龚宗元、张肃、邵炳、林杞、赵诚、盛奇、阮逸、丘浚、杨仪、施元长、石待举、包拯、陈希亮、彭思永、葛闳、陈肃、令狐挺、文彦博、张靖、韩琦、吴奎、吴京、吴方、孟楷、张大有、嵇颖、赵祐、韩璩等。

十八日，诏新及第进士王尧臣等五人为将作监丞，通判诸州；第一甲三十人并《九经》第一人为大理评事，知县；第二甲，节察推官；第三甲，初等幕职官；余判司、簿、尉。（《宋会要辑稿·选举二》）

辛卯（二十一日），赐新及第人闻喜燕于琼林苑，遣中使赐御诗及《中庸》篇一轴。上先命中书录《中庸》篇，令张知白进读，至修身治人之道必使反复陈之。（《续资治通鉴长编》卷一〇五）

六月

丁亥（十八日），范纯仁（1027—1101）生。纯仁字尧夫，八岁，能讲所授书。以父任为太常寺太祝。中皇祐元年进士第，调知武进县，以远亲不赴；易长葛，又不往。仲淹没，始出仕，以著作佐郎知襄城县。签书许州观察判官、知襄邑县。治平中，擢江东转运判官，召为殿中侍御史，迁侍御史。请出不已，遂通判安州，改知蕲州。历京西提点刑狱、京西陕西转运副使。召还，加直集贤院、同修起居注。求罢谏职，改判国子监，命知河中府，徙成都路转运使。后竟坐失察僚佐燕游，左迁知和州，徙邢州。未至，加直龙图阁、知庆州。黜知信阳军。移齐州。丐罢，提举西京留司御史台。哲宗立，复直龙图阁、知庆州。召为右谏议大夫，以亲嫌辞，改天章阁待制兼侍讲，除给事中。元祐初，进吏部尚书，数日，同知枢密院事。三年，拜尚书右仆射兼中书侍郎。明年，以观文殿学士知颍昌府。逾年，加大学士、知太原府。秋，有诏贬官一等，徙有诏贬官一等，徙河南府，再徙颍昌。召还，复拜右仆射。宣仁后崩，哲宗亲政，遂以观文殿大学士加右正议大夫知颍昌府。徙河南府，又徙陈州。落职知随州。明年，又贬武安军节度副使、永州安置。居三年，徽宗即位，授纯仁光禄卿，分司南京，邓州居住。道除右正议大夫、提举崇福宫。不数月，以观文殿大学士、中太一宫使诏之。建中靖国改元之旦，受家人贺。明日，熟寐而卒。年七十五。诏赙白金三十两，敕许、洛官给其葬，赠开府仪同三司，谥曰忠宣，御书碑额曰："世济忠直之碑。"有文集五十卷，行于世。（《宋史》本传）

翰林学士承旨、权判都省刘筠言："京中百司，私名猥多。如定额有阙，请先试书札，送御史台看详，方许收补。余悉罢之。"戊子（十九日），诏从筠请。（《续资治通鉴长编》卷一〇五）

八月

戊辰朔（一日），命知制诰程琳往滑州祭告河。（《续资治通鉴长编》卷一〇五）

丙戌（？），以翰林学士、兼龙图阁学士、权知开封府陈尧咨为宿州观察使，知天雄军枢密直学士陈尧佐权知开封府。（《续资治通鉴长编》卷一〇五）

九月

癸卯（六日），遣知制诰程琳、西上阁门使曹仪往滑州按视修河。（《续资治通鉴长编》卷一〇五）

庚戌（十三日），太常博士、秘阁校理、国史院编修官谢绛上疏。（《续资治通鉴长编》卷一〇五）

己未（二十二日），祠部员外郎、知制诰程琳为谏议大夫、权御史中丞。（《续资治通鉴长编》卷一〇五）

十月

庚辰（十四日），以讲《礼记》彻，燕近臣于崇政殿，仍诏两制及馆阁官赋诗以

进。（《续资治通鉴长编》卷一〇五）

乙酉（十九日），监修国史王曾言："唐史官吴兢于《实录》、《正史》外，录太宗与群臣对问之语，为《贞观政要》。今欲采太祖、太宗、真宗《实录》《日历》《时政》《起居注》其间事迹不入正史者，别为一书，与正史并行。"从之。（《续资治通鉴长编》卷一〇五）

十一月

己亥（三日），以河平，宰臣率百官称贺，遂燕崇德殿。命翰林学士章得象祭于河，宋绶撰《修河记》。（《续资治通鉴长编》卷一〇五）

（辽圣宗太平七年）辛亥（十五日），以杨又玄、邢祥知贡举。（《辽史·圣宗纪八》）

十二月

秘书监致仕胡旦复上其所撰《演圣通论》七十二卷、《唐乘》七十卷、《五代史略》四十三卷、《将帅要略》五十三卷。辛卯（二十五日），以旦子彤为将作监主簿，仍诏襄州增旦月给米麦各三石。（《续资治通鉴长编》卷一〇五）

本年

吕陶（1027—1103）生。吕陶，字符钧，成都人。蒋堂守蜀，延多士入学，亲程其文，尝得陶论，集诸生诵之，曰："此贾谊之文也。"陶时年十三，一坐皆惊。由是礼诸宾筵。中进士第，调铜梁令。知太原寿阳县。府帅唐介辟签书判官，以介荐，应熙宁制科。陶虽入等，才通判蜀州。起知广安军，召为司门郎中。元祐初，擢殿中待御史。迁中书舍人。奏使契丹归，乞修边备。进给事中。哲宗始亲政，俄以集贤院学士知陈州，徙河阳、潞州，例夺职，再贬库部员外郎，分司。徽宗立，复集贤殿修撰、知梓州，致仕。卒年七十七。（《宋史》本传）

杨绘（1027—1088）生。杨绘，字元素，绵竹人。少而奇警，读书五行俱下，名闻西州。进士上第，通判荆南。以集贤校理为开封推官。仁宗爱其才，欲超置侍从，执政见其年少，不用。以母老，请知眉州，徙兴元府。神宗立，召修起居注、知制诰、知谏院。解谏职，改兼侍读，绘固辞，滕甫言于帝。卒不拜。未阅月，复知谏院，擢翰林学士，为御史中丞。罢为侍读学士、知亳州，历应天府、杭州。再为翰林学士。坐贬荆南节度副使。数月，分司南京，改提举太平观，起知兴国军。元祐初，复天章阁待制，再知杭州。卒，年六十二。绘为文立就，有集八十卷。（《宋史》本传）

沈季长（1027—1087）生。公讳季长，字道原。其先湖州武康人也，再世，家于杭州钱塘。年十七举进士，荐于乡，辞章典丽已可观。居数年，乃专取群经深探而力索之，至忘寝食寒暑。遂又以经术称，学者归之。转运使上其行义，朝廷赐以粟帛。中进士甲科，补越州司法参军。丁母夫人忧，服除，为南京国子监教授。除国子监直讲，迁大理寺丞，权太子中允、崇政殿说书，兼权判尚书礼部。后转宝文阁待制，已而除天章阁侍讲，兼集贤校理、管勾国子监公事。假太常少卿，为大辽国接伴使，同修起居注，直舍人院，权同知。元丰二年贡举，迁太常丞。六年，官制行，复通直郎、签书淮南节度判官厅公事。八年，迁奉议郎。今天子即位，恩迁承议郎，又迁朝奉郎，权发遣南康军。召至阙，除少府少监，改权发遣秀州事。卒于官舍，实元祐二年十月十二日也，享年六十有一。《文集》十五卷，《诗传》二十卷，《论语解》十卷，《对问》五卷。（王安礼《车都尉借紫沉公墓志铭》）

李常（1027—1090）生。李常，字公择，南康建昌人。少读书庐山白石僧舍。既擢第，留所抄书九千卷，名舍曰李氏山房。调江州判官、宣州观察推官。熙宁初，为秘阁校理。王安石与之善，以为三司条例检详官，改右正言、知谏院。落校理，通判滑州。岁余复职，知鄂州，徙湖、齐二州。徙淮南西路提点刑狱。元丰六年，召为太常少卿，迁礼部侍郎。哲宗立，改吏部，进户部尚书。拜御史中丞，兼侍读，加龙图阁直学士。徙兵部尚书，辞不拜，出知邓州。徙成都，行次陕，暴卒，年六十四。有文集、奏议六十卷，《诗传》十卷，《元祐会计录》三十卷。（《宋史》本传）

吕大防（1027—1097）生。吕大防，字微仲，其先汲郡人。进士及第，调冯翊主簿、永寿令。迁著作佐郎、知青城县。入权盐铁判官。英宗即位，改太常博士。御史阙，内出大防与范纯仁姓名，命为监察御史里行。出知休宁县。神宗立，通判淄州。熙宁元年，知泗州，为河北转运副使。召直舍人院。韩绛宣抚陕西，命为判官，又兼河东宣抚判官，除知制诰。四年，知廷州。绛坐黜，大防亦落知制诰，以太常博士知临江军。数月，徙知华州。除龙图阁待制、知秦州。元丰初，徙永兴。进直学士。居数年，知成都府。哲宗即位，召为翰林学士、权开封府。迁吏部尚书。元祐元年，拜尚书右丞，进中书侍郎，封汲郡公。三年，吕公著告老，超拜大防尚书左仆射兼门下侍郎，提举修《神宗实录》。后崩。为山陵使，复命以观文殿大学士、左光禄大夫知颍昌府。寻改永兴军，使便其乡社。未几，夺学士，知随州，贬秘书监，分司南京，居郢州。言者又以修《神宗实录》直书其事为诬谤，徙安州。绍圣四年，遂贬舒州团练副使，安置循州。至虔州信丰而病，遂薨，年七十一。大忠请归葬，许之。徽宗即位，复其官。高宗绍兴初，又复大学士，赠太师、宣国公，谥曰正愍。（《宋史》本传）

章楶（1027—1102）生。章楶，字质夫，建州浦城人。楶以叔得象荫，为孟州司户参军。应举入京，闻父对狱于魏，弃不就试，驰往直其冤。还，试礼部第一，擢知陈留县，历提举陕西常平、京东转运判官、提点湖北刑狱、成都路转运使，入为考功、吏部、右司员外郎。元祐初，以直龙图阁知庆州。召权户部侍郎。明年，除知同州。绍圣初，知应天府，加集贤殿修撰、知广州，徙江、淮发运使。哲宗访以边事，对合旨，命知渭州。夏统军鬼名阿埋、西寿监军妹勒都逋皆勇悍善战，楶谍其弛备，遣折可适、郭成轻骑夜袭，直入其帐执之，尽俘其家，虏馘三千余，牛羊十万，夏主震骇。哲宗为御紫宸殿受贺，累擢楶枢密直学士、龙图阁端明殿学士，进阶大中大夫。在泾原四年，凡创州一、城砦九，荐拔偏裨，不间厮役，至于夏降人折可适、李忠杰、朱智用，咸受其驭。楶立边功，为西方最。徽宗立，请老，徙知河南。入见，留拜同知枢密院事。逾年，力谢事罢，授资政殿学士、中太一宫使，未几，卒。徽宗悼之。赠

右银青光禄大夫，谥曰庄简，赙恤甚厚。（《宋史》本传）

本年重要作品：

　　文：范仲淹《上执政书》。

　　诗：欧阳修《题金山寺》、欧阳修《甘露寺》、欧阳修《琵琶亭上作》、晏殊《丁卯上元灯夕二首》。

公元1028年（宋仁宗天圣六年　戊辰）

二月

　　辛未（六日），以知扬州、祠部员外郎杜衍为刑部员外郎。（《续资治通鉴长编》卷一〇六）

　　壬午（十六日），工部尚书、平章事张知白卒。张知白，字用晦，沧州清池人。中进士第，累迁河阳节度判官。召试中书，加直史馆，面赐五品服，判三司开拆司。江南旱，与李防分路安抚。及还，权管勾京东转运使事。东封，进右司谏。寻知邓州。擢龙图阁待制、知审官院，再迁尚书工部郎中。知青州。还京师，乃迁右谏议大夫、权御史中丞、拜给事中、参知政事。郊礼成，迁尚书工部侍郎。因称疾辞位，罢为刑部侍郎、翰林侍读学士、知大名府。仁宗即位，进尚书右丞，为枢密副使，以工部尚书同中书门下平章事、会灵观使、集贤殿大学士。在中书忽感风眩，舆归第。帝亲问疾，不能语，薨。为罢上巳宴，赠太傅、中书令。（《宋史》本传）

　　著有：《御史台仪制》六卷（《宋史·艺文志三》）。

三月

　　壬子（十七日），（王）曾加吏部尚书，参知政事吕夷简加户部侍郎，鲁宗道加礼部侍郎，枢密副使夏竦加给事中。（《续资治通鉴长编》卷一〇六）

　　己未（二十四日），龙图阁直学士、右谏议大夫、权三司使公事范雍为枢密副使，仍班姜遵之上。（《续资治通鉴长编》卷一〇六）

　　辛酉（二十六日），以枢密直学士、右谏议大夫、知益州薛奎为龙图阁直学士、权三司使公事，右谏议大夫、权御史中丞程琳为枢密直学士、知益州。（《续资治通鉴长编》卷一〇六）

五月

　　丁巳（二十三日），赐光禄寺丞、集贤校理李淑进士及第。时淑预修史，同修史官刘筠等列奏淑夙负词学，时称俊敏。召试学士院，策论甚优，而有是命。（《续资治通鉴长编》卷一〇六）

八月

己巳（七日），祠部员外郎、直集贤院丁度为京西转运使。（《续资治通鉴长编》卷一〇六）

上复命殿中丞陈执中为右正言。壬申（十日），以执中知汉阳军，复官才五日也。（《续资治通鉴长编》卷一〇六）

戊寅（十六日），翰林学士承旨、兼龙图阁学士刘筠以龙图阁学士知庐州。筠三入翰林，意望两府，及为承旨颇不怿，尝移疾不出。或戏筠曰："服清凉散，必愈。"盖两府乃得用青凉伞也。筠前尝知庐州，爱其土，遂筑室城中，驾阁藏前后所赐书，上为飞白书曰："真宗圣文秘奉之阁"。及再至，即营冢墓，作棺，自为铭刻之。后三岁，竟卒于书阁。筠初为杨亿所识拔，后遂与亿齐名，时号"杨刘"。性不苟合，临事明达，而其治尚简严。（《续资治通鉴长编》卷一〇六）

晏殊之出也，上意初不谓然，欲复用之。会李及卒，乙酉（二十三日），召殊于南京，命为御史中丞。仍令班翰林学士上。（《续资治通鉴长编》卷一〇六）

九月

丙午（十五日），太常少卿、直昭文馆陈从易为左司郎中，兵部郎中、集贤院修撰杨大雅，并知制诰。自景德后，文字以雕靡相尚，一时学者乡之，而从易独自守不变。与大雅特相厚，皆好古笃行，无所阿附。朝廷欲矫文章之弊，故并进从易及大雅，以风天下。（《续资治通鉴长编》卷一〇六）

十一月

癸卯（十三日），翰林学士宋绶等上所撰《天圣卤簿记》十卷。初，郊祀，绶摄太仆卿，陪玉辂。帝问仪物典故，占对辩给，因使绶等集官撰记。帝叹其详备，诏等第赐物。（《续资治通鉴长编》卷一〇六）

林逋卒，61 岁。十二月丁卯（七日），赐故杭州处士林逋谥曰和靖先生，仍赐其家米五十石，帛五十四。逋临终赋诗，有"茂陵他日求遗稿，犹喜曾无封禅书"之句。既卒，州以闻，上嗟惜之，故有是赐。初，逋尝客临江，李谘方举进士，未有知者，逋谓人曰："此公辅器也。"及逋卒，谘适为州守，为素服，与其门人临七日，葬之，刻遗句纳圹中。（《续资治通鉴长编》卷一〇六）

著有：《和靖集》三卷（陈振孙《直斋书录解题·诗集类下》）、《西湖纪逸》一卷（陈振孙《直斋书录解题·诗集类下》）、《句图》三卷（《宋史·艺文志八》）。

处士林逋，居于杭州西湖之孤山。逋工笔画，善为诗，如"草泥行郭索，云木叫钩辀"。颇为士大夫所称。又《梅花诗》云"疏影横斜水清浅，暗香浮动月黄昏"。评诗者谓前世咏梅者多矣，未有此句也。又其临终为句云"茂陵他日求遗稿，犹喜曾无封禅书"。尤为人称诵。自逋之卒，湖山寂寥，未有继者。（欧阳修《归田录》卷二）

十二月

237

甲子（四日），以大理评事范仲淹为秘阁校理。初仲淹遭母丧，上书执政，凡万余言。王曾见而伟之，亦知仲淹乃晏殊客也。于是殊荐人充馆职，曾谓殊曰："公实知仲淹，舍而荐此人乎？已为公置不行，宜更荐仲淹也。"殊从之。（《续资治通鉴长编》卷一〇六）

冬

欧阳修至汉阳，谒胥偃，留置门下。

冬，随胥偃至京师。修年二十余，以其所为文见胥公于汉阳，公一见而奇之，曰："子当有名于世。"因留置门下，与之偕至京师，为之称誉于诸公之间。明年，当天圣八年，修以广文馆生举，中甲科。又明年，胥公遂妻以女。（欧阳修《胥氏夫人墓志铭》）

忆为进士时，从故胥公自南还，舟次郡下，游里市中。是时天圣六年冬也。（欧阳修《与杜正献公》）

本年

（辽圣宗太平八年）是岁，放进士张宥等五十七人。（《辽史·圣宗纪八》）

王安国（1028—1074）生。王安国，字平甫，安石之弟也。幼敏悟，未尝从学，而文词天成。年十二，出所为诗、铭、论、赋数十篇示人，语皆警拔，遂以文章闻于世，士大夫交口誉之。于书无所不通，数举进士，又举茂材异等，有司考其所献序言为第一，以母丧不试，庐于墓三年。熙宁初，韩绛荐其材行，召试，赐及第，除西京国子教授。官满，至京师，上以安石故，赐对，授崇文院校书，后改秘阁校理。及安石罢相，惠卿遂因郑侠事陷安国，坐夺官，放归田里。诏以谕安石，安石对使者泣下。既而复其官，命下而安国卒，年四十七。（《宋史》本传）

蒲宗孟（1028—1093）生。蒲宗孟，字传正，阆州新井人。第进士，调夔州观察推官。熙宁元年，改著作佐郎。召试学士院，以为馆阁校勘、检正中书户房兼修条例，进集贤校理。命察访荆湖两路，俄同修起居注、直舍人院、知制诰，帝又称其有史才，命同修两朝国史，为翰林学士兼侍读。拜尚书左丞。罢知汝州。逾年，加资政殿学士，徙亳、杭、郓三州。方徙河中，御史以惨酷劾，夺职知虢州。明年，复知河中，还其职。帅永兴，移大名。宗孟厌苦易地，颇默默不乐，复求河中。卒，年六十六。（《宋史》本传）

李定（1028—1087）生。李定，字资深，扬州人。少受学于王安石。登进士第，为定远尉、秀州判官。熙宁二年，孙觉荐之，命定知谏院，宰相言前无选人除谏官之比，遂拜太子中允、监察御史里行。改为崇政殿说书。以集贤校理、检正中书吏房、直舍人院同判太常寺。八年，加集贤殿修撰、知明州。元丰初，召拜宝文阁待制、同知谏院，进知制诰，为御史中丞。召为户部侍郎。哲宗立，以龙图阁学士知青州，移江宁府。言者争暴其前过，又谪居滁州。元祐二年，卒。（《宋史》本传）

孙觉（1028—1090）生。孙觉，字莘老，高邮人。甫冠，从胡瑗受学。瑗之弟子千数，别其老成者为经社，觉年最少，俨然居其间，众皆推服。登进士第，调合肥主簿。嘉祐中，择名士编校昭文书籍，觉首预选，进馆阁校勘。神宗即位，直集贤院，为昌王记室，擢右正言。觉连章丐去，乃通判越州，复右正言，徙知通州。熙宁二年，诏知谏院，同修起居注，知审官院。出知广德军，徙湖州。知应天府，人为太常少卿，易秘书少监。哲宗即位，兼侍讲，迁右谏议大夫。进吏部侍郎，领右选，改主左选。擢御史中丞，数月，以疾请罢，除龙图阁学士兼侍讲，提举醴泉观，求舒州灵仙观以归。哲宗遣使存劳，赐白金五百两。卒，年六十三。觉有德量，为王安石所逐。安石退居钟山，觉枉驾道旧，为从容累夕；迨其死，又作文以诔，谈者称之。绍圣中，以觉为元祐党，夺职追两官。徽宗即位，复官职。有《文集》、《奏议》六十卷、《春秋传》十五卷。

徐积（1028—1103）生。徐积，字仲车，楚州山阳人。孝行出于天禀。三岁父死，旦旦求之甚哀，母使读《孝经》，辄泪落不能止。事母至孝，朝夕冠带定省。从胡翼之学。应举人都，不忍舍其亲，徒载而西。登进士第，举首许安国率同年生人拜，且致百金为寿，谢却之。以父名"石"终身不用石器，行遇石则避而不践。自少及老，日作一诗，为文率用腹稿，口占授其子。尝借人书策，经宿还之，借者给言中有金叶，积谢而不辩，卖衣偿之。元祐初，乃以扬州司户参军为楚州教授。居数岁，使者又交荐之，转和州防御推官，改宣德郎，监中岳庙。卒，年七十六。政和六年，赐谥节孝处士，官其一子。（《宋史》本传）

本年重要作品：

文：范仲淹《南京书院题名记》。

公元 1029 年（宋仁宗天圣七年　己巳）

正月

二日，朝廷诏令整饬浮靡文风。

诏曰："国家稽古御图，设科取士，务求时俊，以助化源。而褒博之流，习尚为弊。观其撰著，多涉浮华，或碟裂陈言，或荟萃小说。好奇者，遂成于谲怪；矜巧者，专事于雕镂。流宕若兹，雅正何在？属方开于贡部，宜申儆于词场：当念文章所宗，必以理实为要，探经典之旨趣，究作者之楷模，用复温纯，无陷偷薄。庶有裨于国教，期增阐于儒风。"（《宋会要辑稿·选举三》）

二月

丙寅（七日），户部侍郎、参知政事吕夷简以本官平章事。（《续资治通鉴长编》卷一〇七）

丁卯（八日），以枢密副使、给事中夏竦为参知政事，翰林学士、兼龙图阁学士、右谏议大夫、权知开封府陈尧佐为枢密副使，御史中丞兼刑部侍郎晏殊为兵部侍郎、

资政殿学士、翰林侍读学士，兼秘书监。(《续资治通鉴长编》卷一〇七)

戊辰（九日），翰林学士章得象权发遣开封府事。(《续资治通鉴长编》卷一〇七)

三月

癸酉（十四日），范雍丁母忧起复。(《续资治通鉴长编》卷一〇七)

庚辰（二十一日），诏：自今召试人，令学士、舍人院试诗赋如旧制。以近岁所试论策，其文汗漫难考也。(《续资治通鉴长编》卷一〇七)

春

欧阳修试国子监为第一，补广文馆生。

欧阳文忠公年二十三，以《玉不琢不成器赋》魁国子监。(周必大《跋欧阳文忠公诲学帖》)

五月

己未朔（一日），诏礼部贡举。庚申（二日），诏曰："朕试天下之士，以言观其趣向。而比来流风之敝，至于荟萃小说，碟裂前言，竞为浮夸靡蔓之文，无益治道，非所以望于诸生也。礼部其申饬学者，务明先圣之道，以称朕意焉。"(《续资治通鉴长编》卷一〇八)

六月

辛卯（四日），命资政殿学士兼翰林侍读学士晏殊，龙图阁待制孔道辅、马季良，看详转对章疏及登闻检院所上封事，类次其可行者以闻。不逾月，诏罢看详。(《续资治通鉴长编》卷一〇八)

甲辰（十七日），诏锁庭应举人。自今在京有职事、无职事，已罢、未赴，并听于国子监、开封府取解，外任者听于别州，仍先取旨。文臣许两应，武臣止一。(《续资治通鉴长编》卷一〇八)

丁未（二十日），太庙斋郎苏舜钦诣登闻鼓院上疏。(《续资治通鉴长编》卷一〇八)

甲寅（二十七日），门下侍郎、兼吏部尚书、平章事王曾罢为吏部尚书、知兖州守，寻改青州。(《续资治通鉴长编》卷一〇八)

七月

乙丑（八日），翰林学士、兼侍读学士、中书舍人、同修国史宋绶落学士。绶领玉清昭应宫判官而宫灾，故责之。(《续资治通鉴长编》卷一〇八)

八月

己丑（三日），宰臣吕夷简加吏部侍郎、昭文馆大学士。（《续资治通鉴长编》卷一〇八）

辛卯（五日），参知政事夏竦加刑部侍郎，复为枢密副使；枢密副使范雍、姜遵、陈尧佐并加给事中，尧佐改参知政事。竦与夷简不相悦，故以尧佐易之。（《续资治通鉴长编》卷一〇八）

甲午（八日），诏国子监，进士自今以五十人为解额。（《续资治通鉴长编》卷一〇八）

九月

二十一日，叶清臣作《宣城留题诗自序》。

宛陵，故郡也。溪山甚佳，土风甚乐。次署高明皆楼居，岩居深远多仙游。丘塍界棋，竹树如绘。司马氏渡江以还，于帝王之都为近辅，得符戟之守为名臣，代有良牧，倬称右地。天禧末，门中监州，膝下躬膳，唯是尝托，颇熟游览。后此八年，家君出自计曹，复分台契。予束简书殿，伏奏宸闱，得官邻坼，侍行所理。人郭皆是，风物依然。独恨平时羁牵私务，未能尽著于声咏。因感古人卫风韩士之义，悉索图志，得三十首。心游目想，格碑韵俗，聊记所得，仅同实录。缅谢公之遗响，敢承先诵；庶江南之闻境，或载风谣云尔。天圣己巳秋九月丙子高斋序。

秋

欧阳修赴国学解试，再列榜首。

十一月

癸亥（九日）冬至，上率百官上皇太后寿于会庆殿，乃御天安殿受朝。秘阁校理范仲淹奏疏言："天子有事亲之道，无为臣之礼；有南面之位，无北面之仪。若奉亲于内，行家人礼，可也。今顾与百官同列，亏君体，损主威，不可为后世法。"疏入，不报。晏殊初荐仲淹为馆职，闻之大惧。召仲淹，诘以狂率邀名，且将累荐者。仲淹正色抗言曰："仲淹缪辱公举，每惧不称，为知己羞，不意今日反以忠直获罪门下。"殊不能答。仲淹退又作书遗殊，申理前奏，不少屈，殊卒媿谢焉。又奏疏请皇太后还政，亦不报，遂乞补外。寻出为河中府通判。（《续资治通鉴长编》卷一〇八）

（辽圣宗太平九年）丙寅（十二日），其皇城进士张人纪、赵睦等二十二人入朝，试以诗赋，皆赐第。（《辽史·圣宗纪八》）

本年

晁端友（1029—1075）生。生二十五年，乃举进士，得官从仕二十三年，然后得著作佐郎，四十有七以殁。少时以文谒宋景文公，景文称爱之。晚独好诗，时出奇以自见。观古人得失，阅世故艰勤，及其所得意，一用诗为囊橐。熙宁乙卯在京师，病卧昭德坊，呻吟皆诗，其子补之榻前抄得。比终，略成四十篇。蜀人苏轼子瞻论其诗曰：清厚深静，如其为人。（黄庭坚《晁君成墓志铭》）

宇文之邵（1029—1082）生。宇文之邵，字公南，汉州绵竹人。举进士，为文州曲水令。会神宗即位求言，乃上疏，疏奏不报。喟然曰："吾不可仕矣。"遂致仕，以太子中允归，时年未四十自强于学，不易其志，日与交友为经史琴酒之乐，退居十五年而终。（《宋史》本传）

张唐英（1029—1071）生。唐英字次功。少攻苦读书，及进士第，翰林学士孙抃得其《正议》五十篇，以为马周、魏元忠不足多。荐试贤良方正，不就。调谷城令。英宗继大统，唐英上《谨始书》，既而濮议果起。帝不豫，皇太后垂帘，又上书请立颍王为皇太子。神宗即位，知其人，擢殿中侍御史。以父忧去，未几卒。唐英有史材，尝著《仁宗政要》、《宋名臣传》、《蜀梼杌》，行于世。（《宋史》本传）

本年重要作品：

文：欧阳修《国学试人主之尊如堂赋》、欧阳修《国学试策三首》。

诗：宋庠《己巳孟春二十六日作》、宋庠《己巳岁除夜有感》。

词：张先《偷声木兰花》（曾居别乘康吴俗）。

公元1030年（宋仁宗天圣八年 庚午）

正月

十二日，以资政殿学士晏殊权知贡举，御史中丞王随、知制诰徐奭、张观权同知贡举，合格奏名进士欧阳修已下四百一人。（《宋会要辑稿·选举一》）

晏元献以前两府作御史中丞，知贡举，出《司空掌舆地之图赋》。既而举人上请者，皆不契元献之意。最后，一眊瘦弱少年独至帘前，上请云："据赋题，出《周礼·司空》，郑康成注云：'如今之司空，掌舆地图也；若周司空，不止掌舆地之图而已。'若如郑说，'今司空掌舆地之图也'，汉司空也。不知做周司空与汉司空也？"元献微应曰："今一场中，唯贤一人识题，正谓汉司空也。"盖意欲举人自理会得寓意于此。少年举人，乃欧阳公也，是榜为省元。（王铚《默记》卷中）

（秘）演曰："公（欧阳修）岂不记作省元时，庸人竞摹新赋，叫于通衢，复更名呼云'两文来买欧阳省元赋'。"（文莹《湘山野录》卷下）

辛巳（二十七日），集贤校理彭乘以亲在蜀，恳求便官，诏乘知普州。蜀人得乡郡自乘始。普鲜知学者，乘为兴学，召其子弟为生员教育之，俗遂变。（《续资治通鉴长编》卷一○九）

三月

十一日，帝御崇政殿，试礼部奏名进士。内出《藏珠于渊赋》、《博爱无私诗》、

《儒者可与守成论》题。进士欧阳修等以圣题渊奥，上请帝宣谕。久之，仍录所出《经》、《疏》示之。命翰林学士章得象等三十五人于崇政殿后各设幕次，封弥、誊录、考校、编排、等第。(《宋会要辑稿·选举七》)

丁卯（十四日），赐进士王拱寿等二百人及第，四十九人同出身。己巳，赐诸科及第、同出身者又五百七十三人。拱寿，咸平人也，诏更其名曰拱辰。(《续资治通鉴长编》卷一百九)

登进士第者：王拱辰、刘沉、孙抃、孙甫、欧阳修、刘涣、章岷、朱公绰、黄垍、柳拱辰、周铨、周燮、石介、田况、罗孟郊、齐唐、张先、刘异、刁约、刘沉、王畴、韩综、元绛、唐介、蔡襄、吴及、陈庸、李之才、黄梦升、陈希亮、尹源、李挺之、郭申锡、黄注、郑纾、刘弈、黄孝恭等。

壬申（十九日），幸后苑，赏花钓鱼，观唐明皇山水字石于清辉殿。命从官皆赋诗，遂燕太清楼。每岁赏花钓鱼所赋诗，或预备。及是，出不意，坐多窘者，优人以为戏，左右皆大笑。翌日，尽取诗付中书，第其优劣。度支员外郎、秘阁校理韩羲所赋独鄙恶，落职，降司封员外郎、同判冀州。(《续资治通鉴长编》卷一〇九)

赏花钓鱼会赋诗，往往有宿构者。天圣中，永兴军进"山水石"，适置会，命赋"山水石"，其间多荒恶者，盖出其不意耳。中坐优人入戏，各执笔若吟咏状。其一人忽仆于界石上，众扶掖起之。既起，曰："数日来作一首赏花钓鱼诗，准备应制，却被这石头擦倒。"左右皆大笑。翌日，降出其诗令中书铨定。秘阁校理韩羲最为鄙恶，落职，与外任。(范镇《东斋记事》卷一)

四月

癸未朔（一日），复中书舍人宋绶翰林学士。绶前以昭应宫灾落学士，绶时同修国史，诏免赴舍人院当直。于是，复入翰林。(《续资治通鉴长编》卷一〇九)

二日，诏新及第进士第一人王拱辰为将作监丞，第二人刘沉、第三人孙抃为大理评事，并通判诸州；第四等五人为大理评事，并金书节度判官事；余至第二甲，并铨注职官；第三甲以下皆判司、簿、尉。(《宋会要辑稿·选举二》)

四日，赐新及第进士《大学》一篇。自后，与《中庸》间赐，著为例。(《宋会要辑稿·选举二》)

辛亥（二十九日），武胜军节度使、同平章事、判许州钱惟演来朝。惟演以疾求赴京师也。(《续资治通鉴长编》卷一〇九)

范仲淹转殿中丞。

六月

癸巳（十一日），监修国史吕夷简等上《新修国史》于崇政殿。初，太祖太宗正史、帝纪六、志五十、传五十九，凡一百二十卷。至是，修真宗史成，增纪为十、志为六十、传为八十，总百五十卷。故事，史成，由监修而下皆进秩，而夷简固辞之。

甲午（十二日），修国史夏竦，同修国史宋绶、冯元，编修官王举正、谢绛、李淑、黄鉴，并迁官。诏礼部贡院，治《尚书》、《周易》二经者，自今皆分场考试，明法以七同以上为合格。时言者谓《书》、《易》本两科，先朝并为一，每经各问义五道，举人或偏习一经，对及五同已为合格。又明法科所对，止取六同，书少而易习，请益以一经。故更定之。（《续资治通鉴长编》卷一〇九）

乙巳（二十三日），御崇政殿试书判拔萃科及武举人。戊申（二十六日），以书判拔萃人宣州司理参军曲江余靖为将作监丞、知海阳县，安德节度推官河南尹洙为武胜节度掌书记、知河阳县。（《续资治通鉴长编》卷一〇九）

七月

乙亥（二十四日），命翰林学士宋绶、冯元为初考制策官，翰林学士章得象、御史中丞王随覆考，知制诰石中立、盐铁副使鞠咏编排。自是，御试制科人，率如此例。（《续资治通鉴长编》卷一〇九）

丙子（二十五日），御崇政殿，策试贤良方正能直言极谏太常博士成都何咏、茂才异等富弼。咏、弼所对策，并入第四等。丁丑（二十六日），以咏为祠部员外郎、同判永兴军，赐五品服；弼为将作监丞、知长水县。（《续资治通鉴长编》卷一〇九）

（辽圣宗太平十年）壬午（按，误，是月无壬午日），诏来岁行贡举法。（《辽史·圣宗纪八》）

八月

丙戌（五日），诏翰林学士盛度、御史中丞王随与三司详定陕西两池盐法。（《续资治通鉴长编》卷一〇九）

丁亥（六日），召近臣及宗室观三圣御书于龙图、天章阁，又观瑞谷于元真殿，从臣赋诗，赐御飞白字各一轴，遂宴蘂珠殿。（《续资治通鉴长编》卷一〇九）

癸巳（十二日），资政殿学士晏殊言："唐明经并试策问，参其所习，以较才识短长。今诸科专取记诵，非取士之意也。请终场试策一篇。"诏近臣议可否，咸以诸科非素习，其议遂寝。五同已为合格。（《续资治通鉴长编》卷一〇九）

丁未（二十六日），徙判许州、武胜节度使、同平章事钱惟演判陈州。（《续资治通鉴长编》卷一〇九）

十二月

壬辰（十四日），以雷州司户参军丁谓为道州司户参军。（《续资治通鉴长编》卷一〇九）

本年

蔡襄寄居悟空院，留诗僧壁。（蔡襄《和子发》）

刘挚（1030—1097）生。刘挚，字莘老，永静东光人。嘉祐中，擢甲科，历冀州南宫令。徙江陵观察推官，用韩琦荐，得馆阁校勘。王安石一见器异之，擢检正中书礼房。才月余，为监察御史里行，欣然就职。谪监衡州盐仓。久之，签书南京判官。入同知太常礼院。元丰初，改集贤校理、知大宗正寺丞，为开封府推官。俄迁右司郎中。明年，起知滑州。哲宗即位，宣仁后同听政，召为吏部郎中，改秘书少监，擢侍御史。元祐元年，擢御史中丞。拜尚书右丞，连进左丞、中书侍郎，迁门下侍郎。六年，拜尚书右仆射。以观文殿学士罢知郓州。七年，徙大名，又为雍等所遏，徙知青州。绍圣初，来之邵、周秩论挚变法、弃地罪，夺职知黄州，再贬光禄卿，分司南京，蕲州居住。四年，陷邢恕之谤，贬鼎州团练副使，新州安置。至数月，以疾卒，年六十八。徽宗立，复挚中大夫。蔡京为相，降朝散大夫。后又复观文殿大学士、太中大夫。绍兴初，赠少师，谥曰忠肃。挚嗜书，自幼至老，未尝释卷。家藏书多自雠校，得善本或手抄录，孜孜无倦。少好《礼》学，其究《三礼》，视诸经尤粹。晚好《春秋》，考诸儒异同，辨其得失，通圣人经意为多。（《宋史》本传）

范百禄（1030—1094）生。百禄字子功，镇兄锴之子也。第进士，又举才识兼茂科，对入三等。熙宁中，邓绾举为御史，辞不就。提点江东、利、梓路刑狱，加直集贤院。七年，召知谏院。与徐禧治李士宁狱，执政主禧，贬百禄监宿州酒。元丰末，入为司门吏部郎中、起居郎。哲宗立，迁中书舍人。元祐元年，为刑部侍郎。改吏部侍郎。俄兼侍读，进翰林学士。以龙图阁学士知开封府。右仆射苏颂坐稽留除书免，百禄以同省罢为资政殿学士、知河中，徙河阳、河南。薨，年六十五，赠银青光禄大夫。（《宋史》本传）

王韶（1030—1081）生。王韶，字子纯，江州德安人。第进士，调新安主簿、建昌军司理参军。试制科不中，客游陕西，访采边事。熙宁元年，诣阙上《平戎策》三篇，神宗异其言，召问方略，以韶管干秦凤经略司机宜文字。改著作佐郎，仍命韶提举。再为太子中允、秘阁校理。五年七月，引兵城渭源堡及乞神平，破蒙罗角、抹耳水巴等族。进右正言、集贤殿修撰。复击走瞎征，降其部落二万。更名镇洮为熙州，以熙、河、洮、岷、通远为一路，韶以龙图阁待制知熙州。六年三月，取河州，迁枢密直学士。降羌叛，韶回军击之。瞎征以其间据河州，韶进破诃诺木藏城，穿露骨山，南入洮州境，河州复平。连拔宕、岷二州，迭、洮羌酋皆以城附。进左谏议大夫、端明殿学士。七年，入朝，又加资政殿学士，赐第崇仁坊。拜韶观文殿学士、礼部侍郎。未几，召为枢密副使。以故罢职知洪州，又坐谢表怨慢，落职知鄂州。元丰二年，还其职，复知洪州。四年，病疽卒，年五十二。赠金紫光禄大夫，谥曰襄敏。（《宋史》本传）

本年重要作品：

　　文：范仲淹《上时相议制举书》。

　　诗：宋庠《庚午春观新进士锡宴琼林苑因书所见》。

公元 1031 年（宋仁宗天圣九年 辛未）

正月

庚申（十二日），资政殿学士晏殊言：占城、龟兹、沙州、叩部川蛮族，往往有挈家入贡者。请如先朝故事，委馆伴使询其道路风俗，及绘人物衣冠以上史官。从之。（《续资治通鉴长编》卷一一〇）

辛未（二十三日），改新判陈州钱惟演判河南府。（《续资治通鉴长编》卷一一〇）

三月

范纯礼（1031—1106）生。纯礼字彝叟，以父仲淹荫，为秘书省正字，签书河南府判官，知陵台令兼永安县。还朝，用为三司盐铁判官，以比部员外郎出知遂州。除户部郎中、京西转运副使。元祐初，入为吏部郎中，迁左司。又迁太常少卿、江淮荆浙发运使。以光禄卿召，迁刑部侍郎，进给事中。宰相即徙纯礼刑部侍郎，而后出命。转吏部，改天章阁待制、枢密都承旨，去知亳州、提举明道宫。徽宗立，以龙图阁直学士知开封府。拜礼部尚书，擢尚书右丞。纯礼沉毅刚正，曾布惮之，罢为端明殿学士、知颍昌府，提举崇福宫。崇宁中，启党禁，贬试少府监，分司南京。又贬静江军节度副使，徐州安置，徙单州。五年，复左朝议大夫，提举鸿庆宫。卒，年七十六。（《宋史》本传）

欧阳修授将仕郎、试秘书省校书郎、充西京留守推官，与尹洙、梅尧臣等为友。

天圣末，欧阳文忠公文章三冠多士，国学补试国学解，礼部奏登甲科。为西京留守推官，府尹钱思公、通判谢希深皆当世伟人，待公优异。公与尹师鲁、梅圣俞、杨子聪、张太素、张尧夫、王几道为七友，以文章道义相切劘。率尝赋诗饮酒，间以谈戏，相得尤乐。凡洛中山水、园庭、塔庙佳处，莫不游览。（王辟之《渑水燕谈录》卷四）

六月

辛巳（五日），枢密副使范雍免丧，落起复。（《续资治通鉴长编》卷一一〇）

（辽兴宗景福元年）御宣政殿，放进士刘贞等五十七人。（《辽史·兴宗纪一》）

七月

癸酉（二十八日），以翰林侍讲学士、兼龙图阁学士、兵部侍郎孙奭为工部尚书、知兖州。（《续资治通鉴长编》卷一一〇）

甲戌（二十九日），权度支判官、右正言陈执中罢度支判官，谏院供职。（《续资治通鉴长编》卷一一〇）

九月

己巳（二十四日），枢密直学士、右谏议大夫程琳为给事中、权知开封府。（《续

资治通鉴长编》卷一一〇）

庚午（二十五日），以吏部尚书、知天雄军王曾为彰德节度使，仍知天雄军。（《续资治通鉴长编》卷一一〇）

秋

梅尧臣避亲嫌，由河南县主簿调任河阳县主簿。

十月

己卯（五日），以翰林学士、兼侍读学士宋绶为龙图阁学士、知应天府。（《续资治通鉴长编》卷一一〇）

闰十月

戊辰（二十四日），知兖州、翰林侍读学士、工部尚书孙奭辞，曲宴太清楼，召太子少保致仕晁迥及近臣皆预。帝飞白大字以赐二府，而小字赐诸学士，独奭与迥兼赐大小字。诏群臣即席赋诗。（《续资治通鉴长编》卷一一〇）

十一月

辛巳（八日），徙三馆于崇文院。先是，三馆、秘阁在左掖门内、左升龙门外，大中祥符八年大内火，权寓右掖门外。至是，修崇文院成，复徙之。（《续资治通鉴长编》卷一一〇）

本年

晏殊为三司使。

范仲淹迁太常博士，移通判陈州。

刘筠卒，61 岁。筠自景德以来，居文翰之选，与杨亿齐名，当时号为"杨刘"。三入禁林，三典贡举。以策论升降天下士，自筠始也。性不苟合于时，临事明达，而所治尚简严云。（《东都事略》本传）

著有：《五服年月敕》一卷（《宋史·艺文志三》）、《丧服加减》一卷（《宋史·艺文志三》）、《册府应言集》十卷（《宋史·艺文志七》）、《荣遇集》二十卷（《宋史·艺文志七》）、《中山刀笔集》三卷（《宋史·艺文志七》）《表奏》六卷（《宋史·艺文志七》）、《肥川集》四卷（《宋史·艺文志七》）。

杨大年与钱、刘数公唱和，自《西昆集》出，时人争效之，诗体一变。而先生老辈患其多用故事，至于语僻难晓，殊不知自是学者之弊。如子仪《新蝉》云："风来玉宇乌先转，露下金茎鹤未知。"虽用故事，何害为佳句也。又如"峭帆横渡官桥柳，迭鼓惊飞海岸鸥"。其不用故事，又岂不佳乎？盖其雄文博学，笔力有余，故无施而不

可，非如前世号诗人者，区区于风云草木之类，为许洞所困者也。（欧阳修《六一诗话》）

陈从易卒。陈从易，字简夫，泉州晋江人。进士及第，为岚州团练推官，再调彭州军事推官。召为秘书省著作佐郎、大理寺详断官。迁太常博士，出知邵武军。预修《册府元龟》，改监察御史。真宗宴近臣崇和殿，召从易预，赋诗称旨。迁侍御史，改刑部员外郎、直史馆、知虔州。天禧中，坐荐送别头进士失实，降工部员外郎。以父老，求乡郡。宰相寇准恶其疏己，除吉州，从易因对自言改福州。未行，遭父丧，服除，纠察在京刑狱，出为湖南转运使，徙知荆南，擢太常少卿、直昭文馆、知广州。又坐尝课校太清楼书字非伪误而从易妄判窜之，降直史馆。明年复职。在广三年，以清德闻。入为左司郎中、知制诰。初，景德后，文士以雕靡相尚，一时学者乡之，而从易独守不变。与杨大雅相厚善，皆好古笃行，时朝廷矫文章之弊，故并进二人，以风天下。兼史馆修撰，迁左谏议大夫。命使契丹，以年老，辞不行。又辞职请补郡，进龙图阁直学士、知杭州，卒。所著《泉山集》二十卷、《中书制稿》五卷、《西清奏议》三卷。（《宋史》本传）

著有：《泉山集》二十卷（《宋史》本传）、《中书制稿》五卷（《宋史》本传）、《西清奏议》三卷（《宋史》本传）。

陈舍人从易，当时文方盛之际，独以醇儒古学见称，其诗多类白乐天。盖自杨、刘唱和，《西昆集》行，后进学者争效之，风雅一变，谓"西昆体"。由是唐贤诸诗集几废而不行。陈公时偶得杜集旧本，文多脱误，至《送蔡都尉》诗云："身轻一鸟"，其下脱一字。陈公因与数客各用一字补之。或云"疾"，或云"落"，或云"起"，或云"下"，莫能定。其后得一善本，乃是"身轻一鸟过"。陈公叹服，以为虽一字，诸君亦不能到也。（欧阳修《六一诗话》）

吕大钧（1031—1082）生。大钧字和叔。中乙科，调秦州右司理参军，监延州折博务。改光禄寺丞、知三原县。移巴西县。韩绛宣抚陕西、河东，辟书写机密文字。府罢，移知候官县，故相曾公亮镇京兆，荐知泾阳县，皆不赴。丁外艰，家居讲道。数年，起为诸王宫教授。求监凤翔船务，制改宣义郎。会伐西夏，檄为从事。未几，道得疾，卒，年五十二。大钧从张载学，能守其师说而践履之。（《宋史》本传）

蒋之奇（1031—1104）生。蒋之奇，字颍叔，常州宜兴人。以伯父枢密直学士堂荫得官。擢进士第，中《春秋三传》科，至太常博士；又举贤良方正，试六论中选，及对策，失书问目，报罢。英宗览而善之，擢监察御史。神宗立，转殿中侍御史。初，之奇为欧阳修所厚，制科既黜，乃诣修盛言濮议之善，以得御史。复惧不为众所容，因修妻弟薛良孺得罪怨修，诬修及妇吴氏事，遂劾修。神宗批付中书，问状无实，贬监道州酒税，仍榜朝堂。至州，上表哀谢，神宗怜其有母，改监宣州税。新法行，为福建转运判官。历江西、河北、陕西副使。加直龙图阁，升发运使。元祐初，进天章阁待制、知潭州。改集贤殿修撰、知广州。加宝文阁待制。徙河北都转运使、知瀛州。绍圣中，召为中书舍人，改知开封府，进龙图阁直学士，拜翰林学士兼侍读。元符末，邹浩以言事得罪，之奇折简别之，责守汝州。阅月，徙庆州。徽宗立，复为翰林学士，拜同知枢密院。明年，知院事。崇宁元年，除观文殿学士、知杭州。以弃河、湟事夺

职，由正议大夫降中大夫。以疾告归，提举灵仙观。三年，卒，年七十四。（《宋史》本传）

家定国（1031—1094）生。君讳定国，字退藏。六岁知声律。朝议君尝与客饮，客以对句试之曰："笙歌陪酒圣"；即应之曰："桃李从花王。"客大惊，闻者以为奇童子。方冠，举进士，声华翕然。庆历中，诏天下兴学。时欧阳文忠公友人张公应之为治中课，试群士，善君词业纯茂，与俱来京师。既擢第，除雅州名山尉。居朝议忧，执丧不违礼。服除，调永康军司法。再调沣州司理提点刑狱，迁秘书省著作佐郎，知嘉州洪雅县。岁满，通判泸州。知渠州，罢归。久之，知怀安军。得知嘉州，未行，时大疫，从弟朴在太学病甚，君迁置于家，朝夕视药食，不少避。及其死，哭之恸，因感疾不起，绍圣元年五月朔也，享年六十四。君姿韵恭粹，务自修。适燕处无惰容，纵谈无谑语，慎于事，勉于政，论交接物未尝少忤。尤工于诗，古律凡三十卷，杂文十卷。体格清懿，如其为人。苏公子由尝送以诗曰："鸰鹭性本静，芝兰深自馨。"知者以为纪实。（吕陶《朝请郎新知嘉州家府君墓志铭》）

孙洙（1031—1079）生。孙洙，字臣源，广陵人。未冠擢进士。包拯、欧阳修、吴奎举应制科，进策五十篇，指陈政体，明白剀切。再迁集贤校理、知太常礼院。治平中求言，以洙应诏，兼史馆检讨、同知谏院。王安石主新法，多逐谏官御史，洙知不可，而郁郁不能有所言，但力求补外，得知海州。寻干当三班院。洙革其甚者八事，定为令。同修起居注，进知制诰。元丰初，兼直学士院。擢翰林学士，才逾月，得疾。时参知政事阙，帝将用之，数遣中使、尚医劳问。入朝期日，洙小愈，在家习肄拜跪，偾不能兴，于是竟卒，年四十九。洙博闻强识，明练典故，道古今事甚有条理。出语皆成章，虽对亲狎者，未尝发一鄙语。文词典丽，有西汉之风。（《宋史》本传）

本年重要作品：

文：欧阳修《游大字院记》、欧阳修《伐树记》。

诗：欧阳修《七交》、欧阳修《普明院避暑》、欧阳修《智蟾上人游南岳》、梅尧臣《与诸友普明院亭纳凉分题》、梅尧臣《孙屯田召为御史》。

公元 1032 年（宋仁宗天圣十年　宋仁宗明道元年　壬申）

正月

乙亥（四日），以新知江陵府杜衍为河北都运使。（《续资治通鉴长编》卷一一一）

释文政序释重显《祖英集》。

师之形言也，且异乎阳春白雪、碧云清风者也。夫大圭不琢，贵乎天真；至言不文，尚于理实。乃世之衡鉴，岂智识而拟议哉！师自戾止翠峰雪窦，或先德言句渊密，师因而颂之。或感兴怀别贻赠之作，固亦多矣。其有好道者并录而囊之，一日，总缉成二百二十首，乃写呈师。师曰："余偶兴而作，宁存于本？"不许行焉。禅者应曰："乃祖阐千载之芳烈也，勿轻舍诸。"师察其悫志，勉弗获已，抑而从之。（文政《〈祖

英集〉序》）

《祖英集》二卷，宋释重显撰。此篇乃其诗集，前有僧文政序。重显戒行清洁，彼教称为古德，故其诗多语涉禅宗，与道潜、惠洪诸人专事吟咏者蹊径稍别。然胸怀脱洒，韵度自高，随意所如，皆天然拔俗。五言如“静空孤鹗远，高柳一蝉新”、“草随春岸绿，风倚夜涛寒”、“片石幽笼藓，残花冷衬云”、“啼猿冲寒影，归鸿见断行”，皆绰有九僧遗意。七言绝句如《自贻送僧喜禅人回山》诸篇，亦皆风致清婉，朗然可诵。固非概作禅家酸馅语也。（《四库提要》卷一五二）

著录：《四库提要》卷一五二、瞿镛《铁琴铜剑楼藏书目》卷二〇、《上海图书馆善本书目》、《北京图书馆古籍善本书目》、台湾《中央图书馆善本书目》。

二月

癸卯（二日），监修国史吕夷简上《三朝宝训》三十卷，赐编纂官直集贤院王举正三品服、李淑五品服。（《续资治通鉴长编》卷一一一）

庚戌（九日），吕夷简加中书侍郎。（《续资治通鉴长编》卷一一一）

八月

辛丑（二日），以三司使、兵部侍郎晏殊为枢密副使。（《续资治通鉴长编》卷一一一）

丙午（七日），以枢密副使晏殊为参知政事。（《续资治通鉴长编》卷一一一）

是月，殿中丞滕宗谅、秘书丞刘越准诏上封事。因请太后还政。（《续资治通鉴长编》卷一一一）

九月

穆修卒，54岁。呜呼！穆伯长以明道元年夏客死于淮西道中。友人苏叔才子美作诗悼之，遣人驰吊之，痛夫！（苏舜钦《哀穆先生文》）

著有：《穆参军集》三卷。（陈振孙《直斋书录解题·别集类中》）

文章随时美恶，咸通已后，文力衰弱，无复气格。本朝穆修首倡古道，学者稍稍向之。修性褊讦少合，初任海州参军，以气陵通判，遂为捃摭削籍，系池州，其集中有《秋浦会遇诗》，自叙甚详。后遇赦释放，流落江外。赋命穷薄，稍得钱帛，即遇盗，或卧病费竭，然后已，是故衣食不能给。晚年得《柳宗元集》，募工镂板，印数百帙，携入京相国寺，设肆鬻之。有儒生数辈至其肆，未评价值，先展揭披阅。修就手夺取，瞋目谓曰：“汝辈能读一篇，不失句读，吾当以一部赠汝。”其忤物如此，自是经年不售一部。（魏泰《东轩笔录》卷三）

秋

欧阳修等于普明寺竹林饮别梅尧臣，分韵赋诗。

余将北归，河阳友人欧阳永叔与二三君具肴豆，选胜绝，欲极一日之欢以为别。于是得普明精庐，酾酒竹林间。少长环席，去献酬之礼，而上不失容，下不及乱，和然啸歌，趣逸天外。酒既酣，永叔曰："今日之乐，无愧于古昔。乘美景，远尘俗，开口道心胸间，达则达矣，于文则未也。"命取纸写普贤佳句，置坐上，各探一句，字字为韵，以志兹会之美。咸曰："永叔言是。不尔，后人将以吾辈为酒肉狂人乎！"顷刻，众诗皆就，乃索大白尽醉而去。明日，第其篇，请余为叙云。（梅尧臣《新秋普明院竹林小饮诗序》）

十一月

六日，改元。

冬

欧阳修等游嵩山。

谢希深、欧阳永叔官洛阳时，同游嵩山。自颍阳归，暮抵龙门香山。雪作，登石楼望都城，各有所怀。忽于烟霭中有策马渡伊水来者，既至，乃钱相遣厨传歌妓至。吏传公言曰："山行良劳，当少留龙门赏雪，府事简，无遽归也。"钱相遇诸公之厚类此。（邵伯温《邵氏闻见录》卷八）

癸未（十五日），宰臣吕夷简加右仆射、兼门下侍郎。夏竦为尚书左丞，赵稹为吏部侍郎，参知政事晏殊为尚书左丞，陈尧佐、薛奎并为礼部侍郎。（《续资治通鉴长编》卷一一一）

十二月

壬寅（五日），知天雄军、天平节度使王曾加同平章事，知天雄军如故。（《续资治通鉴长编》卷一一一）

壬子（十五日），殿中丞宋祁为直史馆，太子中允韩琦为太常丞、直集贤院，大理评事石延年赵宗道、上元县主簿吴嗣复、合肥县主簿胡宿并为馆阁校勘。（《续资治通鉴长编》卷一一一）

庚申（二十三日），命枢密直学士权三司使李谘、翰林学士盛度、侍读学士王随同议解盐法。（《续资治通鉴长编》卷一一一）

本年

（辽兴宗重熙元年）是年，放进士刘师贞等五十七人。（《辽史·兴宗纪一》）

刘恕（1032—1078）生。刘恕，字道原，筠州人。恕少颖悟，书过目即成诵。未冠，举进士，时有诏，能讲经义者别奏名，应诏者才数十人，恕以《春秋》、《礼记》对，先列注疏，次引先儒异说，末乃断以己意，凡二十问，所对皆然，主司异之，擢为第一。他文亦入高等，而廷试不中格，更下国子试讲经，复第一，遂赐第。调钜鹿主簿、和川令。笃好史学，自太史公所记，下至周显德末，纪传之外至私记杂说，无所不览，上下数千载间，钜微之事，如指诸掌。司马光编次《资治通鉴》，英宗命自择馆阁英才共修之。光对曰："馆阁文学之士诚多，至于专精史学，臣得而知者，唯刘恕耳。"即召为局僚，遇史事纷错难治者，辄以诿恕。恕于魏、晋以后事，考证差缪，最为精详。光出知永兴军，恕亦以亲老，求监南康军酒以就养，许即官修书。光判西京御史台，恕请诣光，留数月而归。道得风挛疾，右手足废，然苦学如故，少间，辄修书，病亟乃止。官至秘书丞，卒，年四十七。恕为学，自历数、地理、官职、族姓至前代公府案牍，皆取以审证。求书不远数百里，身就之读且抄，殆忘寝食。（《宋史》本传）

王令（1032—1059）生。王令，字逢原，广陵人也。生五岁而孤，二十八而卒，王安石志其墓。今有《广陵集》十卷行于世。（《东都事略》本传）

释了元（1032—1098）生。禅师名了元，字觉老，生饶州浮梁林氏，世业儒。元生二岁，朗朗诵《论语》、诸家诗；五岁，诵三千首。既长，从师授《五经》，略通大义，去读《首楞严经》于竹林寺，爱之，尽捐旧学，白父母，求出家，度生死礼宝积寺。缙绅之贤者多与之游。苏东坡谪黄州，庐山对岸，元居归宗，酬酢妙句，与云烟争丽。及其在金山，则东坡得释，还吴中，次丹阳，以书抵元，元得书，径来。东坡迎笑问之，元以偈为献曰："赵州当日少谦光，不出三门见赵王。争似金山无量相，大千都是一禅床。"元以裙赠之，而东坡酬以玉带，有偈曰："病骨难堪玉带围，钝根仍落箭锋机。会当乞食歌姬院，换得云山旧衲衣。"又曰："此带阅人如传舍，流川到我亦悠哉。锦袍错落尤相称，乞与佯狂老万回。"元所居方丈特高，名"妙高台"。东坡又作诗曰："我欲乘飞车，东访赤松子。蓬莱不可到，溺水三万里。不如金山去，清风半帆耳。中有妙高台，云峰自孤起。仰观初无路，谁信平如砥？台中老比丘，碧眼照窗几。巉巉玉为骨，凛凛霜入齿。机锋不可触，千偈如翻水。何须寻德云，只此比丘是。长生未暇学，请学长不死。"元尝游京师，谒曹王，王以其名奏之，神考赐磨衲，号佛印。东坡滑稽于翰墨，戏为之赞。（《禅林僧宝传·云居佛印元禅师》）

吕惠卿（1032—1111）生。吕惠卿字吉甫，泉州晋江人。起进士，为真州推官。秩满入都，见王安石，论经义，意多合，遂定交。熙宁初，安石为政，惠卿方编校集贤书籍。及设制置三司条例司，以为检详文字，事无大小必谋之，凡所建请章奏皆其笔。擢太子中允、崇政殿说书、集贤校理，判司农寺。以父丧去，服除，召为天章阁侍讲，同修起居注，进知制诰，判国子监，同修《三经新义》。又知谏院，为翰林学士。安石求去，力荐惠卿为参知政事。出知陈州。久之，以资政殿学士知延州。俄丁母忧。元丰五年，加大学士、知太原府。明年复知太原。哲宗即位，乃贬为光禄卿、分司南京。再责建宁军节度副使、建州安置。绍圣中，复资政殿学士、知大名府，加观文殿学士、知延州。以筑威戎、威羌城，加银青光禄大夫，拜保宁、武胜两军节度使。徽宗立，易节镇南。徙为杭州，复武昌节度使、知大名。数岁，又以上表引喻失当，还为银青光禄大夫，令致仕。崇宁五年，起为观文殿学士、知杭州。坐其子渊闻妖人张怀素言不告，责祁州团练副使，安置宣州，再移庐州。复观文殿学士，为醴泉观使，致仕。卒，赠开府仪同三司。（《宋史》本传）

李清臣（1032—1102）生。李清臣，字邦直，魏人也。七岁知读书，日数千言，暂经目辄诵，稍能戏为文章。举进士，调邢州司户参军、和川令。应材识兼茂科，欧阳修壮其文，以比苏轼。治平二年，试秘阁，考官韩维曰："荀卿氏笔力也。"试文至中书，修迎语曰："不置李清臣于第一，则谬矣。"启视如言。策入等，以秘书郎签书平江军判官，名声藉甚。既而诏举馆阁，欧阳修荐之，得集贤校理、同知太常礼院。从韩绛使陕西。庆卒乱，家属九指挥应诛，清臣请于绛，配隶为奴婢。绛坐贬，清臣亦通判海州。久之，还故官，出提点京东刑狱。召为两朝国史编修官，撰《河渠》、《律历》、《选举》诸志，文直事详，人以为不减《史》、《汉》。同修起居注，进知制诰、翰林学士。元丰新官制，拜吏部尚书，授朝奉大夫。六年，拜尚书右丞。哲宗即位，转左丞。罢为资政殿学士、知河阳，徙河南、永兴。召为吏部尚书，改知真定府。帝亲政，拜中书侍郎。以大学士知河南，寻落职知真定府。徽宗立，入为门下侍郎。寻为曾布所陷，出知大名府而卒，年七十一。赠金紫光禄大夫。清臣蚤以词藻受知神宗，建大理寺，筑都城，皆命作记，简重宏放，文体各成一家。（《宋史》本传）

程颢（1032—1085）生。程颢，字伯淳，世居中山，后从开封徙河南。举进士，调鄠、上元主簿。迁为晋城令，熙宁初，用吕公著荐，为太子中允、监察御史里行。王安石执政，出提点京西刑狱。颢固辞，改签书镇宁军判官。除判武学，李定劾其新法之初首为异论，罢归故官。又坐狱逸囚，责监汝州盐税。哲宗立，召为宗正丞，未行而卒，年五十四。颢资性过人，自十五六时，与弟颐闻汝南周敦颐论学，遂厌科举之习，慨然有求道之志。泛滥于诸家，出入于老、释者几十年，返求诸《六经》，而后得之。颢之死，士大夫识与不识，莫不哀伤焉。文彦博采众论，题其墓曰明道先生。嘉定十三年，赐谥曰纯公。淳祐元年封河南伯，从祀孔子庙庭。（《宋史》本传）

沈辽（1032—1085）生。辽字睿达，幼挺拔不群，长而好学尚友，傲睨一世。读左氏、班固书，小摹仿之，辄近似。趣操高爽，缥缥然有物外意，绝不喜进取。用兄任监寿州酒税。吴充使三司，荐监内藏库。受知于王安石，安石尝与诗，有"风流谢安石，潇洒陶渊明"之称。至是当国，更张法令，辽与之议论，浸浸咈意，日益见疏。于是，坐与其长不相能，罢去。久之，以太常寺奉礼郎监杭州军资库，转运使使摄华亭县。夺官流永州，遭父忧不得释。更赦，始徙池州。留连江湖间累年，益偃蹇傲世。既至池，得九华、秋浦间，玩其林泉，喜曰："使我自择，不过尔耳。"既筑室于齐山之上，名曰云巢，好事者多往游。辽追悔平生不自贵重，悉谢弃少习，杜门隐几，虽笔砚亦埃尘竟日。间作为文章，雄奇峭丽。尤长于歌诗，曾巩、苏轼、黄庭坚皆与唱酬相往来。然竟不复起，元丰末，卒，年五十四。（《宋史》本传）

杜纯（1032—1095）生。杜纯，字孝锡，濮州鄄城人。以荫为泉州司法参军。韩绛为相，以检详三司会计。久之，为大理正。元祐元年，范纯仁、韩维、王存、孙永交荐之，除河北转运判官。召为刑部员外郎、大理少卿，擢侍御史。言者诋其不由科第，改右司郎中。寻知相州，徙徐州，陕西转运使。还，拜鸿胪、光禄卿，权兵部侍郎。谢病，以集贤院学士提举崇福宫，改修撰。卒，年六十四。（《宋史》本传）

葛书思（1032—1104）生。登第，调建德主簿。时密已老，欲迎以之官，密难之。书思曰："曾子不肯一日去亲侧，岂以五斗移素志哉？"遂投劾归养十年余。近臣表其

志行，以为泗州教授，弗就。密不得已，许以他日偕行，始乞监新市镇。居父丧，累年，乃出仕，历封丘主簿、涟水县丞。仕至朝奉郎，亦告老，父子归休皆不待年。卒，年七十三，特谥曰清孝。子胜仲，孙立方，皆以学业至侍从，世为儒家。（《宋史》本传）

释净端（1032—1103）生。端师子者，吴兴人也。好歌《渔父词》，月夕必歌之。章丞相子厚请升座，使俞秀老撰疏叙其事，曰："推倒回头，趯翻不托。七轴之《莲经》未诵，一声之《渔父》先闻。"端听僧官宣至此，以手抐揄曰："止。"乃坐，引声吟曰："本是潇湘一钓客，自东自西自南北。"大众杂然称善，端顾笑曰："我观法王法，法王法如是。"下座，子厚留饭。端瞋说偈曰："章惇章惇，请我看坟。我却吃素，汝却吃荤。"子厚为大笑。高邮秦观少游闻其高道，请升座于广慧，端以手自指曰："天上无双月，人间只一僧。一堂风冷淡，千古意分明。"少游首肯之。端高自称誉，吐语奇怪，逸人也。病牙久不愈，谓众曰："明日迁化去。"众以为戏语，请说偈，端索笔大书曰："端师子，太慵懒，未死牙齿先坏烂。二时伴众赴堂，粥饭都赶不办。如今得死是便宜，长眠百事皆不管。第一不著看官，第二不著吃粥饭。"五更遂化，阅世七十二。（《禅林僧宝传·西余端禅师》）

本年重要作品：

文：欧阳修《丛翠亭记》、欧阳修《非非堂记》、欧阳修《送陈经秀才序》、欧阳修《书梅圣俞稿后》、欧阳修《送梅圣俞归河阳序》、欧阳修《红鹦鹉赋》、梅尧臣《新秋普明院竹林小饮诗序》、梅尧臣《红鹦鹉赋》。

诗：欧阳修《游龙门分题十五首》、欧阳修《嵩山十二首》、欧阳修《伊川独游》、欧阳修《雨后独行洛北》、欧阳修《缑氏县作》、欧阳修《吊黄学士三首》、欧阳修《初秋普明寺竹林小饮钱梅圣俞分韵得亭皋木叶下五首》、欧阳修《和八月十五日斋宫对月》、欧阳修《双桂楼》、欧阳修《河南王尉西斋》、欧阳修《张主簿东斋》、欧阳修《留守相公祷雨九龙祠应时获澍呈府中同僚》、欧阳修《陪府中诸官游城南》、欧阳修《被牒行县因书所见呈僚友》、欧阳修《又行次作》、欧阳修《拟玉台体七首》、欧阳修《和谢学士泛伊川浩然无归意因咏刘长卿佳句作欲留篇之什》、梅尧臣《得高树早凉归》、梅尧臣《依韵和欧阳永叔同游近郊》、梅尧臣《太尉相公中伏日池亭宴会》、梅尧臣《希深惠书与师鲁永叔子聪几道游嵩因诵而韵之》、梅尧臣《依韵和欧阳永叔黄河八韵》、梅尧臣《同永叔子聪游嵩山赋十二题》、梅尧臣《拟玉台体七首》。

公元 1033 年（宋仁宗明道二年　癸酉）

正月

戊寅（十一日），直集贤院李淑上《耕籍类事》五卷、《王后仪范》三卷。（《续资治通鉴长编》卷一一二）

己丑（二十二日），**宰臣吕夷简、枢密副使夏竦上所注御制《三宝赞》、皇太后发愿文**。以检讨注释官、直集贤院李淑为史馆修撰，集贤校理郑戬直史馆。（《续资治通

鉴长编》卷一一二）

三月

初耕籍田，泰宁节度使、同平章事、判河南府钱惟演求侍祠，许之。壬申（七日），命惟演为景灵宫使，留京师。（《续资治通鉴长编》卷一一二）

甲午（二十九日），皇太后崩。遗诰尊太妃为皇太后，皇帝听政如祖宗旧规。（《续资治通鉴长编》卷一一二）

四月

十日，杨大雅卒，69 岁。府君杭州钱塘人。府君生十岁作《雪赋》一篇，始为之笑。及长，尤好学，曰必诵书数万言。或昼夜不息，临食至失匕筋。已而，病其目，元夫人夺藏其书。府君盗之，亡邻家以读。三举进士，端拱二年中乙科。历蔡州新昌县令，迁著作佐郎、知德州。明道二年四月十日以疾卒于州之正寝，年六十有九。其病将卒，犹不废学。有文三十卷，曰《大隐集》；又五卷，曰《西垣集》。（欧阳修《谏议大夫杨公墓志铭》）

著有：《大隐集》三十卷（《宋史》本传）、《西垣集》五卷（《宋史》本传）、《职林》二十卷（《宋史》本传）、《两汉博闻》十二卷（《宋史》本传）。

癸丑（十八日），以景灵宫使、泰宁节度使、同平章事钱惟演判河南府。召知应天府、龙图阁学士、刑部侍郎宋绶，通判陈州、太常博士、秘阁校理范仲淹赴阙。（《续资治通鉴长编》卷一一二）

己未（二十四日），门下侍郎、兼吏部尚书、平章事吕夷简罢为武胜节度使、同平章事、判澶州；枢密副使、尚书左丞夏竦罢为礼部尚书，知襄州，寻改颍州；礼部侍郎、参知政事陈尧佐罢为户部侍郎、知永兴军；枢密副使、礼部侍郎范雍罢为户部侍郎、知荆南府，寻改扬州，又改陕州；尚书右丞、参知政事晏殊罢为礼部尚书、知江宁府，寻改亳州。（《续资治通鉴长编》卷一一二）

章懿之崩，李淑护葬，晏殊撰志文，只言生女一人早卒，无子，仁宗憾之。及亲政，内出志文以示宰相，曰："先后诞育朕躬，殊为侍从，安得不知？乃言生一公主，又不育，此何意也？"吕文靖曰："殊固有罪，然宫省事秘，臣备位宰相，是时虽略知之而不得其详。殊之不审，理容有之。然方章献临御，若明言先后实生圣躬，事得安否？"上默然良久，命出殊守金陵。明日以为远，改守南都。（苏辙《龙川别志》卷上）

庚申（二十五日），太常博士、秘阁校理范仲淹为右司谏。（《续资治通鉴长编》卷一一二）

五月

辛未（七日），屯田员外郎庞籍为殿中侍御史。（《续资治通鉴长编》卷一一二）

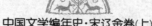

帝始召宋绶，将大用之，为张士逊所沮。丁丑（十三日），以绶为翰林侍读学士、兼龙图学士、判都省，兼判太常寺、知审官院。（《续资治通鉴长编》卷一一二）

六月

癸卯（十日），诏御史中丞范讽、天章阁待制王鬷、右司谏范仲淹同审刑院大理寺，详定天下当配隶罪人刑名。（《续资治通鉴长编》卷一一二）

辛亥（十八日），太子少傅致仕孙奭卒，72岁。明年夏五月，感疾甚笃。己丑，奉裨衣复于东荣，实明道癸酉，于是公之生七十二年矣。讣闻，帝震悼，废朝制，赠文昌左相，赙泉二十万。公字宗古。（宋祁《仆射孙宣公墓志铭》）

著有：《大宋崇祀录》二十卷（《宋史·艺文志三》）、《律音义》一卷（《宋史·艺文志三》）、《律令释文》一卷（《宋史·艺文志三》）、《孟子音义》二卷（《宋史·艺文志四》）、《孟子正义》十四卷（陈振孙《直斋书录解题·语孟类》）。

七月

甲戌（五日），以户部副使、刑部员外郎陈执中为天章阁待制、京东灾伤州军体量安抚使，用范讽之言也。（《续资治通鉴长编》卷一一二）

乙亥（六日），诏诸州自今考试举人，并封弥卷首，仍委转运司于所部选词学并公勤者为考试监门封弥官。（《续资治通鉴长编》卷一一二）

癸未（十四日），降知永兴军陈尧佐知庐州，为狂人王文吉所诬也。（《续资治通鉴长编》卷一一二）

先是，右司谏范仲淹以江淮京东灾伤请遣使巡行，未报。仲淹请间曰："宫掖中半日不食当如何？今数路艰食，安可置而不恤？"甲申（二十一日），命仲淹安抚江淮，所至开仓廪赈之。（《续资治通鉴长编》卷一一二）

丙戌（二十三日），徙知隶州夏竦知青州、兼京东灾伤州军体量安抚使。（《续资治通鉴长编》卷一一二）

八月

丙申（三日），以太常丞刘沆直集贤院。（《续资治通鉴长编》卷一一三）

丁巳（二十四日），置端明殿学士班翰林资政学士之下，以翰林侍读学士、兼龙图学士宋绶为之。（《续资治通鉴长编》卷一一三）

戊午（二十五日），命兵部员外郎、知制诰丁度为契丹国母生辰使。（《续资治通鉴长编》卷一一三）

辛酉（二十八日），命翰林学士章得象、知制诰郑向编定一司一务敕。（《续资治通鉴长编》卷一一三）

九月

丙寅（四日），崇信节度使、同平章事、判河南府钱惟演落平章事，赴本镇。（《续资治通鉴长编》卷一一三）

十月

甲辰（十二日），命翰林学士承旨盛度等详定裁减天下岁所度僧道人数。初，晏殊出知亳州，言僧圆定者，尝奉诏西天取《大集论》，还赐紫衣，乃与其徒为劫盗里中。且比岁普度僧道，皆游惰之人，宜别为条约。故委官裁减之。（《续资治通鉴长编》卷一一三）

辛亥（二十日），上谕辅臣曰："近岁进士所试诗赋多浮华，而学古者或不可以自进，宜令有司兼以策论取之。"（《续资治通鉴长编》卷一一三）

戊午（二十七日），武胜节度使、同平章事、判陈州吕夷简为门下侍郎、兼吏部尚书、平章事，端明殿学士、兼翰林侍读学士、刑部侍郎宋绶为参知政事。（《续资治通鉴长编》卷一一三）

己未（二十八日），龙图阁学士、工部侍郎、权知开封府程琳为御史中丞。琳辞中丞不拜，乃授翰林侍读学士、兼龙图阁直学士、知开封府。（《续资治通鉴长编》卷一一三）

十一月

己卯（十七日），徙判天雄军王曾判河南府。（《续资治通鉴长编》卷一一三）

十二月

癸巳朔（一日），命参知政事宋绶看详修纂《国朝会要》。（《续资治通鉴长编》卷一一三）

丙辰（二十四日），诏道辅出知泰州、仲淹知睦州。又遣使押道辅及仲淹亟出城。（《续资治通鉴长编》卷一一三）

本年

程颐（1033—1107）生。程颐，字正叔。年十八，上书阙下。治平、元丰间，大臣屡荐，皆不起。哲宗初，司马光、吕公著共疏其行义，诏以为西京国子监教授，力辞。寻召为秘书省校书郎，既入见，擢崇政殿说书。苏轼不悦于颐，颐门人贾易、朱光庭不能平，合攻轼。胡宗愈、顾临诋颐不宜用，孔文仲极论之，遂出管勾西京国子监。久之，加直秘阁，再上表辞。绍圣中，削籍窜涪州。徽宗即位，徙峡州，俄复其官，又夺于崇宁。卒年七十五。颐于书无所不读。其学本于诚，以《大学》、《语》、《孟》、《中庸》为标指，而达于《六经》。动止语默，一以圣人为师，其不至乎圣人不止也。于是著《易》、《春秋传》以传于世。平生诲人不倦，故学者出其门最多，渊源所渐，皆为名士。涪人祠颐于北岩，世称为伊川先生。嘉定十三年，赐谥曰正公。淳

祐元年，封伊阳伯，从祀孔子庙庭。（《宋史》本传）

沈括（1033—1097）生。括字存中，以父任为沭阳主簿。擢进士第，编校昭文书籍，为馆阁校勘，册定三司条例。括考礼沿革，为书曰《南郊式》。即诏令点检事务，执新式从事，所省万计，神宗称善。迁太子中允、检正中书刑房、提举司天监。日官皆市井庸贩，法象图器，大抵漫不知。括始置浑仪、景表、五壶浮漏，招卫朴造新历，募天下上太史占书，杂用士人，分方技科为五，后皆施用。加史馆检讨。淮南饥，遣括察访。迁集贤校理，察访两浙农田水利，迁太常丞、同修起居注。擢知制诰，兼通进、银台司，自中允至是才三月。为河北西路察访使。辽萧禧来理河东黄嵬地，帝遣括往聘。还，在道图其山川险易迂直，风俗之纯庞，人情之向背，为《使契丹图抄》上之。拜翰林学士、权三司使。以集贤院学士知宣州，明年，复龙图阁待制、知审官院。又出知青州，未行，改延州。以副总管种谔西讨援银、宥功，加龙图阁学士。不能援永乐，坐谪均州团练副使。元祐初，徙秀州，继以光禄少卿分司，居润八年卒，年六十五。括博学善文，于天文、方志、律历、音乐、医药、卜算，无所不通，皆有所论著。又纪平日与宾客言者为《笔谈》，多载朝廷故实，耆旧出处，传于世。（《宋史》本传）

丰稷（1033—1107）生。丰稷，字相之，明州鄞人。登第，为谷城令，以廉明称。知封丘县，擢监察御史。徙著作佐郎、吏部员外郎，提点利州、成都路刑狱。入为殿中侍御史。迁右司谏。改国子司业、起居舍人，历太常少卿、国子祭酒。车驾幸太学，命讲《书·无逸篇》，赐四品服，除刑部侍郎兼侍讲。以集贤院学士知颍州、江宁府，拜吏部侍郎，又出知河南府，加龙图阁待制。徽宗立，以左谏议大夫召，道除御史中丞。俄转工部尚书兼侍读，改礼部。以枢密直学士守越。蔡京得政，修故怨，贬海州团练副使、道州别驾，安置台州。除名徙建州，稍复朝请郎。卒，年七十五。建炎中，追复学士，谥曰清敏。所荐士如张庭坚、马涓、陈瓘、陈师锡、邹浩、蔡肇，皆知名当世云。

韦骧（1033—1105）生。韦骧，字子骏，钱塘人。生而警敏，年十有七，以文谒王安石，见其《借箸赋》，大奇之，曰："吾行江南，入吴越，见文士，唯子与董顾行耳。"由是籍甚，每一赋成，学者传诵。皇祐五年登进士第，累迁至屯田员外郎。官制行，改朝奉郎，主少府监簿。元祐初，诏近臣举可任诸路使者，韩维、李常、杨汲等皆荐骧，擢利路运判，转福建路。召为主客郎中。久之，出为夔路宪，知明州。乞闲，提举洞霄宫。子寿隆以崇宁四年守衢，迎骧就养，卒焉，年七十三。骧秀眉冰骨，乐易静退，孝友廉平。文章藻丽，一时推先。有《文集》二十卷，《赋》二十卷。（《咸淳临安志》卷六六）

本年重要作品：

文：欧阳修《述梦赋》、欧阳修《上范司谏书》、欧阳修《送廖倚归衡山序》、欧阳修《李秀才东园亭记》、欧阳修《明因大师塔记》、欧阳修《东斋记》、欧阳修《与郭秀才书》、欧阳修《与张秀才棐第二书》。

诗：欧阳修《早春南征寄洛中诸友》、欧阳修《南征回京至界上驿先呈城中诸友》、欧阳修《绿竹堂独饮》、欧阳修《黄河八韵寄呈圣俞》、欧阳修《巩县陪祭献懿二后回孝义桥道中作》、欧阳修《送谢学士归阙》、欧阳修《和应之同年兄秋日雨中登广爱寺阁寄梅圣俞》、欧阳修《谢人寄双桂树子》、欧阳修《巩县初见黄河》、梅尧臣《马判官归阙》、梅尧臣《饯彭城公赴随州龙门道上作》、梅尧臣《河南张应之东斋》、梅尧臣《河南王尉西斋》、梅尧臣《刘秀才归河内》、梅尧臣《忆洛中旧居寄永叔兼简师鲁彦国》、石介《麦熟有感》、石介《五月十日雨》、石介《宿村舍》、晏殊《癸酉岁元日中书致斋感事》、宋祁《癸酉六月奉诏修籍田记十一月诏罢赋诗》。

公元 1034 年（宋仁宗景祐元年　甲戌）

正月

十六日，以翰林学士章得象权知贡举，知制诰郑向、胥偃、李淑、直史馆同修起居注宋郊权同知贡举，合格奏名进士黄庠以下六百六十一人。（《宋会要辑稿·选举一》）

己卯（十八日），命翰林学士石中立、张观权行舍人院制词。（《续资治通鉴长编》卷一一四）

壬午（二十一日），以太常博士滕宗谅为左正言。（《续资治通鉴长编》卷一一四）范仲淹到睦州任。

范文正公守桐庐，始于钓台建严先生祠堂，自为记。用《屯》之初九、《蛊》之上九，极论汉光武之大、先生之高，才二百字。其歌词云："云山苍苍，江水泱泱。先生之德，山高水长。"既成，以示南丰李泰伯。泰伯读之三，叹味不已，起而言曰："公之文一出，必将名世。某妄意辄易一字，以成盛美。"公瞿然握手扣之，答曰："'云山'、'江水'之语，于义甚大，于词甚溥，而'德'字承之，乃似碌碌。拟换作'风'字，如何？"公凝坐颔首，殆欲下拜。（洪迈《容斋五笔》卷五）

二月

乙未（四日），诏："殿试举人，考官日迫，多不精审。自今初考、复考详定，以十日为限。"（《续资治通鉴长编》卷一一四）

辛丑（十日），诏礼部贡院，诸科举人应七举者，更不限年，并许特奏名。（《续资治通鉴长编》卷一一四）

三月

丙子（十六日），诏御试进士题目书所出，摹印给之，更不许上请。（《续资治通鉴长编》卷一一四）

十八日，帝御崇政殿，试礼部奏名进士。内出《房心为明堂赋》、《和气致祥诗》、《积善成德论》题。命翰林学士承旨盛度已下三十六人锁宿，考试如新制。（《宋会要

辑稿·选举七》）

二十一日，试礼部特奏名进士、诸科。内出《六律为万事本论》、《群玉山诗》题。
（《宋会要辑稿·选举七》）

已而，得进士张唐卿、杨察、徐绶等五百一人，诸科二百八十一人，特奏名八百
五十七人。赐及第、出身、同出身，及补诸州长史、文学如旧制，惟授官特优于前后
岁。唐卿、察、绶并为将作监丞、通判诸州，第四、第五人为大理评事、签书节度州
判官，第六人而下并为校书郎、知县。第二甲为两使幕职官，第三甲为初等幕职官，
第四甲为试衔判、司、主簿、尉，第五甲为主簿、尉。唐卿，青州人；察，合肥人；
绶，山阴人，起子也。（《续资治通鉴长编》卷一一四）

登进士第者：张唐卿、杨察、徐绶、苗振、杨谔、黄庠、仲讷、姚涣、雍明远、
张谟、何若谷、卓祐之、朱景阳、吴可儿、吴秘、蔡准、青阳楷、许当、黄师道、林
嗣复、林槩、李慎修、刘述、陈起、吴戴、陈诜、章造、郑伯玉、何郯、柳永、王尚
恭、赵抃、程师孟、丁宝臣、吕璹、龚鼎臣、马遵、陆诜、蔡高、李中师、田谅、商
瑶、王尚喆、石君瑜、石洵直、辛有终、何中立、郭之美、蔡抗、蔡挺、苏舜钦、朱
处仁、王复、陆经等。

科场程试诗，国初以来，难得佳者。天圣中，梓州进士杨谔，始以诗著。其天圣
八年省试《蒲车诗》云："草不惊皇辙，山能护帝舆。"是岁，以策用清问字下第。景
祐元年，省试《宣室受厘诗》云："愿前明主席，一问洛阳人。"谔是年及第，未几卒。
（司马光《温公续诗话》）

四月

壬辰（三日），诏锁庭应举人所试不合格者，除其罪。始，天禧二年，宰相王钦若
请锁庭应举人试不合格者并坐私罪，至是始除之。（《续资治通鉴长编》卷一一四）

甲午（五日），赠故翰林学士、礼部侍郎、知制诰杨亿为礼部尚书，赐谥曰"文"。
国朝故事，非尝任二府及事东宫，则四品无赠官。枢密使王曙言："亿尝为寇准草奏，
请太子亲政，为丁谓所排，不得志而没。准既赠中书令，亿宜蒙旌赉。"故特赠之。
（《续资治通鉴长编》卷一一四）

丁酉（八日），殿中侍御史庞籍为开封府判官。（《续资治通鉴长编》卷一一四）

丁巳（二十八日），诏直史馆宋祁、郑戬，国子监直讲王洙，同刊修《广韵韵略》，
仍命知制诰丁度、李淑详定。时祁等言《广韵韵略》多疑混字，举人程试间或误用，
有司论难，互执异同，乃致上烦亲决，故请加撰定。（《续资治通鉴长编》卷一一四）

五月

乙丑（六日），翰林侍读学士、兼龙图阁学士、工部侍郎、权知开封府程琳为三司
使。（《续资治通鉴长编》卷一一四）

六月

丙午（十八日），以应书判拔萃科潞州司法参军江休复为大理寺丞，张伯玉、林亿、阎询并除两使幕职官。休复，陈留人；亿，开封人；询，凤翔人也。（《续资治通鉴长编》卷一一四）

己酉（二十一日），策试贤良方正能直言极谏太常博士苏绅、才识兼茂明于体用太理寺丞吴育、茂才异等张方平及武举人于崇政殿。育所对策不及三千字，特擢之。以育为著作佐郎、直集贤院、通判湖州；绅为祠部员外郎、通判洪州；方平为校书郎、知昆山县。（《续资治通鉴长编》卷一一四）

范仲淹徙知苏州。

闰六月

辛酉（四日），命翰林学士张观、知制诰李淑、宋祁编三馆、秘阁书籍，仍命判馆阁盛度、章得象、石中立、李仲容覆视之。（《续资治通鉴长编》卷一一四）

乙酉（二十八日），前西京留守推官欧阳修为镇南节度掌书记、馆阁校勘，枢密使王曙所荐也。修，安福人，询之裔孙。始，钱惟演留守西京，修及尹洙为官属，皆有时名，惟演待之甚厚。修等游饮无节，惟演去，曙继至，数加戒敕，尝厉色谓修等曰："诸君知寇莱公晚年之祸乎？正以纵酒过度耳。"众客皆唯唯，修独起对曰："以修闻之，寇公之祸，正以老而不知止耳。"曙默然，终不怒，更荐修及洙，置之馆阁，议者贤之。（《续资治通鉴长编》卷一一四）

七月

辛卯（四日），翰林学士承旨盛度等上所定学士、舍人院召试人等第。以文理俱高为第一，文理俱通为第二，文通理粗或文粗理通为第三、分上下，文理俱粗为第四、分上下，纰缪为第五，凡七等。先是，考校旧规有优、稍优、堪、稍堪、平、稍低、次低七等，而品第高下未明。至是，度等约礼部式更定之。（《续资治通鉴长编》卷一一五）

壬辰（五日），太常博士、监察御史里行高若讷为主客员外郎、殿中侍御史里行。殿中侍御史里行始此。（《续资治通鉴长编》卷一一五）

乙未（八日），翰林学士承旨、兼端明殿学士盛度召对承明殿西庑，问以边计，退而条十事上之。又兼翰林侍读学士。翰林侍读学士、兼龙图阁学士、右谏议大夫范讽为给事中，依前龙图阁学士，知兖州。讽性倜傥，好奇节，不拘细行。（《续资治通鉴长编》卷一一五）

山东人范讽、石延年、刘潜之徒喜豪放剧饮，不循礼法，后生多慕之。太初作《东州逸党诗》，孔道辅深器之。（《宋史·颜太初传》）

景祐初，青州牧有以荒淫放荡为事，慕嵇康、阮籍之为人，当时四方士大夫乐其无名教之拘，翕然效之，浸以成风。太初恶其为大乱风俗之本，作《东州逸党》诗以刺之。诗遂上闻，天子呕治牧罪。（司马光《颜太初杂文序》）

乙巳（十八日），崇信军节度使钱惟演卒，73 岁。特赠侍中，命官护丧事。惟演

始以父归国，故亟显。然自以才能进，文辞清丽，名与杨亿、刘筠相上下。尝曰："翰林学士备顾问，司典诰，于天下之书，一有所不观，何以称职？"故益储文籍，侔秘府，又多藏古书帖名画。喜奖励后进，欧阳修、尹洙皆出幕下。虽官兼将相，阶、勋、品皆第一，而终不历中书，故尝谓人曰："吾生平不足者，唯不得于黄纸尾押字耳。"（《续资治通鉴长编》卷一一五）

著有：《飞白书叙录》一卷（《宋史·艺文志一》）、《咸平圣政录》三卷（《宋史·艺文志二》）、《金坡遗事》三卷（《宋史·艺文志二》）、《钱俶贡奉录》一卷（《宋史·艺文志二》）、《钱氏庆系谱》二卷（《宋史·艺文志三》）、《家王故事》一卷（《宋史·艺文志三》）、《拥旄集》五卷（《宋史·艺文志七》）、《伊川集》五卷（《宋史·艺文志七》）、《典懿集》三十卷（《宋史》本传）、《玉堂逢辰录》二卷（陈振孙《直斋书录解题·传记类》）。

八月

己未（二日），罢京东安抚使，知青州、礼部尚书夏竦加刑部尚书。（《续资治通鉴长编》卷一一五）

三日，薛奎卒，68岁。明道二年，尚书礼部侍郎、参知政事、河东公以疾告归其政，天子曰："吾不可以数烦公。"乃诏优公不朝，而使视事如故。居岁中，数以告，乃得还第。又数以告，然后拜公为资政殿学士、户部侍郎、判尚书都省，罢其政事。景祐元年八月庚申，公薨于家，年六十有八，赠兵部尚书。公讳奎，字宿艺，姓薛氏。淳化三年再举乃中，授秘书省校书郎、隰州军事推官。平生所为文章四十卷，直而有气，如其为人。（欧阳修《资政殿学士尚书户部侍郎简肃薛公墓志铭》）

著有：《薛奎集》四十卷（欧阳修《薛公墓志铭》）。

五日，王曙卒，72岁。景祐元年秋八月壬戌，枢密使、同中书门下平章事王公薨于位。天子震悼，翌日，临其丧，废朝三日。以太保中书令告其弟，命鸿胪内侍通治丧事，赙物、恤孤率用加等礼。官考行谥曰文康。即以其年十月，葬河南府河南县洛苑乡魏封原，与二夫人祔焉。公讳曙，字晦叔。公所著《文集》四十卷、《两汉诏义》四十卷、《周书音训》十二卷、《唐书备问》三卷、《郡牧故事》六卷、《庄子指归》二篇、《列子指归》一篇。再使北庭，作《戴斗奉使录》二卷。（尹洙《太保中书令文康王公神道碑铭并序》）

著有：《群牧故事》三卷（《宋史·艺文志二》）、《两朝誓书》一卷（《宋史·艺文志二》）、《戴斗奉使录》一卷（《宋史·艺文志二》）、《燕北会要录》一卷（《宋史·艺文志二》）、《虏庭杂记》十四卷（《宋史·艺文志二》）、《契丹须知》一卷（《宋史·艺文志二》）、《阴山杂录》十五卷（《宋史·艺文志二》）、《契丹实录》一卷（《宋史·艺文志二》）、《学士年表》一卷（《宋史·艺文志二》）、《文集》四十卷（《宋史》本传）、《周书音训》十二卷（《宋史》本传）、《唐书备问》三卷（《宋史》本传）、《庄子旨归》三篇（《宋史》本传）、《列子旨归》一篇、《两汉诏义》四十卷（尹洙《王公神道碑铭并序》）。

庚午（十三日），天平节度使、检校太师、同平章事王曾为吏部尚书、同平章事、枢密使。（《续资治通鉴长编》卷一一五）

壬申（十五日），度支判官、兵部员外郎、直集贤院谢绛为契丹生辰使。（《续资治通鉴长编》卷一一五）

范仲淹徙知明州。

九月

范仲淹知睦州，不半岁，徙苏州。州发大水，民田不得耕，仲淹疏五河，导太湖注之海，募游手兴作。未就，又徙明州。转运使言仲淹治水有绪，愿留以毕其役。庚子（十四日），诏仲淹复知苏州。（《续资治通鉴长编》卷一一五）

辛丑（十五日），晁迥卒，84岁。太子少傅晁迥既与太清楼宴，后复召对延和殿阁，问《洪范》雨旸之应，迥据经以对。帝出迥尝所上《神仙可学致篇》，面令剖析。既而，献《斧扆忱刑箴》、《大顺审刑无尽灯颂》凡五篇，忽感疾，绝人事，摒医药，具冠服而卒，年八十四。诏罢一日朝，赠太子太保，谥文元。（《续资治通鉴长编》卷一一五）

晁迥，字明远，世为澶州清丰人，徙家彭门。举进士，为大理评事，历知岳州录事参军，改将作监丞，稍迁殿中丞。真宗即位，擢右正言、直史馆。召试，除右司谏、知制诰，判尚书刑部。帝北征，雍王元份留守京师，加右谏议大夫，为判官，进翰林学士。未几，知审官院，同修国史。知大中祥符元年贡举。累迁尚书工部侍郎。史成，擢刑部侍郎，进承旨。迁兵部侍郎，请分司西京，特拜工部尚书、集贤院学士、判西京留司御史台。仁宗即位，迁礼部尚书。居台六年，累章请老，以太子少保致仕，给全俸，岁时赐赉如学士。天圣中，迥年八十一，召宴太清楼，免舞蹈。及感疾，绝人事，摒医药，具冠服而卒，年八十四。罢朝一日，赠太子太保，谥文元。杨亿尝谓迥所作书命无过褒，得代言之体。喜质正经史疑义。所著《翰林集》三十卷、《道院集》十五卷、《法藏碎金录》十卷、《耆智余书》、《随因纪述》、《昭德新编》各三卷。（《宋史》本传）

著有：《别书金坡遗事》一卷（《宋史·艺文志二》）、《礼部考试进士敕》一卷（《宋史·艺文志三》）、《法藏碎金》十卷（《宋史·艺文志四》）、《耄智余书》三卷（《宋史·艺文志四》）、《昭德新编》三卷（《宋史·艺文志七》）、《道院集》十五卷（《宋史》本传）、《理枢》一卷（《宋史》本传）、《咸平新书》五十篇（《宋史》本传）、《翰林集》三十卷（《宋史》本传）、《随因纪述》三卷（《宋史》本传）。

十月

壬午（二十六日），命龙图待制燕肃、集贤校理李照、直史馆宋祁同按试王朴律准。（《续资治通鉴长编》卷一一五）

三十日，谢涛卒，74岁。惟景祐元年十月之晦，太子宾客、分司西京谢公薨。淳化三年，以进士及第，为梓州榷盐院判官。享年七十有四，以寿终。公讳涛，字济之。

(欧阳修《太子宾客分司西京谢公墓志铭》)

十一月

毛洵卒，32岁。景祐元年十一月戊辰（按，是月丁亥朔，无戊辰日），故镇东军从事毛君卒于家，享年三十二。（余靖《宋故镇东军节度推官毛君墓志铭》）

文者才也，孝者行也，全赋于天，鲜矣。制科时所重，声名世所贵，天之与人，又加鲜焉。吉水毛洵子仁具此四美，付与厚矣。而位止幕职，寿才三十有二，何其薄也！同邑曾三异无疑博古乐善，悼其屈于百年之后，既哀遗文若干篇，又录名贤送行诗若干首，仍纂其事实，属予为之序。（周必大《毛拔萃洵文集序》）

毛子仁博学能文，年十九登进士，二十六中书判拔萃，时誉翕然。陈恭公、余襄公、杜祁公、王伯中、胥安道、李献臣、王总之十二人，各为诗以饯其归。杜公诗有曰"判就十题彰敏妙，学穷千古见兼该。"（曾敏行《独醒杂志》卷一）

本年

王安礼（1034—1095）生。王安礼，字和甫，安石之弟也。早登科，从河东唐介辟。迁直集贤院，出知润州、湖州，召为开封府判官。直舍人院、同修起居注，进知制诰。以翰林学士知开封府。久之，御史张汝贤论其过，以端明殿学士知江宁府。元祐中，加资政殿学士，历扬、青、蔡三州。又为御史言，失学士，移舒州。绍圣初，还职，知永兴军。二年，知太原府。苦风痹，卧帐中决事，下不敢欺。卒，年六十二，赠右银青光禄大夫。（《宋史》本传）

梁焘（1034—1097）生。梁焘，字况之，郓州须城人。举进士中第，编校秘阁书籍，迁集贤校理、通判明州，检详枢密五房文字。请外，出知宣州。未几，提点京西刑狱，哲宗立，召为工部郎中，迁太常少卿、右谏议大夫。坐诋同列，出为集贤殿修撰、知潞州，辞不拜。明年，以左谏议大夫召。进御史中丞。改权户部尚书，不拜，以龙图阁直学士知郑州。旬日，入权礼部尚书，为翰林学士。元祐七年，拜尚书右丞，转左丞。以疾，罢为资政殿学士、同醴泉观使。力辞，改知颍昌府。绍圣元年，知郓州。以故最后责，竟以司马光党黜知鄂州。三年，再贬少府监。分司南京。明年，三贬雷州别驾，化州安置。三年卒，年六十四。（《宋史》本传）

赵荐（1034—1081）生。君讳荐，字宾兴，邛州依政县人。君少向学，善词章。既冠，举进士，一试登乙科。调绵州司法，以陟状迁凤翔府虢县令。后三年，改著作佐郎、知汾州西河县。今天子践阼，授秘书丞。未几，转太常博士。岁满，监成都府军资库。秩满而还，逾年，除知荣州，转都官员外郎。方将大用之，命未下而君卒，春秋四十有八。君尤好为诗，触物感意，有得辄书，凡一十八卷，四千三百首。或多至数百言，虽赡不冗；或止于二韵，虽浅不俗，远探近拾，率有理致。（吕陶《都官员外郎赵君墓志铭》）

刘康夫（1034—1088）生。君讳康夫，字公南，姓刘氏，福州候官人。熙宁中，五路置学官，广东安抚愿比广五路，得君为学者师，朝廷下其事。君例进《志述》二十七篇，翰林学士沈公括尤称其文诸公间。君读书，先理诣后辞说，大率于诸经最长。先生以布衣莅府学事垂三十年，门人至千数。寿五十有五，其集有经训、杂文、古律诗，合百卷。（刘弇《刘先生墓志铭》）

钱勰（1034——1097）生。勰字穆父，彦远之子也。生五岁，日诵千言。十三岁，制举之业成。熙宁三年试应，既中秘阁选，廷对入等矣，会王安石恶孔文仲策，迁怒罢其科，遂不得第。以荫知尉氏县，授流内铨主簿。召对，命权盐铁判官，历提点京西、河北、京东刑狱。奉使吊高丽，还，拜中书舍人。元祐初，迁给事中，以龙图阁待制知开封府。出知越州，徙瀛州。召拜工部、户部侍郎，进尚书，加龙图阁直学士，复知开封，临事益精。苏轼乘其据案时遗之诗，勰操笔立就以报。轼曰："电扫庭讼，响答诗简，近所未见也。"哲宗莅政，翰林缺学士，帝以命勰，仍兼侍读。罢知池州，卒于官，年六十四。元符末，追复龙图阁学士。（《宋史》本传）

本年重要作品：

文：范仲淹《严子陵钓台记》、欧阳修《洛阳牡丹记》。

诗：范仲淹《出守睦州》、范仲淹《赴桐庐淮上遇风三首》、范仲淹《出守桐庐道中十首》、范仲淹《潇洒桐庐郡十首》、范仲淹《新定感兴五首》、范仲淹《游乌龙山寺》、范仲淹《桐庐郡斋书事》、范仲淹《依韵酬周骙太博同年》、范仲淹《苏州十咏》、范仲淹《用韵谢晏尚书近著示及》、范仲淹《奉酬晏尚书见寄》、范仲淹《天平山白云泉》、范仲淹《题常熟顶山上方院僧居》、欧阳修《罢官西京回寄河南张主簿》、欧阳修《朱家曲》、欧阳修《书怀感事寄梅圣俞》、欧阳修《独至香山忆谢学士》、欧阳修《送谢希深学士北使》、欧阳修《送廖八下第归衡山》、欧阳修《送王汲宰蓝田》、欧阳修《寄西京张法曹》、欧阳修《行至椹涧作》、欧阳修《送祝熙载之东阳主簿》、欧阳修《郑十一先辈赴四明幕》、欧阳修《送丁元珍峡州判官》、欧阳修《送楚建中颍州法曹》、欧阳修《夏侯彦济武陟尉》、梅尧臣《西宫怨》、梅尧臣《彦国通判绛州》、梅尧臣《余姚陈寺丞》、梅尧臣《聚蚊》、梅尧臣《赋秋鸿送刘衡州》、梅尧臣《随州钱相公挽歌三首》、梅尧臣《僧可真东归因谒范苏州》、梅尧臣《中秋与希深别后月下寄》、梅尧臣《芜湖口留别弟信臣》、梅尧臣《廖秀才归衡山县》、苏舜钦《及第后与同年宴李丞相宅》。

公元 1035 年（宋仁宗景祐二年　乙亥）

正月

壬寅（十七日），徙江东转运使蒋堂为淮南转运使、兼发运司事。（《续资治通鉴长编》卷一一六）

十三日，苏耆卒，49 岁。先公讳耆，字国老。景祐二年正月十有二日得疾，翌日，夜漏下二刻终于位，春秋四十九。公雅好观书，经史、禅说手钞者数千卷，无不尽诵。所著《计录》三篇、《开谈录》五卷、《次翰林志》、《续文房四谱》并《文集》二十卷，并藏于家。（苏舜钦《先公墓志铭》）

著有：《次续翰林志》一卷（《宋史·艺文志二》）、《开谈录》二卷（《宋史·艺文志四》）、《计录》三篇（苏舜钦《先公墓志铭》）、《续文房四谱》（苏舜钦《先公墓志铭》）、《苏耆集》二十卷（苏舜钦《先公墓志铭》）。

二月

燕肃等上考定乐器并见工人。戊午（三日），御延福宫临阅，奏郊庙五十一曲。因问李照乐何如，照对乐音高。命祥陈之，照乃建言："王朴律准，视古乐高五律，视禁坊乐高二律。击黄钟则为仲吕，击夹钟则为夷则，是冬兴夏令，春召秋气。盖五代之乱，雅乐废坏，朴创意造律准，不合古法。用之本朝，卒无福应。又编钟、镈钟，无大小、轻重、厚薄、长短之差，铜锡不精，声韵失美。大者陵，小者抑，非中度之器。相传以为唐旧钟，亦有朴所制者。昔轩辕氏命伶伦截竹为律，复令神瞽律法，然后声应凤鸣，而管之参差亦如凤翅，其乐传之复古，不刊之法也。愿听臣依神瞽律法，试铸编钟一虡，可使度量权衡协和。"有诏许之。乃就锡庆院铸。（《续资治通鉴长编》卷一一六）

庚申（五日），太常博士、直史馆宋祁上《大乐图议》二卷。（《续资治通鉴长编》卷一一六）

丁卯（十二日），龙图阁学士、给事中、知兖州范讽责授武昌行军司马，不签书事；新广东转运使、祠部员外郎庞籍降授太常博士，知临江军；又降祠部员外郎、知信州滕宗谅监饶州税；光禄寺丞、馆阁校勘石延年落职，通判海州。（《续资治通鉴长编》卷一一六）

戊辰（十三日），枢密使、吏部尚书、同平章事王曾为右仆射、兼门下侍郎、平章事，集贤殿大学士、门下侍郎、兼吏部尚书、平章事吕夷简加右仆射，同知枢密院事、刑部侍郎、参知政事宋绶为吏部侍郎，枢密副使、给事中蔡齐为礼部侍郎、参知政事，翰林学士承旨、端明殿学士、兼翰林侍读学士、礼部侍郎盛度为参知政事。（《续资治通鉴长编》卷一一六）

壬午（二十七日），枢密直学士、右谏议大夫、知天雄军杜衍为御史中丞。（《续资治通鉴长编》卷一一六）

晏殊自亳州徙知陈州。

三月

己丑（五日），以御史中丞杜衍权判吏部流内铨。知苏州、左司谏、秘阁校理范仲淹为礼部员外郎、天章阁待制。（《续资治通鉴长编》卷一一六）

四月

戊辰（十五日），命宰臣吕夷简、王曾都大管勾铸造大乐编钟，参知政事宋绶、蔡齐、盛度同都大管勾，集贤校理李照、勾当御药院邓保信专监铸造，仍以入内都知阎

文应提举。(《续资治通鉴长编》卷一一六)

戊寅(二十五日),命翰林侍讲学士兼龙图学士冯元、度支判官集贤校理聂冠卿、直史馆同知太常礼院宋祁同修乐书。(《续资治通鉴长编》卷一一六)

六月

辛未(十九日),御崇政殿,召辅臣观新乐。(《续资治通鉴长编》卷一一六)

乙亥(二十三日),章得象等上所修《一司一务》及《在京编敕》四十四卷,并赐阶勋及器币有差。(《续资治通鉴长编》卷一一六)

七月

庚子(十九日),知杭州郑向言:"镇东节度推官阮逸,颇通音律。"上其所撰《乐论》十二篇,并律管十三。诏令逸赴阙。(《续资治通鉴长编》卷一一七)

九月

己酉(二十九日),参知政事宋绶上所编修《中书总例》四百一十九册,降诏褒谕,堂后官以下赐器币有差。(《续资治通鉴长编》卷一一七)

十月

曾布(1035—1107)生。曾布字子宣,南丰人。年十三而孤,学于兄巩,同登第,调宣州司户参军、怀仁令。熙宁二年,徙开封,以韩维、王安石荐,神宗召见,论建合意,授太子中允、崇政殿说书,加集贤校理,判司农寺,检正中书五房。遂修起居注、知制诰,为翰林学士兼三司使。七年,大旱,诏求直言,布论判官吕嘉问市易掊克之虐,惠卿以为沮新法,安石怒,布遂去位。惠卿参大政,置狱举劾,黜布知饶州,徙潭州。复集贤院学士、知广州。元丰初,以龙图阁待制知桂州,进直学士、知秦州,改历陈、蔡、庆州。元丰末,复翰林学士,迁户部尚书。元祐初,以龙图阁学士知太原府,历真定、河阳及青、瀛二州。绍圣初,徙江宁,过京,留为翰林学士,迁承旨兼侍读,拜同知枢密院,进知院事。徽宗立,拜布右仆射,明年,乃改元建中靖国,邪正杂用,忠彦遂罢去。布独当国,渐进"绍述"之说。明年,又改元崇宁,召蔡京为左丞,京与布异。会布拟陈祐甫为户部侍郎,御史遂攻之,罢为观文殿大学士、知润州。京积憾未已,加布以赃贿,布落职,提举太清宫、太平州居住。又降司农卿、分司南京。又以尝荐学官赵谂而谂叛,责散官、衡州安置。又以弃湟州,责贺州别驾,又责廉州司户。凡四年,乃徙舒州,复太中大夫、提举崇福宫。大观元年,卒于润州,年七十二。后赠观文殿大学士,谥曰文肃。(《宋史》本传)

曾子宣亦以亥年亥月亥日亥时生,章子厚每以"四亥公子"呼之。(吴曾《能改斋漫录》卷十一)

十一月

乙巳(二十五日),封宰臣吕夷简为申国公,王曾为沂国公。(《续资治通鉴长编》卷一一七)

十二月

癸亥(十三日),礼部员外郎、天章阁待制范仲淹为吏部员外郎、权知开封府。仲淹自还朝,言事愈急。宰相阴使人讽之,曰:"待制侍臣,非口舌任也。"仲淹曰:"论思政侍臣职,余敢不勉。"宰相知不可诱,乃命知开封,欲挠以剧烦,使不暇他议。亦幸其有失,亟罢去。仲淹处之弥月,京师肃然称治。(《续资治通鉴长编》卷一一七)

戊寅(二十八日),赐太常博士陈希亮五品服,以尝辨冤狱也。(《续资治通鉴长编》卷一一七)

本年

晁端仁(1035—1102)生。公讳端仁,字尧民,世家开封,后徙钜野。公儿童知学问如成人,通《易》、《春秋》,洞达世务,尤妙于词赋,晔然为山东名进士。别试第二,擢甲科,而公文实第一。以宋涣知名太学而跻焉,场屋汹汹,为不平。初调常州司理参军。宰相疑其异己,故数徙公。而公故倦游,对客时诵渊明《归去来词》,浩然无意于世矣。俄乞致仕,得请,而公亦感疾,以崇宁元年七月丁亥终于家,年六十有八。自佐著作九迁为朝请大夫、勋柱国、服五品。有《易论》十卷、《文集》十卷。江南黄庭坚有美名,尤厚公,其诗曰:"殷勤均骨肉。四海一尧民。"黄亦不妄与人者也。(晁补之《雄州防御推官晁君墓志铭》)

章惇(1035—1105)生。

章惇字子厚,建州浦城人,惇豪俊,博学善文。进士登名,耻出侄衡下,委敕而出。再举甲科,调商洛令。与苏轼游南山,抵仙游潭,潭下临绝壁万仞,横木其上,惇揖轼书壁,轼惧不敢书。惇平步过之,垂索挽树,摄衣而下,以漆墨濡笔大书石壁曰:"苏轼、章惇来。"既还,神彩不动,轼拊其背曰:"君他日必能杀人。"惇曰:"何也?"轼曰:"能自判命者,能杀人也。"惇大笑。召试馆职,王陶劾罢之。熙宁初,王安石秉政,悦其才,用为编修三司条例官,加集贤校理、中书检正。命为湖南、北察访使。召惇还,擢知制诰、直学士院、判军器监。命为三司使。出知湖州,徙杭州。入为翰林学士。元丰三年,拜参知政事。哲宗即位,知枢密院事。宣仁后听政,黜知汝州。哲宗亲政,有复熙宁、元丰之意,首起惇为尚书左仆射兼门下侍郎。哲宗崩,皇太后决策立端王,是为徽宗,迁惇特进,封申国公。言者劾其不恭,罢知越州,寻贬武昌军节度副使、潭州安置。又贬雷州司户参军。徙睦州,卒。政和中,追赠观文殿大学士。(《宋史》本传)

本年重要作品:

文：范仲淹《朝贤送定惠大师诗序》、欧阳修《与石推官第一书》、欧阳修《与石推官第二书》、石介《答欧阳永叔书》。

诗：欧阳修《送贾推官赴绛州》、欧阳修《送张屯田归洛歌》、欧阳修《寄题嵩巫亭》、欧阳修《送张如京知安肃军》、欧阳修《送威胜军张判官》、苏舜钦《和韩三谒欧阳九之作》、石介《河决》、石介《西北》。

公元 1036 年（宋仁宗景祐三年　丙子）

正月

戊子（九日），翰林学士承旨章得象等上所定王公国名，请自今封建王公，自小国升次国，次国升大国，其宋、赵、梁、寿如旧制，不以封。从之。（《续资治通鉴长编》卷一一八）

己酉（三十日），纠察刑狱胥偃言：权知开封府范仲淹判异阿朱刑名不当，乞下法寺详定。诏：仲淹自今似此情轻者，毋得改断，并奏裁。初，偃爱欧阳修有文名，置门下，妻以女。及偃数纠仲淹立异不循法，修方善仲淹，因与偃有隙。（《续资治通鉴长编》卷一一八）

二月

壬戌（十三日），以校勘《史记》、《汉书》官、秘书丞余靖为集贤校理，大理评事、国子监直讲王洙为史馆检讨。赐详定官、翰林学士张观，知制诰李淑、宋郊，器币有差。（《续资治通鉴长编》卷一一八）

甲子（十五日），命崇政殿说书贾昌朝、王宗道同编次太宗尹京日押字。时范仲淹权知开封府，上太宗所判案牍，故令昌朝等编次。四年十一月，昌朝编次成书，凡七百一十卷。（《续资治通鉴长编》卷一一八）

三月

蔡襄罢漳州职，与弟行之顺昌、富屯，临流饮酒赋诗。（蔡襄《忆弟序》）

五月

丙戌（九日），天章阁待制、权知开封府范仲淹落职，知饶州。仲淹言事无所避，大臣权幸多忌恶之。时吕夷简执政，进者往往出其门。仲淹言官人之法，人主当知其迟速、升降之序，其进退近臣，不宜全委宰相。又上《百官图》，指其次第，曰："如此为序迁，如此为不次；如此则公，如此则私，不可不察也。"夷简大怒，以仲淹语辩于帝前，且诉仲淹越职言事，荐引朋党，离间君臣。仲淹亦交章对诉，辞愈切，由是降黜。侍御史韩渎希夷简意，请以仲淹朋党榜朝堂，戒百官越职言事，从之。（《续资治通鉴长编》卷一一八）

范仲淹既贬，谏官、御史莫敢言。秘书丞、集贤校理余靖言："陛下自专政以来，

三逐言事者，恐非太平之致也。请追改前命。"壬辰（十五日），靖落职，监筠州酒税。（《续资治通鉴长编》卷一一八）

乙未（十八日），贬太子中允、馆阁校勘尹洙为崇信军节度掌书记，监郢州酒税。先是，洙上言："臣常以范仲淹直谅不回，义兼师友。自其被罪，朝中多云臣亦被荐论。仲淹既以朋党得罪，臣固当从坐。虽国恩宽贷，无所指名，臣内省于心，有腼面目。况余靖素与仲淹分疏，犹以朋党得罪，臣不可幸于苟免。乞从降黜，以明典宪。"宰相怒，遂逐之。（《续资治通鉴长编》卷一一八）

戊戌（二十一日），贬镇南节度掌书记、馆阁校勘欧阳修为夷陵县令。初，右司谏高若讷言："范仲淹贬职之后，臣诸处察访端由，参验所闻，与敕榜中意颇同，固不敢妄有营救。今欧阳修移书诋臣，言仲淹平生刚正，通古今，班行中无与比者。责臣不能辨仲淹非辜，犹能以面目见士大夫，出入朝中称谏官，及谓臣不复知人间有羞耻事。"因缴进修书，修坐是贬西京留守推官。仙游蔡襄作《四贤一不肖诗》传于时，"四贤"指仲淹、靖、洙、修，"不肖"斥若讷也。泗州通判陈恢寻上章，乞根究作诗者罪。左司谏韩琦劾恢越职希恩，宜重行贬黜，庶绝奸谀，不报。而襄事亦寝。（《续资治通鉴长编》卷一一八）

《四贤一不肖诗》，都人缮写，纸为之贵。（陈甫伸《蔡福州外纪小序》）

六月

己酉（二日），翰林学士承旨章得象等上《科场发解条制》，下所司颁行。（《续资治通鉴长编》卷一一八）

丙辰（九日），以新修乐书为《景祐乐记》。（《续资治通鉴长编》卷一一八）

七月

一日，李遵勖序晁迥《昭德新编》。

愚尝泛览前史，见有老而好学者，知其性之所乐也。今记忆其一二焉，因直书之。蜀向朗少时涉猎文学，潜心典籍，孜孜不倦，年逾八十，犹手自校书。南齐沈麟士少好学，及长隐居，年过八十，耳目犹聪明，手自抄写细书，时人以为养身静默之所致也。后魏高允少孤，凤成有奇度，好文学，年九十余，诲人不倦，手常执书，吟咏寻览。愚窃不揆，因而省己，自筮仕及致仕，越四纪；自未冠及大耋，越五纪；而闲居已久，年逾八旬。从昔至今，苟未有故，未始一日废观书、弄翰之学。绝无余好，性自然也。第寒迹孤进，禀赋愚直；猥以薄艺，幸会清世；策名委质，自结明主；绵历两制，逮事三朝；进退以礼，荣愿满足；揣循愧惕，久于尸素。无功以利国，无德以惠人。深思立言，庶几补过。今故旁求内外经典中事，并耳目思虑所及之事，非为属辞充笔苑会友资谈柄，直以积学岁深，晚节感悟，诸缘悉备，难得易失，浸加衰朽，不可虚过。切欲于古圣教法中，力行万分之一，觉利，及他亦如之。窃详东鲁之书文而雅，垂为格言，简淡隐微，不可以洞晓；西域之书质而备，充于大藏，重复浩博，不可以周知。故此五说，酌中而作。夫信士属意而有福、慧二业，慧业可以登妙道，此则别论。若欲勤修福业，结人天之胜缘，即此五说最为精当，事贵洞晓是也。释氏经典，其说甚明，惟许作正观，不许行邪道，敏识之士固当知之也。老马之识，犹可使导人以归路；老人之语，岂不能晓人以知方。敢告英妙，慎勿轻蔑。噫！栋宇宏壮，居之者当知经构之劳；品味丰洁，食之者当知烹造之劳。区区采述，其劳亦尔，流布心术，以代面谈，不在乎文，而在乎意，意之所至，斯可见也。（晁迥《昭德新编序》）

故太子太傅文元晁公，一日具手疏，谈向来道义，继以所著《昭德新编》三策相示。且曰：非尚辞华，多存劝戒，止述大意，勿用虚饰，自为冠引，申明篇旨，俾之别叙芳婑。用施华椠。时皇宋景祐三年七月一日。（李遵勖《昭德新编序》）

《昭德新编》三卷，宋晁迥撰。是编为其晚年所作，因居昭德坊，故以名书。宋初承唐余俗，士大夫多究心于内典。故迥著书，大旨虽主于勉人为善，而不免兼入于释氏。自序谓："东鲁之书文而雅，西域之书质而备，故此五说，酌中而作。"盖指下卷"指迷五说"也。李淑言其服膺坟典，耆年不倦，少遇异人，指导心要。王古称其名理之妙，虽白乐天不逮。其所学可知矣。迥五世孙遡搜罗家集，得此书于丹棱李焘，庆元中尝有刊本，明嘉靖间又有重刊本。此本旧题裔孙伏武重录，迥自序及李遵勖序，语皆与晁遡所记相符，盖犹旧本。其后附迥及明晁瑮、晁东吴三人之诗数十首，盖其后人采辑家集而未成者。文不相属，实为骈拇枝指，今悉删之，不著于录焉。（《四库提要》卷一一七）

著录：陈振孙《直斋书录解题·法家类》、郑樵《通志·艺文略八》、马端临《文献通考》卷二一四、《宋史·艺文志七》、曹学佺《蜀中广记》卷一〇、《四库提要》卷一七七。

版本：宋庆元刊本、明嘉靖重刊本。

戊子（十二日），翰林侍讲学士兼龙图阁学士、礼部侍郎冯元，度支判官、工部郎中、集贤校理、同修起居注聂冠卿，太常博士、直史馆宋祁等上《景祐广乐记》八十一卷。己丑（十三日），以元为户部侍郎，冠卿为刑部郎中、直集贤院，祁为工部郎中。（《续资治通鉴长编》卷一一九）

己亥（二十三日），命翰林学士丁度、知制诰胥偃、直史馆高若讷、直集贤院韩琦同详定黍尺钟律。（《续资治通鉴长编》卷一一九）

八月

丙辰（十一日），左正言、知制诰、史馆修撰宋祁为契丹生辰使。（《续资治通鉴长编》卷一一九）

辛未（二十六日），三司使、刑部侍郎程琳为吏部侍郎。（《续资治通鉴长编》卷一一九）

十月

丁未（三日），以翰林学士承旨章得象、翰林学士丁度、权御史中丞张观同考课诸路提点刑狱。（《续资治通鉴长编》卷一一九）

（辽兴宗重熙五年）壬子（八日），御元和殿，以《日射三十六熊赋》、《幸燕诗》试进士于廷，赐冯立、赵徽四十九人进士第。（《辽史·兴宗纪一》）

乙丑（二十一日），御崇政殿，观三馆、秘阁新校两库子集书凡万二千余卷，赐校勘官并管勾使臣、书写吏器币有差。遂赐辅臣、两制、馆阁官燕于崇文院。（《续资治通鉴长编》卷一一九）

十二月

十九日，苏轼（1036—1101）生。苏轼，字子瞻，眉州眉山人。嘉祐二年，试礼部。方时文磔裂诡异之弊胜，主司欧阳修思有以救之，得轼《刑赏忠厚论》，惊喜，置第二；复以《春秋》对义居第一，殿试中乙科。丁母忧。五年，调福昌主簿。欧阳修以才识兼茂，荐之秘阁。试六论，复对制策，入三等。自宋初以来，制策入三等，惟吴育与轼而已。除大理评事、签书凤翔府判官。治平二年，入判登闻鼓院，得直史馆。熙宁二年，还朝。王安石执政，素恶其议论异己，以判官告院。轼遂请外，通判杭州，徙知密州。徙知湖州，上表以谢。又以事不便民者不敢言，以诗托讽，庶有补于国。御史摭其表语，并媒蘖所为诗以为讪谤，逮赴台狱，欲置之死，锻炼久之不决。神宗独怜之，以黄州团练副使安置。轼与田父野老，相从溪山间，筑室于东坡，自号"东坡居士"。三年，神宗手札移轼汝州，轼未至汝，上书自言饥寒，有田在常，愿得居之。朝奏入，夕报可。至常，神宗崩，哲宗立，复朝奉郎、知登州，召为礼部郎中。迁起居舍人。元祐元年，轼以七品服入侍延和，即赐银绯，迁中书舍人。寻除翰林学士。二年，兼侍读。三年，权知礼部贡举。四年，积以论事，为当轴者所恨。轼恐不见容，请外，拜龙图阁学士、知杭州。六年，召为吏部尚书，未至。以弟辙除右丞，改翰林承旨。轼在翰林数月，复以谗请外，乃以龙图阁学士出知颍州。七年，徙扬州。未阅岁，以兵部尚书召兼侍读。八年，宣仁后崩，哲宗亲政。轼乞补外，以两学士出知定州。绍圣初，遂以本官知英州，寻降一官，未至，贬宁远军节度副使，惠州安置。又贬琼州别驾，居昌化。徽宗立，移廉州，改舒州团练副使，徙永州。更三大赦，遂提举玉局观，复朝奉郎。建中靖国元年，卒于常州，年六十六。轼与弟辙，师父洵为文，尝自谓："作文如行云流水，初无定质，但常行于所当行，止于所不可不止。"虽嬉笑怒骂之辞，皆可书而诵之。其体浑涵光芒，雄视百代，有文章以来，盖亦鲜矣。洵晚读《易》，作《易传》未究，命轼述其志。轼成《易传》，复作《论语说》；后居海南，作《书传》；又有《东坡集》四十卷、《后集》二十卷、《奏议》十五卷、《内制》十卷、《外制》三卷、《和陶诗》四卷。一时文人如黄庭坚、晁补之、秦观、张耒、陈师道，举世未之识，轼待之如朋俦，未尝以师资自予也。高宗即位，赠资政殿学士，谥文忠。（《宋史》本传）

二十二日，李谘卒，55岁。丙寅，户部侍郎、知枢密院事李谘卒。上幸其第临奠，辍视朝一日。赠右仆射，谥宪成。谘性明辨，周知世务，其处烦常若闲暇，吏不敢欺。在枢府专务革滥赏，以遏侥幸。其戎马功簿之目，能悉数上前，号为称职。初，三班使臣七年乃磨勘，李迪初入相，奏减二年。谘请自诏下，经七年磨勘后乃用新制。事

虽均一，然众颇怨之。（《续资治通鉴长编》卷一一九）

著有：《李谘集》二十卷（《宋史·艺文志七》）。

本年重要作品：

文：范仲淹《灵乌赋》、欧阳修《送王圣纪赴扶风主簿序》、欧阳修《与高司谏书》、欧阳修《泗州先春亭记》、欧阳修《读李翱文》、欧阳修《夷陵县至喜堂记》、欧阳修《黄杨树子赋》、梅尧臣《灵乌赋》、曾巩《游信州玉山小岩记》。

诗：范仲淹《题芝山院》、范仲淹《和谢希深学士见寄》、范仲淹《依韵酬黄灏秀才》、范仲淹《鄱阳酬泉州曹使君见寄》、范仲淹《郡斋即事》、蔡襄《四贤一不肖》、欧阳修《初出真州泛大江作》、欧阳修《江行赠雁》、欧阳修《琵琶亭》、欧阳修《望州坡》、欧阳修《初至夷陵答苏子美见寄》、欧阳修《夷陵岁暮书事呈元珍表臣》、欧阳修《冬至后三日陪丁元珍游东山寺》、欧阳修《送前巫山宰吴殿丞》、欧阳修《龙兴寺小饮呈表臣元珍》、欧阳修《晚泊岳州》、欧阳修《初至虎牙滩见江山类龙门》、欧阳修《猛虎》、梅尧臣《闻尹师鲁谪富水》、梅尧臣《寄饶州范待制》、梅尧臣《闻欧阳永叔谪夷陵》、李觏《冬至夜酒醒》、李觏《甘露亭》。

公元 1037 年（宋仁宗景祐四年　丁丑）

二月

甲寅（十一日），诏礼部贡院，自今三月一日申请贡举，其举人到省，以十一月二十五日为限。先是，崇政殿说书贾昌朝言："举人有亲戚仕本州，或为发解官，及侍父祖远官距本州二千里，宜敕转运司选官类试，以十率之，取三人。"诏两制议。而翰林学士丁度等言："贡举旧制，以五月一日申请，十月二十五日上名于省。若二千里而移试，或有不及。愿稍宽其期，听如昌朝说。"故降是诏。自是诸路始有别头试。（《续资治通鉴长编》卷一二〇）

三月

戊戌（二十五日），翰林学士丁度等上所撰《国朝时令》一卷。判鸿胪寺宋郊言："请自今外夷朝贡，并令询问国邑、风俗、道途远近，及图画、衣冠、人物两本，一进内，一送史馆，从之。（《续资治通鉴长编》卷一二〇）

欧阳修告假往许昌。

四月

乙巳（二日），译经使吕夷简上所定《景祐法宝新录》二十一卷。（《续资治通鉴长编》卷一二〇）

丁未（四日），诏学士院：自今制策登科人，并试策、论各一道。时将作监丞富弼献所为文，命试馆职。弼以不能为诗、赋辞，上特令试策、论，因有是诏。弼寻授太

子中允、直集贤院。(《续资治通鉴长编》卷一二〇)

甲子(二十一日),右仆射、兼门下侍郎、平章事吕夷简罢为镇安节度使、同平章事、判许州,右仆射、兼门下侍郎、平章事王曾罢为左仆射、资政殿大学士、判郓州,吏部侍郎、参知政事宋绶罢为尚书左丞、资政殿学士,礼部侍郎、参知政事蔡齐罢为吏部侍郎,归班。吏部侍郎知枢密院事王随、户部侍郎知郑州陈尧佐并为平章事,随加门下侍郎,尧佐守本官,吕夷简尝密荐二人可用故也。礼部侍郎、参知政事盛度知枢密院事。工部侍郎、同知枢密院事韩亿,三司使、吏部侍郎程琳,翰林学士承旨、兼龙图阁学士石中立,并为参知政事。(《续资治通鉴长编》卷一二〇)

吕申公累乞致仕,仁宗眷倚之重,久之不允。他日,复叩于便坐。上度其志不可夺,因询之曰:"卿果退,当何人可代"申公曰:"知臣莫若君,陛下当自择。"仁宗坚之,申公遂引陈文惠尧佐曰:"陛下欲用英俊经纶之臣,则臣所不知。必欲图任老成,镇静百度,周知天下之良苦,无如陈某者。"仁宗深然之,遂大拜。后文惠公极怀荐引之德,无以形其德,因撰《燕词》一阕,携觞相馆,使人歌之曰:"二社良辰,千秋庭院,翩翩又见新来燕。凤凰巢稳许为邻,潇湘烟暝来何晚。 乱入红楼,低飞绿岸,画梁时拂歌尘散。为谁归去为谁来,主人恩重朱帘卷。"申公听歌,醉笑曰:"自恨卷帘人已老。"文惠应曰:"莫愁调鼎事无功。"老于岩廊,酝藉不减。顷为浙漕,有《吴江诗》:"平波渺渺烟苍苍,菰蒲才熟杨柳黄。扁舟系岸不忍去,秋风斜入鲈鱼乡。"又《湖州碧澜堂诗》:"苕溪清浅霅溪斜,碧玉光寒照万家。谁向月明终夜听,洞庭渔笛隔芦花。"(文莹《湘山野录》卷中)

乙丑(二十二日),召宋绶入侍经筵。(《续资治通鉴长编》卷一二〇)

秘书监致仕丁谓卒,72 岁。光州言:秘书监致仕丁谓卒。王曾闻之,语人曰:"斯人智数不可测,在海外犹用诈得还。若不死,数年未必不复用斯人,复用则天下之不幸可胜道哉!吾非幸其死也。"(《续资治通鉴长编》卷一二〇)

丁相谓善为诗,在珠崖犹有诗近百篇,号《知命集》。其警句有"草解忘忧忧底事,花能含笑笑何人"。少时好蹴踘,长韵其二联云:"鹰鹘腾双眼,龙蛇绕四肢。蹴来行数步,踠后立多时。"(司马光《温公续诗话》)

著有:《大中祥符奉祀记》五十卷(《宋史·艺文志二》)、《大中祥符迎奉圣像记》二十卷(《宋史·艺文志二》)、《景德会计录》六卷(《宋史·艺文志二》)、《丁谓谈录》一卷(《宋史·艺文志二》)、《农田敕》五卷(《宋史·艺文志三》)、《降圣记》三十卷(《宋史·艺文志四》)、《北苑茶录》三卷(《宋史·艺文志四》)、《丁谓集》八卷(《宋史·艺文志七》)、《虎丘录》五十卷(《宋史·艺文志七》)、《刀笔集》二卷(《宋史·艺文志七》)、《青衿集》三卷(《宋史·艺文志七》)、《知命集》一卷(《宋史·艺文志七》)。

闰四月

壬午(十日),命刑部员外郎、直史馆宋祁权同修起居注。先是,召用太常丞、集贤校理、知宣州叶清臣,而清臣未至。祁以父名玘,且病羸,不任久立,辞之。改命

刑部员外郎、集贤校理赵槩。(《续资治通鉴长编》卷一二〇)

五月

壬寅朔（一日），翰林侍讲学士、兼龙图阁学士、户部侍郎冯元卒，63 岁。冯元，字道宗，年六十三。少嗜学，为词章，默而有沉郁之思。真宗大中祥符元年由进士调临江县尉。四年春，病寝剧，告未满，四月戊戌终于正寝。公尝预注先帝集，同修《卤簿记》，校《后汉志》、《孟子》及律并议疏，采获是正多，得其真。同修《玉牒》，分撰《国朝会要》，未克就。生平著述无编次，家人搜捃得数百篇，清致平粹。居三城，作诗百余章，推己指物，旷而不怨，有雅人余风。(宋祁《冯侍讲行状》)

著有：《景祐广乐记》八十一卷 (《宋史·艺文志一》)。

六月

（辽兴宗重熙六年）壬申朔（一日），上酒酣赋诗，吴国王萧孝穆、北宰相萧撒八等皆属和，夜中乃罢。(《辽史·兴宗纪一》)

丙申（二十五日），诏开封府国子监及别头试，自今封弥、誊录如礼部，从左司谏韩琦之请也。又诏国子监以翰林学士丁度所修《礼部韵略》颁行。初，崇政殿说书贾昌朝言："旧《韵略》多无训释，又疑混声与重迭出字，不显义理，致举人诗赋或误用之。"遂诏度等以唐诸家韵本刊定其韵，窄者凡十三处，许令附近通用，疑混声及重迭出字，皆于本字下解注之。(《续资治通鉴长编》卷一二〇)

八月

一日，欧阳修作《谢氏诗序》。

天圣七年，予始游京师，得吾友谢景山。景山少以进士中甲科，以善歌诗知名。其后，予于他所，又得今舍人宋公所为景山母夫人之墓铭。言夫人好学通经，自教其子。乃知景山出于瓯闽数千里之外，负其艺于大众之中，一贾而售，遂以名知于人者，繫其母之贤也。今年，予自夷陵至许昌，景山出其女弟希孟所为诗百余篇。然后又知景山之母不独成其子之名，而又以其余遗其女也。景山尝学杜甫、杜牧之文，以雄健高逸自喜。希孟之言尤隐约深厚，守礼而不自放，有古幽闲淑女之风，非特妇人之能言者也。然景山尝从今世贤豪者游，故得闻于当时；而希孟不幸为女子，莫自章显于世。昔卫庄姜、许穆夫人，录于仲尼，而列之《国风》。今有杰然巨人能轻重时人而取信后世者。一为希孟重之，其不泯没矣。予固力不足者，复何为哉，复何为哉！希孟嫁进士陈安国，卒时年二十四。景祐四年八月一日，守峡州夷陵县令欧阳修序。

闽人有谢伯初者，字景山，当天圣、景祐之间，以诗知名。余谪夷陵时，景山方为许州法曹，以长韵见寄，颇多佳句。有云："长官衫色江波绿，学士文华蜀锦张。"余答云："参军春思乱如云，白发题诗愁送春。"盖景山诗有"多情未老已白发，野思到春如乱云"之句，故余以此戏之也。景山诗颇多，如"自种黄花添野景，旋移高竹听秋声"、"园林换叶梅初熟，池馆无人燕学飞"之类，皆无愧于唐贤。而仕宦不偶，终以困穷而卒。其诗今已不见于世，其家亦流落不知所在。其寄余诗，殆今三十五年矣，余犹能诵之。盖其人不幸既可哀，其诗沦弃亦可惜，因录于此。诗曰："江流无险似瞿唐，满峡猿声断旅肠。万里可堪人谪宦，经年应合鬓成霜。长官衫色江波绿，学士文华蜀锦张。异域化为儒雅俗，远民争识校雠郎。才如梦得多为累，情似安仁久悼亡。下国难留金马客，新诗传与竹枝娘。典辞悬待修青史，谏草当来集皂囊。莫为明时暂迁谪，便将缨足濯沧浪。"（欧阳修《六一诗话》）

丙子（七日），兵部员外郎、知制诰谢绛为契丹生辰使，起居舍人、直史馆、知谏院高若讷为正旦使。（《续资治通鉴长编》卷一二〇）

九月

欧阳修返夷陵。

十月

癸酉（五日），命宋郊判吏部流内铨。（《续资治通鉴长编》卷一二〇）

辛卯（二十三日），诏殿侍换文资者，自今后令国子监试诗二首；习经学者，试平文十道，诗不至纰谬、文通四为合格。（《续资治通鉴长编》卷一二〇）

十一月

太常丞、集贤校理、判盐铁勾院、同修起居注叶清臣上所著《升平举要》十篇，壬子（十四日），命为直史馆。（《续资治通鉴长编》卷一二〇）

十二月

壬辰（二十五日），徙知饶州范仲淹知润州，监筠州税余靖监泰州税，夷陵县令欧阳修为光化县令。上谕执政令移近地故也。范仲淹既徙润州，谗者恐其复用，遂诬以事。语人，上怒，亟命置之岭南。参知政事程琳辨其不然，仲淹讫得免。自仲淹贬，而朋党之论起，朝士牵连，出语及仲淹者，皆指为党人。琳独为上开说，上意解，乃已。（《续资治通鉴长编》卷一二〇）

本年

曾巩随父往筠州，就学于余靖。

李觏乡举不利，往鄱阳见范仲淹。（魏峙《李直讲年谱》）

孔文仲（1037—1087）生。孔文仲，字经父，临江新喻人。举进士，南省考官吕夏卿，称其词赋赡丽，策论深博，文势似荀卿、杨雄，白主司，擢第一。调余杭尉。再转台州推官。熙宁初，翰林学士范镇以制举荐，对策九千余言，宋敏求第为异等，御批罢归故官。吴充为相，欲置之馆阁，又有忌之者，仅得国子直讲。换为三班主簿，出通判保德军。元祐初，哲宗召为秘书省校书郎，进礼部员外郎。改中书舍人。三年，同知贡举。文仲先有寒疾，及是，昼夜不废职。于是疾益甚，还家而卒，年五十一。初，文仲与弟武仲、平仲皆以文声起江西，时号"三孔"。后追贬梅州别驾。元符末，复其官。有文集五十卷。（《宋史》本传）

朱光庭（1037—1094）生。光庭字公掞，十岁能属文。辞父荫擢第，调万年主簿。历四县令。签书河阳判官。哲宗即位，司马光荐为左正言，迁左司谏。河北饥，遣持节行视。改左司员外郎。迁太常少卿，拜侍御史。拜右谏议大夫、给事中。乞补外，除集贤殿修撰、知亳州。数月召还，复为给事中。坐封还刘挚免相制，复落职守亳。岁余，徙潞州，加集贤院学士。出祷雨，拜不能兴，再宿而卒，年五十八。绍圣中，追贬柳州别驾。元符初，又停锢其诸子。光庭始学于胡瑗，瑗告以为学之本在于忠信，故终身行之。徽宗立，复其官。（《宋史》本传）

蔡确（1037—1093）生。蔡确字持正，泉州晋江人。第进士。韩绛宣抚陕西，见所制乐语，以为材，荐于弟开封尹维，辟管干右厢公事，维去而确至。王安石荐确，徙为三班主簿。用邓绾荐，为监察御史里行。加直集贤院，迁御史知杂事。劾参知政事元绛有所属请，绛出知亳州；确代其位。确自知制诰为御史中丞、参知政事，皆以起狱夺人位而居之，士大夫交口咄骂，而确自以为得计也。元丰五年，拜尚书右仆射兼中书侍郎。以左仆射兼门下，拱手而已。哲宗立，转左仆射。元祐元年闰二月，始罢为观文殿学士、知陈州。明年，坐弟硕事夺职，徙安州，又徙邓。贬光禄卿、分司南京，再责英州别驾、新州安置。后卒于贬所。（《宋史》本传）

杜纮（1037—1098）生。纮字君章，举进士，为永年令。神宗闻其才，用为大理详断官、检详枢密刑房，修《武经要略》。擢刑部郎中。元祐初，为夏国母祭奠使。迁右司郎中、大理卿，以直秘阁知齐、邓二州，复为大理卿，权刑部侍郎，加集贤殿修撰，为江淮发运使、知郓州。徙知应天府，卒，年六十二。（《宋史》本传）

吴天常（1037—1097）生。公讳天常，字希全，河南府洛阳人。恩为郊社斋郎，调濮阳县主簿，又调舒州司法参军，迁泗州盱眙县令。知洪州奉新县，又知彭州永昌县。罢归审官院，调签书镇南军节度判官。丁母忧，服除，以便亲，调蕲州蕲口镇都大监辖。俄丁父忧，服除，通判无为军，改通判鼎州。以朝命，按知诚州。辰州有军事，以公摄守。用荐者，除知宿州。时荆门新复，军择守，乃以公为知军。以病求告，卜居蕲州金沙溪上。家藏书万卷，有以自乐，泰然也。公喜读书，于书无所不观，自少至老，未尝一日废卷。至其间居，好之尤笃。有《诗集》三卷、《奏议》三卷。绍圣四年八月六日，以疾卒。享年六十有一。（张耒《吴天常墓志铭》）

吴居厚（1037—1116）生。吴居厚，字敦老，洪州人。第嘉祐进士，熙宁初，为武安节度推官。奉行新法，尽力核闲田，以均给梅山徭，计劳，得大理丞，转补司农属。元丰间，提举河北常平，增损役法五十一条，赐银绯，为京东转运判官，升副使。擢天章阁待制、都转运使。元祐治其罪，责成州团练副使，安置黄州。章惇用事，起为江、淮发运使。召拜户部侍郎、尚书，以龙图阁学士知开封府，为永泰陵桥道顿递使。坐积雨留滞，罢知和州。崇宁初，复尹开封，拜尚书右丞，进中书门下侍郎。以老避位，为资政殿学士、东太一宫使。出为亳州、洪州，徙太原，道都门，复还政府，迁知枢密院。政和三年，以武康军节度使知洪州，卒，年七十九。赠开府仪同三司。（《宋史》本传）

许将（1037—1111）生。许将字冲元，福州闽人。举进士第一。欧阳修读其赋，谓曰："君辞气似沂公，未可量也。"签书昭庆军判官，代还，当试馆职，辞，以通判明州。神宗召对，除集贤校理、同知礼院，编修中书条例。自太常丞当转博士，超改右正言；明日直舍人院；又明日，判流内铨：皆神宗特命，举朝荣之。进知制诰，特敕不试而命之。契丹以兵二十万压代州境，遣使请代地，岁聘之使不敢行，以命将。归报，神宗善之，以将知审官西院、直学士院、判尚书兵部。进翰林学士、权知开封府，为同进所忌。黜知蕲州。明年，以龙图阁待制起知秦州，改扬州，又改郓州。召为兵部侍郎。以龙图阁直学士知成都府。元祐三年，再为翰林学士。四年，拜尚书右丞。罢为资政殿学士、知定州，移扬州，又移大名府。绍圣初，入为吏部尚书，拜尚书左丞、中书侍郎。崇宁元年，进门下侍郎，累官金紫光禄大夫。将以复河、湟功转特进，凡居政地十年。以资政殿大学士知河南府，降资政殿学士、知颍昌府，移大名，加观文殿学士、奉国军节度使。在大名六年，数告老，召为祐神观使。政和初，卒，年七十五。赠开府仪同三司，谥曰文定。（《宋史》本传）

温益（1037—1102）生。温益，字禹弼，泉州人。第进士，历大宗正丞、利州路湖南转运判官、工部员外郎。绍圣中，由诸王府记室出知福州，徙潭州。邹浩南迁过潭，暮投宿村寺，益即遣州都监将数卒夜出城，逼使登舟，竟凌风绝江而去。未及用，而徽宗以藩邸恩，召为太常少卿，迁给事中兼侍读。改龙图阁待制、知开封府，犹兼侍读。迁吏部尚书。建中靖国元年，拜尚书右丞。邓洵武献《爱莫助之图》，帝初付曾布，布辞。改付益，益得藉手，以为宜相蔡京，天下之善士，一切指为异论，时人恶之。而京遂为相。进益中书侍郎。益仕宦从微至著，无片善可纪，至其狡谲傅合，盖天禀然。逾年，卒，年六十六。（《宋史》本传）

本年重要作品：

文：欧阳修《峡州至喜亭记》、欧阳修《送田画秀才宁亲万州序》、欧阳修《与荆南乐秀才书》。

诗：范仲淹《移丹阳郡先游茅山》、欧阳修《戏答元珍》、欧阳修《三游洞》、欧阳修《下牢溪》、欧阳修《龙溪》、欧阳修《黄溪夜泊》、欧阳修《松门》、欧阳修《初晴独游东山寺》、欧阳修《县舍不种花惟栽楠木冬青茶竹之类因戏书七言四韵》、欧阳修《至喜堂新开北轩手植楠木两株走笔呈元珍表臣》、欧阳修《新开棋轩呈元珍表臣》、欧阳修《夷陵书事寄谢三舍人》、欧阳修《寄梅圣俞》、欧阳修《戏赠丁判官》、欧阳修《黄牛峡祠》、欧阳修《千叶红梨花》、欧阳修《金鸡五言十四韵》、欧阳修《春日西湖寄谢法曹歌》、欧阳修《行次叶县》、欧阳修《将至淮安马上早行学谢灵运体六韵》、欧阳修《自枝江山行至平陆驿五言二十四韵》、欧阳修《望江坡》、欧阳修《新营小斋凿地炉辄成五言三十七韵》、梅尧臣《闻雁寄欧阳夷陵》、梅尧臣《送谢舍人奉使北朝》。

词：陈尧佐《踏莎行》（二社良辰）

公元 1038 年（景祐五年　宋仁宗宝元元年　戊寅）

正月

十三日，以翰林学士丁度权知贡举，翰林学士胥偃、侍读学士李仲容、知制诰王尧臣、郑戩并权同知贡举，合格奏名进士范镇已下四百九十九人。（《宋会要辑稿·选举一》）

三月

戊戌朔（一日），户部侍郎、平章事陈尧佐罢为淮康节度使、同平章事、判郑州。户部侍郎、同知枢密院事章得象以本官平章事，户部侍郎、知枢密院事盛度加宁武节度使、检校太傅。龙图阁直学士、工部侍郎、知永兴军陈执中为右谏议大夫，并同知枢密院事。刑部员外郎、知制诰宋郊为翰林学士。上初欲用郊为右谏议大夫、同知枢密院事，中书言："故事，无知制诰除执政者。"乃先召入翰林。左右知上遇郊厚，行且大任矣。学士李淑害其宠，欲以奇中之，言于上曰："宋，受命之号也；郊，交也。合姓名言之为不祥。"上弗为意。他日，以谕郊，因改名庠。（《续资治通鉴长编》卷一二一）

戊申（十一日），资政殿学士宋绶为资政殿大学士。（《续资治通鉴长编》卷一二一）

十七日，帝御崇政殿，试礼部奏名进士。内出《富民之要在节俭赋》、《鲲化为鹏诗》、《廉吏民之表论》题。（《宋会要辑稿·选举七》）

十九日，试特奏名举人。内出《修词立诚诗》、《大德曰生论》题。得进士钱仲师已下二十六人。（《宋会要辑稿·选举七》）

庚申（二十三日），赐进士吕溱等二百人及第，一百十人同出身；特奏名一百六十五人同诸科出身及为诸州长史。辛酉（二十四日），赐诸科四百十四人及第并出身，其特奏名被恩赐者又九百八十四人。琼林宴，初赐《大学篇》。先是，上以开封府所解锁庭进士陈博古等嘲谤籍籍，密诏博古及韩亿四子并两家门下士范镇、家静试卷皆勿考。镇，成都人；静，眉山人。考官奏镇、静实有文，久驰声场屋，非附两家之势而得者，乃听考，而降其等级。镇，礼部奏名为第一。故事，礼部第一人赐第未有在第二甲者，虽近下犹升之。吴育、欧阳修殿庭唱第过三人，亦抗声自陈，镇独默然。至第七十九人乃出拜，退就列，无一言，众以是贤之。礼部第一人在第二甲，自镇始。（《续资治通鉴长编》卷一二一）

登进士第者：吕溱、李绚、祖无择、石扬休、王昇、司马光、钱彦远、湛俞、徐良佐、张征、裴若讷、邵必、崔黄臣、吴世延、沈绅、褚珵、薛利和、陆绾、闻人安道、李京、柳应辰、俞希孟、卢臧、沈逊、李大临、鲜于侁、吴充、范镇、吴中复、钱仲师、石昌言、石秀之、庞元鲁等。

四月

二日，赐太常寺太祝宋敏求进士出身。敏求，参知政事绶之子。以恩陈乞，召试学士院，中等，命之。（《宋会要辑稿·选举九》）

乙亥（八日），刑部尚书、知陈州晏殊以本官兼御史中丞，充理检使。（《续资治通鉴长编》卷一二二）

十一日，诏新及第进士第一人吕溱为将作监丞，第二人李绚、第三人祖无择为大理评事，诸州通判；第四人石扬休、第五人王异为两使职官；第六人司马光已下，初等职官；第二甲，试御簿、尉；第三甲，判司、簿、尉；第四甲，特免选，判司、簿。（《宋会要辑稿·选举二》）

乙未（二十八日），诏自今试举人，非国子监见行经书，毋得出题。从翰林侍读学士李淑之请也。（《续资治通鉴长编》卷一二二）

五月

太常丞、直史馆、判盐铁勾院、同修起居注叶清臣父参知苏州致其仕，清臣请外以便养。壬子（十六日），授两浙转运副使。（《续资治通鉴长编》卷一二二）

六月

戊辰（三日），资政殿大学士宋绶知审官院。（《续资治通鉴长编》卷一二二）

（辽兴宗重熙七年）乙亥（十日），御清凉殿试进士，赐邢彭年以下五十五人第。（《辽史·兴宗纪一》）

七月

右司谏韩琦言：“前奉诏详定钟律，尝览《景祐广乐记》，睹李照所造乐不合古法，皆率己意别为律度，朝廷因而施用，识者久以为非。今将亲祀南郊，不可重以违古之乐，上荐天地宗庙。窃闻太常旧乐见有存者，郊祀大礼请复用之。”诏：资政殿大学士宋绶、御史中丞晏殊同两制详定以闻。绶等言：“李照新乐比旧乐下三律，众论以为无所考据。愿如琦请，郊庙复用和岘所定旧乐。旧乐钟磬不经照镌磨者，犹存三县奇七虡，郊庙殿廷可以更用。”乃诏太常旧乐悉仍旧制，李照所造勿复施用。（《续资治通鉴长编》卷一二二）

壬戌（二十七日），御崇政殿，策试贤良方正能直言极谏著作佐郎田况、大理评事张方平，茂才异等邵亢。况所对人第四等，方平四等次。亢与宰相张士逊联姻，报罢。况迁太常丞，方平著作佐郎，通判江宁府及睦州。况，信都人；亢，丹阳人。（《续资治通鉴长编》卷一二二）

八月

乙亥（十一日），知制诰郑戬判刑部，集贤校理彭乘同判。（《续资治通鉴长编》卷一二二）

十二日，镇国军节度使、驸马都尉李遵勖卒，51 岁。遵勖，字公武，初授左龙武军将军、驸马都尉，赐第永宁里。累官至镇国军节度使，知许州。卒，年五十一，赠中书令，谥文和。遵勖喜读书，兼达释氏性理之说。尝师事杨亿，亿卒，制服为营其家事。在许州，奏乞至具茨山奠亿之墓。著《闲燕集》二十卷、《外馆芸题》七卷。（曾巩《隆平集》卷九）

著有：《天圣广灯录》三十卷（晁公武《郡斋读书志·释书类》）、《闲宴集》二十卷（《宋史》本传）、《外馆芳题》七卷（《宋史》本传）。

十月

丙寅（三日），诏戒百官朋党。初，吕夷简逐范仲淹等，既逾年，夷简亦罢相。由是朋党之论兴，士大夫为仲淹言者不已。于是，内降札子曰："向贬仲淹，盖以密请建立皇太弟侄，非但诋毁大臣。今中外臣僚屡有称荐仲淹者，事涉朋党，宜戒谕之。"故复下此诏。（《续资治通鉴长编》卷一二二）

十一月

乙巳（十三日），南郊礼仪使宋绶上《卤簿图记》十卷，降赐褒谕。（《续资治通鉴长编》卷一二二）

十八日，郊祀，改元宝元。（《玉海》卷十三）

戊午（二十六日），资政殿大学士、左仆射王曾卒，61 岁。辍视朝二日，赠侍中，谥文正。（《续资治通鉴长编》卷一二二）

著有：《王沂公笔录》一卷（陈振孙《直斋书录解题·传记类》）、《九域图》三卷（《宋史·艺文志三》）、《契丹志》一卷（《宋史·艺文志三》）。

十二月

癸酉（十一日），命三司使、户部尚书夏竦为奉宁节度使、知永兴军，资政殿学士、吏部侍郎、知河南府范雍为振武节度使，知延州。（《续资治通鉴长编》卷一二二）

甲戌（十二日），刑部尚书兼御史中丞晏殊复为三司使。知并州、枢密直学士杜衍加龙图阁直学士，以太原要重，藉衍镇抚故也。（《续资治通鉴长编》卷一二二）

戊寅（十六日），徙判许州吕夷简判天雄军。（《续资治通鉴长编》卷一二二）

己卯（十七日），诏以知永兴军夏竦兼本路都部署，提举干、耀等州军马，泾原秦凤路安抚使、知延州范雍兼鄜延路都部署、鄜延环庆路安抚使。（《续资治通鉴长编》卷一二二）

王安国十一岁，过洪州，有《滕王阁》诗。

王平甫年十一，过洪州府，有《滕王阁》诗。盖其少成如此。又再赋一首，叙其事云："滕王平昔好追游，高阁依然枕碧流。胜地几经兴废事，夕阳偏照古今愁。层城树密千家笛，江渚人孤一叶舟。怅望沧波吟不尽，西山重叠乱云浮。"十四岁，再题一首，其序云："予始年十一，时从亲还里中，道由洪州，泊滕王阁下。俯视山川之胜，而求士大夫所留之诗，凡百余篇。自唐杜紫微外，类皆世俗气，不足矜爱。乃作一章，榜之西楹。后三年，客淮上，思其幼时勇于述作，不自意其非也。辄改作一章，以志当时之事。其旧者往往传于江西，今故并存之。诗云：'地势远迂徐孺亭，穷南有客两曾经。檐前燕雀鸣相斗，潭里蛟龙困未醒。乱霭苍茫侵树色，惊涛浩荡失天形。当时好景无同赏，对此悲歌孰为听？'"（赵令畤《侯鲭录》卷二）

本年

韩忠彦（1038—1109）生。忠彦字师朴，少以父任，为将作监簿，复举进士。琦罢政，忠彦以秘书丞召试馆职，除校理、同知太常礼院，为开封府判官、三司盐铁判官。出通判永宁军，召还，为户部判官。琦薨，服除，为直龙图阁，擢天章阁待制、知瀛州。拜礼部尚书，以枢密直学士知定州。元祐中，召为户部尚书，擢尚书左丞。弟嘉彦尚主，改同知枢密院事，迁知院事。哲宗亲政，降资政殿学士，改知大名府。徽宗即位，以吏部尚书召拜门下侍郎。进左仆射兼门下侍郎，封仪国公。而曾布为右相，多不协，以观文殿大学士知大名府。又以钦圣欲复废后，为忠彦罪，再降太中大夫，怀州居住。又论忠彦在相位，不应弃湟州，谪崇信军节度副使，济州居住。逮复湟、鄯，又谪磁州团练副使。复太中大夫，遂以宣奉大夫致仕。卒，年七十二。（《宋史》本传）

游师雄（1038—1097）生。游师雄，字景叔，京兆武功人。学于张载，第进士。为仪州司户参军，迁德顺军判官。元祐初，为宗正寺主簿。执政将弃四砦，访于师雄。因著《分疆录》。迁军器监丞。吐蕃寇边，其酋鬼章青宜结乘间胁属羌构夏人为乱，朝廷择可使者与边臣措置，诏师雄行，听便宜从事。破洮州，擒鬼章及大首领九人。捷书闻，止迁一官，为陕西转运判官、提点秦凤路刑狱。入拜祠部员外郎，加集贤校理，为陕西转运使。拜卫尉少卿。哲宗数访边防利病，师雄具庆历以来边臣施置之臧否，凡六十事，名曰《绍圣安边策》。出知邠州，改河中府，进直龙图阁、知秦州，未至，诏摄熙州。未几还秦，徙知陕州。卒，年六十。师雄慷慨豪迈，有志事功，议者以用不尽其才为恨。（《宋史》本传）

本年重要作品：

文：欧阳修《答李淑内翰书》、欧阳修《游儵亭记》。

诗：范仲淹《京口即事》、范仲淹《滕子京魏介之二同年相访丹阳郡》、欧阳修《离峡州后回寄元珍表臣》、欧阳修《南獠》、梅尧臣《九月都下对雪寄永叔师鲁》、苏洵《上田待制》、王安国《滕王阁》、李觏《缘䜌师》、李觏《惜鸡》。

公元 1039 年（宋仁宗宝元二年　己卯）

正月

丁酉（六日），度支员外郎张昇为六宅使、泾原秦凤路安抚都监。昇，韩城人，夏竦荐其才可任也。（《续资治通鉴长编》卷一二三）

二月

戊辰（七日），兵部员外郎、知制诰谢绛知邓州，绛请之也。（《续资治通鉴长编》卷一二三）

二十日，苏辙（1039—1112）生。苏辙，字子由，年十九，与兄轼同登进士科，又同策制举。授商州军事推官。以为河南推官。会张方平知陈州，辟为教授。三年，授齐州掌书记。又三年，改著作佐郎。复从方平签书南京判官。居二年，坐兄轼以诗得罪，谪监筠州盐酒税，五年不得调。移知绩溪县。哲宗立，以秘书省校书郎召。元祐元年，为右司谏。迁起居郎、中书舍人。进户部侍郎。代轼为翰林学士，寻权吏部尚书。使契丹，馆客者侍读学士王师儒能诵洵、轼之文及辙《茯苓赋》，恨不得见全集。使还，为御史中丞。六年，拜尚书右丞，进门下侍郎。落职知汝州。居数月，元丰诸臣皆会于朝，再责知袁州。未至，降朝议大夫、试少府监，分司南京，筠州居住。三年，又责化州别驾，雷州安置，移循州。徽宗即位，徙永州、岳州，已而复太中大夫，提举凤翔上清太平宫。崇宁中，蔡京当国，又降朝请大夫，罢祠，居许州，再复太中大夫致仕。筑室于许，号颍滨遗老，自作传万余言，不复与人相见。终日默坐，如是者几十年。政和二年，卒，年七十四。追复端明殿学士。淳熙中，谥文定。辙性沉静简洁，为文汪洋澹泊，似其为人，不愿人知之，而秀杰之气终不可掩，其高处殆与兄轼相迫。所著《诗传》、《春秋传》、《古史》、《老子解》、《栾城文集》并行于世。（《宋史》本传）

二十三日，王益卒，46 岁。公讳益，字舜良。祥符八年举进士及第，初为建安主簿。宝元元年二月二十三日以疾卒于官（案：王安石《先大夫述》作"宝元二年"），享年四十六。（曾巩《尚书都官员外郎王公墓志铭》）

君子于学，其志未始不欲张而行之以致君，下膏泽于无穷。唯其志之大，故或不位于朝。不位于朝而势不足以自效，则思慕古之人而作为文辞，亦不失其所志也。二帝、三王、群圣人之时，贤俊并用。虽穷处岩穴，亦扳而在高位，其志莫不得施，而文之传于后者少矣。后之时，非古之时也，人之不得志者常多，而以文自传者，纷如也。先大夫少而博学，及强年有仕进之望，其志欲有以为而遽没。其于文，所不暇也。一日，诸子阅囊中，乃得旧歌诗百余篇。虽此不足尽识其志，然讽咏情性，其亦有以助于道者。不忍弃去也，辄序次之。呜呼！公之诗，君子视之，当自知矣，不敢赞也。（王安石《先大夫集序》）

三月

丁未（十六日），徙知润州范仲淹知越州。（《续资治通鉴长编》卷一二三）

癸丑（二十二日），天章阁侍讲贾昌朝、王宗道编排资善堂书籍，其实教授内侍云。（《续资治通鉴长编》卷一二三）

四月

二十五日，黄注卒，42 岁。梦升讳注，以宝元二年四月二十五日卒，享年四十有二。其平生所为文曰：《破碎集》、《公安集》、《南阳集》，凡三十卷。（欧阳修《黄梦升墓志铭》）

著有：《破碎集》（欧阳修《黄梦升墓志铭》）、《公安集》（欧阳修《黄梦升墓志铭》）、《南阳集》（欧阳修《黄梦升墓志铭》）。

五月

丙午（十六日），刑部员外郎、天章阁待制庞籍为陕西体量安抚使。（《续资治通鉴长编》卷一二三）

六月

丁卯（八日），天章阁侍讲贾昌朝、直史馆宋祁同修纂《礼书》。（《续资治通鉴长编》卷一二三）

甲申（二十五日），徙监泰州酒税、秘书丞余靖知英州，崇信掌书记、监郓州酒务尹洙为太子中允，知长水县、乾德县令欧阳修为镇南掌书记、权武成军判官。（《续资治通鉴长编》卷一二三）

七月

甲寅（二十四日），右司谏、直集贤院韩琦为起居舍人、知谏院。（《续资治通鉴长编》卷一二四）

戊午（二十八日），徙郑州陈尧佐判永兴军，知永兴军夏竦知泾州、兼泾原秦凤路缘边经略安抚使，泾原路都部署、知延州范雍兼鄜延环庆路缘边经略安抚使、鄜延路都部署。（《续资治通鉴长编》卷一二四）

八月

甲子（五日），新判永兴军陈尧佐复判郑州。徙知并州、龙图阁学士、工部侍郎杜衍知永兴军，加刑部侍郎。（《续资治通鉴长编》卷一二四）

两川自夏至秋，不雨，民大饥。庚辰（二十一日），命起居舍人、知制诰韩琦为益利路体量安抚使，西染院副使、兼阁门通事舍人王从益副之；户部副使、吏部员外郎蒋堂为梓夔路体量安抚使，左藏库副使、兼阁门通事舍人夏元正副之。（《续资治通鉴

长编》卷一二四）

乙酉（二十六日），刑部员外郎、天章阁待制庞籍为契丹生辰使，内殿崇班、阁门祗候杜赞副之；右正言、直集贤院、判都磨勘司王拱辰为正旦使，西京左藏库副使彭再问副之。（《续资治通鉴长编》卷一二四）

十一月

壬辰（五日），诏："礼部贡院自今省试举人，设帘都堂中间，而施帷幕两边，令内外不相窥见。点检试卷官及吏人，非给使毋得辄至堂上。其诗、赋、论题，并以注疏所解揭示之，不许上请。或题义有疑当请者，仍不得附近帘前。御试考校，并分上中下三等。初考用墨，其点抹于卷后通计之，若涂注脱误四十字以上，颇为不谨，亦依礼部格少字数退黜之。"（《续资治通鉴长编》卷一二五）

丁酉（十日），降宁武节度使、知枢密院事盛度为尚书左丞、知扬州，尚书左丞、参知政事程琳为光禄卿、知颍州，御史中丞孔道辅为给事中、知郓州，刑部员外郎、天章阁待制庞籍知汝州。（《续资治通鉴长编》卷一二五）

戊戌（十一日），兵部郎中、知制诰聂冠卿为契丹生辰使，代庞籍也。（《续资治通鉴长编》卷一二五）

壬寅（十五日），翰林学士、刑部员外郎、知制诰宋庠为谏议大夫、参知政事。（《续资治通鉴长编》卷一二五）

癸卯（十六日），刑部员外郎、直史馆、同修起居注宋祁次当知制诰，以兄庠在中书，乃授天章阁待制、同判礼院。（《续资治通鉴长编》卷一二五）

二十二日，谢绛卒，46 岁。公讳绛，字希深。以宝元二年四月丁卯来治邓，其年十一月已酉以疾卒于官。公年十五起家，试秘书省校书郎。复举进士，中甲科，以奉礼郎知颍州汝阴县，迁光禄寺丞。（欧阳修《尚书兵部员外知制诰谢公墓志铭》）

著有：《谢绛集》五十卷（《宋史》本传）。

闰十一月

庚寅（四日），礼部贡院言："锁庭举人，见任者自来止于邻近州军取解，不曾立定解额。昨者涿州并于举人额外发解，朝廷例皆收试，遂降敕旨，不得于额外发解。本院看详，涿州试官多以亲戚举人送邻州取解，妨占本土孤寒举人解额，遂送转运司别差官考试，每十人解三人为额。今来却将锁庭人于本州额内解发，妨占本土孤寒，深未便允。乞送锁庭人于转运司考试，别立一项发解。"诏两制详定。翰林学士丁度等言："锁庭人今后在京于别试所，在外于转运司差官与亲戚举人同试，十人解三人，不及十人与二人，五人已下与一人。余并依亲戚发解例施行。"从之。（《续资治通鉴长编》卷一二五）

己酉（二十三日），开封府推官、太子中允、直集贤院富弼知谏院。（《续资治通鉴长编》卷一二五）

本年

蒋堂守蜀，集诸生诵吕陶文。言："此贾谊之文也。"（《宋史·吕陶传》）

朱长文（1039—1098）生。朱长文，字伯原，苏州吴人。年未冠，举进士乙科，以病足不肯试史，筑室乐圃坊，著书阅古，吴人化其贤。长吏至，莫不先造请，谋政所急，士大夫过者以不到乐圃为耻。名动京师，公卿荐以自代者众。元祐中，起教授于乡，召为太学博士，迁秘书省正字。元符初，卒。哲宗知其清，赙绢百。有文三百卷，《六经》皆为辨说。又著《琴史》而序其略曰："方朝廷成太平之功，制礼作乐，比隆商、周，则是书也，岂虚文哉！"盖立志如此。（《宋史》本传）

本年重要作品：

文：范仲淹《清白堂记》、范仲淹《与李泰伯书》、欧阳修《送太原秀才序》、欧阳修《答孙正之第二书》。

诗：范仲淹《题溪口广慈院》、范仲淹《诸暨道中作》、范仲淹《越上闻子规》、范仲淹《题翠峰院》、欧阳修《和圣俞百花洲》、欧阳修《题光化张氏园亭》、欧阳修《答梅圣俞寺丞见寄》、欧阳修《酬圣俞朔风见寄》、欧阳修《初冬归襄城弊居》、欧阳修《送琴僧知白》、欧阳修《听平戎操》、梅尧臣《泛舟城隅呈永叔》、梅尧臣《代书寄欧阳永叔四十韵》、梅尧臣《朔风寄永叔》、梅尧臣《赠琴僧知白》、梅尧臣《永叔自南阳至余郊迓焉首访谢公奄然相与流涕作是诗以写怀》、梅尧臣《送永叔归干德》、苏舜钦《己卯冬大寒有感》。

词：张先《塞垣春·寄子山》。

公元 1040 年（宋仁宗宝元三年 宋仁宗康定元年 庚辰）

二月

壬辰（七日），起居舍人、知制诰韩琦适自蜀归，论西兵形势甚悉，即命琦为陕西安抚使。（《续资治通鉴长编》卷一二六）

是日（丙午，二十一日），改元，仍于尊号去"宝元"二字，悉许中外臣庶上封议朝政得失。自范仲淹贬，禁中外越职言事，知谏院富弼因论日食，以谓应天变莫若通下情，愿降诏求直言，尽除越职之禁。于是，上嘉纳焉。（《续资治通鉴长编》卷一二六）

癸丑（二十八日），降振武节度使、知延州范雍为吏部侍郎、知安州，坐失刘平、石元孙也。（《续资治通鉴长编》卷一二六）

三月

癸酉（十九日），太子中允、知长水县尹洙权签书泾原秦凤经略安抚司判官事，从葛怀敏之辟也。太子中允阮逸上《钟律制议》并图三卷，诏送秘阁。（《续资治通鉴长编》卷一二六）

戊寅（二十四日），工部侍郎、知枢密院事王鬷，右谏议大夫、知枢密院事陈执中，给事中、同知枢密院事张观，并罢。鬷知河南府，执中知青州，观知相州。三司使、刑部尚书晏殊，资政殿大学士、礼部尚书、知河南府宋绶并知枢密院事。龙图阁学士、刑部侍郎、知永兴军杜衍权知开封府。吏部员外郎、知越州范仲淹复天章阁待制、知永兴军，始用韩琦之言也。（《续资治通鉴长编》卷一二六）

春

欧阳修赴滑州武成军节度判官任。

四月

丁亥（三日），太子中允、直集贤院、兼知谏院富弼为盐铁判官。大理寺丞、秘阁校理石延年往河东路同计置催促粮草。（《续资治通鉴长编》卷一二七）

庚寅（六日），以盐铁副使、吏部员外郎蒋堂为天章阁待制、淮南江浙荆湖制置发运使。（《续资治通鉴长编》卷一二七）

己亥（十五日），命知枢密院事宋绶同提举编修《国朝会要》。（《续资治通鉴长编》卷一二七）

范仲淹未至永兴，癸丑（二十九日），改为陕西都转运使。刑部员外郎、兼侍御史知杂事高若讷为天章阁待制、知永兴军，寻留若讷判吏部流内铨。李淑等上新修《阁门仪制》十二卷、《客省条例》七卷、《四方馆条例》一卷。（《续资治通鉴长编》卷一二七）

五月

丁巳（四日），复太常博士、知楚州孙沔为监察御史。景祐初，沔为监察御史里行，坐言事贬绌，逾六年乃复。寻召为右正言。（《续资治通鉴长编》卷一二七）

己未（六日），镇安节度使、同平章事、判天雄军吕夷简行右仆射、兼门下侍郎、平章事。奉宁节度使夏竦为忠武节度使。（《续资治通鉴长编》卷一二七）

戊辰（十五日），淮康节度使、同平章事、判郑州陈尧佐为太子太师致仕，大朝会缀中书门下班。（《续资治通鉴长编》卷一二七）

戊寅（二十五日），徙知泾州、忠武节度使、泾原秦凤路缘边经略安抚使夏竦为陕西都部署、兼经略安抚使、缘边招讨使、知永兴军。（《续资治通鉴长编》卷一二七）

己卯（二十六日），以起居舍人、知制诰韩琦为枢密直学士、陕西都转运使，吏部员外郎、天章阁待制范仲淹为龙图阁直学士，并为陕西经略安抚副使，同管勾都部署司事。初，仲淹与吕夷简有隙，及议加职，夷简请超迁之，上悦，以夷简为长者。既而仲淹入谢，帝谕仲淹，使释前憾。仲淹顿首曰："臣向所论，盖国事，于夷简何憾也。"刑部员外郎、天章阁待制、知同州庞籍为陕西都转运使。（《续资治通鉴长编》卷一二七）

庚辰（二十七日），太常博士、国子监直讲林瑀，殿中丞、史馆检讨、国子监直讲王洙，并为天章阁侍讲。（《续资治通鉴长编》卷一二七）

六月

壬寅（十九日），天章阁待制高若讷为京西体量安抚使。（《续资治通鉴长编》卷一二七）

辛亥（二十八日），复权武成军节度判官欧阳修为馆阁校勘。始，范仲淹副夏竦为陕西经略安抚招讨，辟修掌书记。修以亲老为辞，且曰："今世所谓四六者，非修所好。兼此末事，有不待修而能者。"（《续资治通鉴长编》卷一二七）

七月

戊午（五日），太常寺丞、集贤校理李昭遘上《太宗藩邸圣制》三卷、《永熙政范》二卷，降诏褒谕。（《续资治通鉴长编》卷一二八）

布衣吕渭、李元振、姚嗣宗皆上封事，陈方略，召试学士院。壬申（十九日），并授幕职官、知县。渭，真定人；元振，京兆人；嗣宗，华人也。（《续资治通鉴长编》卷一二八）

姚嗣宗，关中诗豪，忽绳检，坦然自任。杜祁公帅长安，多裁品人物，谓尹师鲁曰："姚生如何人？"尹曰："嗣宗者，使白衣入翰林亦不忝，减死一等黜流海岛亦不屈。"姚闻之大喜，曰："所谓善评我者也。"时天下久撤边警，一日，忽元昊以河西叛，朝廷方羁笼关豪之际，嗣宗也因写二诗于驿壁，有"踏碎贺兰石，扫清西海尘。布衣能效死，可惜作穷麟"。又一绝"百越干戈未息肩，九原金鼓又轰天。崆峒山叟笑不语，静听松风春昼眠"之句。韩忠献公奇之，奏补职官。（文莹《续湘山野录》）

八月

一日，欧阳修至京师就职。

乙酉（三日），太常丞田况为陕西经略安抚司判官，试校书郎胡瑗为丹州军事推官、经略安抚司勾当公事。况从夏竦、瑗从范仲淹之辟也。（《续资治通鉴长编》卷一二八）

乙未（十三日），刑部员外郎、知制诰苏绅为契丹国母生辰使，右正言、知制诰吴育为契丹主生辰使，右正言梁适为契丹国母正旦使，太常丞、史馆修撰富弼为契丹主正旦使。（《续资治通鉴长编》卷一二八）

戊申（二十六日），龙图阁学士、刑部侍郎、权知开封府杜衍同知枢密院事。（《续资治通鉴长编》卷一二八）

庚戌（二十八日），陕西经略安抚副使范仲淹兼知延州。贼相戒曰："无以延州为意，今小范老子腹中自有数万兵甲，不比大范老子可欺也。"大范，盖指雍云。（《续资治通鉴长编》卷一二八）

九月

戊午（六日），礼部尚书、知枢密院事宋绶为兵部尚书，起复翰林学士、兼龙图阁学士、左司郎中、知制诰晁宗悫为右谏议大夫，并参知政事。龙图阁直学士、起居舍人、权三司使郑戬为谏议大夫，同知枢密院事。（《续资治通鉴长编》卷一二八）

己未（七日），右正言、知制诰叶清臣为龙图阁直学士、起居舍人、权三司使事。（《续资治通鉴长编》卷一二八）

庚申（八日），范仲淹遣殿直狄青、侍禁黄世宁攻西界芦子平，破之。（《续资治通鉴长编》卷一二八）

戊辰（十六日），刑部尚书、知枢密院事晏殊为检校太傅，充枢密使。刑部侍郎杜衍、右谏议大夫郑戬并为枢密副使。（《续资治通鉴长编》卷一二八）

秋

梅尧臣解襄城知县，改监湖州酒税。

十月

己丑（七日），命翰林学士王居正、知制诰王拱辰、天章阁待制高若讷于国子监考试方略举人，侍御史张禹锡弥封卷首。（《续资治通鉴长编》卷一二九）

欧阳修转太子中允。

癸巳（十一日），命馆阁校勘刁约、欧阳修同修《礼书》。（《续资治通鉴长编》卷一二九）

十一月

乙卯（四日），签书陕西经略安抚判官事、太常丞田况直集贤院。（《续资治通鉴长编》卷一二九）

乙丑（十四日），知制诰吴育、天章阁待制宋祁并同判太常寺，兼礼仪事。（《续资治通鉴长编》卷一二九）

庚辰（二十九日），知制诰贾昌朝同判流内铨。（《续资治通鉴长编》卷一二九）

十二月

乙酉（四日），命端明殿学士、兼翰林侍读学士李淑、知制诰贾昌朝、同修起居注郭稹、天章阁侍讲王洙同详定弓手、强壮通制。又命淑判兵部，洙同判。（《续资治通鉴长编》卷一二九）

癸卯（二十二日），兵部尚书、参知政事宋绶卒，50 岁。上幸其第临奠，辍二日朝，赠司徒、兼侍中，谥宣献。绶性孝谨清介，言动有常。为儿童时，手不执钱。后博通经史百家，文章为一时所尚。朝廷有大议论，多所裁定。凡论前人文章，必正其

289

得失，至当时之作，则未尝议也。杨亿尝称其文："沉壮淳丽，尤善铺叙，吾不及也。"藏书万余卷，手自校雠。笔札尤精妙，上尝取所书《千字文》。及卒，多收其字帖藏禁中。（《续资治通鉴长编》卷一二九）

著有：《天圣卤簿图记》十卷（陈振孙《直斋书录解题·职官类》）、《岁时杂咏》二十卷（晁公武《郡斋读书志·总集类》）、《内东门仪制》五卷（《宋史·艺文志三》）、《常山祐殿集》三卷（《宋史·艺文志七》）、《本朝大诏令》二百四十卷（《宋史·艺文志八》）、《唐大诏令》一百三十卷（《宋史·艺文志八》）、《目录》三卷（《宋史·艺文志八》）。

本年

张先以秘书丞知吴江县。

萧观音（1040—1075）生。道宗宣懿皇后萧氏，小字观音，钦哀皇后弟枢密使惠之女。姿容冠绝，工诗，善谈论。自制歌词，尤善琵琶。重熙中，帝王燕赵，纳为妃。清宁初，立为懿德皇后。皇太叔重元妻，以艳冶自矜，后见之，戒曰："为贵家妇，何必如此！"后生太子浚，有专房宠。好音乐，伶官赵惟一得侍左右。大康初，宫婢单登、教坊朱顶鹤诬后与惟一私，枢密使耶律乙辛以闻。诏乙辛与张孝杰劾状，因而实之。族诛惟一，赐后自尽，归其尸于家。乾统初，追谥宣懿皇后，合葬庆陵。（《辽史》本传）

辽萧后，小字观音，工书，能歌词，善弹筝琶。天祐帝初甚宠之，敕为懿德皇后。帝后荒于游畋，后讽诗切谏，帝遂疏之。后乃作《回心院词》，寓望幸之意也。其一云："扫深殿，闭久金铺暗。游丝络网尘作堆，积岁青苔厚阶面。扫深殿，待君宴。"其二云："拂象床，凭梦借高唐。敲坏半边知妾卧，恰当天处少辉光。拂象床，待君王。"他如"换香枕"、"铺翠被"、"装绣帐"、"迭锦茵"、"展瑶席"、"剔银灯"、"爇熏炉"、"张鸣筝"，凡十首，皆情致缠绵，怨而不怒焉。（叶申芗《本事词》）

辽萧后有《十香词》，其构祸之由也。虽事出冤诬，然以帝后之尊，为奸婢作书，且词多近亵，自贻伊戚，夫复何言？独喜其《回心院词》，则怨而不怒，深得词家含蓄之意。斯时，柳七之调尚未行于北国，故萧词大有唐人遗意也。（徐釚《词苑丛谈·纪事三》）

赵挺之（1040—1107）生。赵挺之，字正夫，密州诸城人。进士上第。熙宁建学，选教授登、棣二州，通判德州。哲宗即位，召试馆职，为秘阁校理，迁监察御史。初，挺之在德州，希意行市易法。黄庭坚监德安镇，谓镇小民贫，不堪诛求。及召试，苏轼曰："挺之聚敛小人，学行无取，岂堪此选。"至是，劾奏轼草麻有云"民亦劳止"，以为诽谤先帝。既而坐不论蔡确，通判徐州，俄知楚州。入为国子司业，历太常少卿，权吏部侍郎，除中书舍人、给事中。徽宗立，为礼部侍郎。拜御史中丞，排击元祐诸人不遗力。由吏部尚书拜右丞，进左丞、中书门下侍郎。时蔡京独相，帝谋置右辅，京力荐挺之，遂拜尚书右仆射。既相，与京争雄，屡陈其奸恶，且请去位避之。以观文殿大学士、中太一宫使留京师。乞归青州，将入辞，会彗星见，罢京，加挺之特进，

仍为右仆射。已而京复相，挺之仍以大学士使祐神观。未几卒，年六十八。赠司徒，谥曰清宪。（《宋史》本传）

欧阳子发（1040—1085）生。（欧阳修）子发，字伯和。少好学，师事安定胡瑗，得古乐钟律之说。不治科举文词，独探古始立论议。自书契以来，君臣世系，制度文物，旁及天文、地理，靡不悉究。以父恩，补将作监主簿，赐进士出身，累迁殿中丞。卒，年四十六。苏轼哭之，以谓发得文忠公之学，汉伯喈、晋茂先之流也。（《宋史》本传）

方惟深（1040—1122）生。公讳惟深，字子通，世为莆阳人。乡贡为第一，试礼部，不第，即弃去。公与其弟躬，出入耕获，凡衣食之具，一毫必自己力。间则读书，非苟诵其言而已也。至于黄帝、老庄之书，养生、为寿者之说，其户庭堂奥、根源派别，无不知其所操之要。然常以雅道自娱，一篇出，人传诵以熟。舒王以知制诰卧钟山，得其诗，以谓：精诣警绝，"元、白、皮、陆"有不到处。崇宁中，诏举遗逸。以公应诏，人以为处士之荣也。复报闻罢。崇宁某年，有司举贡籍，以年格应补军州助教者，就赐敕牒、袍笏于其家，公得兴化军助教。公预知死期，期至不乱，丧葬皆有治命云。集其诗文，为五卷。（程俱《莆阳方子通墓志铭》）

本年重要作品：

文：欧阳修《与陈员外书》、欧阳修《通进司上书》、欧阳修《怪竹辨》、欧阳修《答吴充秀才书》、欧阳修《答祖择之书》、欧阳修《正统论》、欧阳修《纵囚论》、梅尧臣《风异赋》。

诗：欧阳修《送任处士归太原》、欧阳修《谢公挽辞三首》、欧阳修《病中闻梅二南归》、欧阳修《冬夕小斋联句寄梅圣俞》、梅尧臣《永叔寄澄心堂纸二幅》、梅尧臣《闻尹师鲁赴泾州幕》、梅尧臣《观水》、梅尧臣《田家语》、梅尧臣《汝坟贫女》、梅尧臣《鲁山山行》、梅尧臣《依韵和永叔子履冬夕小斋联句见寄》、梅尧臣《闻永叔复馆因以寄贺》、李觏《登越山》、邵雍《三十年吟》。

公元 1041 年（宋仁宗康定二年 宋仁宗庆历元年 辛巳）

正月

丁丑（二十七日），夏竦为宣徽南院使。（《续资治通鉴长编》卷一三〇）

二月

四日，石延年卒，48 岁。曼卿，讳延年，姓石氏。其上世为幽州人。年四十八，康定二年二月四日，以太子中允秘阁校理卒于京师。既卒之三十七日，葬于太清之先茔。（欧阳修《石曼卿墓表》）

著有：《石曼卿歌诗集》一卷（陈振孙《直斋书录解题·诗集类下》）。

著录：晁公武《郡斋读书志·别集类下》、陈振孙《直斋书录解题·诗集类下》、马端临《文献通考》卷二四四、《宋史·艺文志七》、焦竑《国史经籍志》卷五、陈第

《世善堂藏书目录》卷下、傅增湘《藏园群书经眼录》卷一三。

国朝祥符中，民风豫而泰，操笔之士，率以藻丽为胜。唯曼卿与穆参军伯长，自任以古道，作为文必经实，不放于世。而曼卿之诗，又特震奇秀发。盖能取古之所未至，托讽物象之表，警时动众，未尝徒设。虽能文者累数千百言，不能卒其义，独以劲语蟠泊，会而终于篇。而复气横意举，飘出章句之外，学者不可寻其屏阃而依倚之。其诗之豪者与！曼卿资宇轩豁，遇事辄咏，前后所为，不可计其遗亡，而存者才三百余篇，古、律不异分为二册。一日，觞予酒，作而谓予曰："子贤于文，而又知诗，能为我序诗乎？"予应曰："诺。"遂有作。欲使观者知诗之原，施之于用而已矣。（石介《石曼卿诗集序》）

石曼卿自少以诗酒豪放自得，其气貌伟然。诗格奇峭，又工于书，笔画遒劲，体兼颜、柳，为世所珍。余家尝得南唐后主澄心堂纸，曼卿为余以此纸书其《筹笔驿》诗。诗，曼卿平生所自爱者，至今藏之，号为三绝，真余家宝也。曼卿卒后，其故人有见之者，云恍惚如梦中。言："我今为鬼仙也，所主芙蓉城。"欲呼故人往游，不得，忩然骑一素骡，去如飞。其后又云，降于亳州一举子家，又呼举子去，不得，因留诗一篇与之。余亦略记其一联云："莺声不逐春光老，花影长随日脚流。"神仙事怪不可知，其诗颇类曼卿平生语，举子不能道也。（欧阳修《六一诗话》）

石曼卿，天圣、宝元间以歌诗豪于一时。尝于平阳作《代意寄师鲁》一篇，词意深美，曰："十年一梦花空委，依旧山河损桃李。雁声北去燕西飞，高楼日日春风里。眉黛石州山对起，娇波泪落妆如洗。汾河不断水南流，天色无情淡如水。"曼卿死后，故人关咏梦曼卿曰："延年平生作诗多矣，独常自以为《代平阳》一首最为得意，而世人罕称之。能令予此诗盛传于世，在永言尔。"咏觉，增广其词为曲，度以《迷仙引》，于是人争歌之。他日，复梦曼卿谢焉。（王辟之《渑水燕谈录》卷七）

石延年长韵律诗善叙事，其他无大好处。《筹笔驿》、《铜雀台》、《留侯庙》诗，为一集之冠。五言小诗，如"海云含雨重，江树带蝉疏"、"平芜远更绿，斜日寒无辉"者，几矣。（魏泰《临汉隐居诗话》）

十六日，欧阳修、宋祁、李淑、王举正、王洙、刁约、杨仪宴集东园，相与赋诗。

《春集东园诗》者，端明学士献臣李君、翰林伯中王君、天章侍讲原叔王君、馆阁校勘景纯刁君、永叔欧阳君、子庄杨君，暨予。仲月既望之宴，所赋是集，有三胜焉。地之胜，则如左睨都雉，前眺畿隧，林簿灌丛，铺菜自环。时之胜，如载阳之辰，戢惨舒，惠气韶笔，怡豫天区。宾之胜，则如朝髦国俊，清交石友，驾言相从，簪盍就闲。俾永叔列韵，坐者陈章，予与题辞焉。章别十二句，句五言，杂附左方云。康定纪元之次年序。（宋祁《春集东园诗》）

三月

乙亥（二十六日），以汴流不通，遣知制诰聂冠卿祭河渎庙。（《续资治通鉴长编》卷一三一）

四月

辛巳（三日），降陕西经略安抚副使、枢密直学士、起居舍人韩琦为右司谏，知秦州职如故。（《续资治通鉴长编》卷一三一）

壬午（四日），陕西都转运使、礼部郎中、天章阁侍制庞籍为龙图阁直学士、知延州、兼鄜延路部署司事。（《续资治通鉴长编》卷一三一）

癸未（五日），降陕西经略安抚副使、兼知延州、龙图阁直学士、户部郎中范仲淹为户部员外郎，知耀州职如故。（《续资治通鉴长编》卷一三一）

甲申（六日），以资政殿学士、右谏议大夫陈执中为工部侍郎、同陕西都部署、兼经略安抚缘边招讨等使，知永兴军。仍诏夏竦判永兴军如故。（《续资治通鉴长编》卷一三一）

五月

辛亥（三日），诏陕西经略安抚缘边招讨使、判永兴军夏竦候陈执中至，领兵出巡边。（《续资治通鉴长编》卷一三二）

庚午（二十二日），龙图阁直学士、权三司使叶清臣知江宁府，权知开封府、天章阁待制吴遵路知宣州，陕西都转运使、龙图阁直学士姚仲孙权三司使，知制诰贾昌朝为龙图阁直学士、权知开封。清臣与遵路相厚，宋庠、郑戬皆同年进士，四人据要地，锐于作事，宰相以为朋党请出之。（《续资治通鉴长编》卷一三二）

辛未（二十三日），右谏议大夫、参知政事宋庠守本官、知扬州，枢密副使、右谏议大夫郑戬加资政殿学士、知杭州。诏陕西经略安抚招讨使、判永兴军夏竦屯鄜州，同陕西经略安抚招讨使、知永兴军陈执中屯泾州。时两人议边事不合，故分任之。（《续资治通鉴长编》卷一三二）

壬申（二十四日），徙知耀州、龙图阁直学士范仲淹知庆州，兼管勾环庆路部署司事。（《续资治通鉴长编》卷一三二）

六月

壬午（五日），改新知河中府、吏部侍郎范雍知永兴军。初，命夏竦判永兴，又以陈执中知永兴。及两人分出按边，而领府事犹如故，乃复使雍守京兆。于是一府三守，公吏奔趋往来，不胜其扰，自昔未尝有也。（《续资治通鉴长编》卷一三二）

十日，梅询卒，78 岁。询字昌言。康定辛巳六月十日，公七十八以其官卒。（王安石《翰林侍读学士知许州军州事梅公神道碑》）

癸卯（二十六日），命翰林学士王尧臣、聂冠卿、知制诰郭微之看定三馆、秘阁书籍。（《续资治通鉴长编》卷一三二）

七月

壬子（五日），翰林学士王尧臣兼龙图阁学士。（《续资治通鉴长编》卷一三二）

丙辰（九日），知永兴军、吏部侍郎范雍兼管勾陕西转运司计度粮草公事，仍加资政殿学士。资政殿学士、尚书右丞、知应天府盛度为太子少傅致仕。（《续资治通鉴长编》卷一三二）

十二日，石介作《送祖择之序》。

乙丑（十八日），右正言、直史馆梁适同修起居注，太常博士、直集贤院、判度支勾院、同修起居注杨察为江南东路转运使。（《续资治通鉴长编》卷一三二）

丙寅（十九日），中书言："比闻有浮薄之人，撰长韵诗以谤大臣，请下开封府募告者，赏钱三十万，愿就官者亦听。"从之。（《续资治通鉴长编》卷一三二）

八月

五日，盛度卒，74岁。加资政殿学士、知应天府，以太子少傅致仕。卒，年七十四。赠太子太保，谥曰文肃。度好学，家居读书，未尝释手。真宗尝命与李宗谔、杨亿、王曾、李维、舒雅、任随、石中立同编《通典》、《文苑英华》，所著有《愚谷集》、《中书制集》、《银台集》、《翰林制集》。（《东都事略》本传）

著有：《沿革制置敕》三卷（《宋史·艺文志三》）、《庸调租赋》三卷（《宋史·艺文志三》）、《愚谷集》（《宋史》本传）、《银台集》（《宋史》本传）、《中书制集》（《东都事略》本传）、《枢中》（《宋史》本传）、《翰林制集》（《东都事略》本传）。

丁亥（十一日），罢天下举人纳公卷。初，权知开封府贾昌朝言："唐以来礼部采名誉，观素业，故预投公卷。今有弥封、誊录，一切考诸试篇，则公卷为可罢。"诏从之。（《续资治通鉴长编》卷一三三）

戊子（十二日），屯田员外郎、集贤校理曾公亮，右正言、直史馆、同修起居注梁适，考试锁庭举人。举人有试官亲戚者，并互送别差官试。锁庭举人自此始，用宝元二年闰十二月庚寅诏书。（《续资治通鉴长编》卷一三三）

李觏作《建昌军集贤亭记》。

九月

乙卯（九日），以权盐铁判官、侍御史萧定基，祠部员外郎、集贤校理、判户部勾院王琪，并提举计度江南东西、荆湖南北路盐酒公事。（《续资治通鉴长编》卷一三三）

辛酉（十五日），知秦州韩琦复为起居舍人，知庆州范仲淹复为户部郎中。（《续资治通鉴长编》卷一三三）

十月

甲午（十八日），徙判永兴军、宣徽南院使、忠武节度使、陕西马步军都部署、兼经略安抚缘边招讨使夏竦判河中府，知永兴军、资政殿学士、工部侍郎、同陕西马步军都部署、兼经略安抚缘边招讨使陈执中知陕州，枢密直学士、起居舍人、管勾秦凤路部署司事、兼知秦州韩琦为礼部郎中，龙图阁直学士、户部郎中、管勾环庆路部署司事、兼知庆州范仲淹为左司郎中，龙图阁直学士、礼部郎中、管勾鄜延路部署司事、兼知延州庞籍为吏部郎中、并兼本路马步军都部署、经略安抚缘边招讨使。（《续资治通鉴长编》卷一三四）

十一月

二十日，郊祀，改元庆历。（《玉海》卷十三）

十二月

丙子朔（一日），加恩百官，进封宰臣、申国公吕夷简为许国公。（《续资治通鉴长编》卷一三四）

癸未（八日），知永兴军、资政殿学士、吏部侍郎范雍为资政殿大学士、尚书左丞。（《续资治通鉴长编》卷一三四）

甲申（九日），翰林学士承旨丁度、直史馆同修起居注梁适，同三司放天下欠负。（《续资治通鉴长编》卷一三四）

己丑（十四日），翰林学士王尧臣等上新修《崇文总目》六十卷。景祐初，以三馆、秘阁所藏书，其间亦有谬滥及不完者，命官定其存废。因仿《开元四部》，录为总目。至是上之，所藏书凡三万六百六十九卷。然或相重，亦有可取而误弃不录者。（《续资治通鉴长编》卷一三四）

《崇文总目》十二卷，宋王尧臣等奉敕撰，盖以四馆书并合著录者也。宋制：以昭文、史馆、集贤为三馆。太平兴国三年，于左升龙门东北建崇文院，谓之三馆新修书院。端拱元年，诏分三馆之书万余卷，别为书库，名曰：秘阁。以别贮禁中之籍，与三馆合称四馆。景祐元年闰六月。以三馆及秘阁所藏或谬滥不全。命翰林学士张观，知制诰李淑、宋祁等看详。定其存废，讹谬者删去，差漏者补写。因诏翰林学士王尧臣、史馆检讨王洙、馆阁校勘欧阳修等校正条目，讨论撰次，定著三万六百六十九卷。分类编目，总成六十六卷。于庆历元年十二月己丑上之，赐名曰《崇文总目》。后神宗改崇文院曰秘书省，徽宗时因改是书曰《秘书总目》。然自南宋以来，诸书援引仍谓之《崇文总目》，从其朔也。（《四库书总目》卷八五）

庚寅（十五日），以提举修《总目》官：资政殿学士、礼部侍郎张观，右谏议大夫宋庠，翰林学士、兼龙图阁学士、兵部员外郎、知制诰、判集贤院王尧臣，翰林学士、兼侍读学士、起复兵部郎中、知制诰、判昭文馆聂冠卿，兵部员外郎、知制诰郭稹，并加阶及食邑有差。编修官：太常博士、直集贤院吕公绰为工部员外郎，殿中丞、天章阁侍讲、史馆检讨王洙为太常博士。馆阁校勘：殿中丞刁约、太子中允欧阳修、著作佐郎杨仪、大理评事陆经，并为集贤校理。管勾三馆、秘阁：内殿承制王从礼为供备库副使，入内供奉官裴滋候御药院满日优与改官，高班杨安显为高品。张观、宋庠虽在外，以尝典领，亦预之。（《续资治通鉴长编》卷一三四）

壬辰（十七日），龙图阁直学士、兼侍讲、礼部郎中、权知开封府贾昌朝为右谏议

大夫、权御史中丞。（《续资治通鉴长编》卷一三四）

戊戌（二十三日），复祠部员外郎赵槩为直集贤院、知滁州。（《续资治通鉴长编》卷一三四）

冬

晏殊、欧阳修西园宴饮，因咏雪诗而生芥蒂。

晏元献为枢密使时，西师未解严。会天雪，陆子履与欧公同谒之，晏置酒西园。欧即席赋诗，有"主人与国同休戚，不惟喜悦将丰登。须怜铁甲冷彻骨，四十余万屯边兵。"晏由是衔之，语人曰："韩愈亦能作言语，作裴令公宴集，但云'园林穷胜事，钟鼓乐清时'。"（吴曾《能改斋漫录》卷十一）

本年

曾巩入太学，上书欧阳修，献杂文、时务策两篇，修奇之。

庆历元年，予入太学。（曾巩《王君俞哀辞》）

王安石、曾巩在京师相识并定交。

欧阳修作《释惟俨文集序》。

惟俨姓魏氏，杭州人。少游京师三十余年，虽学于佛，而通儒术，喜为辞章，与吾亡友曼卿交最善。曼卿遇人无所择，必皆尽其欣欢。惟俨非贤士不交，有不可其意，无贵贱，一切闭拒，绝去不少顾。曼卿之兼爱，惟俨之介，所趣虽异，而交合无所间。曼卿尝曰："君子泛爱而亲仁。"惟俨曰："不然。吾所以不交妄人，故能得天下士。若贤不肖混，则贤者安肯顾我哉？"以此一时贤士多从其游。居相国浮图，不出其户十五年。士尝游其室者，礼之惟恐不至，及去为公卿贵人，未始一往干之。然尝窃怪平生所交皆当世贤杰，未见卓卓著功业如古人可记者。因谓世所称贤材，若不答兵走万里，立功海外，则当佐天子号令，赏罚于明堂。苟皆不用，则绝宠辱，遗世俗，自高而不屈，尚安能醯豢于富贵而无为哉？醉则以此诮其坐人。人亦复之，以谓："遗世自守，古人之所易。若奋身逢世，欲必就功业，此虽圣贤难之，周、孔所以穷达异也。今子老于浮图，不见用于世，而幸不践穷亨之涂。乃以古事之已然，而责今人之必然邪？"虽然，惟俨傲乎退偃于一室，天下之务，当世之利病，听其言终日不厌，惜其将老也已！曼卿死，惟俨亦买地京城之东以谋其终。乃敛平生所为文数百篇，示予曰："曼卿之死，既已表其墓。愿为我序其文，然及我之见也。"嗟夫！惟俨既不用于世，其材莫见于时。若考其笔墨驰骋文章赡逸之能，可以见其志矣。庐陵欧阳永叔序。

范祖禹（1041—1098）生。祖禹字淳甫，一字梦得。幼孤，叔祖镇抚育如己子。闭门读书，未尝预人事。进士甲科。从司马光编修《资治通鉴》，在洛十五年，不事进取。书成，光荐为秘书省正字。时王安石当国，尤爱重之。王安国与祖禹友善，尝谕安石意，竟不往谒。哲宗立，擢右正言。吕公著执政，祖禹以婿嫌辞，改祠部员外郎，又辞。除著作佐郎、修《神宗实录》检讨，迁著作郎兼侍讲。迁给事中。兼国史院修撰，为礼部侍郎。拜翰林学士，以叔百禄在中书，改侍讲学士。百禄去，复为之。范氏自镇至祖禹，比三世居禁林，士论荣慕。绍述之论已兴，遂请外。上且欲大用，而内外梗之者甚众，乃以龙图阁学士知陕州。言者论祖禹修《实录》诋诬，又摭其谏禁中雇乳媪事，连贬武安军节度副使、昭州别驾，安置永州、贺州，又徙宾、化而卒，年五十八。祖禹尝进《唐鉴》十二卷、《帝学》八卷、《仁宗政典》六卷。而《唐鉴》深明唐三百年治乱，学者尊之，目为"唐鉴公"云。建炎二年，追复龙图阁学士。（《宋史》本传）

舒亶（1041—1103）生。舒亶，字信道，明州慈溪人。试礼部第一，调临海尉。御史张商英亦称其材，用为审官院主簿。使熙河括田，有绩，迁奉礼郎。元丰初，权监察御史里行。太学官受赂，事闻，亶奉诏验治，凡辞语微及者，辄株连考竟，以多为功。加集贤校理。同李定劾苏轼作为歌诗议讪时事。帝觉其言为过，但贬轼、诜，而光等罚金。未几，同修起居注，改知谏院。进知杂御史、判司农寺，超拜给事中、权直学士院。逾月，为御史中丞。举劾多私，气焰熏灼，见者侧目，独惮王安礼。追两秩勒停。亶比岁起狱，好以疑似排抵士大夫，虽坐微罪废斥，然远近称快。十余年，始复通直郎。崇宁初，知南康军。辰溪蛮叛，蔡京使知荆南，以开边功，由直龙图阁进待制，明年，卒，赠直学士。（《宋史》本传）

郑侠（1041—1119）生。郑侠，字介夫，福州福清人。治平中，随父官江宁，闭户苦学。王安石知其名，邀与相见，称奖之。进士高第，调光州司法参军。秩满，径入都。时初行试法之令，选人中式者超京官，安石欲使以是进，侠以未尝习法辞。是时，自熙宁六年七月不雨，至于七年之三月，人无生意。侠知安石不可谏，悉绘所见为图，奏疏诣阁门，不纳。乃假称密急，发马递上之银台司。疏奏，神宗反复观图，长吁数四，袖以入。安石上章求去，外间始知所行之由，群奸切齿，遂以侠付御史，治其擅发马递罪。安石去，惠卿执政，侠又上疏论之。狱成，徙英州。哲宗立，始得归。苏轼、孙觉表言之，以为泉州教授。元符七年，再窜于英。徽宗立，赦之，仍还故官，又为蔡京所夺，自是不复出。布衣粝食，屏处田野，然一言一话，未尝忘君。宣和元年卒，年七十九。绍熙初，诏赠朝奉郎。（《宋史》本传）

刘奉世（1041—1113）生。奉世字仲冯，天资简重，有法度。中进士第。熙宁三年，初置枢密院诸房检详文字，以太子中允居吏房。神宗称其奉职不苟，加集贤校理、检正中书户房公事，改刑房，进直史馆、国史院编修官。后蔡确以是文致奉世罪，谪降蔡州粮料院。久之，为吏部员外郎。元祐初，历度支左司郎中、起居郎、天章阁待制、枢密都承旨、户部吏部侍郎、权户部尚书。七年，拜枢密直学士，签书院事。哲宗亲政，奉世乞免去。绍圣元年，以端明殿学士知成德军，改定州。逾年，知成都府。过都入觐，欲述朋党倾邪之状。明年，责光禄少卿，分司南京，居郴州。御史中丞邢恕劾奉世合刘挚倾害大臣，附吕大防、苏辙，遂登政府，再贬隰州团练副使。徽宗立，尽还其官职，知定州、大名府、郓州。崇宁初，再夺职，责居沂、衮，以赦得归。政和三年，复端明殿学士。薨，年七十三。奉世优于吏治，尚安静，文词雅瞻，最精《汉书》学。（《宋史》本传）

本年重要作品：

文：欧阳修《石曼卿墓表》、欧阳修《释惟俨文集序》、曾巩《上欧阳修学士第一书》、曾巩《王无咎字序》、李觏《建昌军集贤亭记》、石介《送祖择之序》。

诗：欧阳修《哭曼卿》、欧阳修《送胡学士知湖州》、欧阳修《圣俞会饮》、欧阳修《赠杜默》、欧阳修《忆山示圣俞》、欧阳修《送昙颖归庐山》、欧阳修《与李献臣宋子京春集东园得节字》、欧阳修《送孔秀才游河北》、梅尧臣《故原战》、梅尧臣《故原有战卒死而复苏来说当时事》、梅尧臣《醉中留别永叔子履》、苏舜钦《哭曼卿》、王安国《滕王阁》。

公元 1042 年（宋仁宗庆历二年　壬午）

正月

十二日，以翰林学士聂冠卿权知贡举，翰林学士王拱辰、苏绅、知制诰吴育、天章阁待制高若讷并权同知贡举，合格奏名进士杨置已下五百七十七人。（《宋会要辑稿·选举一》）

初，端明殿学士李淑侍经筵，上访以进士诗、赋、策、论先后，俾以故事对。淑退而上奏曰："唐调露二年，刘思立为考功员外郎，以进士止试策，灭裂不尽其学，请贴经以观其学，试杂文以观其才。自此沿以为常。至永隆二年，进士试杂文，通文律者始试策。天宝十一年，进士试一大经，能通者试文赋，又通而后试策，五条皆通为中第。建中二年，赵赞请试以时务策五篇，论、表、赞各一篇，以代诗、赋。大和三年，试贴经，略问大义，取精通者次试论、义各一篇。八年，礼部试以贴经口义，次试策五篇，问经义者三，问时务者二。厥后变易，遂以诗赋第一场，论第二场，策第三场，贴经第四场。今陛下欲求理道，不以雕篆为贵，得取士之实矣。然考官以所试分考不能通加评较，而每场辄退落。士之中否，特系于幸、不幸尔。愿依旧制，先策，次论，次赋，次贴经、墨义，而敕有司并试四场，通较工拙，毋以一场得失为去留。"诏有司议，稍施行焉。（《续资治通鉴长编》卷一三五）

十八日，以直集贤院知谏院张方平、集贤校理欧阳修考试知举官亲戚举人。（《宋会要辑稿·选举一》）

丁卯（二十二日），贾昌朝请罢举人试院所写策题，从之。（《续资治通鉴长编》卷一三五）

辛未（二十六），以大相国寺新修太宗御书殿为宝奎殿，摹太宗御书寺额于石，上飞白题之。命宰相吕夷简撰记，章得象篆额，枢密使晏殊撰御飞白书记。（《续资治通鉴长编》卷一三五）

二月

旧制，诸州荐贡者，既试礼部，则引试崇政殿。而知制诰富弼言曰："国家沿隋、唐，设进士科。自咸平、景德已来，为法尤严，逾于前代，而得人之道，或有未至。夫省试有三长，殿试有三短。主文衡者四五人，皆一时词学之选，又选命馆阁才臣数人，以助考较，复有监守、巡察、糊名、誊录，上下相警，不容毫厘之私，一长也；

引试三日，诗、赋所以见才艺，策、论所以观才识，四方之士得以尽其所蕴，二长也；贡院凡两月余，研究差次，可以穷功悉力，三长也。殿试考官泛取而不择，一短也；一日试诗、赋、论三篇，不能尽人之才，二短也；考校不过十日，不暇研究差次，三短也。若曰礼部放榜，则权归有司；临轩唱第，则恩出主上，则是忘取士之本，而务收恩之末也。且历代取士，悉委有司，独后汉文吏课笺奏，副上端门，亦未闻天子亲试也。至唐武后载初之年，始有殿试，此何足法哉！必虑恩归有司，则宜使礼部次高下以奏，而引诸殿庭，唱名赐第，则与殿试无所异矣。"辛巳（七日），诏罢殿试。而翰林学士王尧臣、同修起居注梁适，皆以为祖宗故事，不可遽废。越三日，癸未（九日），诏复殿试如旧。（《续资治通鉴长编》卷一三五）

三月

甲辰朔（一日），复太常博士余靖为集贤校理。（《续资治通鉴长编》卷一三五）

丁巳（十四日），命枢密使杜衍为河东宣抚使，翰林学士承旨丁度副之。（《续资治通鉴长编》卷一三五）

十五日，帝御崇政殿，试礼部奏名进士。内出《应天以实不以文赋》、《吹律听凤鸣诗》、《顺德者昌论》题。（《宋会要辑稿·选举七》）

翌日，试特奏名进士。内出《亲将征关外诗》、《五帝宪老不乞言论》题。（《宋会要辑稿·选举七》）

乙丑（二十二日），御崇政殿，赐进士杨置等二百三十七人及第、一百二十二人出身、七十三人同出身。置，察弟。初试国子监、礼部皆第一，及是，帝临轩启封，见姓名，喜动于色，为辅臣曰："杨置也。"公卿相贺为得人。授将作监丞、通判颍州。

丙寅（二十三日），赐诸科及第并同出身者四百七人。又赐特奏名进士、诸科三百六十四人同出身及补诸州长史、文学。（《续资治通鉴长编》卷一三五）

登进士第者：杨置、王珪、韩绛、王安石、曾公定、韩宗彦、连庠、毛维瞻、石象之、张谔、上官凝、汪泌、董渊、蔡若水、陆起、陈峤、俞可、双渐、俞汝尚、曹经、葛密、潘及甫、张唐民、陈洙、徐九思、孔延之、石牧之、吕夏卿、陈襄、柳瑾、黄庶、姚原道、韩缜、王陶、苏颂、李观、马端、刘嘉正、朱定国、诸葛赓、阎充国、吕公著、李师中、陈习等。

庆历二年，御试进士，时晏元献为枢密使。杨察，晏婿也，时自知制诰，避亲，勾当三班院。察之弟置时就试毕，负魁天下望。未放榜间，将先宣示两府，上十人卷子。置因以赋求察问晏公己之高下焉。晏公明日入对，见置之赋已考定第四人，出以语察。察密以报置。而置试罢与酒徒饮酒肆，闻之，以手击案叹曰："不知那个卫子夺吾状元矣！"不久唱名，再三考定第一人卷子进御。赋中有"孺子其朋"之言，不怿曰："此语忌，不可魁天下。"即王荆公卷子。第二人卷子即王珪，以故事，有官人不为状元；令取第三人，即殿中丞韩绛；遂取第四人卷子进呈，上欣然曰："若杨置可矣。"复以第一人为第四人。置方以鄙语骂时，不知自为第一人也。然荆公平生未尝略语曾考中状元，其气量高大，视科第为何等事而增重耶！（王铚《默记》卷下）

王荆公于杨置榜下第四人及第，是时，晏元献为枢密使，上令十人往谢。晏公俟众人退，独留荆公，再三谓曰："廷评乃殊乡里，久闻德行乡评之美。况殊备位执政，而乡人之贤者取高科，实预荣焉。"又曰："休沐日相邀一饭。"荆公唯唯。既出，又使直省官相约饭会，甚殷勤也。比往时，待遇极至。饭罢，又延坐，谓荆公曰："乡人他日名位如殊坐处，为之有余矣。"且叹慕之又数十百言，最后曰："然有二语欲奉闻，不知敢言否？"晏公言至此，语欲出而拟议久之，乃泛谓荆公曰："能容于物，物亦容矣。"荆公但微应之，遂散。公归至旅舍，叹曰："晏公为大臣，而教人者以此，何其卑也！"心颇不平。荆公后罢相，其弟和甫知金陵时说此事，且曰："当时我大不以为然。我在政府，平生交友，人人与之为敌，不能保其终。今日思之，不知晏公何以知之。复不知'能容于物，物亦容焉'二句，有出处，或公自为之言也。"（王铚《默记》卷中）

曾巩落第，归乡。

庚午（二十七日），命知青州陈执中兼京东路安抚使。（《续资治通鉴长编》卷一三五）

春

范仲淹巡边至环州。（《续资治通鉴长编》卷一三五）

四月

戊寅（五日），命权御史中丞贾昌朝、右正言田况、知谏院张方平、入内都知张永和与权三司使姚仲孙同议裁减浮费。（《续资治通鉴长编》卷一三五）

庚辰（七日），以右正言、知制诰富弼为回谢契丹国信使。（《续资治通鉴长编》卷一三五）

二十三日，诏新及第进士第一人杨置为将作监丞，第二人王珪为大理评事，第三人韩绛为太子中允，并通判；第四人王安石为校书郎，第五人曾公定为奉礼郎，并金书诸州判官事；第六人已下，两使职官；第二甲，初等职官；第三甲，试衔知县；第四甲，试衔簿、尉；第五甲，判司、簿、尉。（《宋会要辑稿·选举二》）

己亥（二十六日），以枢密直学士、礼部郎中、知秦州韩琦为秦州观察使，枢密直学士、吏部郎中、知渭州王沿为泾州观察使，龙图阁直学士、吏部郎中、知延州庞籍为鄜州观察使，龙图阁直学士、右司郎中、知庆州范仲淹为汾州观察使。（《续资治通鉴长编》卷一三五）

王安石签书淮南判官，至扬州。

五月

己未（十七日），以知天雄军程琳知大名府、兼北京留守司。（《续资治通鉴长编》卷一三六）

庚申（十八日），置京东两路安抚使，以知青州陈执中兼青、淄、潍等州安抚使，知郓州张观兼郓、齐、濮等州安抚使，并兼提举兵马巡检盗贼事。（《续资治通鉴长编》卷一三六）

癸亥（二十一日），新邠州观察使范仲淹复为龙图阁直学士、左司郎中，鄜州观察使庞籍复为龙图阁直学士、吏部郎中，并从所请也。（《续资治通鉴长编》卷一三六）

甲子（二十二日），召江南东路转运使、太常博士、直集贤院杨察入为左正言、知制诰。（《续资治通鉴长编》卷一三六）

六月

（辽兴宗重熙十一年）壬午（十日），御含凉殿，放进士王实等六十四人。（《辽史·兴宗纪二》）

夏

石介由杜衍荐为国子监直讲。

石守道介康定（按，当为庆历之误）中主盟上庠，酷愤时文之弊，力振古道。时庠序号为全盛之际，仁宗孟夏銮舆有玉津钹麦之幸，道由上庠。守道前数日于首善堂出题曰《诸生请皇帝幸国学赋》，糊名定优劣。中有一赋云："今国家始建十亲之宅，新封八大之王。"盖是年造十王宫，封八大王元俨为荆王之事也。守道晨兴鸣鼓于堂，集诸生谓之曰："此辈鼓箧游上庠，提笔场屋，稍或出落，尚腾谤有司，悲哉！吾道之衰也。如此是物宜遽去，不尔，则鼓其姓名，挞以惩其谬。"时引退者数十人。（文莹《湘山野录》卷中）

七月

戊午（十七日），右仆射、兼门下侍郎、平章事吕夷简判枢密院，工部侍郎、平章事章得象兼枢密使，枢密使晏殊同平章事。（《续资治通鉴长编》卷一三七）

李觏试制科不第，归。（魏峙《李直讲年谱》）

诗以言志，言以知物，信不诬矣。江南李觏，通经术，有文章，应大科，召试第一。尝作诗曰："人言日落是天涯，望极天涯不见家。堪恨碧山相掩映，碧山还被暮云遮。"识者曰："观此诗意，有重重障碍，李君恐时命不偶。"后竟如其言。（吴处厚《青箱杂记》卷七）

李泰伯著《常语》非孟子。后举茂材，论题出"经正则庶民兴"，不知出处，曰："吾无书不读，此必《孟子》中语也。"掷笔而出。（罗大经《鹤林玉露》乙编卷一）

八月

丁丑（六日），御崇政殿，策试才识兼茂明于体用科。殿中丞钱明逸，所对策入第四等次，以为太常博士、通判庐州。明逸，易子也。（《续资治通鉴长编》卷一三七）

辛巳（十日），知大名府、尚书左丞程琳加资政殿学士。（《续资治通鉴长编》卷一三七）

九月

辛丑朔（一日），太常博士孙甫为秘阁校理，枢密副使杜衍所荐也。（《续资治通鉴长编》卷一三七）

丙午（六日），夷简改兼枢密使。（《续资治通鉴长编》卷一三七）

十二日，聂冠卿卒，55 岁。聂内翰冠卿，字长孺，歙县人。登第，为连州军事推官。景祐中，李照改定大乐，引冠卿为检讨雅乐制度故实官，别诏与冯元、宋祁修撰乐书，为《景祐广乐记》。又以警严一奏曲不应再用，乃制《奉禋歌》以备三迭。诏冠卿及照造词以配声，下本局歌之。是年，郊祀遂用焉。冠卿特迁刑部郎中、直集贤院，以兵部郎中、知制诰、判太常礼院。其年九月十二日卒，年五十有五。冠卿嗜学好古，手未尝释卷。尤工诗，有《蕲春集》十卷、《河东集》三十卷。（王珪《聂内翰传》）

著有：《景祐大乐图》二十卷（《宋史·艺文志一》）、《蕲春集》十卷（《宋史·艺文志七》）、《河东集》三十卷（王珪《聂内翰传》）。

欧阳修通判滑州。

闰九月

庚辰（十日），复命右正言、知制诰、史馆修撰富弼为吏部郎中、枢密直学士，弼又固辞。（《续资治通鉴长编》卷一三七）

壬午（十二日），太子中允、集贤校理、通判秦州尹洙直集贤院。（《续资治通鉴长编》卷一三七）

十月

丙午（六日），以右正言、知制诰、史馆修撰富弼为翰林学士。（《续资治通鉴长编》卷一三八）

辛亥（十一日），以环庆路都部署、经略安抚缘边招讨使、龙图阁直学士、左司郎中、兼知庆州范仲淹，秦凤路都部署、经略安抚缘边招讨使、秦州观察使知秦州韩琦，并为枢密直学士、右谏议大夫。（《续资治通鉴长编》卷一三八）

甲寅（十四日），以翰林学士、兼龙图阁直学士王尧臣为泾原路安抚使。河东都转运使、吏部员外郎、天章阁待制文彦博为龙图阁直学士、知渭州，兼泾原路都部署、经略安抚缘边招讨使。（《续资治通鉴长编》卷一三八）

十一月

辛巳（十二日），徙知渭州、龙图阁直学士、吏部员外郎文彦博为秦凤路都部署、经略安抚招讨使、兼知秦州，刑部员外郎、直集贤院、知泾州滕宗谅为天章阁待制、环庆都部署、经略安抚招讨使、兼知庆州。复置陕西四路都部署经略安抚兼缘边招讨使，命韩琦、范仲淹、庞籍分领之。仲淹与韩琦开府泾州，而徙彦博帅秦，宗谅帅庆，皆从仲淹之请也。（《续资治通鉴长编》卷一三八）

甲申（十五日），以泰山处士孙复为试校书郎、国子监直讲。复，平阳人。举进士不中，退居泰山，学《春秋》，著《尊王发微》十二篇。大约本于陆淳，而增新意。石介有名山东，自介而下皆以先生事复。年四十不娶，李迪知其贤，以其弟之子妻之。复初犹豫，石介与诸弟子谓："公卿不下士久矣。今丞相不以先生贫贱，欲托以子，宜因以成丞相之贤名。"复乃听。孔道辅闻复之贤，就见之，介执杖屡立侍复左右，升降拜则扶之，其往谢亦然。介既为学官，语人曰："孙先生非隐者也。"于是，范仲淹、富弼皆言复有经术，宜在朝廷，故召用之。（《续资治通鉴长编》卷一三八）

冬

宰相吕夷简感风眩，不能朝。上忧之，手诏拜司空、平章军国重事，俟疾损，三五日一入中书。（《续资治通鉴长编》卷一三八）

本年

安惇（1042—1104）生。安惇，字处厚，广安军人。上舍及第，调成都府教授。上书论学制，召对，擢监察御史。哲宗初政，罢惇为利州路转运判官，历夔州、湖北、江东三路。绍圣初，召为国子司业，三迁谏议大夫。迁御史中丞。乃以宝文阁待制知潭州，寻放归田里。蔡京为相，复拜工部侍郎、兵部尚书。崇宁初，同知枢密院。卒，赠特进。（《宋史》本传）

陆佃（1042—1102）生。陆佃，字农师，越州山阴人。过金陵，受经于王安石。熙宁三年，应举入京。适安石当国，首问新政。礼部奏名为举首。方廷试赋，遽发策题，士皆愕然；佃从容条对，擢甲科。授蔡州推官。初置五路学，选为郓州教授，召补国子监直讲。加集贤校理、崇政殿说书，进讲《周官》，神宗称善，始命先一夕进稿。同修起居注。元丰定官制，擢中书舍人、给事中。哲宗立，更先朝法度，去安石之党，士多讳变所从。安石卒，佃率诸生供佛，哭而祭之，识者嘉其无向背。迁吏部侍郎，以修撰《神宗实录》徙礼部。数与史官范祖禹、黄庭坚争辨，大要多是安石，为之晦隐。庭坚曰："如公言，盖佞史也。"佃曰："尽用君意，岂非谤书乎！"进权礼部尚书。郑雍论其穿凿附会，改龙图阁待制、知颍州。《实录》成，加直学士，又为韩川、朱光庭所议，诏止增秩，徙知邓州。未几，知江宁府。甫至，祭安石墓。绍圣初，治《实录》罪，坐落职，知秦州，改海州。朝论灼其情，复集贤殿修撰，移知蔡。徽宗即位，召为礼部侍郎。徽宗遂命修《哲宗实录》。迁吏部尚书，报聘于辽。拜尚书右丞。转左丞。罢为中大夫、知亳州，数月卒，年六十一。追复资政殿学士。佃著书二百四十二卷，于礼家、名数之说尤精，如《埤雅》、《礼象》、《春秋后传》皆传于世。（《宋史》本传）

彭汝砺（1042—1095）生。彭汝砺，字器资，饶州鄱阳人。治平二年，举进士第

一。历保信军推官、武安军掌书记、潭州军事推官。王安石见其《诗义》，补国子直讲，改大理寺丞，擢太子中允，既而恶之。为监察御史里行。元丰初，以馆阁校勘为江西转运判官。代还，提点京西刑狱。元祐二年，召为起居舍人。逾年，迁中书舍人，赐金紫。词命雅正，有古人风。落职知徐州。加集贤殿修撰，入权兵、刑二部侍郎。徙汝砺礼部，真拜吏部侍郎。哲宗躬听断，进权吏部尚书。言者谓尝附会刘挚，以宝文阁直学士知成都府。未行，章数上，又降待制、知江州。至郡数月而病去。朝廷方以枢密都承旨命之而已卒，乃以告赐其家。年五十四。所著《易义》、《诗义》、《诗文》凡五十卷。（《宋史》本传）

本年重要作品：

文：晏殊《五云观记》、欧阳修《准诏言事上书》、欧阳修《御书阁记》、欧阳修《画舫斋记》、欧阳修《释秘演诗集序》、欧阳修《论韩琦范仲淹乞赐召对事札子》、欧阳修《送曾巩秀才序》、曾巩《上欧阳学士第二书》、曾巩《上田正言书》、曾巩《与抚州知州书》、王安石《送孙正之序》李觏《麻姑山赋》。

诗：晏殊《壬午岁元日雪》、晏殊《次韵和司空相公闰秋重九中书对菊》、晏殊《闰九月九日》、欧阳修《送黎生下第还蜀》、欧阳修《答苏子美离京见寄》、欧阳修《洛阳牡丹图》、欧阳修《立秋有感寄苏子美》、欧阳修《送吕夏卿》、欧阳修《送孔生再游河北》、欧阳修《暮春有感》、欧阳修《和对雪忆梅花》、苏舜钦《离京后舟中有作寄仲文韩二兄弟永叔欧阳九和叔杜二》、苏舜钦《淮上喜雨联句》、梅尧臣《舟中值雨裴刁二君相与见过》、梅尧臣《春日舟中对雪寄刁经臣》、梅尧臣《和刁太博新墅十题》、王安石《忆昨诗示诸外弟》、李觏《与祖秘丞》、李觏《寄小儿》、李觏《寄周寺丞》李觏《惜才》、李觏《送侯殿直知吉州》。

公元 1043 年（宋仁宗庆历三年　癸未）

正月

戊寅（九日），太子中允、直集贤院、通判秦州尹洙为太常丞、知泾州。（《续资治通鉴长编》卷一三九）

三月

五日，上官融卒，49 岁。旋以疾闻，除太子中舍，致仕，居于曹南郡。以庆历三年三月五日不起，年四十有九。（范仲淹《太子中舍致仕上官君墓志铭》）

著有：《文会谈丛》三卷（《宋史·艺文志五》）。

右仆射、兼门下侍郎、平章事、兼枢密使吕夷简再辞位，戊子（二十一日），罢相，为司徒、监修国史，军国大事与中书、枢密院同议。户部侍郎、平章事、兼枢密使章得象加工部尚书；枢密使、刑部尚书、同平章事晏殊，依前官平章事，兼枢密使；宣徽南院使、忠武节度使、判蔡州夏竦为户部尚书，充枢密使；右谏议大夫、权御史中丞贾昌朝为参知政事；右正言、知制诰、史馆修撰富弼为右谏议大夫、枢密副使。

（《续资治通鉴长编》卷一四〇）

辛卯（二十四日），枢密副使、刑部侍郎杜衍为吏部侍郎。（《续资治通鉴长编》卷一四〇）

癸巳（二十六日），侍御史鱼周询为起居舍人，职方员外郎王素为兵部员外郎，太子中允、集贤校理欧阳修为太常丞，并知谏院。周询固辞之。以太常博士、集贤校理余靖为右正言，谏院供职。时陕右师老兵顿，京东西盗起。吕夷简既罢相，上遂欲更天下弊事，故增谏官员，首命素等为之。（《续资治通鉴长编》卷一四〇）

甲午（二十七日），枢密副使、右谏议大夫富弼改为资政殿学士、兼翰林侍读学士。（《续资治通鉴长编》卷一四〇）

是月，上令内侍宣谕韩琦、范仲淹、庞籍等："候边事稍宁，当用卿等在两府，已诏中书札记。此特出朕意，非臣僚荐举。"又令琦等密奏可代处边任者。琦等言："元昊虽约和，诚伪未可知。愿尽力塞下，不敢拟他人为代。"（《续资治通鉴长编》卷一四〇）

王安石自扬州还临川。

春

祖无择序穆修《河南穆公集》。

积于中者之谓道，发于外者之谓文，有道有文然后可以为君子。道有用舍，文有否泰，然用舍、否泰在命不在道与文也。君子不以其命之穷而辍于为道，道之不行而不废于学文，故虽身厄于当时而名显于后世者，由此也。河南穆公，讳修，字伯长，天平人。少举进士，有名场屋中。明道元年秋九月，终于家。如公可谓命之穷、道之不行也已，而未尝废文。大凡有作，莫不要诸圣贤而立言，合诸仁义以为质。平时所见于简策者，殆逾数十万言，时人得之，且爱且学。及公之殁，无择求遗文于嗣子熙，得诗五十六，书、序、记、志、祭文总二十。与无择昔所藏增多诗一十二，书、序各一。又从其旧友而求之，往往知爱而不知传，故无获焉。姑类次是以为三卷，题曰《河南穆公集》云。时庆历三年春，南康清修阁中序。（祖无择《河南穆公集序》）

世不知为古文，已独为之，是儒之特立者也。吾见三人矣。董生当秦灭学之后，明孔氏之术，道曾子之言，其文甚近古也。虽同时若严助、枚皋谓应义理，子长、相如博辨无极，亦自为其文而已，未始识董生之用心。由东京以后，历魏晋五代而文益衰。至唐昌黎公，始知尊孔氏，贵王贱霸，大变而古。李翱、皇甫湜从而和之，然其后亦无传焉。唐衰，更五季，其弊又甚。至我朝，乃或推孙、丁、杨、刘为文辞之雄。是时，穆参军伯长独不以为然，实始为古文，在尹师鲁、苏子美、欧阳公之先。自尔以来，学者益以光大，非止求夫文之近于古而已。盖异端既辟，则必以圣人为师；不专注疏，则必以经旨为归。愚尝评穆参军之复古，以为不在董生、昌黎公之下。（刘清之《河南穆公集序》）

《穆参军集》三卷，《附录》遗事一卷，宋穆修撰。其文章则莫考所师承。盖天姿高迈，沿溯于韩、柳，而自得之。宋之古文，实柳开与修为倡。然开之学，及身而止。

修则一传为尹洙，再传为欧阳修，而宋之文章于斯极盛，则其功亦不鲜矣。祖无择集有修集序，所列诗文之数与今本合，盖此集犹无择所编之旧也。叶适《水心集》讥吕祖谦《宋文鉴》所收修《法相院钟记》、《静胜亭记》二篇为腐败粗涩，亦言之已甚。唯第三卷之首，载《亳州魏武帝帐庙记》一篇，其奖篡助逆，可谓大乖于名教。谨刊除此文，以章衮钺。其他作则仍录之，用不没其古文一脉筚路蓝缕之功云。（《四库提要》卷一五二）

著录：陈振孙《直斋书录解题·别集类中》、《宋史·艺文志七》、杨士奇等《文渊阁书目》卷九、叶盛《菉竹堂书目》卷四、焦竑《国史经籍志》卷五、毛扆《汲古阁珍藏秘本书目》、钱谦益《绛云楼书目》卷三、钱曾《述古堂藏书目》卷二、《四库提要》卷一五二、季振宜《季沧苇藏书目》、金檀《文瑞楼藏书目录》卷六、丁丙《善本书室藏书志》卷二六、邵懿辰《增订四库简明目录标注》卷一五、瞿镛《铁琴铜剑楼藏书目》卷二〇、傅增湘《藏园群书经眼录》卷一三、《北京大学图书馆善本书目》、《北京图书馆古籍善本书目》、台湾《中央图书馆善本书目》。

版本：清康熙二十六年谭扬仲钞本、清康熙金侃钞本、清钱曾述古堂影写宋刊本、清经钼堂钞本、清光绪六年方功惠刻本、清汪氏摛藻堂钞本。

四月

甲辰（七日），以陕西四路马步军都部署，兼经略安抚招讨等使，枢密直学士，右谏议大夫韩琦、范仲淹并为枢密副使。（《续资治通鉴长编》卷一四〇）

乙巳（八日），枢密副使、吏部侍郎杜衍依前官充枢密使，宣徽南院使、忠武节度使夏竦赴本镇。（《续资治通鉴长编》卷一四〇）

己酉（十二日），著作佐郎、馆阁校勘蔡襄为秘书丞，知谏院。初，王素、余靖、欧阳修除谏官，襄作诗贺之，辞多劝激。三人者以其诗荐于上，寻有是命。（《续资治通鉴长编》卷一四〇）

己未（二十二日），翰林学士、兼龙图阁学士、兵部员外郎王尧臣为户部郎中、权三司使事。（《续资治通鉴长编》卷一四〇）

甲子（二十七日），夷简请罢预军国大事，从之。（《续资治通鉴长编》卷一四〇）

是月，太子中允、国子监直讲石介作庆历圣德诗。（《续资治通鉴长编》卷一四〇）

会吕夷简罢相，夏竦既除枢密使，复夺之，以衍代。章得象、晏殊、贾昌朝、范仲淹、富弼及琦同时执政，欧阳修、余靖、王素、蔡襄并为谏官，介喜曰：“此盛事也，歌颂吾职，其可已乎。”作《庆历圣德诗》。（《宋史》石介传）

庆历中，吕许公夷简罢政事，以司徒归第，拜晏元献公殊、章郇公得象为相。又以谏官欧阳修、余靖上疏，罢夏竦枢密使。其它升拜不一。是时，石介为国子监直讲，献《庆历圣德颂》，褒贬甚峻，而于夏竦尤极诋斥，至目之为不肖，及有“手锄奸蘖”之句。颂出，泰山孙复谓介曰：“子之祸自此始矣。”未几，党议起，介在指名，遂罢监事，通判濮州，归祖徕山而病卒。会山东举子孔直温谋反，或言直温尝从介学，于是夏英公言于仁宗曰："介实不死，北走胡矣。"寻有旨编管介妻子于江淮，又出中使与京东部刺史发介棺以验虚实。是时，吕居简为京东转运使，谓中使曰："若发棺空，而介果北走，则虽孥戮不足以为酷。万一介尸在，未尝叛去，即是朝廷无故剖人冢墓，何以示后世耶？"中使曰"诚如金部言，然则若之何以应中旨？"居简曰："介之死，必有棺敛之人，又内外亲族及会葬门生无虑数百。至于举枢空棺，必用凶肆之人。今皆檄召至此，劾问之，苟无异说，即皆令具军令状，以保任之，亦足以应诏也。"中使大以为然。遂自介亲属及门人姜潜已下并凶肆棺敛舁枢之人合数百状，皆结罪保证。中使持以入奏，仁宗亦悟竦之谮，寻有旨放介妻子还乡，而世以居简为长者。（魏泰《东轩笔录》卷九）

五月

癸酉（七日），命御史中丞王拱辰、知制诰田况与三司同议减放州县科配。（《续资治通鉴长编》卷一四一）

七月

丁丑（十二日），以枢密副使、右谏议大夫范仲淹为参知政事，资政殿学士、兼翰林侍读学士、右谏议大夫富弼为枢密副使。仲淹曰："执政可由谏官而得乎？"固辞不拜。弼直携诰命纳于帝前，口陈所以牢避之意。且曰："愿陛下坐薪尝胆，不忘修政。"上许焉。乃复以诰命送中书，弼因乞补外，累章不许。（《续资治通鉴长编》卷一四二）

八月

丙申（二日），右正言、知制诰田况为陕西宣抚副使。（《续资治通鉴长编》卷一四二）

《天圣编敕》既施行，自景祐二年至今，所增又四千七百余条。丁酉（三日），复命官删定。翰林学士吴育、侍御史知杂事鱼周询、权判大理寺杜曾、知谏院王素欧阳修并为详定官，宰臣晏殊、参知政事贾昌朝提举。（《续资治通鉴长编》卷一四二）

丁未（十三日），以枢密副使、右谏议大夫范仲淹为参知政事，资政殿学士、兼翰林学士、右谏议大夫富弼复为枢密副使。晏殊以弼为女婿，引嫌求罢相，上不许。又求解枢密使，亦不许。（《续资治通鉴长编》卷一四二）

癸丑（十九日），枢密副使、右谏议大夫韩琦为陕西宣抚使。（《续资治通鉴长编》卷一四二）

九月

丁卯（三日），上既擢用范仲淹、韩琦、富弼等，每进见，必以太平责之，数令条奏当世务。仲淹语人曰："上用我至矣！然有后先，且革弊于久安，非朝夕可能也。"

上再赐手诏促曰："比以中外人望，不次用卿等。今琦暂往陕西，仲淹、弼宜与宰臣章得象尽心事国，毋或有所顾避。其当世急务有可建明者，悉为朕陈之。"既又开天章阁召对，赐坐，给笔札，使疏于前。仲淹、弼皆惶恐避席，退而列奏。（《续资治通鉴长编》卷一四三）

司徒吕夷简固请老，戊辰（四日），授太尉致仕，朝朔望及大朝会并缀中书门下班。（《续资治通鉴长编》卷一四三）

戊辰（四日），赐知谏院王素三品服，余靖、欧阳修、蔡襄五品服。面谕之曰："卿等皆朕所自择，数论事无所避，故有是赐。"（《续资治通鉴长编》卷一四三）

己巳（五日），命天章阁侍讲、史馆检讨王洙，集贤校理、同知谏院欧阳修，同详定国朝勋臣名次，用元年敕书将录其后也。（《续资治通鉴长编》卷一四三）

丙子（十二日），翰林学士吴育权知开封府，端明殿学士、兼翰林侍读学士李淑为翰林学士。（《续资治通鉴长编》卷一四三）

丙戌（二十二日），命史馆检讨王洙、集贤校理余靖、秘阁校理孙甫、集贤校理欧阳修同编修祖宗故事。（《续资治通鉴长编》卷一四三）

丁亥（二十三日），徙知庆州滕宗谅权知凤翔府。时郑戬发宗谅前在泾州枉费公用钱十六万缗，而监察御史梁坚亦劾奏之。诏太常博士燕度往邠州鞫其事，宗谅坐是徙。（《续资治通鉴长编》卷一四三）

戊子（二十四日），命宣抚副使田况权知庆州。（《续资治通鉴长编》卷一四三）

壬辰（二十八日），翰林学士、端明殿学士、兼翰林院侍读学士、中书舍人李淑罢翰林学士，为给事中，出知郑州。（《续资治通鉴长编》卷一四三）

秋

李觏自序《退居类稿》。

庆历癸未秋，因料所著文，自冠迄滋十五年，得草稿二百三十三首。将恐散亡，姑以类辨为十二卷，写之。噫！天将寿我乎？所为固未足也。不然，斯十二卷庶可籍手见古人矣。（李觏《退居类稿自序》）

十月

丙午（十二日），太常博士、秘阁校理孙甫为右正言，谏院供职。（《续资治通鉴长编》卷一四四）

丁未（十三日），以右正言、集贤校理余靖为契丹国母正旦使。（《续资治通鉴长编》卷一四四）

乙卯（二十一日），诏修兵书。翰林学士承旨丁度提举，集贤校理曾公亮、朱寀为检阅官。（《续资治通鉴长编》卷一四四）

十一月

三日，**崔立卒**，**75 岁**。公讳立，字本之。少警悟博学，而尤长于古文。时柳公仲涂为世大儒，学者师仰，一见公文而奇之，于公卿间比比延誉。咸平二年秋举进士于开封府，试入高等，明年春及第。补果州团练推官。年甫七十，即上书曰："臣老矣，于国家之事力不能勉，幸乞臣骸骨以归田里。"上怜之，进秩工部侍郎致仕。公既归许之私第，遂谢绝人事。治家圃，罗植松竹，中起小亭，曰："葆光"，自号"葆光子"，终日怡然隐几于其间。每良辰美节，则召亲族以觞咏为娱乐，心休休然，自谓处羲皇之世。如是者凡五年一日，神色不少变而终，时庆历三年十一月三日也。能文之外，复长于篇咏，文正范公尝谓某曰："余向在江阴，多见崔公诗，格清而意远，诗人之作也。"有集二十卷，自名《巴歈集》。（韩琦《故尚书工部侍郎致仕赠工部尚书崔公行状》）

著有：《故事稽疑》十卷（《宋史·艺文志二》）、《巴歈集》二十卷（韩琦《崔公行状》）。

己巳（五日），陕西都转运使、起居舍人、天章阁待制孙沔为礼部郎中。（《续资治通鉴长编》卷一四五）

七日，祖无择序李觏《退居类稿》。

盱江李泰伯其有孟轲氏六君子之深心焉。年少志大，常愤疾斯文衰敝，曰："坠地已甚，谁其拯之？"于是夙夜讨论文、武、周公、孔子之遗文旧制，兼明乎当世之务，悉著于篇。且又叹曰："生处僻遐，不自进，孰进哉！"因徒步二千里，入京师，以文求通于天子。乃举茂材异等，得召第一。既而试于有司，有司黜之，呜呼！岂有司之过邪？其泰伯之命邪？或者天徒付泰伯以其文而命则否邪？亦将位得志行后有时邪？吾不得而知已。泰伯退居之明年，类其文稿第为十有二卷，以寄南康祖无择，且属为序。无择既受之，读之期月不休。善乎！文、武、周公、孔子之遗文旧制，与夫当世之务，言之备矣。务学君子可不景行于斯？庆历三年冬至日序。（祖无择《〈退居类稿〉序》）

癸酉（九日），太常博士李京、殿中丞包拯并为监察御史里行，中丞王拱辰所荐也。（《续资治通鉴长编》卷一四五）

庚寅（二十六日），诏陕西宣抚使韩琦、副使田况赴阙。（《续资治通鉴长编》卷一四五）

十二月

丙申（三日），翰林学士、提举在京诸司库务宋祁，请诸库务事有未便当更置者，皆使先禀度可否而后议于三司。又请增置勾当公事朝臣一员，并从之。提举司勾当公事，自祁始也。（《续资治通鉴长编》卷一四五）

辛丑（八日），太常丞、集贤校理、同修起居注、知谏院欧阳修为右正言、知制诰，初，中书召试，而修辞不赴，特除之。（《续资治通鉴长编》卷一四五）

本年

苏轼入乡校，读石介《庆历圣德诗》，慕韩、范、富、欧之为人。

庆历三年，轼始总角，入乡校。士有自京师来者，以鲁人石守道所作《庆历圣德诗》示乡先生。轼从旁窃观，则能诵习其词，问先生以所颂十一人者何人也？先生曰："童子何用知之？"轼曰："此天人也耶，则不敢知；若亦人耳，何为其不可！"先生奇轼言，尽以告之，且曰："韩、范、富、欧阳，此四人者，人杰也。"时虽未尽了，则已私识之矣。（苏轼《范文正公文集叙》）

王岩叟（1043—1093）生。王岩叟，字彦霖，大名清平人。年十八，乡举、省试、廷对皆第一。调栾城簿、泾州推官。熙宁中，韩琦留守北京，辟管勾国子监，又辟管勾安抚司机宜文字，监晋州折博、炼盐务。后知定州安喜县。哲宗即位，用刘挚荐，为监察御史。迁左司谏兼权给事中。迁侍御史。拜中书舍人。复为枢密都承旨、权知开封府。元祐六年，拜枢密直学士、签书院事。罢为端明殿学士、知郑州。明年，徙河阳，数月卒，年五十一。赠左正议大夫。绍圣初，追贬雷州别驾。为文语省理该，深得制诰体。有《易》、《诗》、《春秋传》行于世。（《宋史》本传）

张商英（1043—1121）生。张商英，字天觉，蜀州新津人。调通川主簿。辟知南川县。章惇经制夔夷，归，荐诸王安石，因召对，以检正中书礼房擢监察御史。哲宗初，为开封府推官，屡诣执政求进。出提点河东刑狱，连使河北、江西、淮南。哲宗亲政，召为右正言、左司谏。商英积憾元祐大臣不用己，极力攻之。徙左司员外郎，责监江宁酒。起知洪州，为江、淮发运副使，入权工部侍郎，迁中书舍人。谢表历诋元祐诸贤，众益畏其口。徽宗出为河北都转运使，降知随州。崇宁初，为吏部、刑部侍郎，翰林学士。寻拜尚书右丞，转左丞。复与京议政不合，数诋京，御史以为非所宜言，且取商英所作《元祐嘉禾颂》及《司马光祭文》，斥其反复。罢知亳州，入元祐党籍。以散官安置归、峡两州。大观四年，京再逐，起知杭州。过阙赐对，留为资政殿学士、中太一宫使。顷之，除中书侍郎，遂拜尚书右仆射。以观文殿大学士知河南府，旋贬崇信军节度副使，衡州安置。乃乞令自便。继复还故官职。宣和三年卒，年七十九。赠少保。（《宋史》本传）

本年重要作品：

文：范仲淹《述窦谏议阴德录》、范仲淹《祭石曼卿学士文》、欧阳修《章望之字序》、欧阳修《答徐无党第二书》、欧阳修《与沉待制邀》、欧阳修《本论》、欧阳修《为君难论》、欧阳修《王彦章画像记》、曾巩《分宁县云峰院记》、曾巩《秃秃记》、曾巩《兜率院记》、王安石《扬州新园亭记》、王安石《伤仲永》、王安石《汴说》、王安石《答段缝书》、王安石《张刑部诗序》、李觏《抚州菜园院记》。

诗：欧阳修《归雁亭》、欧阳修《送杨辟秀才》、欧阳修《送慧勤归余杭》、欧阳修《读张李二生文赠石先生》、欧阳修《送李太傅知冀州》、王安石《同学一首别子固》、王安石《读镇南邸报癸未四月作》、王安石《还自舅家书所感》、王安石《赠曾子固》、曾巩《寄王介卿》、曾巩《酬介甫还自舅家书所感》、曾巩《怀友一首寄介卿》、李觏《雪中赠柳枝》、李觏《送钱寺丞知白州》、李觏《三贤咏》、李觏《上蔡学士》。

词：张先《天仙子》（水调数声持酒听）。

公元 1044 年（宋仁宗庆历四年　甲申）

正月

辛未（八日），降刑部员外郎、天章阁待制、权知凤翔府滕宗谅为祠部员外郎、知虢州，职如故。从参知政事范仲淹言也。（《续资治通鉴长编》卷一四六）

辛卯（二十八日），太常礼院上亲修《太常新礼》四十卷、《庆历祀仪》六十三卷。赐提举、参知政事贾昌朝，编修龙图阁直学士孙祖德、知制诰李宥、张方平，同编修直集贤院吕公绰、天章阁侍讲曾公亮、王洙，崇文院检讨孙瑜、集贤校理余靖、刁约，器币有差。（《续资治通鉴长编》卷一四六）

二月

戊戌（五日），命天章阁侍讲、史馆检讨王洙及枢密院都承旨、右监门卫将军战士宁编修枢密院例策。（《续资治通鉴长编》卷一四六）

戊申（十五日），徙知虢州滕宗谅知岳州。（《续资治通鉴长编》卷一四六）

丙辰（二十三日），御迎阳门，召辅臣观画，其画皆前代帝王美恶之迹可为规戒者。因命天章阁侍讲曾公亮讲《毛诗》，王洙读《祖宗圣政录》，翰林侍读学士丁度读《前汉书》，数刻乃罢。（《续资治通鉴长编》卷一四六）

三月

乙亥（十三日），诏曰：“州若县皆立学。本道使者选属部官为教授，三年而代。选于吏员不足，取于乡里宿学有道业者，三年无私谴，以名闻。士须在学习业三百日，乃听预秋赋。进士试三场，先策、次论、次诗赋，通考为去取，而罢帖经、墨义。”（《续资治通鉴长编》卷一四七）

壬午（二十日），太子中允、国子监直讲石介直集贤院、兼国子监直讲。枢密副使韩琦乞召试，诏特除之。（《续资治通鉴长编》卷一四七）

丙戌（二十四日），丁度等上《答迩英圣问》一卷。（《续资治通鉴长编》卷一四七）

苏舜钦以范仲淹荐，召试，授集贤校理、监进奏院。

欧阳修兼判登闻检院。

四月

戊戌（七日），上谓辅臣曰：“自昔小人多为朋党，亦有君子之党乎？”范仲淹对曰：“臣在边时，见好战者自为党，而怯战者亦自为党。其在朝廷邪正之党亦然，唯圣心所察尔。苟朋而为善，于国家何害也？”初，吕夷简罢相，夏竦授枢密使，复夺之，代以杜衍。同时进用富弼、韩琦、范仲淹在二府，欧阳修等为谏官，石介作《庆历圣德诗》言进贤退奸之不易。奸，盖斥夏竦也。竦衔之，而仲淹等皆修素所厚善。修言事，一意径行，略不以形迹嫌疑顾避。竦因与其党造为党论，目衍、仲淹及修为党人，修乃作《朋党论》。（《续资治通鉴长编》卷一四八）

己酉（十八日），监修国史章得象上新修《国朝会要》一百五十卷，以编修官王洙兼直龙图阁，赐三品服。（《续资治通鉴长编》卷一四八）

二十日，蔡襄复至顺昌、富屯，悼念亡弟，留诗屋壁。（蔡襄《忆弟序》）

五月

己巳（八日），徙知庆州孙沔知渭州、尹洙知庆州，用欧阳修之议也。（《续资治通鉴长编》卷一四七）

乙亥（十四日），卫尉寺丞邱浚降饶州军事推官，监邵武军酒税。上封者言："浚先作诗一百首，讪谤朝政，言词鄙恶，兼以阴阳灾变。皆非人臣所宜言者，传布四方非便。在杭州持服，每年赴阙，逐处稍不延接，便成嘲咏，州县畏惧。又印书令州县强卖，以图厚利。去年朝廷以无名诗严敕禁捕，近又有赋咏传写如浚，使在京师，必须复妄谤好人。国家多事之时，亦宜使邪正区别，风俗纯厚，无容小辈敢肆轻易。"故有是命。仍令福建路转运提刑司常切觉察，如有违越，并具以闻。始，执政欲重诛之，上曰："狂夫之言，圣人择焉，古有郇谟哭市，其斯人之徒欤？"乃薄其罪。（《续资治通鉴长编》卷一四九）

六月

癸卯（十三日），改新知渭州孙沔复知庆州，新知庆州尹洙知晋州。（《续资治通鉴长编》卷一五〇）

庚戌（二十日），淮南都转运按察使、兵部员外郎、天章阁待制王素为刑部郎中、泾原路经略安抚使、兼知渭州。（《续资治通鉴长编》卷一五〇）

范仲淹自参知政事出为陕西河东宣抚使。

仲淹、弼始恐惧，不敢自安于朝，皆请出按西北边，未许。适有边奏，仲淹固请行，乃使宣抚陕西河东。（《续资治通鉴长编》卷一五〇）

七月

壬申（十二日），殿中丞蔡挺管勾陕西、河东宣抚机密文字，范仲淹请之也。挺诡谲多计，人莫能得其情实。每持仲淹等机事，泄于吕夷简，以自售云。（《续资治通鉴长编》卷一五一）

八月

辛卯（二日），命参知政事贾昌朝领天下农田、范仲淹领刑法，事有利害，其悉条上。（《续资治通鉴长编》卷一五一）

甲午（五日），枢密副使富弼为河北宣抚使。（《续资治通鉴长编》卷一五一）

戊戌（九日），右正言、集贤校理、同修起居注余靖假右谏议大夫、史馆修撰为回谢契丹使。（《续资治通鉴长编》卷一五一）

庚子（十一日），命知制诰田况保州城下相度处置叛军，仍听便宜从事。（《续资治通鉴长编》卷一五一）

癸卯（十四日），右正言、知制诰田况为龙图阁直学士，知成德军，充真定府定州路安抚使。右正言、知制诰欧阳修除龙图阁直学士、河北都转运按察使。右正言、集贤校理、同修起居注余靖知制诰，仍知谏院。右正言、直集贤院、知晋州尹洙为起居舍人、直龙图阁、知潞州。秘书丞、馆阁校勘、知谏院蔡襄为直史馆，同修起居注。（《续资治通鉴长编》卷一五一）

壬子（二十三日），右正言、秘阁校理孙甫为契丹国母生辰使。（《续资治通鉴长编》卷一五一）

九月

乙丑（七日），龙图阁直学士、右正言、知成德军田况为起居舍人，赏平贼之功也。（《续资治通鉴长编》卷一五二）

戊辰（十日），太尉致仕许国公吕夷简卒，66 岁。郡以疾闻，诏使驰饷药食而已，不及，春秋六十六，薨。不视朝三日，赠太师、中书令。礼官考行，谥曰：文靖。属辞雄赡，长于理道，朝廷典册多出公手。至于文史之学、名法之书，当世所行，率公考正。（张方平《吕公神道碑铭》）

著有：《宋三朝国史》一百五十五卷（《宋史·艺文志二》）、《三朝宝训》三十卷（《宋史·艺文志二》）、《一司一务敕》三十卷（《宋史·艺文志三》）、《天圣编敕》十二卷（《宋史·艺文志三》）、《景祐宝录》二十一卷（《宋史·艺文志四》）。

庚午（十二日），刑部尚书、平章事兼枢密使晏殊罢为工部尚书，知颍州。殊初入相，擢欧阳修等为谏官。既而，苦其论事烦，数或面折之。及修出为河北都转运使，谏官奏留修，不许。孙甫、蔡襄遂言章懿诞生圣躬，为天下主，而殊尝被诏，志章懿墓，没而不言。又奏论殊役官兵治僦舍以规利。殊坐是绌。然殊以章献方临朝，故志不敢斥言，而所役兵乃辅臣例宣借者，又役使自其甥杨文仲。时以谓非殊之罪云。（《续资治通鉴长编》卷一五二）

甲申（二十六日），枢密使、吏部侍郎杜衍依前官平章事、兼枢密使，右谏议大夫、参知政事贾昌朝为工部侍郎、充枢密使，资政殿学士、工部侍郎、知青州陈执中为参知政事。（《续资治通鉴长编》卷一五二）

十月

辛卯（三日），赠司空兼侍中谥文惠陈尧佐卒，82 岁。康定元年五月，以太子太师致仕，诏大朝会立宰相班。遂居于郑，其起居饮食康宁如少者。后四年，年八十有二，以疾卒于家。（欧阳修《陈公神道碑铭并序》）

著有：《愚丘集》二卷（《宋史·艺文志七》）、《潮阳新编》一卷（《宋史·艺文志七》）、《野庐编》（《宋史》本传）、《遣兴集》（《宋史》本传）。

甲午（六日），诏河北缘边安抚司械送契丹驸马都尉刘三嘏过涿州。初，三嘏恶其妻淫乱，遁至广信军，而知军刘贻孙听其自还，尝留所赋诗。及余靖使回，燕京留守耶律仁言刘三嘏尚在汉界。盖其去累日，复携其子与一婢从间道走定州，匿望都民杨均庆家。至于北界又移文督取，故有是命。先是辅臣议厚馆三嘏，以诘契丹阴事，谏官欧阳修亦请留三嘏。帝以问杜衍，衍曰："中国主忠信，若自违誓约，纳亡叛，则不直在我。且三嘏为契丹近亲而遁逃来归，其谋身若此，尚足以谋国乎？纳之何益？不如还之。"乃还三嘏。（《续资治通鉴长编》卷一五二）

契丹既有幽蓟及雁门以北，亦开举选以收士人。幽州刘氏昆弟，其名曰二玄、三嘏、四端、五常、六符，皆在被遇。三嘏、四端，复尚伪公主。庆历四年秋，三嘏携嬖妾偕一子投广信军，词情悲切。自言公主凶狠，皆有所私，久已离异。今秋虏主逼令再合，公主凶狠，必欲杀其妾与子，故归朝廷。颇询其国中机事，言虏王已西伐元昊，幽蓟已虚，我举必克。所谋凡七事，复为诗以自陈云："虽惭涔勺赴沧溟，仰诉丹衷不为名。寅分星辰将降祸，兑方疆宇即交兵。春秋大义唯观衅，王者雄师但有征。救得燕民归旧主，免于戎虏自称兄。"朝廷以誓约既久，三嘏虏婿位显，恐纳之生衅。又移文边郡，蹀知三嘏来迹，求索峻切，期于必得。不然，则举兵隳好矣。朝廷乃遣还三嘏，复由西山路入定州境，所至以金贿村民，求宿食，势益窘。定帅遣人搜索，拘送虏界。比三嘏至幽州，其妻已先在矣。乃杀其妾与子，械三嘏送虏主帐前。以其昆弟皆方委任，遂贷三嘏死，使人监锢之，议者深叹惜其事。（田况《儒林公议》卷下）

秘书丞、直史馆、同修起居注、知谏院蔡襄，以亲老乞乡郡。己酉（二十一日），授右正言、知福州。襄与孙甫俱论陈执中不可执政，既不从，于是两人俱求出，而襄先得请。时甫使契丹未还也。（《续资治通鉴长编》卷一五二）

十一月

甲子（七日），监进奏院、右班殿直刘巽，大理评事、集贤校理苏舜钦，并除名勒停。工部员外郎、直龙图阁、兼天章阁侍讲、史馆检讨王洙，落侍讲、检讨；知濠州、太常博士、集贤校理刁约，通判海州；殿中丞、集贤校理江休复，监蔡州税；殿中丞、集贤校理王益柔，监复州税，并落校理；太常博士周延隽，为秘书丞；太常丞、集贤校理章岷，通判江州；著作郎、直集贤院、同修起居注吕溱，知楚州；殿中丞周延让，监宿州税；校书郎、馆阁校勘宋敏求，签书集庆军节度判官事；将作监丞徐缓，监汝州叶县税。先是，杜衍、范仲淹、富弼等同执政，多引用一时闻人，欲更张庶事，御史中丞王拱辰等不便其所为。而舜钦，仲淹所荐，其妻又衍女也。少年能文章，议论稍侵权贵。会进奏院祠神，舜钦循前例，用鬻故纸公钱召妓女，开席会宾客。拱辰廉得之，讽其属鱼周询、刘元瑜等劾奏，因欲动摇衍，事下开封府治。于是，舜钦及巽俱坐自盗，洙等与妓女杂坐，而休复、约、延隽、延让又服惨未除，益柔并以谤讪周

孔，坐之。同时斥逐者多知名士，世以为过薄。而拱辰等方自喜曰："吾一举网尽矣。"（《续资治通鉴长编》卷一五三）

狱事起，枢密副使韩琦言于上曰："昨闻宦者操文符，捕馆职甚急，众听纷骇。舜钦等一醉饱之过，止可付有司治之，何至是？陛下圣德，素仁厚，独自为是何也？"上悔见于色。自仲淹等出使，谗者益深，而益柔亦仲淹所荐。拱辰既劾奏，宋祁、张方平又助之，力言益柔作《傲歌》，罪当诛，盖欲因益柔以累仲淹也。章得象无所可否，贾昌朝阴主拱辰等议。及辅臣进白，琦独言："益柔少年狂语，何足深治。天下大事固不少，近臣同国休戚，置此不言，而攻一王益柔。此其意有所在，不特为傲歌可见也。"上悟，稍宽之。（《续资治通鉴长编》卷一五三）

天子奋然用三四大臣，欲尽革众弊以纾民。于是时，范文正公与今富丞相多所设施，而小人不便。顾人主方信用，思有以撼动，未得其根。以君文正公之所荐而宰相杜公婿也，乃以事中君，坐监进奏院祠神、奏用市故纸钱会客为自盗除名。君名重天下，所会客皆一时贤俊，悉坐贬逐。然后中君者喜曰："吾一举网尽之矣。"其后三四大臣继罢去，天下事卒不复施为。（欧阳修《苏君墓志铭》）

苏舜钦奏邸之会，预坐者多馆阁同舍，一时被责十余人。仁宗临朝，叹以轻薄少年，不足为台阁之重。宰相探其旨，自是务引用老成，往往不惬人望。甚者，语言文章，为世所笑，彭乘之在翰林，杨安国之在经筵是也。（魏泰《东轩笔录》卷四）

戊辰（十一日），校书郎、馆阁校勘宋敏求落职，与京师差遣。敏求自言祖母年高，愿落职，以便养也。（《续资治通鉴长编》卷一五三）

己巳（十二日），范仲淹上表乞罢政事、知邠州，诏不许。（《续资治通鉴长编》卷一五三）

辛未（十四日），太常博士钱明逸为右正言，谏院供职。（《续资治通鉴长编》卷一五三）

十二月

癸卯（十六日），吏部尚书、知亳州夏竦为资政殿大学士。（《续资治通鉴长编》卷一五三）

甲辰（十七日），龙图阁直学士、吏部员外郎、知秦州文彦博为枢密直学士、知益州，代蒋堂也。徙知成德军、龙图阁直学士起居舍人田况知秦州。（《续资治通鉴长编》卷一五三）

本年

王雱（1044—1076）生。雱字符泽，王安石子。性敏甚，未冠，已著书数万言。年十三，得秦卒言洮、河事，叹曰："此可抚而有也。使西夏得之，则吾敌强而边患博矣。"其后王韶开熙河，安石力主其议，盖兆于此。举进士，调旌德尉。雱气豪，睥睨一世，不能作小官。作策二十余篇，极论天下事，又作《老子训传》及《佛书义解》，亦数万言。召见，除太子中允、崇政殿说书。神宗数留与语，受诏注《诗》、《书》义，

315

擢天章阁待制兼侍讲。书成，迁龙图阁直学士，以病辞不拜。安石更张政事，雱实导之。常称商鞅为豪杰之士，言不诛异议者法不行。卒时才三十三，特赠左谏议大夫。（《宋史》本传）

陈次升（1044—1119）生。陈次升，字当时，兴化仙游人。入太学，时学官始得王安石《字说》，招诸生训之，坐屏斥。既而第进士，知安丘县。御史中丞黄履荐，为监察御史。哲宗立，使察访江、湖。提点淮南、河东刑狱。绍圣中，复为御史，转殿中。更进左司谏。诬其毁先烈，拟谪监全州酒税，帝以为远，改南安军。徽宗立，召为侍御史。迁右谏议大夫。崇宁初，以宝文阁待制知颍昌府，降集贤殿修撰，继又落修撰，除名徙建昌，编管循州，皆以论京、卞故。政和中，用赦恩复旧职。卒，年七十六。（《宋史》本传）

黄裳（1044—1130）生。裳字冕仲，南平人。元丰五年进士第一，累官礼部尚书，赠资政殿大学士，谥忠文。政宣和间，三舍法行，裳上书谓："宜近不宜远，宜少不宜老，宜富不宜贫，不如遵祖宗科举之制。"人以为确论。盖亦伉直有守之士。故其诗文，俱骨力坚劲，不为委靡之音。（《四库全书·演山集提要》）

本年重要作品：

文：尹洙《论朋党疏》、欧阳修《朋党论》、欧阳修《祭叔父文》、欧阳修《吉州学记》、曾巩《上欧阳舍人书》、曾巩《上蔡学士书》、曾巩《南丰县兴学记》、曾巩《听琴序》。

诗：欧阳修《水谷夜行寄子美圣俞》、欧阳修《晋祠》、欧阳修《再至西都》、欧阳修《过钱文僖公白莲庄》、欧阳修《登绛州富公嵩巫亭示同行者》、欧阳修《绛守居园池》、梅尧臣《悼亡三首》、梅尧臣《书哀》、梅尧臣《谒双庙》、梅尧臣《和永叔晋祠诗》、梅尧臣《偶书寄苏子美》、梅尧臣《古剑篇送蔡君谟自谏省出守福唐》、梅尧臣《送逐客王胜之不及遂至屠儿原》、梅尧臣《送苏子美》、曾巩《东津归催吴秀才寄酒》、曾巩《路中对月》、宋祁《甲申岁首》、李觏《除夜感怀》、李觏《南塘观鱼》、陈襄《祈雨》。

词：晏殊《木兰花》（东风昨夜回梁苑）。

公元 1045 年（宋仁宗庆历五年　乙酉）

正月

甲戌（十七日），右正言、秘阁校理孙甫为右司谏、知邓州。（《续资治通鉴长编》卷一五四）

庚辰（二十三日），右正言、知制诰、史馆修撰余靖为回谢契丹使。（《续资治通鉴长编》卷一五四）

甲申（二十七日），命宰臣章得象撰御制《传法院译经碑后记》。（《续资治通鉴长编》卷一五四）

乙酉（二十八日），右谏议大夫、参知政事范仲淹为资政殿学士，知邠州，兼陕西四路缘边安抚使；枢密副使、右谏议大夫富弼为资政殿学士、京东西路安抚使，知郓州。仲淹、弼既出使，谗者益甚，两人在朝所施为亦稍沮止，独杜衍左右之，上颇惑焉。仲淹愈不自安，因奏疏乞罢政事，上欲听其请。（《续资治通鉴长编》卷一五四）

丙戌（二十九日），工部侍郎、平章事、兼枢密使杜衍罢为尚书左丞、知兖州，枢密使、工部侍郎贾昌朝依前官平章事、兼枢密使，资政殿学士、给事中、知郓州宋庠为参知政事。翰林学士、礼部郎中、权知开封府吴育为右谏议大夫，龙图阁直学士、左谏议大夫、知延州庞籍，并为枢密副使。（《续资治通鉴长编》卷一五四）

二月

戊戌（十一日），翰林学士兼侍读学士宋祁为侍读学士兼龙图阁学士，避兄庠执政也。（《续资治通鉴长编》卷一五四）

三月

（韩）琦不自安，恳求补外。辛酉（五日），琦罢枢密副使，加资政殿学士、知扬州。（《续资治通鉴长编》卷一五五）

十四日，尹源卒，50 岁。以庆历五年三月十四日卒于官。以疾卒，享年五十。至和元年十有二月十三日，其子材葬君于河南府寿安县甘泉乡龙涧里。其平生所为文章六十篇，皆行于世。（欧阳修《太常博士尹君墓志铭并序》）

著有：《尹源集》六卷（《宋史·艺文志七》）、《幕中集》十六卷（《宋史·艺文志七》）。

著录：尤袤《遂初堂书目·别集类》、陈振孙《直斋书录解题·别集类中》、《宋史·艺文志七》、焦竑《国史经籍志》卷五。

丙子（二十日），诏礼部贡院增天下解额。贡院请以景祐四年、庆历元年科场取解进士人数内择一年多者，令解及二分为率。就试人虽多，所增人数各不过元额之半。其陕西路唯永兴、凤翔两处就试人多，解额尚少，用庆历四年赦恩已增分数，自余州军所增未宽。今欲每州各增一名，保安、镇戎、德顺三军本无解额，今各许解一名。其河东缘边州军，自来少人取解，解额已宽，难议复增。总诸州军，凡增三百五十九人。诏遂为定额。（《续资治通鉴长编》卷一五五）

二十一日，欧阳修手编知制诰时所制草一百五十余篇，成《外制集》。

庆历三年春，丞相吕夷简病，不能朝。上既更用大臣，锐意天下事，始用谏官、御史疏，追还夏竦制书，既而召韩琦、范仲淹于陕西，又除富弼枢密副使。于是时，天下之士孰不愿为材邪，顾予何人，亦与其选。夏四月，召自滑台，入谏院。冬十二月，拜右正言、知制诰。明年秋，予出为河北转运使。又明年春，权知成德军事。事少间，发向所作制草而阅之，虽不能尽载明天子之意，于其所述百得一二，足以章示后世。其所作，才一百五十余篇云。三月二十一日序。（欧阳修《外制集序》）

己卯（二十三日），诏礼部贡院进士所试诗赋、诸科多对经义，并如旧制考较。先是，知制诰杨察言前所更令不便者甚众，其略：以诗赋声病易考，而策论汗漫难知，故祖宗莫能改也。且异时尝得人矣，今乃释前日之利，而为此纷纷，非计之得，宜如故便。上下其议于有司，而有司请今者考校，宜且如旧制。遂降此诏。（《续资治通鉴长编》卷一五五）

四月

己丑（三日），徙知渭州、刑部郎中、天章阁待制王素知华州。（《续资治通鉴长编》卷一五五）

戊申（二十二日），工部尚书、平章事、兼枢密使章得象罢为镇安节度使、同平章事、判陈州。工部侍郎、平章事、兼枢密使贾昌朝加昭文馆大学士、监修国史，工部侍郎、参知政事陈执中依前官平章事、兼枢密使。（《续资治通鉴长编》卷一五五）

庚戌（二十四日），枢密副使、右谏议大夫吴育为参知政事，翰林学士承旨、端明殿学士、兼翰林侍读学士、中书舍人丁度为工部侍郎、枢密副使。度在枢密，上《庆历兵录》五卷、《赡边录》一卷。（《续资治通鉴长编》卷一五五）

五月

己未（四日），翰林学士、兼龙图阁学士、判集贤院王尧臣，翰林学士、史馆修撰张方平，侍读学士、兼龙图阁学士、判史馆修撰余靖，并同刊修《唐书》。（《续资治通鉴长编》卷一五五）

壬戌（七日），资政殿学士、工部尚书、知大名府程琳为资政殿大学士。（《续资治通鉴长编》卷一五五）

甲子（九日），命翰林学士孙抃磨勘诸路提点刑狱课绩。（《续资治通鉴长编》卷一五五）

知制诰余靖前后三使契丹，益习外国语，尝对契丹主为蕃语诗。侍御史王平、监察御史刘元瑜等劾奏靖失使者体，请加罪。元瑜又言靖知制诰不当兼领谏职，庚午（十五日），出靖知吉州。（《续资治通鉴长编》卷一五五）

癸未（二十八日），诏吏部流内铨自今试初入官选人，其习文辞者试省题诗或赋论一首，习经者试墨义十道并注，合入官。如所试纰缪，试墨义凡九不中，令守选候放选再试；又不中，与远地判司。其年四十以上，依旧格读律，通即与注官。仍命两制一员同考试之。（《续资治通鉴长编》卷一五五）

闰五月

丁酉（十二日），刑部郎中、天章阁待制王素知江州。（《续资治通鉴长编》卷一五六）

庚子（十五日），度支员外郎、集贤校理、兼天章阁侍讲、史馆检讨曾公亮，宗正丞、崇文院检讨、兼天章阁侍讲赵师民，殿中丞、集贤校理何中立，校书郎宋敏求，大理寺丞、馆阁校勘范镇，大理寺丞、国子监直讲邵必，并为编修《唐书》官。必以

为：史出众手，非是，卒辞之。（《续资治通鉴长编》卷一五六）

六月

一日，周尧卿卒，51 岁。 君讳尧卿，字子俞，道州永明县人也。天圣二年举进士，累官至太常博士。历连、衡二州司理参军，桂州司录，知高安、宁化二县。通判饶州，未行，以庆历五年六月朔日卒于朝集之舍，享年五十有一。君学长于《毛》、《郑诗》、《左氏春秋》。有文集二十卷。（欧阳修《太常博士周君墓表》）

著有：《诗》三十卷（《宋史》本传）、《春秋说》三十卷（《宋史》本传）、《周尧卿集》二十卷（《宋史》本传）。

七月

戊子（五日），知大名府程琳兼河北安抚使。（《续资治通鉴长编》卷一五六）

辛丑（十八日），贬起居舍人、直龙图阁、知潞州尹洙为崇信节度副使。（《续资治通鉴长编》卷一五六）

石介卒，41 岁。 以庆历五年七月某日卒于家，享年四十有一。友人庐陵欧阳修哭之以诗，以为待彼谤焰熄，然后先生之道明矣。先生既没，妻子冻馁不自胜，今丞相韩公与河阳富公分俸买田以活之。后二十一年，其家始克葬先生于某所。（欧阳修《徂徕石先生墓志铭并序》）

著有：《唐鉴》五卷（《宋史·艺文志二》）、《周易解义》十卷（陈振孙《直斋书录解题·易类》）、《先朝政范》一卷（陈振孙《直斋书录解题·典故类》）、《徂徕集》二十卷（陈振孙《直斋书录解题·别集类中》）。

《徂徕集》二十卷，宋石介撰。介深恶五季以后文格卑靡，故集中亟推柳开之功，而复作《怪说》以排杨亿。其文章宗旨，可以想见。虽主持太过，抑扬皆不得其平，要亦嘐然自异者。王士禛《池北偶谈》称其倔强劲质，有唐人风，较胜柳、穆二家，而终未脱草昧之气，亦笃论也。介传孙复之学，毅然以天下是非为己任。然客气太深，名心太重，不免流于诡激。（《四库全书总目》卷一五二）

著录：郑樵《通志·艺文略八》、晁公武《郡斋读书志·别集类下》、尤袤《遂初堂书目·别集类》、陈振孙《直斋书录解题·别集类中》、《宋史·艺文志七》、杨士奇等《文渊阁书目》卷九、叶盛《菉竹堂书目》卷三、焦竑《国史经籍志》卷五、孙能传等《内阁藏书目录》卷三、赵琦美《脉望馆书目》、陈第《世善堂藏书目录》卷下、毛扆《汲古阁珍藏秘本书目》、钱谦益《绛云楼书目》卷三、《四库全书总目》卷一五二、季振宜《季沧苇藏书目》、金檀《文瑞楼藏书目录》卷六、孙星衍《孙氏祠堂书目内编》卷四、陆心源《皕宋楼藏书志》卷七三、丁丙《善本书室藏书志》卷二六、傅增湘《藏园群书经眼录》卷一三、《北京图书馆古籍善本书目》、台湾《中央图书馆善本书目》。

版本：清渔洋书库本、清康熙四十九年徐肇显刻本、清康熙四十九年正谊堂本、清康熙五十五年燕山石氏刻本、清康熙五十六年锡庆堂刊本、清乾隆五十七年剑舟居士钞校本、清光绪十年尚志堂刊本、清光绪十六年尚志堂重刊本、民国天书观刊本。

天圣以来，穆伯长、尹师鲁、苏子美、欧阳永叔始倡为古文，以变西昆体，学者翕然从之。其有杨、刘体者，人戏之曰："莫太昆否？"守道深嫉之，以为孔门之大害，作《怪说》三篇。上篇排佛老，下篇排杨亿，于是新进后学不敢为"杨刘体"，亦不敢谈佛老。后欧、苏复主杨大年。（朱熹《五朝名臣言行录》卷十引）

八月

龙图阁直学士、起居舍人、知秦州田况遭父丧，辛酉（八日），诏起复，况固辞。遣内侍持手诏敦谕，况不得已，乞归葬阳翟。托边事求见，泣请，上恻然许之。帅臣得终丧，自况始。（《续资治通鉴长编》卷一五七）

甲子（十一日），右正言、知制诰杨察为契丹国母生辰使，监察御史包拯为契丹正旦使。（《续资治通鉴长编》卷一五七）

庚午（十七日），资政殿大学士、吏部尚书、知亳州夏竦为宣徽南院使、河阳三城节度使、河东都部署经略安抚使、判并州。（《续资治通鉴长编》卷一五七）

甲戌（二十一日），降河北都转运按察使、龙图阁直学士、右正言欧阳修为知制诰、知滁州，太常博士、权发遣户部判官苏安世为殿中丞、监泰州盐税，入内供奉官王昭明监寿春县酒税。修既上疏论韩琦等不当罢，为党论者益忌之。初，修有妹适张龟正，卒。而无子有女，实前妻所生，甫四岁。以无所归，其母携养于外氏。及笄，修以嫁族兄之子晟。会张氏在晟所与奴奸，事下开封府。权知府事杨日严前守益州，修尝论其贪恣，因使狱吏附致其言，以及修。谏官钱明逸遂劾修私于张氏，且欺其财。诏安世及昭明杂治，卒无状。乃坐用张氏奁中物买田，立欧阳氏券，安世等坐直牒三司取录问吏人而不先以闻故，皆及于责。（《续资治通鉴长编》卷一五七）

九月

癸巳（十一日），复校书郎宋敏求为馆阁校勘，王尧臣等上其所缉唐武宗以来至哀帝事为《续唐录》一百卷故也。（《续资治通鉴长编》卷一五七）

十一月

辛卯（十日），诏提点京东路刑狱司体量太子中允、直集贤院石介存亡以闻。先是，介受命通判濮州，归其家待次，是岁七月病卒。夏竦衔介甚，且欲倾富弼。会徐州狂人孔直温谋叛，搜其家得介书，竦因言介实不死，弼阴使人契丹谋起兵，弼为内应。执政入其言，故有是命，仍羁管介妻子于它州。（《续资治通鉴长编》卷一五七）

乙未（十四日），诏：以边事宁息、盗贼衰止，知郓州富弼、知青州张存并罢安抚使；知邠州范仲淹罢陕西四路安抚使。其实谗者谓石介谋乱，弼将举一路兵应之故也。仲淹先引疾求解边任，是日改知邓州。（《续资治通鉴长编》卷一五七）

初翰林学士叶清臣居父丧，言者请起复为边帅，既而不行。至是免丧，宰相陈执

中与清臣有隙，不欲清臣居内，乃申用其言。庚子（十九日），改除翰林侍读学士、知邠州。（《续资治通鉴长编》卷一五七）

辛丑（二十日），命翰林学士张方平、侍读学士宋祁再修《景祐广乐记》。（《续资治通鉴长编》卷一五七）

本年

余靖荐举李觏。（魏峙《李直讲年谱》）

黄庭坚（1045—1105）生。黄庭坚，字鲁直，洪州分宁人。幼警悟，读书数过辄成诵。举进士，调叶县尉。熙宁初，举四京学官，第文为优，教授北京国子监。苏轼尝见其诗文，以为超轶绝尘，独立万物之表，世久无此作，由是声名始震。哲宗立，召为校书郎、《神宗实录》检讨官。逾年，迁著作佐郎，加集贤校理。《实录》成，擢起居舍人。丁母忧。服除，为秘书丞，提点明道宫兼国史编修官。绍圣初，出知宣州，改鄂州。贬涪州别驾、黔州安置，以亲嫌，遂移戎州。庭坚泊然，不以迁谪介意。蜀士慕从之游，讲学不倦，凡经指授，下笔皆可观。徽宗即位，起监鄂州税，签书宁国军判官，知舒州，以吏部员外郎召，皆辞不行。丐郡，得知太平州，至之九日，罢主管玉隆观。复除名、羁管宜州。三年，徙永州，未闻命而卒，年六十一。庭坚学问文章，天成性得，陈师道谓其诗得法杜甫，学甫而不为者。善行、草书、楷法亦自成一家。与张耒、晁补之、秦观俱游苏轼门，天下称为四学士，而庭坚于文章尤长于诗，蜀、江西君子以庭坚配轼，故称"苏黄"。自号山谷道人云。（《宋史》本传）

胡戢（1045—1091）生。胡氏名戢，字叔文。叔文好古博雅，其经术论议在汉儒中，其诗文类唐人。而其清淡闲远，不犯世故，则晋阮向流也。四十有七岁而殁。叔文，共城人。于当时之文不学而能，然喜词赋，篆刻甚工。尝以进士举有司，继丁徐夫人、秘阁君忧，而朝廷亦废词赋，以新经义取士。叔文曰："此非吾所传于师而能者也，且亲殁，何以仕为？"因尽屏幼学，反共城，自号"苏门居士"。闭关却埽，益涵肆诗书百氏，为文章。家故藏书万卷，集古今石刻又千卷，尽陈诸左右，而榜其堂曰："琬琰"。翰林学士眉山苏先生为书之，一时名士皆为赋诗。而叔文益远绝世利，唯恐蓬荜之不深矣。或劝之出，则笑曰："此室殊无尘土气。"然晚尤笃学，长于论议，至古今成败、得失、因革、废置皆深思而默识之。有《文集》十卷、《二府拜罢录》二卷、《大臣家谱》二卷、《续衣冠盛事图》一卷。（晁补之《苏门居士胡君墓志铭》）

本年重要作品：

文：范仲淹《邠州建学记》、范仲淹《祭环州种染院文》、欧阳修《与尹师鲁第三书》、欧阳修《论杜衍范仲淹等罢政事状》、欧阳修《滁州谢上表》、曾巩《杂说》、曾巩《答范资政书》、曾巩《送刘希声序》、王安石《上张太博书》。

诗：欧阳修《寄秦州田元均》、欧阳修《病中代书奉寄圣俞二十五兄》、欧阳修《镇阳残杏》、欧阳修《暮春有感》、欧阳修《留题镇阳潭园》、欧阳修《后潭游船见岸上看者有感》、欧阳修《自河北贬滁初入汴河闻雁》、欧阳修《白发丧女师作》、欧阳修《读蟠桃诗寄子美》、欧阳修《石篆诗》、欧阳修《送沉待制邈陕西都运》、欧阳修《寄子山待制二绝》、欧阳修《寄内》、欧阳修《镇阳读书》、欧阳修《初伏日招王几道小饮》、欧阳修《永阳大雪》、欧阳修《栾城遇风效韩孟联句体》、欧阳修《过中渡二首》、欧阳修《自勉》、梅尧臣《开封古城阻浅闻永叔丧女》、梅尧臣《永叔寄诗八首并祭子渐文一首因采八诗之意警以为答》、梅尧臣《郭子美忽过云往河北谒欧阳永叔沈子山》、梅尧臣《孙司谏知邓州》、梅尧臣《方在许昌幕内弟滁州谢判官有书邀余诗送近闻欧阳永叔移守此郡为我寄声也》、梅尧臣《答廷评宗说遗冰》、梅尧臣《日蚀》、梅尧臣《七夕有感》、曾巩《送钱生》、曾巩《忆昨诗》、曾巩《之南丰道上寄介甫》、王安石《答曾子固南丰道中所寄》。

词：欧阳修《浪淘沙》（今日北池游）。

公元 1046 年（宋仁宗庆历六年　丙戌）

正月

六日，范雍卒，68 岁。庆历纪号之六载春正月丁亥，资政殿大学士、礼部尚书、知河南府、兼西京留守司范公以疾薨闻，上悼之，为不视朝，制赠太子太师。有司议行谥曰：忠献。公讳雍，字伯纯，其先太原人。举进士，咸平三年春，御前释褐，补洛阳主簿，再调钱塘尉。还朝，献所著文二十卷，进太常博士。公著《明道集》三十卷、《后集》十卷、《弥纶集》十卷。（范仲淹《范公墓志铭》）

戊子（七日），翰林学士、兼龙图阁学士、户部郎中、知制诰王尧臣罢三司使，为翰林学士承旨、兼端明殿学士、群牧使。（《续资治通鉴长编》卷一五八）

十四日，以翰林学士孙抃权知贡举，御史中丞张方平、龙图阁直学士高若讷、集贤校理同修起居注杨伟、钱明逸并同权知贡举，合格奏名进士裴煜已下七百一十五人。（《宋会要辑稿·选举一》）

癸卯（二十二日），礼部贡院请自今试进士并如诸科例，印所出经义题，从之。（《续资治通鉴长编》卷一五八）

二月

权同知礼部贡举张方平言："文章之变与政通。今设科选才，专取辞艺，士唯性资之敏，而学问以充之，故道义积于中，英华发于外。然则以文取士，所以叩诸外而质其中之蕴也，言而不度，则何观焉？今之礼部程序，定自先朝。由景祐之初，有以变体而擢高等者，后进传效，皆忘素习，尔来文格，日失其旧，各出新意，相胜为奇。至太学盛建，而讲官石介益加崇长，因其好尚，浸以成风。以怪诞诋讪为高，以流荡猥烦为赡，逾越绳墨，惑误后学。朝廷恶其然也，屡下诏书，丁宁戒饬，而学者乐于放逸，罕能自还。今贡院试者，间有学新体，赋至八百字以上，每句或有十六字、十八字，而论或及千二百字以上，策或置所问而妄肆胸臆，条陈他事。绌之则辞理粗通，取之则公违诏意。重亏雅俗，驱扇浮薄，忽上所令，岂国家取贤敛材以备治具之意耶？其增习新体而澶漫不合程序者，悉已考落。请申前诏，揭而示之。"诏从其请。时御史王平又请赋毋得过四百字，而礼部复谓才艺所取，一字之多，遂至黜落，殆非人情。自是复以旧数为限。（《续资治通鉴长编》卷一五八）

三月

十三日，帝御崇政殿，试礼部奏名进士。内出《戎祀国之大事赋》、《形监象武诗》、《两汉循吏孰优论》题。（《宋会要辑稿·选举七》）

十六日，试特奏名进士。内出《宜木名社诗》、《安危在出令论》题。（《宋会要辑稿·选举七》）

壬寅（二十二日），御崇政殿，赐进士贾黯等二百三十人及第、一百九十人出身、一百十七人同出身。黯，穰人也。癸卯（二十三日），赐诸科及第并出身者四百十五人。甲辰（二十四日），赐特奏名、诸科七百二人同出身，及诸州长史、司马、文学。（《续资治通鉴长编》卷一五八）

登进士第者：贾黯、刘敞、谢仲弓、张由、孙坦、周表权、张奕、黄照、萧注、陈舜俞、崇大年、张稚圭、裴煜、许懋、杨辟、魏广、侯友彰、詹迥、句士良、冯如晦、袁陟、蔡冠卿、叶棻恭、杨蟠、胡志康、胡楚材、柳说、田开、刘扶、钱颛、张颙、王该、李抚辰、谭黉、高照、齐术、赵瞻、谢景初、孙永、林积、吴师孟、强至、刘彝、刘攽、王存、郭震、李彤、周涛、蔡天球、蔡天经、黎錞、王沆等。

翰林侍读学士叶清臣赴池州，道由京师，因请对与宰相陈执中不协故，斥令守边，且言执中之短。丁未（二十七日），改命清臣知澶州，寻又改青州。（《续资治通鉴长编》卷一五八）

五月

一日，以新及第进士第一人贾黯为将作监丞，第二人刘敞、第三人谢仲弓并为大理评事，通判诸州；第四人张由、第五人孙坦为秘书省校书郎，并金书两使判官公事；第六人已下，为两使推官；第二甲，为初等职官；第三甲并诸科，并为判司、簿、尉；第四甲已下并诸科同出身，并守选。（《宋会要辑稿·选举二》）

六月

癸丑（四日），诏监察御史唐询更不赴庐州。（《续资治通鉴长编》卷一五八）

（辽兴宗重熙十五年）戊辰（十九日），御清凉殿，放进士王棠等六十八人。（《辽史·兴宗纪二》）

夏

欧阳修作《醉翁亭记》。

《醉翁亭记》初成，天下莫不传诵，家至户到，当时为之纸贵。宋子京得其本，读之数过，曰："只目为《醉翁亭赋》，有何不可？"（朱弁《曲洧旧闻》卷三）

少游谓："《醉翁亭记》，亦用赋体。"余谓："文忠公此记之作，语意新奇，一时脍炙人口，莫不传诵。盖用杜牧《阿房宫赋》体，游戏于文者也。但以记其号'醉翁'之故耳。"富文忠公尝寄公诗云："滁州太守文章公，谪官来此称醉翁。醉翁醉道不醉酒，陶然岂有迁客容。公年四十号翁早，有德亦与耆年同。"又云："意古直出茫昧始，气豪一吐囤闾风。"盖谓公寓意于此，故以为出茫昧始，前此未有此作也。（陈鹄《耆旧续闻》卷十）

欧阳永叔之文，纯雅娴熟，使人读之，亹亹不倦。然比之韩、柳所作，则雄深道劲不及也。虽各自有体，然亦伤助语太多。如《醉翁亭记》，其文之美者也，亦有助语可去。如曰："环滁皆山也。其西南诸峰，林壑尤美。"则"其"字可去。"渐闻水声潺潺，而泻出乎两峰之间者，酿泉也。"则"而"字可去，"泻"字亦自可去。"然而禽鸟知山林之乐，而不知人之乐。""然而"二字可去。如此等闲字削去之，则文加劲健矣。大抵为文要须移动一字不得方好。（李如篪《东园丛说》卷下）

七月

乙酉（七日），诏判大名府夏竦知并州，郑戬知永兴军，程琳并兼本路计置粮草事，从拱辰之言也。（《续资治通鉴长编》卷一五九）

八日，范纯粹（1046—1117）生。纯粹字德孺，以门功稍迁至赞善大夫，为检正中书刑房公事。以事出知滕县，迁提举成都府等路茶场，擢陕西转运判官，升副使。进直龙图阁，为京东路转运使。元祐中，除宝文阁待制。入为户部侍郎，出知延安府。哲宗亲政，用事者欲开边衅，以纯粹弃地为非，降直龙图阁，复以宝文阁待制知熙州。时方经略西羌，乃改纯粹知邓州、河南府滑州。坐元祐党落职，谪均州居住。徽宗即位，起知信州。复以旧职帅延安，又知永兴军。寻以言者落职，知金州，提举鸿庆宫，鄂州居住。又责常州别驾，鄂州安置。会赦，复领祠。久之，以右文殿修撰提举太清宫，复徽猷阁待制。俄，致仕，卒年七十余。（《东都事略》卷五九）

丁亥（九日），参知政事宋庠上所撰《纪年通谱》。庠取十七代史并百家杂说，凡正伪年号括为一书，诏送史馆。（《续资治通鉴长编》卷一五九）

丙申（十八日），右正言、知制诰、知吉州余靖为将作少监，分司南京，许居韶州。（《续资治通鉴长编》卷一五九）

八月

癸亥（十六日），御崇政殿，策试贤良方正能直言极谏太常博士钱彦远及武举人。彦远策入第四等，擢祠部员外郎、知润州。武举授三班奉职者二人，借职者十七人，补三班差使殿侍者二十四人。彦远，易之子，明逸之兄也。宋兴以后，父子兄弟制策登科者，钱氏一家而已。（《续资治通鉴长编》卷一五九）

癸酉（二十六日），右谏议大夫、参知政事吴育为枢密副使，枢密副使、工部侍郎丁度参知政事。（《续资治通鉴长编》卷一五九）

甲戌（二十七日），监察御史唐询为工部郎中、直史馆、知湖州，竟以宰相亲嫌罢

也。（《续资治通鉴长编》卷一五九）

九月

十五日，范仲淹作《岳阳楼记》。

庆历中，滕子京谪守巴陵，治最为天下第一。政成，重修岳阳楼，属范文正公为记，词极清丽。苏子美书石，邵餗篆额，亦皆一时精笔。世谓之"四绝"云。（王辟之《渑水燕谈录》卷六）

范文正公为《岳阳楼记》，用对语说时景，世以为奇。尹师鲁读之曰："传奇体尔。"《传奇》，唐裴铏所著小说也。（陈师道《后山诗话》）

十一月

戊子（十二日），翰林学士、兼龙图阁学士、权三司使王拱辰为侍读学士、兼龙图阁学士、知亳州，从拱辰所请也。翌日，内降指挥，留拱辰侍经筵，而中书执奏不行。拱辰因请改知郑州，从之。右谏议大夫、权御史中丞张方平为翰林学士、权三司使。（《续资治通鉴长编》卷一五九）

本年

晁端礼（1046—1113）生。公讳端礼，字次膺，世为澶之清丰人。后金紫葬济之任城，今为任城人。公以熙宁六年擢进士第，授单州成武簿，迁瀛州防御推官。知洛州平恩县，满授泰宁军节度推官。知大名府莘县事。以政和三年七月二十三日卒于东都昭德坊之外第，年六十八。（李昭玘《晁次膺墓志铭》）

本年重要作品：

文：范仲淹《岳阳楼记》、范仲淹《祭谢希深舍人文》、欧阳修《丰乐亭记》、欧阳修《醉翁亭记》、欧阳修《菱溪石记》、欧阳修《偃虹堤记》、欧阳修《梅圣俞诗集序》、欧阳修《与曾巩论氏族书》、曾巩《再与欧阳舍人书》、曾巩《仙都观三门记》、曾巩《送赵宏序》、曾巩《游山记》、王安石《与祖择之书》、李觏《长江赋》。

诗：范仲淹《依韵酬答邠州通判王稷》、范仲淹《依韵酬太傅张相公见赠》、范仲淹《依韵酬李光化见寄》、范仲淹《依韵答王源政忆百花洲》、范仲淹《中元夜百花洲》、范仲淹《览秀亭》、范仲淹《喜雪》、范仲淹《答提刑张太博尝新酝》、范仲淹《依韵和安陆孙司谏》、范仲淹《送河东提刑张太博》、欧阳修《新霜二首》、欧阳修《游琅琊山》、欧阳修《秋晚凝翠亭》、欧阳修《书王元之画像侧》、欧阳修《读徂徕集》、欧阳修《题滁州醉翁亭》、欧阳修《春日独居》、欧阳修《啼鸟》、欧阳修《菱溪大石》、欧阳修《送章生东归》、欧阳修《大热二首》、欧阳修《幽谷泉》、欧阳修《百子坑赛龙》、欧阳修《憎蚊》、欧阳修《送京西提刑赵学士》、欧阳修《寄题宜城县射亭》、欧阳修《春寒效李长吉体》、欧阳修《送荥阳魏主簿》、梅尧臣《寄滁州欧阳永叔》、梅尧臣《喜谢师厚及第》、梅尧臣《和欧阳永叔啼鸟十八韵》、梅尧臣《寄题滁州丰乐亭》、苏舜钦《寄题丰乐亭》、曾巩《代书寄赵宏》、曾巩《湘寇》、王安石《丙戌五月京师作二首》、王安石《送苏屯田广西转运》、李觏《足成梦中春社》、李觏《次王刑部游麻姑山》、李觏《弋阳县堂北见夹竹桃海棠二首》、李觏《题灵阳宫龟峰精舍葛陂怀古》、李觏《逢何道士》。

词：欧阳修《临江仙》（记得金銮同唱第）。

公元 1047 年（宋仁宗庆历七年　丁亥）

正月

戊子（十三日），尚书左丞、知兖州杜衍为太子少师致仕。衍年方七十，正旦日上表，愿还印绶，宰相贾昌朝素不喜，遽从其请。（《续资治通鉴长编》卷一六〇）

庆历末，杜祁公告老，退居南京，与太子宾客致仕王涣、光禄卿致仕毕世长、兵部郎中分司朱贯、尚书郎致仕冯平为五老会，吟醉相欢，士大夫高之。祁公以故相耆德，尤为天下倾慕。兵部诗云："九老且无元老贵，莫将西洛一般看。"五人年皆八十余，康宁爽健，相得甚欢，故祁公诗云："五人四百有余岁，俱称分曹与挂冠。"而毕年最高，时已九十余，故其诗云："非才最忝预高年。"是时，欧阳文忠公留守睢阳，闻而叹慕，借其诗观之。因次韵以谢，卒章云："闻说优游多唱和，新诗何惜借传看。"（王辟之《渑水燕谈录》卷四）

辛丑（二十六日），命权御史中丞高若讷同判太常寺，吕公绰管勾修郊庙祭器。（《续资治通鉴长编》卷一六〇）

二月

丙午朔（一日），刑部员外郎、知制诰王琪责授信州团练副使，不签书州事。（《续资治通鉴长编》卷一六〇）

三月

己丑（十五日），诏御史中丞高若讷入侍经筵。（《续资治通鉴长编》卷一六〇）

乙未（二十一日），工部侍郎、平章事贾昌朝罢为武胜节度使、同平章事、判大名府、兼北京留守司，河北安抚使，枢密副使、右谏议大夫吴育为给事中归班。工部侍郎、平章事陈执中加昭文馆大学士、监修国史，河阳三城节度使、同平章事、判大名府夏竦依前官充枢密使。故事，文臣自使相除枢相，必纳节还旧官，独竦不然。知益州、枢密直学士、户部郎中文彦博为右谏议大夫、枢密副使。（《续资治通鉴长编》卷一六〇）

丁酉（二十三日），改枢密副使、右谏议大夫文彦博为参知政事，右谏议大夫、权御史中丞高若讷为枢密副使。（《续资治通鉴长编》卷一六〇）

壬寅（二十八日），降宰臣、工部侍郎陈执中为给事中，参知政事、给事中宋庠为

右谏议大夫，工部侍郎丁度为中书舍人。（《续资治通鉴长编》卷一六〇）

四月

庚戌（六日），京东转运使、监察御史包拯为工部员外郎、直集贤院、陕西转运使。（《续资治通鉴长编》卷一六〇）

十日，尹洙卒，47 岁。初，师鲁在渭州，将吏有违其节度者，欲按军法斩之而不果。其后吏至京师，上书讼师鲁以公使钱贷部将，贬崇信军节度副使，徙监均州酒税。得疾，无医药，舁至南阳求医。疾革，隐几而坐，顾稚子在前，无甚怜之色。与宾客言，终不及其私。享年四十有六以卒。（欧阳修《尹师鲁墓志铭》）

著有：《尹师鲁集》二十二卷（陈振孙《直斋书录解题·别集类中》）、《书判》一卷（陈振孙《直斋书录解题·别集类中》）、《五代春秋》五卷（晁公武《郡斋读书志·编年类》）、《象棋经》一卷（赵希弁《郡斋读书后志·杂艺术类》）。

唐贞元、元和之间，韩退之之主盟于文，而风雅最盛。懿、僖以降，寖及五代，其体薄弱。皇朝柳仲涂起而麾之，髦俊率从焉。仲涂门人能师经探道，有文于天下者多矣。洎杨大年以应用之才，独步当世，学者刻词镂意，以希仿佛，未暇及古也。其甚者，专事藻饰，破碎大雅，反谓古道不适于用，废而弗学者久之。洛阳尹师鲁少有高识，不逐时辈，与穆伯长游，力为古文。而师鲁深于《春秋》，故其文谨严，辞约而理精。章奏奏议，大见风采，士林始耸慕焉。复得欧阳永叔从而振之，由是天下之文一变，而正是大有功于道也。其吾儒之盛欤？师鲁之才、之行与其履历，则有永叔为之《墓铭》、稚圭为之《墓表》，此不备载。噫！师鲁有心于时，而多难不寿，所为文章亦未尝编次。有先传于人者，索而类之，成二十七卷，亦足见其志也已。（范仲淹《河南集序》）

《河南集》二十七卷，宋尹洙撰。至所为文章，古峭劲洁，继柳开、穆修之后，一挽五季浮靡之习，尤卓然可以自传。邵伯温《闻见录》称：钱惟演守西都，起双桂楼，建临园驿，命欧阳修及洙作记。修文千余言，洙止用五百字，修服其简古。又称修早工偶俪之文，及官河南，始得师鲁，乃出韩退之之文学之。盖修与师鲁于文虽不同，而为古文则居师鲁后也云云。盖有宋古文，修为巨擘，而洙实开其先，故所作具有原本。自修文盛行，洙名转为所掩，然洙文具在，亦乌可尽没其功也。集凡二十七卷，与《宋史·艺文志》所载合。（《四库提要》卷一五二）

著录：晁公武《郡斋读书志·别集类下》、尤袤《遂初堂书目·别集类》、陈振孙《直斋书录解题·别集类中》、马端临《文献通考》卷二三四、《宋史·艺文志七》、毛扆《汲古阁珍藏秘本书目》、钱谦益《绛云楼书目》卷三、钱曾《述古堂藏书目》卷二、《四库提要》卷一五二、季振宜《季沧苇藏书目》、丁丙《善本书室藏书志》卷二六、陆心源《皕宋楼藏书志》卷七三、李盛铎《木犀轩藏书书录》、傅增湘《藏园群书经眼录》卷一三、《北京图书馆古籍善本书目》。

师鲁文笔警特，议论通达，似唐之杜牧之。而平正较胜，色泽差减耳。然宋人如张、晁以下，皆不及也。欧阳文忠称其简而有法，知言哉！（李慈铭《越缦堂读书记》

卷八）

乙卯（十一日），陈执中、宋庠、丁度皆复所降官。（《续资治通鉴长编》卷一六）

五月

壬午（八日），以武昌节度使、知永兴军程琳为宣徽北院使、判延州、兼鄜延路经略使，仍为陕西安抚使。徙知郓州、资政殿学士、给事中富弼为京东路安抚使、知青州，知扬州、资政殿学士、给事中韩琦为京西路安抚使、知郓州，知青州、翰林学士、户部郎中叶清臣兼龙图阁直学士，为永兴军路都部署、兼本路安抚使、知永兴军。（《续资治通鉴长编》卷一六）

六月

辛亥（八日），命翰林学士、权三司使张方平为南京鸿庆宫奉安三圣御容礼仪使。（《续资治通鉴长编》卷一六）

庚午（二十七日），命参知政事丁度提举编修《唐书》。先是夏竦谗言石介实不死，富弼阴使入契丹，谋起兵，朝廷疑之。弼时知郓州，亟罢京西路安抚使。既而，北边安堵如故，竦谗不效。弼自郓州徙青州，仍领京东路安抚使。竦在枢府，又谗介说敌弗从，更为弼往登、莱，结金坑凶恶数万人，欲作乱，请发棺验视。朝廷复诏监司体量。中使持诏至奉符，提点刑狱吕居简曰："今破冢发棺，而介实死，则将奈何？且丧葬非一家所能办也，必须众乃济。若人人召问之，苟无异说，即令结罪保证。如此亦可应诏矣。"中使曰："善。"及还奏，上意果释。介妻子初羁管他州，事既辨明，乃得还。（《续资治通鉴长编》卷一六）

曾巩侍父北上。

八月

曾巩途经滁州，拜见欧阳修。

九月

梅尧臣解许州签判任，返京师。

十二月

癸丑（十三日），知郓州韩琦徙成德军。（《续资治通鉴长编》卷一六一）

本年

王安石再调知鄞县。

滕宗谅卒，57 岁。君讳宗谅，字子京，大中祥符八年春与予同登进士第。历潍、连、泰三州从事。职事外，孜孜聚书作文章。得召试学士院，改大理寺丞、知太平州当涂县，移知邵武军邵武县。迁殿中丞。还台，拜左正言，迁左司谏。俄以言得罪，换祠部员外郎、知信州，又监鄱阳郡榷酤。就九华山以葬先君，既而起通判江宁府。丁太夫人忧，服除，知湖州。进君刑部员外郎、直集贤院、知泾州。守本官，充天章阁待制、环庆路经略安抚招讨使、兼知庆州。降一官，仍充天章阁待制、知虢州，又移知岳州。迁知苏州，未逾月，人歌其能政。俄感疾，以某年月日薨于郡之黄堂，享年五十七。平生好学，为文长于奏议，尤工古律诗，积书数千卷。（范仲淹《天章阁待制滕君墓志铭》）

著有：《九华山新录》一卷（《宋史·艺文志三》）、《大唐统制》三十卷（《宋史·艺文志八》）、《岳阳楼诗》二卷（《宋史·艺文志八》）

曾肇（1047—1107）生。肇字子开，举进士，调黄岩簿，用荐为郑州教授，擢崇文校书、馆阁校勘兼国子监直讲、同知太常礼院。太常自秦以来，礼文残缺，先儒各以臆说，无所稽据。肇在职，多所厘正。迁国史编修官，进吏部郎中，迁右司，为《神宗实录》检讨。元祐初，擢起居舍人。未几，为中书舍人。以宝文阁待制知颍州，徙邓、齐、陈州、应天府。七年，入为吏部侍郎。改刑部。请不已，出知徐州，徙江宁府。再出知瀛州，与兄布易地。时方治实录讥讪罪，降为滁州。稍复集贤殿修撰。历泰州、海州。徽宗即位，复召为中书舍人。兄布在相位，引故事避禁职，拜龙图阁学士、提举中太一宫。未几，出知陈州，历太原、应天府、扬定二州。崇宁初，落职，谪知和州，徙岳州，继贬濮州团练副使，安置汀州。四年，归润而卒，年六十一。肇自少力学，博览经传，为文温润有法。更十一州，类多善政。绍兴初，谥曰文昭。（《宋史》本传）

毕仲游（1047—1121）生。仲游字公叔，与仲衍同登第，调寿丘柘城主簿、罗山令、环庆转运使干办公事。从高遵裕西征，运期迫遽，以诿仲游。仲游集诸县吏，令先效金帛缗钱之最。元祐初，为军器卫尉丞。召试学士院，同策问者九人，乃黄庭坚、张耒、晁补之辈。苏轼异其文，擢为第一。加集贤校理、开封府推官，出提点河东路刑狱。召拜职方、司勋二员外郎，改秘阁校理、知耀州。徽宗时，历知郑、郓二州，京东、淮南转运副使。入为吏部郎中。仲游早受知于司马光、吕公著，不及用。范纯仁尤知之，当国时，又适居母丧，故未尝得尺寸进。然亦堕党籍，坎壈散秩而终，年七十五。（《宋史》本传）

蔡京（1047—1126）生。蔡京字符长，兴化仙游人。登熙宁三年进士第，调钱塘尉、舒州推官，累迁起居郎。使辽还，拜中书舍人。时弟卞已为舍人，故事，入官以先后为序，卞乞班京下。兄弟同掌书命，朝廷荣之。改龙图阁待制、知开封府。出知成德军，改瀛州，徙成都。乃改江、淮、荆、浙发运使，又改知扬州。历郓、永兴军，迁龙图阁直学士，复知成都。绍圣初，入权户部尚书。卞拜右丞，以京为翰林学士兼侍读，修国史。徽宗即位，罢为端明、龙图两学士，知太原，皇太后命帝留京毕史事。逾数月，出知江宁。夺职，提举洞霄宫，居杭州。起京知定州。崇宁元年，徙大名府。韩忠彦与曾布交恶，谋引京自助，复用为学士承旨。忠彦罢，拜尚书左丞，俄代曾布为右仆射。二年正月，进左仆射。累转司空，封嘉国公。五年，进司空、开府仪同三

司、安远军节度使，改封魏国。大观元年，复拜左仆射。贬太子少保，出居杭。政和二年，召还京师，复辅政，徙封鲁国，三日一至都堂治事。既又更定官名，以仆射为太、少宰，自称公相，总治三省。宣和二年，令致仕。钦宗即位，乃以秘书监分司南京，连贬崇信、庆远军节度副使，衡州安置，又徙韶、儋二州。行至潭州死，年八十。（《宋史》本传）

欧阳棐（1047—1113）生。（欧阳修）中子棐，字叔弼。广览强记，能文辞，年十三时，见修著《鸣蝉赋》，侍侧不去。修抚之曰："儿异日能为吾此赋否？"因书以遗之。用荫，为秘书省正字，登进士乙科，调陈州判官，以亲老不仕。修卒，代草遗表，神宗读而爱之，意修自作也。服除，始为审官主簿，累迁职方员外郎、知襄州。曾布执政，其妇兄魏泰倚声势来居襄，指州门东偏官邸废址为天荒，请之。棐竟持不与。泰怒，谮于布，徙知潞州，旋又罢去。元符末，还朝。历吏部、右司二郎中，以直秘阁知蔡州。未几，坐党籍废，十余年卒。（《宋史》本传）

石景衡（1047—1104）生。公讳景衡，字叔平，新昌人也。公幼有俊誉，长益邃于学。神宗皇帝初以经术造士，公试太学，数中优等。中熙宁六年进士第，调台州天台尉，移和州乌江令。入见，改宣德郎，知福州长溪县。遂监楚州粮料院。丁外艰，服除，通判秀州。迁通判常州，丁内艰，不赴。服除，通判歙州。顷之，以疾得谢，杜门里居，一室萧然。年未六十，遽乞身以归。一夕，命盥沐既毕而逝，实崇宁三年九月九日，享年五十有八。有文十卷、诗二十卷，曰《南明集》（慕容彦逢《石公墓志铭》）。

吕南公（1047—1086）生。吕南公，字次儒，建昌南城人。于书无所不读，于文不肯缀缉陈言。熙宁中，士方推崇马融、王肃、许慎之业，剽掠、补拆、临摹之艺大行，南公度不能逐时好，一试礼闱不偶，退筑室灌园，不复以进取为意。益著书，且借史笔以褒善贬恶，遂以"衮斧"名所居斋。尝谓士必不得已于言，则文不可以不工，盖意有余而文不足，则如吃人之辨讼，必未始不虚，理未始不直，然而或屈者，无助于辞而已。观书契以来，特立之士，未有不善于文者。士无志于立则已，必有志焉，则文何可以卑贱而为之？故毅然尽心，思欲与古人并。元祐初，立十科荐士，中书舍人曾肇上疏，称其读书为文，不事俗学，安贫守道，志希古人，堪充师表科，一时廷臣亦多称之。议欲命以官，未及而卒。遗文曰《灌园先生集》，传于世。（《宋史》本传）

郑仅（1047—1113）生。郑仅，字彦能，徐州彭城人。第进士，为大名府司户参军。留守文彦博以为材，奏改司法，迁冠氏令。知福昌县，提举京东常平，入为户部员外郎，至太府卿，加直龙图阁，为陕西都转运使。论馈饷河湟功，进集贤殿修撰、显谟阁待制。改知庆州，徙秦州，复为都转运使，召拜户部侍郎，改吏部侍郎、知徐州。以显谟阁直学士、通议大夫卒，年六十七，赠光禄大夫，谥曰修敏。（《宋史》本传）

本年重要作品：

文：范仲淹《祭尹师鲁舍人文》、欧阳修《送杨置序》、曾巩《与王介甫第一书》、曾巩《醒心亭记》、曾巩《寄欧阳舍人书》、曾巩《上杜相公书》、曾巩《喜似赠黄生序》、曾巩《繁昌县兴造记》、王安石《抚州招仙观记》、王安石《鄞县经游记》、王安石《上杜学士言开河书》。

诗：欧阳修《丰乐亭小饮》、欧阳修《四月九日幽谷见绯桃盛开》、欧阳修《怀嵩楼新开南轩与郡僚小饮》、欧阳修《希真堂东手种菊花十月始开》、欧阳修《重读徂徕集》、欧阳修《怀嵩楼晚饮示徐无党无逸》、欧阳修《秋怀二首寄圣俞》、欧阳修《赠无为军李道士》、欧阳修《汝瘿答仲仪》、欧阳修《沧浪亭》、欧阳修《拒霜花》、欧阳修《琅琊山六题》、欧阳修《别后奉寄圣俞二十五兄》、欧阳修《紫石屏歌》、欧阳修《丰乐亭游春三首》、欧阳修《谢判官幽谷种花》、欧阳修《送张生》、欧阳修《画眉鸟》、梅尧臣《依韵和欧阳永叔秋怀拟孟郊体二首》、梅尧臣《九月五日梦欧阳永叔》、梅尧臣《和永叔琅琊山六咏》、梅尧臣《哭尹师鲁》、梅尧臣《得曾巩秀才所附滁州欧阳永叔书答意》、苏舜钦《尹子渐哀辞》、苏舜钦《哭师鲁》、曾巩《奉和滁州九咏九首》、曾巩《丁亥三月十五日》、曾巩《哭尹师鲁》、曾巩《上杜相公》、王安石《登飞来峰》、王安石《读诏书》、王安石《幽谷引》、王安石《天童山溪上》、王安石《寄曾子固二首》、李觏《小女》。

公元 1048 年（宋仁宗庆历八年　戊子）

正月

丁丑（八日），右谏议大夫、参知政事文彦博为河北宣抚使。（《续资治通鉴长编》卷一六二）

癸未（十四日），命翰林学士宋祁、权御史中丞鱼周询定夺陕西河东铜铁钱利害以闻。（《续资治通鉴长编》卷一六二）

闰正月

戊申（九日），右谏议大夫、参知政事文彦博为礼部侍郎、平章事。（《续资治通鉴长编》卷一六二）

乙卯（十六日），武胜节度使、检校太傅、同平章事、判大名府、兼北京留守司贾昌朝为山南东道节度使、加检校太师、进封安国公，以恩州平也。（《续资治通鉴长编》卷一六二）

十六日，欧阳修转起居舍人，依旧知制诰，徙知扬州。

二月

甲戌（六日），皇甫泌改知泽州，田京通判兖州。（《续资治通鉴长编》卷一六三）

戊寅（十日），改新知荆州范仲淹复知邓州。仲淹在邓二年，邓人爱之。及徙荆南，众遮使者请留，仲淹亦愿留，诏从其请。（《续资治通鉴长编》卷一六三）

二十二日，欧阳修之扬州任。（欧阳修《扬州谢上表》）

欧阳文忠公在扬州作平山堂，壮丽为淮南第一。堂据蜀冈，下临江南数百里，真、润、金陵三州隐隐若可见。公每暑时，辄凌晨携客往游。遣人走邵伯，取荷花千余朵，以画盆分插百许盆，与客相间。遇酒行，即遣妓取一花传客，以次摘其叶，尽处则饮酒。往往浸夜载月而归。（叶梦得《避暑录话》卷上）

三月

乙卯（十七日），镇安节度使、同平章事、郇国公章得象守司空致仕。遇大朝会，许缀中书门下班，月给见俸，春冬衣比太子太师。（《续资治通鉴长编》卷一六三）

丙辰（十八日），资政殿学士、给事中、知青州富弼为礼部侍郎。（《续资治通鉴长编》卷一六三）

庚申（二十二日），命翰林学士钱明逸详定赦前天下欠负。（《续资治通鉴长编》卷一六三）

四月

辛未（三日），（丁）度罢为紫宸殿学士、兼翰林院侍读学士，从度之请也。（《续资治通鉴长编》卷一六四）

壬申（四日），知澶州、礼部侍郎王拱辰落翰林侍读学士、兼龙图阁学士。（《续资治通鉴长编》卷一六四）

癸酉（五日），给事中、知蔡州吴育为资政殿学士、知河南府。（《续资治通鉴长编》卷一六四）

甲戌（六日），翰林侍读学士、户部郎中、知永兴军叶清臣为翰林学士、权三司使。（《续资治通鉴长编》卷一六四）

丙子（八日），诏：科场旧条皆先朝所定，宜一切无易。时礼部贡院言："四年，宋祁等定贡举新制，会明年诏下，且听须后举施行。今秋赋有期，缘新制，诸州军发解，但令本处官属保明行实，其弥封、誊录，一切罢之。窃见外州解送举人，自未弥封、誊录以前，多采虚誉。苟试官别无请托，亦只取本州曾经荐送旧人，其新人百不取一。弥封以后，考官不见姓名，即须实考文艺，稍合至公。又，新制进士先试策三道，次试论，次试诗赋。先考策论定去留，然后与诗赋通定高下。然举人每至尚书省，不下五七千人，及临轩复较，止及数百人。盖诗赋以声病杂犯，易为去留，若专取策论，必难升黜。盖诗赋虽名小巧，且须指题命事。若记闻该富，则辞理自精。策论虽有问目，其间敷对，多挟他说。若对不及五通尽黜之，即与元定解额不敷。若精粗毕收，则滥进殊广。所以自祖宗以来，未能猝更其制。兼闻举人举经史疑义可以出策论题目凡数千条，谓之《经史质疑》。至于时务，亦抄撮其要，浮伪滋甚，难为考较。又，旧制以词赋声病偶切之类立为考式，今特许仿唐人赋体，及赋不限联数，不限字数。且古今文章，务先体要，古未必悉是，今未必悉非。尝观唐人程试诗赋，与本朝所取名人辞艺，实亦工拙相半。俗儒是古非今，不为通论。自二年以来，国子监生诗赋即以汗漫无体为高，策论即以激讦肆意为工，中外相传，愈远愈滥。非唯渐误后学，实恐后来省试，其合格能几何人！伏唯祖宗以来，得人不少，考较文艺，固有规程，不须变更，以长浮薄。请并如旧制。"故降是诏。(《续资治通鉴长编》卷一六四)

辛卯（二十三日），置河北四路安抚使，命知大名、真定府、瀛、定州者领之。资政殿学士、给事中韩琦知定州，礼部侍郎王拱辰知瀛州，右谏议大夫鱼周询知成德军。(《续资治通鉴长编》卷一六四)

五月

辛酉（二十四日），枢密使、河阳三城节度使、同平章事夏竦罢枢密使，判河南府。给事中、参知政事宋庠加检校太傅，行工部侍郎、充枢密使。(《续资治通鉴长编》卷一六四)

壬戌（二十五日），枢密副使、左谏议大夫庞籍为参知政事。(《续资治通鉴长编》卷一六四)

六月

己丑（二十二日），河北转运使、刑部员外郎、直集贤院包拯为户部副使。(《续资治通鉴长编》卷一六四)

二十九日，司空致仕章得象卒，71 岁。特拜司空致仕，赐实俸，著令燕见礼如丞相。于是，公年七十一去位。之六月乙未，暴感疾，一日薨。诏遣太医驰视，已不可为。讣闻，天子即日幸其第，既酹，哀甚，赐银三千两，他赠襚称之。追赠太尉兼侍中。公善行、草书，笔法遒婉，时人弆牍秘爱。论著、文章数百篇，雅懿沈郁，薄天人之极。(宋祁《文宪章公墓志铭》)

著有：《国朝会要》一百五十卷(《宋史·艺文志六》)、《御览要略》十二卷(《宋史·艺文志六》)、《册府元龟音义》一卷(《宋史·艺文志六》)。

七月

甲子（二十八日），命翰林学士宋祁、入内都知张永和往商胡埽视决河及覆计工料。(《续资治通鉴长编》卷一六四)

八月

丁丑（十一日），翰林学士、兼端明殿学士、右谏议大夫、知制诰、史馆修撰张方平，右谏议大夫、权御史中丞杨察，兵部员外郎、兼侍御史知杂事张昇，祠部员外郎、集贤校理、知许州韩综，并落职。方平知滁州，察知信州，昇知濠州，综知袁州。(《续资治通鉴长编》卷一六五)

庚辰（十四日），太常丞、直集贤院、同修起居注李绚为契丹国母生辰使。既而，绚辞不行，改命祠部员外郎、集贤校理、同修起居注胡宿。(《续资治通鉴长编》卷一

六五）

十五日，梅尧臣从晏殊辟，赴签书陈州镇安军节度判官任。再过扬州，欧阳修设宴款待。

九月

辛丑（六日），命翰林学士宋祁磨勘提点刑狱、朝廷使臣课绩。（《续资治通鉴长编》卷一六五）

十月

庚寅（二十五日），翰林学士、右谏议大夫、知制诰、史馆修撰宋祁落职，知许州。（《续资治通鉴长编》卷一六五）

十一月

乙未朔（一日），翰林学士、兼端明殿学士、翰林侍读学士、礼部侍郎、知制诰、史馆修撰李淑落翰林学士，依前端明殿学士、兼翰林侍读学士，加龙图阁学士、集贤殿修撰，知应天府、兼南京留守司。（《续资治通鉴长编》卷一六五）

己未（二十五日），命翰林学士钱明逸、翰林侍读学士张锡同详定一州一县编敕。（《续资治通鉴长编》卷一六五）

十二月

一日，因霖雨成灾，诏明年改元。

庚寅（二十六日），命翰林学士钱明逸检阅浑仪制度以闻。（《续资治通鉴长编》卷一六五）

苏舜钦卒，42岁。其妻卜以嘉祐元年十月某日，葬君于润州丹徒县义里乡檀山里石门村。君讳舜钦，字子美，其上世居蜀，后徙开封，为开封人。少以父荫，补太庙斋郎，调荥阳尉。举进士中第，改光禄寺主簿，知蒙城县。坐监进奏院祠神奏用市故纸钱会客为自盗，除名。居数年，复得湖州长史。庆历八年十二月某日以疾卒于苏州，享年四十有二。（欧阳修《湖州长史苏君墓志铭》）

苏舜钦以诗得名，学书亦飘逸，然其诗以奔放豪健为主。梅尧臣亦善诗，虽乏高致，而平淡有工，世谓之"苏梅"，其实与苏相反也。舜钦尝自叹曰："平生作诗被人比梅尧臣，写字被人比周越，良可笑也。"周越为尚书郎，在天圣、景祐间以书得名，轻俗不近古，无足取也。（魏泰《临汉隐居诗话》）

著有：《苏舜钦集》十六卷（《宋史·艺文志七》）。

著录：晁公武《郡斋读书志·别集类下》、陈振孙《直斋书录解题·别集类中》、《宋史·艺文志七》。

本年

李之仪（1048—?）生。之仪，字端叔。登第几三十年，乃从苏轼于定州幕府。历枢密院编修官，通判原州。元符中，监内香药库。御史石豫言其尝从苏轼辟，不可以任京官，诏勒停。徽宗初，提举河东常平。坐为范纯仁遗表，作行状，编管太平，遂居姑熟，久之，徙唐州，终朝请大夫。之仪能为文，尤工尺牍，轼谓入刀笔三昧。（《宋史》本传）

王巩（1048—?）生。巩字定国。从苏轼问学，能为文章。为秘书省正字，尝坐轼累贬宾州。元祐中，用轼荐，除太常博士。其后，坐元祐党贬官。（《东都事略》卷四十）

巩有隽才，长于诗，从苏轼游。轼守徐州，巩往访之，与客游泗水，登魋山，吹笛饮酒，乘月而归。轼待之于黄楼上，谓巩曰："李太白死，世无此乐三百年矣。"轼得罪，巩亦窜宾州。数岁得还，豪气不少挫。后历宗正丞，以跌荡傲世，每除官，辄为言者所议，故终不显。（《宋史·王素传》）

刘弇（1048—1102）生。刘弇，字伟明，吉州安福人。儿时警颖，日诵万余言。登元丰二年进士第，继中博学宏词科。历官知嘉州峨眉县，改太学博士。元符中，有事于南郊，弇进《南郊大礼赋》，哲宗览之动容，以为相如、子云复出，除秘书省正字。徽宗即位，改著作佐郎、实录院检讨官，以疾卒于官。少嗜酒，不事拘检。为文辞铲剔瑕颣，卓诡不凡。有《龙云集》三十卷，周必大序其文，谓"庐陵自欧阳文忠公以文章续韩文公正传，遂为一代儒宗，继之者弇也"。其相推重如此云。（《宋史》本传）

本年重要作品：

文：范仲淹《十六罗汉因果识见颂序》、欧阳修《尹师鲁墓志铭》、欧阳修《祭苏子美文》、欧阳修《海陵许氏南园记》、欧阳修《大明水记》、曾巩《与刘沆龙图启》、曾巩《菜园院佛殿记》、曾巩《墨池记》、王安石《先大夫述》、王安石《余姚县海塘记》、王安石《慈溪县学记》、王安石《上运使孙司谏书》、王安石《明州新修刻漏铭》。

诗：欧阳修《别滁》、欧阳修《招许主客》、欧阳修《酬王君玉中秋席上待月值雨》、欧阳修《中秋不见月问客》、欧阳修《答谢判官独游幽谷见寄》、欧阳修《咏雪》、梅尧臣《依韵和欧阳永叔中秋邀许发运》、梅尧臣《和永叔中秋夜会不见月酬王舍人》、梅尧臣《中秋不见月答永叔》、梅尧臣《画真来嵩》、梅尧臣《别后寄永叔》、梅尧臣《戊子正月二十六日夜梦》、梅尧臣《赐绯鱼》、梅尧臣《酌别谢通微判官兼怀欧阳永叔》、梅尧臣《戊子三月二十一日殇小女称称三首》、梅尧臣《寄许主客》、梅尧臣《和淮阳燕秀才》、王安石《记丁中允》、王安石《复至曹娥堰寄剡县丁元珍》、李觏《哭女》。

第四章

皇祐元年至治平四年共 19 年

·引　言·

罗大经《鹤林玉露》丙编卷三：江西自欧阳子以古文起于庐陵，遂为一代冠冕，后来者莫能与之抗。其次莫如曾子固、王介甫，皆出欧门，亦皆江西人。老苏所谓执事之文非孟子之文，而欧阳子之文也。朱文公谓江西文章如欧阳永叔、王介甫、曾子固做得如此好，亦知其皓皓不可尚已。

李邴《初寮集序略》：本朝承五季之后，杨、刘之学盛于一时，其裁割纂组之工极矣。石介愤然以杨公破碎圣人，为世巨害，著论排之甚力。然当时文章钜宗，司翰墨之职者，亦必循本朝故事。如近世张公安道高简纯粹，王公禹玉温润典裁，元公厚之精丽稳密，苏东坡先生雄深秀伟，皆制词之杰然者。譬之王良、造父，策骥骚而骋康庄，一日千里，而节之以和銮，驰之蚁封，亦必中度。岂能彼而不能此哉？

王铚《四六话序》：国朝名辈犹杂五代衰陋之气，似未能革。至二宋兄弟始以雄才奥学，一变山川草木、人情物态，归于礼乐刑政、典章文物，发为朝廷气象，其规模闳达深远矣。继以滕、郑、吴处厚、刘辉，工致纤细备具，发露天地之藏，造化殆无余巧。其隐括声律，至此可谓诗赋之集大成者。亦由仁宗之世，太平闲暇，天下安静之久，故文章与时高下。盖自唐天宝远讫于天圣，盛又景祐、皇祐，溢于嘉祐、治平之间，师友渊源，讲贯磨砻，口传心授，至是始克大成就者。盖四百年于斯矣，岂易得哉！

周必大《苏魏公文集后序》：至和、嘉祐中，文章尔雅，议论平正，本朝极盛时也。

魏裔介《宋文欣赏集序》：宋初无文。迨仁宗之世，涵育已及百年，乃有韩稚圭、范六丈、欧阳永叔、司马君实出，而曾子固与眉山父子起而羽翼之。雷轰电击，云蒸霞变，宋文之盛，至此而极也。然范、韩之篇章既少，君实一生著力全在《通鉴》，其论断多有可诵。欧公《五代史》固称佳构，诸作多见秀发。若子固之文颇涉枝蔓，明允之文每杂权术，颍滨之文未至雄浑，唯子瞻瑰奇变化，超腾绝伦。而朱文公讥其早拾苏、张之余唾，晚醉佛、老之糟粕。要其文以识议见长，以经济自命，固贾长沙、陆宣公之流亚也，岂可以小疵而少之哉？

陆游《老学庵笔记》卷八：国初尚《文选》，当时文人专意此书，故草必称"王孙"，梅必称"驿使"，月必称"望舒"，山水必称"清晖"。至庆历后，恶其陈腐，诸作者始一洗之。方其盛时，士子至为之语曰："《文选》烂，秀才半。"

《井观琐言》卷一：欧阳文纡徐曲折，偃仰可观，最耐咀嚼。荆公文亦高古，意见超卓，所乏者雍容整暇气象尔。曾子固文敦厚凝重，如秦碑汉鼎。老苏一击一刺，皆有法度；东坡胡击乱刺，自不出乎法度。

张舜民《评诗》：梅圣俞诗如深山道人，草衣菌茹，土形木质，虽王公大人见之，不觉屈膝。石曼卿诗如饥鹰夜归，岩冰春坼，而不可寻绎。王介甫诗如空中之音，相中之色，欲有执着，而曾不可得矣。郭祥正诗如大排筵席，二十四味，终日揖让，而适口者少。苏子瞻如武库初开，干矛森然，观者不觉神悚；若一一寻之，不无利钝。欧阳永叔诗如春服乍成，绿酒既酾，登山临水，竟日忘归。

公元 1049 年（宋仁宗皇祐元年　己丑）

正月

甲辰（十一日），复礼部侍郎、知瀛州王拱辰为翰林侍读学士、兼龙图阁学士。（《续资治通鉴长编》卷一六六）

十二日，以翰林学士赵槩权知贡举，翰林侍读学士张锡、天章阁待制王贽、张揆、天章阁侍读赵师民并权同知贡举，合格奏名进士冯京已下六百三十七人。（《宋会要辑稿·选举一》）

丙午（十三日），欧阳修移知颍州。

己酉（十六日），太傅致仕邓国公张士逊卒，86 岁。《文集》十，曰《应制》、曰《春坊》、曰《旧寻》、曰《江岭》、曰《许洛》、曰《归政》、曰《过家》、曰《小集》、曰《杂文》、曰《表章》。内七集，自作序冠其前，行书遒劲，毫法殊逸。公以乾德甲子九月二十一日生，于皇祐元年正月己酉晡后薨，年八十六岁。上闻而震悼。诘旦，车驾临奠，哀恸数四，赙中金三千两，辍视朝三日，册赠太师兼中书令。（胡宿《太傅致仕邓国公张公行状》）

著有：《笑台诗》一卷（《宋史·艺文志八》）、《文集》十卷（胡宿《太傅致仕邓国公张公行状》）。

二月

辛未（八日），知青州、资政殿学士、给事中富弼为礼部侍郎。（《续资治通鉴长编》卷一六六）

宣徽北院使、武昌节度使、判延州程琳请代，己卯（十六日），加同平章事，再判延州。（《续资治通鉴长编》卷一六六）

三月

癸卯（十一日），徙判大名府、山南东道节度使、同平章事贾昌朝判郑州，翰林学士、户部郎中、权三司使叶清臣为翰林学士、知河阳，判延州、武昌节度使、同平章事程琳为河北安抚使、判大名府、兼北京留守司。（《续资治通鉴长编》卷一六六）

十三日，帝御崇政殿，试礼部奏名进士。内出《盖轸象天地赋》、《日昃不暇食诗》、《天听君人之言论》题。（《宋会要辑稿·选举七》）

癸丑（二十一日），赐进士冯京等一百七十四人及第，一百六人出身，二百九人同出身于崇政殿。京，江夏人也。甲寅（二十二日），赐诸科及第并出身五百五十人于观文殿。（《续资治通鉴长编》卷一六六）

登进士第：冯京、沈遘、钱公辅、李育、文同、虞大照、许抗、石赓、石麟之、张颉、晏知止、俞瑊、张公庠、毛国华、朱明之、吴申、连希元、郎淑、李山甫、李敷、姚辟、黄默、林侁、陈阐、关希声、蒋堂、李宗孟、谢景温、阎灏、李常、邓润甫、吕大防、范纯仁、孙觉、范百禄、刘恕、卢秉、侍其玮、彭慥、虞太熙、王安仁等。

庚申（二十八日），翰林学士、权知开封府钱明逸为回谢契丹使。（《续资治通鉴长编》卷一六六）

叶清臣卒，50岁。叶清臣，字道卿，苏州人。天圣二年登进士甲科，累擢知制诰、龙图阁直学士、权三司使。出知江宁府，入翰林，为学士。丁父忧，除翰林侍读学士，知邠州。改青州永兴军，复为翰林学士、权三司使。罢知河阳，卒，年五十，赠谏议大夫。有《文集》一百六十卷。（曾巩《隆平集》卷一四）

著有：《春秋纂类》十卷（《宋史·艺文志一》）、《叶清臣集》一百六十卷（曾巩《隆平集》卷一四）。

四月

七日，以新及第进士第一人冯京为将作监丞，第二人沈遘、第三人钱公辅为大理评事，通判诸州；第四人李育、第五人文同为两使职官；第六人而下，并为初等幕职官；第二甲，为试衔大县主簿、尉；第三甲为判司、簿、尉；第四甲与诸科为判司、簿、尉，第五甲，守选。（《宋会要辑稿·选举二》）

新知郑州贾昌朝过阙入觐，乙酉（二十三日），授祥源观使，留京师。（《续资治通鉴长编》卷一六六）

二十四日，欧阳修转礼部郎中。（欧阳修《谢转礼部郎中表》）

五月

丁未（十六日），改新判大名府、河北安抚使程琳为大名府路安抚使、判延州。（《续资治通鉴长编》卷一六六）

宰相庞籍言殿中丞、馆阁校勘范镇有异材，不汲汲于进取。丁巳（二十六日），特遣直秘阁。（《续资治通鉴长编》卷一六六）

六月

甲戌（十三日），山南东道节度使、同平章事、祥源观使贾昌朝为观文殿大学士，判都省。朝会考中书门下，视其仪物。观文殿置大学士，自此始。（《续资治通鉴长编》卷一六六）

壬午（二十一日），改命同刊修《唐书》、翰林侍读学士宋祁为刊修官。（《续资治通鉴长编》卷一六六）

宋子京博学能文章，天资蕴藉，好游宴，以矜持自喜。晚年知成都府，带《唐书》于本任刊修。每宴罢，盥漱毕，开寝门，垂帘，燃二椽烛，媵婢夹侍，和墨伸纸，远近观者，皆知尚书修《唐书》矣，望之如神仙焉。（魏泰《东轩笔录》卷一五）

丙戌（二十五日），光禄少卿、分司南京余靖为左神武大将军、雅州刺史、寿州钤辖。寻请以旧官侍养，许之。（《续资治通鉴长编》卷一六六）

七月

乙未（四日），诏河阳三城节度使、同平章事、判河中府夏竦赴本镇。（《续资治通鉴长编》卷一六七）

壬寅（十一日），河阳三城节度使、同平章事夏竦兼侍中，宣徽北院使、判并州郑戬为奉国节度使。资政殿学士、给事中、知青州富弼，资政殿学士、给事中、知定州韩琦，并加资政殿大学士。（《续资治通鉴长编》卷一六七）

癸卯（十二日），礼部尚书、知陈州晏殊为刑部尚书。观文殿学士、兼翰林侍读学士、户部侍郎丁度为兵部侍郎。资政殿学士、给事中、知杭州范仲淹，资政殿学士、给事中、新知河南府吴育，并为礼部侍郎。太子少师致仕杜衍为太子太保。（《续资治通鉴长编》卷一六七）

八月

壬戌（二日），工部侍郎、平章事陈执中罢为兵部尚书、知陈州。礼部侍郎、平章事文彦博加吏部侍郎、昭文馆大学士、监修国史，枢密使、工部侍郎宋庠为兵部侍郎、平章事。参知政事庞籍为工部侍郎，充枢密使。枢密副使、右谏议大夫高若讷为工部侍郎、参知政事。翰林侍读学士、吏部郎中梁适为左谏议大夫、枢密副使。（《续资治通鉴长编》卷一六七）

十一日，欧阳修复龙图阁直学士。（欧阳修《谢复龙图阁直学士表》）

己卯（十九日），右正言、知制诰李绚为契丹国母生辰使。（《续资治通鉴长编》卷一六七）

甲申（二十四日），御崇政殿，策试贤良方正能直言极谏殿中丞吴奎。奎所对入第四等，以奎为太常博士、通判陈州。先是，上封者言："伏见国家每设制科以取贤材，中选之后，多至大用。以此，知不独取于刀笔，盖将观其器能也。旧制，秘阁先试六论，合格者然后御试策一道。先论者，盖欲探其博学；后策者，又欲观其才用。近来御前所试策题，其中多问典籍名数及细碎经义，乃是又重欲探其博学，竟不能观其采用，岂朝廷求贤材之意耶？欲乞将来御试策题中止令问'观治乱、系安危'，'用之则昌明、舍之则微弱'，'往古之以试、当今之可行'者十余条，限三千字已上。或所对文理优长、识虑深远，其言真可行于世，其论果有补于时者，即为优等。若文意平常、别无可采者，即为末等，量与恩泽。所有名数及细碎经义，更不详问。如此，则不为空言，可得实效。"诏撰策题官先问治乱安危大体，其余所问经义名数，自依旧例。（《续资治通鉴长编》卷一六七）

晏殊自陈州徙知许州。

二十五日，石中立卒，78 岁。皇祐元年八月乙酉（二十五日），太子少师致仕石公中立薨于京师，年七十八。天子废朝，敕有司，归其赗，以太子太傅印绶告第，谥曰文定。有《辨之集》二十卷。（宋祁《石太傅墓志铭》）

著有：有《辨之集》二十卷（宋祁《石太傅墓志铭》）。

九月

癸卯（十三日），翰林学士承旨、兼端明殿学士、户部郎中、知制诰王尧臣为右谏议大夫。（《续资治通鉴长编》卷一六七）

十三日，杨偕卒，70 岁。庆历八年春，翰林侍读学士、右谏议大夫杨公年六十有九，告老，即以工部侍郎致仕，归于常州。明年九月十三日，公疾革，出其《兵论》一篇示其子忱、慥而授以言，言讫而卒。乃诏特赠公兵部侍郎。公少师事种放学问，为文章长于议论，好读兵书，知古兵法。有《文集》十卷、《兵书》十五卷。（欧阳修《翰林侍读学士右谏议大夫杨公墓志铭》）

著有：《杨偕集》十卷（欧阳修《杨公墓志铭》）、《兵书》十五卷（欧阳修《杨公墓志铭》）。

十二月

壬申（十三日），观文殿大学士、右仆射、判都省贾昌朝复为山南东道节度使、同平章事、判郑州。（《续资治通鉴长编》卷一六七）

秦观（1049—1100）生。秦观，字少游，一字太虚，扬州高邮人。少豪隽，慷慨溢于文词，举进士不中。强志盛气，好大而见奇，读兵家书与己意合。见苏轼于徐，为赋黄楼，轼以为有屈、宋才。又介其诗于王安石，安石亦谓清新似鲍、谢。轼勉以应举为亲养，始登第，调定海主簿、蔡州教授。元祐初，轼以贤良方正荐于朝，除太学博士，校正秘书省书籍。迁正字，而复为兼国史院编修官。绍圣初，坐党籍，出通判杭州。以御史刘拯论其增损实录，贬监处州酒税。削秩徙郴州，继编管横州，又徙雷州。徽宗立，复宣德郎，放还。至藤州，出游华光亭，为客道梦中长短句，索水欲饮，水至，笑视之而卒。先自作挽词，其语哀甚，读者悲伤之。年五十二，有文集四十卷。观长于议论，文丽而思深。（《宋史》本传）

本年

李公麟（1049—1106）生。李公麟，字伯时，舒州人。第进士，历南康、长垣尉、泗州录事参军，用陆佃荐，为中书门下后省册定官、御史检法。好古博学，长于诗，多识奇字，自夏、商以来钟、鼎、尊、彝，皆能考定世次，辨测款识。闻一妙品，虽捐千金不惜。元符三年，病痹，遂致仕。既归老，肆意于龙眠山岩壑间。雅善画，自作《山庄图》，为世宝。传写人物尤精，识者以为顾恺之、张僧繇之亚。襟度超轶，名士交誉之，黄庭坚谓其风流不减古人，然因画为累，故世但以艺传云。（《宋史》本传）

本年重要作品：

文：范仲淹《天竺山日观大师塔记》、欧阳修《论尹师鲁墓志》、曾巩《宜黄县县学记》、曾巩《金山寺水陆堂记》、王安石《抚州祥符观三清殿记》。

词：欧阳修《圣无忧》、张先《转声虞美人》（使君欲醉离亭酒）。

公元 1050 年（宋仁宗皇祐二年　庚寅）

正月

七日，欧阳修等聚星堂筵席，分韵赋诗。

欧公居颍上，申公吕诲叔作太守（案：误，应为通判），聚星堂燕集，赋诗分韵。公得"松"字，申公得"雪"字，刘原父得"风"字，魏广得"春"字，焦千之得"石"字，王回得"酒"字，徐无逸得"寒"字。又赋室中物，公得鹦鹉螺杯，申公得瘿壶，刘原父得张越琴，魏广得澄心堂纸，焦千之得金星研，王回得方竹杖，徐无逸得月砚屏风。又赋席间果，公得橄榄，申公得红焦子，刘原父得温柑，魏广得凤栖，焦千之得金橘，王回得荔枝，徐无逸得杨梅。又赋壁间画像，公得杜甫，申公得李文饶，刘原父得韩退之，魏广得谢安石，焦千之得诸葛孔明，王回得李白，徐无逸得魏郑公。诗编成一集，流行于世。当时四方能文之士及馆阁诸公，皆以不与此会为恨。（朱弁《风月堂诗话》卷上）

小雪，欧阳修等会饮聚星堂，欧阳修赋《雪》诗，题下原注："时在颍州作。玉、月、梨、梅、练、絮、白、舞、鹅、鹤、饮等事，皆请勿用。"创"禁体物语"新诗体。

欧阳文忠守颍日，因小雪，会饮聚星堂，赋诗，约不得用玉、月、梨、梅、练、絮、白、舞、鹅、鹤、饮等事。欧公篇略云："脱遗前言笑尘杂，搜索万象窥溟溟。"自后四十余年，莫有继音。元祐六年，东坡在颍，因祷雪于张龙公获应，遂复举前令。篇末云："汝南先贤有故事，醉翁诗话谁能说？当时号令君听取，白战不许持寸铁。"（阮阅《诗话总龟》卷二十引《王直方诗话》）

三月

己酉（二十二日），翰林学士、刑部郎中、知制诰赵槩为回谢契丹国信使，西上阁门使、贵州团练使钱晦副之。契丹主席上请槩赋《信誓如山河诗》，诗成，契丹主亲酌

玉杯劝骤饮，以素折叠扇授其近臣刘六符写骤诗，自置袖中。（《续资治通鉴长编》卷一六八）

辛亥（二十四日），刑部员外郎、直龙图阁、兼天章阁侍讲王洙同判太常寺、兼礼仪事。（《续资治通鉴长编》卷一六八）

丙辰（二十九日），宋祁上《明堂通议》二篇。（《续资治通鉴长编》卷一六八）

四月

戊辰（十二日），降翰林学士、兵部员外郎、知制诰、史馆修撰、权知开封府钱明逸为龙图阁学士、知蔡州。（《续资治通鉴长编》卷一六八）

五月

甲子，杜杞卒，46岁。君治边二岁，有威爱。皇祐二年五月甲子（按：五月丁亥朔，本月没有甲子日，疑为"甲午"或"庚子"之误），疾，卒于官，享年四十有六。天子震悼，赙恤其家。君尤博览强记，其为文章多论当世利害，甚辩。有《文集》十卷、《奏议》集十二卷。（欧阳修《兵部员外郎天章阁待制杜公墓志铭》）

著有：《杜杞文集》十卷（欧阳修《杜公墓志铭》）、《奏议》十二卷（《宋史》本传）。

六月

辛巳（二十六日），屯田员外郎吕公著同判吏部南曹。公著，夷简之子也。尝召试馆职，不就。于是，上谕曰："知卿有恬退之节。"因赐五品服。（《续资治通鉴长编》卷一六八）

（辽兴宗重熙十九年）辛巳（二十六日），御金銮殿试进士。（《辽史·兴宗纪三》）

七月

一日，欧阳修改知应天府兼南京留守司事。二十四日，到任。（欧阳修《南京谢上表》）

八月

乙丑（十一日），知杭州、资政殿学士范仲淹奏建昌军草泽李觏撰《明堂图义》，诏送两制看详，称其学业优博，授试太学助教。觏尝举茂材异等，不中。亲老，以教授自资，学者常数十百人。（《续资治通鉴长编》卷一六九）

九月

晏殊迁户部侍郎，以观文殿大学士知永兴军，辟张先为通判。

徙陈州，又徙许州，稍复礼部、刑部尚书。祀明堂，迁户部，以观文殿大学士知永兴军。（《宋史》本传）

丞相领京兆，辟张先都官通判。一日，张议事府中，再三未答。晏公作色，操楚语曰："本为辟贤会道'无物似情浓'，今日却来此事公事。"（张舜民《画墁录》）

晏元献公为京兆，辟张先为通判。新纳侍儿，公甚属意。先字子野，能为诗词，公雅重之，每张来，即令侍儿出侑觞，往往歌子野所为之词。其后王夫人浸不容，公即出之。一日，子野至，公与之饮，子野作《碧牡丹词》，令营妓歌之，有云"望极蓝桥，但暮云千里，几重山几重水"之句，公闻之，怃然曰："人生行乐耳，何自苦如此。"亟命于宅库支钱若干，复取前所出侍儿。既来，夫人亦不复如何也。（《道山清话》）

十月

丙辰（二日），宰臣文彦博加礼部尚书，宋庠加工部尚书；河阳三城节度使、兼侍中、英国公夏竦为武宁节度使，进封郑国公；武昌节度使、同平章事、判大名府程琳为武胜节度使；枢密使庞籍、参知政事高若讷，并加户部侍郎；枢密副使梁适加给事中。（《续资治通鉴长编》卷一六九）

五日，欧阳修转吏部郎中，加轻车都尉。（欧阳修《谢明堂覃恩转官加勋表》）

辛未（十七日），诏宰臣文彦博、宋庠，参知政事高若讷，史馆检讨王洙，编修《大飨明堂记》。（《续资治通鉴长编》卷一六九）

范仲淹以户部侍郎徙知青州。

十一月

乙酉（二日），召太子中舍致仕胡瑗赴大乐所，同定钟磬制度。（《续资治通鉴长编》卷一六九）

冬

钱彦远卒，57 岁。公讳彦远，字子高，系出钱塘吴越武肃王之裔。景祐五年登进士乙科，签书忠武军节度判官公事。寻出，通判明州。以太常博士应诏，迁尚书祠部员外郎、知润州。八年秋，召还，拜右司谏。皇祐元年春廷试进士，公为编排官，上御后庑，手书"博学"二字赐之。天不俾寿，以其年季冬寝病，某日终于司农之官舍。公之文章尔雅，凡所著述，其科举应诏之文，为士人传诵。外得遗稿，撷为十五卷，名《谏垣集》。（《钱起居神道碑》）

著有：《谏垣集》三十卷（《宋史·艺文志七》）、《谏垣遗稿》五卷（《宋史·艺文志七》）、

本年

李觏应范仲淹召，赴杭州。范仲淹再荐李觏。（魏峙《李直讲年谱》）

司马康（1050—1090）生。康字公休，敏学过人，博通群书，以明经上第。光修《资治通鉴》，奏检阅文字。以韩绛荐，为秘书，由正字迁校书郎。光薨，治丧皆用《礼经》家法，不为世俗事。得遗恩，悉以与族人。服除，召为著作佐郎兼侍讲。拜右正言，以亲嫌未就职。寻诏讲官节以进。年四十一而卒。诏赠右谏议大夫。（《宋史》本传）

本年重要作品：

文：欧阳修《答李大临学士书》、欧阳修《答陈知明书》、欧阳修《与王深甫论世谱帖》、曾巩《谢杜相公书》、王安石《伍子胥庙记》、王安石《信州兴造记》。

诗：欧阳修《上太傅杜相公》、欧阳修《和太傅杜相公宠示之作》、欧阳修《食糟民》、欧阳修《喜雨》、欧阳修《寄生槐》、欧阳修《橄榄》、欧阳修《答原父》、欧阳修《人日聚星堂燕集探韵得丰字》、欧阳修《聚星堂前紫薇花》、欧阳修《竹间亭》、欧阳修《送焦千之秀才》、欧阳修《寄圣俞》、欧阳修《再和圣俞见答》、欧阳修《感春杂言》、欧阳修《祈雨晓过湖上》、欧阳修《雪》、王安石《别鄞女》、王安石《离鄞至菁江东望》、王安石《登越州城楼》、王安石《到家》、王安石《书陈祈兄弟屋壁》、王安石《得子固书因寄》、王安石《送文学士倅邛州》、王安石《豫章道中次韵答曾子固》、李觏《怡山长庆寺》。

公元 1051 年（宋仁宗皇祐三年　辛卯）

二月

壬午朔（一日），以太子中舍致仕胡瑗为大理评事、兼太常寺主簿，固辞之。（《续资治通鉴长编》卷一七〇）

丙戌（五日），文彦博等上《明堂大飨记》二十卷、《纪要》二卷，上为之序，镂版以赐近臣。编修官王洙加史馆修撰，仍俟知制诰有阙除之。（《续资治通鉴长编》卷一七〇）

戊申（二十七日），翰林侍读学士、兼龙图阁学士、给事中、史馆修撰宋祁坐其子与张彦方游，出知亳州。（《续资治通鉴长编》卷一七〇）

三月

乙卯（四日），命知亳州宋祁就州修《唐书》，易史馆修撰为集英殿修撰。（《续资治通鉴长编》卷一七〇）

七日，孙抗卒，54 岁。皇祐三年三月初七日卒于治所，年五十四。官至尚书工部郎中，散官至朝奉郎，勋至上骑都尉。君所为州，整齐其大体，阔略其细故。与宾客谈说、弦歌、饮酒，往往终日，而能听用佐属尽其力事以不废。在御史，言事计曲直利害如何，不顾望大臣，以此无助。所为文自少及终，以类集之至百卷，天德、地业、人事之治，掇拾贯穿，无所不言，而诗为多。君讳抗，字和叔，姓孙氏。（王安石《广

西转运使孙君墓碑》)

著有:《孙抗集》一百卷（王安石《广西转运使孙君墓碑》）。

某屏居岭服,北来交问殆绝。和叔继以三编见寄,自华原通守至庐陵典城七八年间,凡得千首。观其励精篇翰,托情讽喻,目之所经,迹之所接,一事一物,亡虚闻览其间。藩辅大臣之美绩,道义良朋之荣问,泉石四时之嘉景,关河四方之行役,有美必宣,无愤不写。虽语存声律,而意深作用。固当远敌曹、刘,高揖颜、谢,兼沈、宋之新律,跨李、杜之老词。其他靡曼之作,不足方也。且其取譬引类,发于胸臆,不从经史之所牵,不为文字之所局。如良工饬材,手习规矩,但见方圆成器,不睹斧斤之迹。于诗其深矣乎!世谓诗人必经穷愁,乃能抉造化之幽蕴,写凄辛之景象。盖以其孤愤郁结,触怀成感,其言必精于理,必诣也。和叔自关中用兵时,即佐华原,预闻边事,以材召入御史府属。莫徭作梗于湖湘,奉诏安集,遇谗失职,守景陵。再谪,倅汉阴;数年,徙沔上军壁,乃得剖符庐陵。其绵历周旋万里间,边风塞草,陇云江月,凄切羁孤,无不经涉,其为穷亦久矣。今天子忧勤求治,四海无波,羌戎伏顺,祥应臻集,既已修孝,治祀明堂矣。和叔当于此时,扈从法驾,褒赞帝功,纪朱草赤雁之瑞,赋我将时迈之什,歌于圜坛,荐于太室,与吉甫清风之颂相照千古,乃诗之用也。岂独穷愁称工而已哉!（余靖《孙工部诗集序》）

庚申（九日）,（宋庠）罢为刑部尚书、观文殿学士、知河南府。（《续资治通鉴长编》卷一七〇）

四月

丁亥（七日）,吏部尚书陈执中加观文殿大学士。（《续资治通鉴长编》卷一七〇）

辛丑（二十一日）,河北转运使、工部郎中、直史馆吕公弼为天章阁待制、河北都转运使。（《续资治通鉴长编》卷一七〇）

己酉（二十九日）,刑部郎中、知制诰、兼侍讲、史馆修撰曾公亮为翰林学士。（《续资治通鉴长编》卷一七〇）

七月

己巳（二十一日）,知制诰王洙、直集贤院章禹锡上《皇祐方域图志》五十卷。（《续资治通鉴长编》卷一七〇）

初,龙图阁直学士、吏部郎中孙沔既除母丧,授陕州都转运使。沔求知明州,许之。（《续资治通鉴长编》卷一七〇）

八月

癸未（五日）,知定州韩琦加观文殿学士,再任。（《续资治通鉴长编》卷一七一）

丙戌（八日）,卫尉卿余靖落分司,知虔州。（《续资治通鉴长编》卷一七一）

乙未（十七日）,翰林学士、刑部郎中、知制诰兼侍讲、史馆修撰曾公亮为契丹国母生辰使，工部郎中、知制诰、史馆修撰兼侍讲王洙为契丹生辰使，太常博士、直集贤院、同修起居注王珪为契丹正旦使。（《续资治通鉴长编》卷一七一）

九月

七日，武宁节度使、兼侍中夏竦卒，67 岁。 皇祐三年秋，武宁军节度使、检校太师兼侍中、通判河阳郑国公，以疾请归于京师。天子方忧思公，饬太医驰视，又以肩舆往迓之，而公疾寖剧矣。既就第，未几，以薨闻。乘舆呕临其丧，视公形容槁瘁，嗟悼者久之，赠太师、中书令，谥曰：文庄，辍视朝二日。五年七月辛酉，葬公于许州阳翟县三封乡洪长之原。所著文集百余卷。（据王珪《夏文庄公竦神道碑铭》）

著有：《重校古文四声韵》五卷（《宋史·艺文志一》）、《夏文庄集》一百卷（晁公武《郡斋读书志·别集类下》）、《策论》十三卷（《宋史·艺文志七》）。

公尝论文，以气骨为主，诋时辈所作如绣屏焉。于书无所弗通，以至阴阳、律历、隶古之学，莫不兼总。以为天下之乐，无如黄卷中也。属思深湛，构词致密，泚翰就简，窜涂不已，归于至当乃可。尤善章奏，铺赋颠末，言详意尽。盖荟萃众说而掇其真粹，包括曩制而丰其条干。如至音纯绎，金石奏于宗庙；华采焕烂，黼黻施于象服。后之学者钻仰之，范模之，景山学海，可得致欤。（宋敏求《文庄集序》）

有宋文庄夏公，挺生于祖宗朝。其文温厚谨严，发乎性情，而动有典则。如文靖李公、文正王公之在朝，一时化之，风声气俗，讫无叔季浇漓之习。其间琢句警联，嘉言谠议，脍炙人口，至今不绝。而尤工于表章、制诰，虽使琳、瑀、常、杨复生，未易遽出其右，信矣！文章之与时俱高也。（江邻《文庄集序》）

《文庄集》三十六卷，宋夏竦撰。竦有《古文四声韵》，已著录。其集本一百卷，《宋史·艺文志》著录，今已不传。兹《永乐大典》所载，兼以他书附益之，尚得诗文三十六卷。竦之为人无足取，其文章则词藻赡逸，风骨高秀，尚有燕许轨范。盖其文可取，不以其人废矣。竦学赅洽百家，及二氏之书皆能通贯，故其文征引奥博，传写者不得其解，往往舛讹。今参考诸书为之是正，各附案语以明之，其不可尽考者，则姑仍其旧，从阙疑之义焉。（《四库提要》卷一五二）

著录：晁公武《郡斋读书志·别集类下》、郑樵《通志·艺文略八》、陈振孙《直斋书录解题·别集类中》、《宋史·艺文志七》、叶盛《菉竹堂书目》卷三、《四库提要》卷一五二、丁丙《善本书室藏书志》卷二六、邵懿辰《增订四库简明目录标注》卷一五、《北京图书馆古籍善本书目》。

版本：永乐大典本、清乾隆翰林院本、盛意园钞本、八千卷楼钞本。

议者谓："英公文譬诸泉水，迅急湍悍。至于浩荡汪洋，则不如文公也。"（范镇《东斋纪事》卷三）

庚申（十二日），赐国子博士梅尧臣同进士出身，仍改太常博士。 尧臣，询从子，工于诗。宋兴，以诗名家，为世所传，如尧臣者盖少。大臣屡荐尧臣宜在馆阁，召试学士院，而有是命。（《续资治通鉴长编》卷一七一）

秋

王安石通判舒州。

十月

庚子（二十二日），礼部尚书、平章事文彦博罢为吏部尚书、观文殿大学士、知许州。枢密使、户部侍郎庞籍以本官为平章事、昭文馆大学士、监修国史。户部侍郎、参知政事高若讷以本官充枢密使。（《续资治通鉴长编》卷一七一）

辛丑（二十三日），枢密副使、给事中梁适为参知政事，翰林学士承旨、兼端明殿学士、给事中、知制诰王尧臣为枢密副使，起居舍人、知谏院吴奎知密州。（《续资治通鉴长编》卷一七一）

是月，史馆检讨司马光以《时政记》及《起居注》并不载元昊叛命、契丹遣使事，会庞籍监修国史，光请即枢密院追寻本末，自至史馆议之。修撰孙抃谓国恶不书，其事遂寝。（《续资治通鉴长编》卷一七一）

十一月

辛未（二十四日），李淑为龙图阁学士，落侍读。（《续资治通鉴长编》卷一七一）

十二月

戊戌（二十一日），资政殿学士吴育知陕州。始命育兼翰林侍读学士，育辞以疾，固请便郡。上谓近臣曰："育刚正可用，但嫉恶太过耳。宜听其便。"因遣中使赐以禁中良药。不半岁，又徙汝州。（《续资治通鉴长编》卷一七一）

本年

欧阳修作《庐山高赠同年刘中允归南康》。

刘涣，字凝之。为颍上令，以刚直不能事上官，弃去。家于庐山之阳，时年五十。欧阳修与涣，同年进士也，高其节，作《庐山高》诗以美之。涣居庐山三十余年，环堵萧然，饘粥以为食，而游心尘垢之外，超然无戚戚意，以寿终。（《宋史·刘恕传》）

欧阳修于杜衍处得苏舜钦遗稿，编成文集十卷，并为之序。

予友苏子美之亡后四年，始得其平生文章遗稿于太子太傅杜公之家，而集录之以为十卷。子美，杜氏婿也，遂以其集归之，而告于公曰："斯文，金玉也，弃掷埋没粪土，不能销蚀。其见遗于一时，必有收而宝之于后世者。虽其埋没而未出，其精气光怪已能常自发见，而物亦不能掩也。故方其摈斥摧挫、流离穷厄之时，文章已自行于天下，虽其怨家仇人及尝能出力而挤之死者，至其文章，则不能少毁而掩蔽之也。凡人之情忽近而贵远，子美屈于今世犹若此，其申于后世宜如何也！公其可无恨。"子美之齿少于予，而予学古文反在其后。天圣之间，予举进士于有司，见时学者务以言语声偶摘裂，号为时文，以相夸尚。而子美独与其兄才翁及穆参军伯长，作为古歌诗杂文，时人颇共非笑之，而子美不顾也。其后天子患时文之弊，下诏书讽勉学者以近古，由是其风渐息，而学者稍趋于古焉。独子美为于举世不为之时，其始终自守，不牵世俗趋舍，可谓特立之士也。（欧阳修《苏氏文集序》）

又，皇祐五年欧阳修《与梅圣俞》书简云："近为子美编成文集十五卷，凡述作中人可及者，已削去之，留其警绝者，尚得数百篇。"欧阳修此次有所增益。

《苏学士集》十六卷，宋苏舜钦撰。是集据欧阳修序，乃舜钦没后四年、修于其妇翁杜衍家搜得遗稿编辑。修序称十五卷，晁、陈二家目并同。而此本乃十六卷，则后人又有所续入。然费衮《梁溪漫志》载：舜钦《与欧阳公辨谤书》一篇，句下各有自注，论官纸事甚详，并有修附题之语。盖修编是集时，以语涉于己，引嫌避怨而删之。此本仍未收入，则尚有所佚矣。宋文体变于柳开、穆修，舜钦与尹洙实左右之。然修作洙《墓志》，仅称其简而有法。苏辙作修《墓碑》又载修言：于文得尹洙、孙明复，犹以为未足。而修是集序，独曰："子美齿少于余，而余作古文反在其后。"推挹之甚。至集中《昭应宫火疏》、《乞纳谏书》、《诣匦疏》、《答韩维书》，《宋史》皆载之本传。刘克庄《后村诗话》称其歌行雄放于梅尧臣，轩昂不羁，如其为人。及蟠屈为近体，则极平夷妥帖。其论亦允。（《四库提要》卷一五二）

圣俞、子美齐名于一时，而二家诗体特异。子美笔力豪隽，以超迈横绝为奇；圣俞覃思精微，以深远闲淡为意。各极其长，虽善论者不能优劣也。余尝于《水谷夜行》诗略道其一二云："子美气尤雄，万窍号一噫，有时肆颠狂，醉墨洒滂霈。譬如千里马，已发不可杀。盈前尽珠玑，一一难拣汰。梅翁事清切，石齿漱寒濑。作诗三十年，视我犹后辈。文辞愈精新，心意虽老大。有如妖韶女，老自有余态。近诗尤古硬，咀嚼苦难嗢。又如食橄榄，真味久愈在。苏豪以气轹，举世徒惊骇。梅穷独我知，古货今难卖。"语虽非工，谓粗得其仿佛，然不能优劣之也。（欧阳修《六一诗话》）

苏子美歌行雄放于圣俞，轩昂不羁，如其为人。及蟠屈为近体，则极平夷妥帖。绝句云："别院深深夏簟清，石榴开遍透帘明。树阴满地日卓午，梦觉流莺时一声。"又云："春阴垂野草青青，时有幽花一树明。晚泊孤舟古祠下，满川风雨看潮生。"极似韦苏州。《垂虹亭观中秋月》云："佛氏解为银世界，仙家多住玉华宫。"极工。而世唯咏其上一联"金饼"、"彩虹"之句，何也？"山蝉带响穿疎户，野蔓蟠青入破窗"，亦佳句。（刘克庄《后村诗话》卷二）

著录：晁公武《郡斋读书志·别集类下》、郑樵《通志·艺文略八》、陈振孙《直斋书录解题·别集类中》、马端临《文献通考》卷二三四、《宋史·艺文志七》、杨士奇等《文渊阁书目》卷九、叶盛《菉竹堂书目》卷三、焦竑《国史经籍志》卷五、陈第《世善堂藏书目录》卷下、《四库提要》卷一五二、邵懿辰《增订四库简明目录标注》卷一五、王重民《中国善本书提要》、《北京图书馆古籍善本书目》。

版本：清康熙三十七年宋荦校定徐惇复白华书屋刻本、清康熙三十八年徐钑刊本、清康熙四十九年何焯校刊本、嘉庆三年黄丕烈读未见书斋钞本、清咸丰元年钱泰吉钞本、清同治六年李星根等重编刊本。

米芾（1051—1100）生。米芾，字元章，吴人也。以母侍宣仁后藩邸旧恩，补洽光尉。历知雍丘县、涟水军，太常博士，知无为军，召为书画学博士，赐对便殿，上其子友仁所作《楚山清晓图》，擢礼部员外郎，出知淮阳军。卒，年四十九。芾为文奇险，不蹈袭前人轨辙。特妙于翰墨，沈著飞翥，得王献之笔意。画山水人物，自名一家，尤工临移，至乱真不可辨。精于鉴裁，遇古器物书画则极力求取，必得乃已。王安石尝摘其诗句书扇上，苏轼亦喜誉之。冠服效唐人，风神萧散，音吐清畅，所至人聚观之。尝奉诏仿《黄庭》小楷作周兴嗣《千字韵语》。（《宋史》本传）

张仲原 （1051—1100） **生**。君姓张氏，讳仲原，字纯臣，济州钜野人。既冠，举进士。随计上试礼部，不中。尽舍其科举所学，慨然叹曰："禄不逮亲，吾将何求？宜从吾所好。"即其居东南，辟地种松竹，中为大堂，环壁架书，邀致俦好，论说终日。时载酒相劳，酒酣赋诗，人竞吐奇，弹珠投璧，磊落相射，以此为乐。平生好聚书，不计所偿，掇拾数千卷。晋魏以来迄于今，以诗名世者几百余家，往往成诵。至启手足时，口不能吟，犹蹙蹙自喜。所为诗仅五百篇，刻意杼柚，非一日故，雅丽清远，多古人不到处。呜呼！可谓一乡之良士也。元符三年五月十七日以疾终，享年五十。（李昭玘《张纯臣墓志铭》）

本年重要作品：

文：欧阳修《真州东园记》、欧阳修《孙氏碑阴记》、曾巩《谢杜相公启》。

诗：欧阳修《庐山高赠同年刘中允归南康》、欧阳修《送张洞推官赴永兴经略司》、欧阳修《奉答子华学士安抚江南见寄之作》、欧阳修《依韵答杜相公宠示之作》、欧阳修《依韵和杜相公喜雨之什》、欧阳修《谢太傅杜相公宠示嘉篇》、欧阳修《答杜相公宠示去思堂诗》、欧阳修《答太傅相公见赠长韵》、欧阳修《借观五老诗次韵为谢》、欧阳修《答杜相公惠诗》、梅尧臣《读月石屏诗》、梅尧臣《韩子华江南安抚》、梅尧臣《书窜》、曾巩《辛卯岁读书》、王安石《到郡与同官饮》、王安石《舒州被召试不赴偶书》、王安石《寄张氏女弟》、王安石《寄平甫弟衢州道中》、王安石《题舒州山谷寺石牛洞泉穴》、王安石《到舒州次韵答平甫》、王安石《舒州七月十一日雨》、李觏《送知军曹比部移之处州》。

公元 1052 年（宋仁宗皇祐四年　壬辰）

二月

诏开封府："比闻浮薄之徒，作无名诗，玩侮大臣，毁骂朝士。及注释臣僚诗句，以为戏笑。其严行捕察，有告者，优与恩赏。"（《续资治通鉴长编》卷一七二）

三月

丁未（二日），兵部员外郎、天章阁待制、知谏院包拯为龙图阁学士、河北都转运使。拯在谏院逾二年，数论斥大臣权幸，请罢一切内降曲恩。（《续资治通鉴长编》卷一七二）

壬子（七日），观文殿大学士、吏部尚书、知陈州陈执中为集庆节度使、同平章

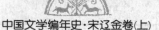

事、判大名府，武胜节度使、同平章事、判大名府程琳为镇安节度使，赴本镇。(《续资治通鉴长编》卷一七二)

壬戌(十七日)，欧阳修丁母夫人忧，归颍州。

五月

二十日，范仲淹卒，64岁。会病甚，请颍州，未至而卒，年六十四。赠兵部尚书，谥文正。初，仲淹病，帝常遣使赐药存问，既卒，嗟悼久之。又遣使就问其家，既葬，帝亲书其碑曰"褒贤之碑"。(《宋史》本传)

资政殿学士、户部侍郎范仲淹，以疾求颍州，诏自青州徙，行至徐州，卒。赠兵部尚书，谥曰文正。(《续资治通鉴长编》卷一七二)

皇祐四年五月甲子，资政殿学士尚书、户部侍郎汝南文正公薨于徐州，以其年十有二月壬申，葬于河南尹樊里之万安山下。(欧阳修《资政殿学士户部侍郎文正范公神道碑铭》)

著有：《范文正集》二十卷(《直斋书录解题·别集类中》)、《别集》四卷(《直斋书录解题·别集类中》)、《尺牍》二卷(《宋史·艺文志七》)、《奏议》十五卷(《宋史·艺文志七》)、《丹阳编》八卷(晁公武《郡斋读书志·别集类中》)。

公在天圣中，居太夫人忧，则已有忧天下、致太平之意。故为万言书以遗宰相，天下传诵。至用为将，擢为执政，考其平生所为，无出此书者，今其集二十卷，为诗赋二百六十八，为文一百六十五。其于仁义、礼乐、忠信、孝弟，盖如饥渴之于饮食，欲须臾忘而不可得。如火之热，如水之湿，盖其天性有不得不然者。虽弄翰戏语，率然而作，必归于此。故天下信其诚，争师尊之。(苏轼《范文正公文集叙》)

《文正集》二十卷、《别集》四卷、《补编》五卷，宋范仲淹撰。是编本名《丹阳集》，凡诗赋五卷二百六十八首、杂文十五卷一百六十五首，元祐四年苏轼为之序。淳熙丙午，鄱阳从事綦焕校定旧刻，又得诗文三十七篇，为《遗集》附于后，即今《别集》。其《补编》五卷，则国朝康熙中仲淹裔孙能浚所搜辑也。仲淹人品、事业卓绝一时，本不借文章以传。而贯通经术，明达政体，凡所论著，一一皆有本之言，固非虚饰词藻者所能，亦非高谈心性者所及。苏轼称其天圣中所上执政万言书，天下传诵。考其平生所为，无出此者。盖行求无愧于圣贤，学求有济于天下，古之所谓大儒者，有体有用不过如此。初不必说太极、衍先天，而后谓之能闻圣道；亦不必讲封建、议井田，而后谓之不愧王佐也。观仲淹之人与仲淹之文，可以知空言实效之分矣。(《四库提要》卷一五二)

著录：郑樵《通志·艺文略八》、晁公武《郡斋读书志·别集类中》、尤袤《遂初堂书目·别集类》、陈振孙《直斋书录解题·别集类中》、马端临《文献通考》卷二三四、《宋史·艺文志七》、叶盛《菉竹堂书目》卷三、钱谦益《绛云楼书目》卷三、《四库提要》卷一五二、季振宜《季沧苇藏书目》、陆心源《皕宋楼藏书志》卷七三、丁丙《善本书室藏书志》卷二六、缪荃孙《艺风藏书记》卷六、傅增湘《藏园群书经眼录》卷一三、王重民《中国善本书提要》、《北京图书馆古籍善本书目》。

版本：宋乾道鄱阳郡斋刊本、元天历元年褒贤世家家塾岁寒堂刻本、明万历三十七年康丕扬刻本、明嘉靖黄姬水刊本。

六月

乙亥（二日），起复前卫尉卿余靖为秘书监、知潭州。（《续资治通鉴长编》卷一七二）

十日，释重显卒，73 岁。禅师名重显，字隐之，遂州人。太平兴国五年四月八日生于李氏。幼精锐，读书知要，下笔敏速。然雅志丘壑，父母不能夺，竟依益州普安院沙门仁铣为师，落发受具。出蜀，浮沉荆渚间。历年尝典客大阳，与客论赵州宗旨。显盛年工翰墨，作为法句，追慕禅月休公。尝游庐山栖贤，时谓禅师居焉，简严少接纳，显礧且不合，作《师子峰》诗讥之。皇祐四年六月十日沐浴罢，整衣侧卧而化，阅世七十三，坐五十。（《禅林僧宝传》卷十一）

著有：《瀑布集》一卷（《宋史·艺文志四》）、《语录》八卷（《宋史·艺文志四》）、《洞庭语录》（《延祐四明志》卷十七）、《雪窦开堂录》（《延祐四明志》卷十七）、《子英集》（《延祐四明志》卷十七）、《颂古集》（《延祐四明志》卷十七）、《拈古集》（《延祐四明志》卷十七）、《雪窦后录》（《延祐四明志》卷十七）。

甲午（二十一日），龙图阁直学士、起居舍人李绚知苏州，盐铁判官、祠部员外郎、秘阁校理石杨休知宿州。（《续资治通鉴长编》卷一七二）

七月

丙午（三日），命知桂州余靖经制广南东西路盗贼。（《续资治通鉴长编》卷一七三）

丁未（四日），户部员外郎、兼侍御史知杂事陈旭为天章阁待制、河北都转运使。已而，言者为旭图进非次，遂改为礼部郎中、集贤殿修撰、河北转运使。（《续资治通鉴长编》卷一七三）

八月

丁丑（五日），卫尉寺丞、监新淦县税邱浚签书滁州判官事。初，浚坐作诗讥时事，谪官久之。至是，淮南安抚陈旭、湖北提点刑狱祖无择表荐之，上曰："浚无雅行，唯以口舌动人。今旭等称其才，无乃长浮薄？"辅臣等言："浚所坐已更赦，宜使自新。"故内徙之。（《续资治通鉴长编》卷一七三）

十一日，李绚卒，40 岁。公讳某，字公素。善属文，尤工歌诗，气格豪迈。景祐五年举进士，为天下第二。顷之，遇疾，皇祐四年八月癸未终于家，年四十。官累迁至起居舍人。（司马光《龙图阁直学士李公墓志铭》）

戊子（十六日），资政殿学士、兼翰林侍读学士、吏部尚书、知汝州吴育为集贤院学士、判西京留守御史台。育固称疾，求居散地故也。（《续资治通鉴长编》卷一七

三)

辛卯（十九日），改新知秦州孙沔为荆湖南路、江南西路安抚使。（《续资治通鉴长编》卷一七三）

庚子（二十八日），兵部员外郎、直史馆田京为工部郎中。（《续资治通鉴长编》卷一七三）

二十八日，李觏作《皇祐续稿序》。

觏庆历癸未秋，录所著文曰《退居类稿》十二卷。后三年复出百余首，不知阿谁盗去，刻印既甚差谬，且题外集，尤不韪。心常恶之，而未能正。于今又六年，所得复百余首。暇日，取之合二百三十八首，以续所谓《类稿》者。噫！行年四十四，疾疹日发作，其于文字间尚克有进也欤？《续稿》凡八卷，时又有《周礼致太平论》十卷孤行焉。皇祐四年八月庚子序。

《盱江集》三十七卷、《年谱》一卷、《外集》三卷，宋李觏撰。考觏年谱称：庆历三年癸未，集《退居类稿》十二卷；又皇祐四年庚辰，集皇祐《续稿》八卷。此集为明南城左赞所编，凡诗文杂著三十七卷，前列《年谱》一卷，后以制诰、荐章之类为《外集》三卷，盖非当日之旧。宋人多称觏不喜孟子，余允文《尊孟辨》中载觏常语十七条，而此集所载仅"仲尼之徒无道桓文之事"及"伊尹废太甲"、"周公封鲁"三条，盖赞讳而删之。集首载祖无择《退居类稿序》，特以孟子比觏。又集中《答李观书》云：孟子、荀、扬醇疵之说，不可复轻重。其它文中亦颇引及《孟子》，与宋人所记种种相反。以所删常语推之，毋亦赞所窜乱欤？觏文格次于欧、曾，其论治体悉可见于实用，故朱子谓觏文实有得于经。不喜孟子特偶然偏见，与欧阳修不喜系辞同，可以置而不论。赞必欲委曲弥缝，务灭其迹，所见陋矣。觏在宋不以诗名，然王士禛《居易录》尝称其《王方平》、《璧月》、《梁元帝》、《送僧还庐山》、《忆钱塘江五绝句》，以为风致似义山。今观诸诗，唯《梁元帝》一首不免伧父面目，余皆不愧所称，渊明之赋闲情矣。《湘山野录》载觏《望海亭席上作》一首，集中不载。考是时，蔡襄守福唐，于此亭邀觏与陈烈饮。烈闻官妓唱歌，才一发声即越墙攀树遁去，讲学家以为美谈。觏所谓"山鸟不知红粉乐，一声拍板便惊飞"者，正以嘲烈。殆亦左赞病其轻薄，讳而删之欤。（《四库提要》卷一五三）

著录：尤袤《遂初堂书目·别集类》、陈振孙《直斋书录解题·别集类中》、马端临《文献通考》卷二三五、杨士奇等《文渊阁书目》卷九、叶盛《菉竹堂书目》卷三、焦竑《国史经籍志》卷五、孙能传等《内阁藏书目录》卷三、钱谦益《绛云楼书目》卷三、《四库提要》卷一五三、邵懿辰《增订四库简明目录标注》一五、丁丙《善本书室藏书志》卷二六、缪荃孙《艺风藏书记》卷六、瞿镛《铁琴铜剑楼藏书目》卷二〇、《四部丛刊书录》、《北京图书馆古籍善本书目》、台湾《中央图书馆善本书目》。

版本：明成化刻本、明正德十三年孙甫刻本。

九月

辛酉（十九日），太常博士、直集贤院、同修起居注韩绛为右正言。（《续资治通鉴长编》卷一七三）

十月

甲戌（二日），殿中丞胡瑗落致仕，为光禄寺丞、国子监直讲，同议大乐。（《续资治通鉴长编》卷一七三）

十一月

己酉（八日），知庆州、刑部郎中、天章阁待制张昪加龙图阁直学士、知秦州。（《续资治通鉴长编》卷一七三）

十二月

壬午（十一日），诏："殿侍换文资者，试诗、赋各一道；或通一经，问义十道，以六通为合格。"仍令判礼部与国子监官同考试之。（《续资治通鉴长编》卷一七三）

本年

吴处厚取国子学解，试《律设大法赋》，得第一名。

余皇祐壬辰岁取国学解，试《律设大法赋》，得第一名。枢密邵公亢、翰林贾公黯、密直蔡公抗、修注江公休复为考官，内江公尤见知，语余曰："满场程试皆使萧何，唯足下使萧规对汉约，足见其追琢细腻。又所问《春秋》策，对答详备。及赋押秋荼之密，用唐宗赦受缣事，诸君皆不见。云只有秦法繁于秋荼，密于凝脂，然则君何出？"余避席敛衽，自陈远方寒士，一旦程文，误中甄采。因对曰："《文选·策秀才文》有'解秋荼之密网'。唐宗赦受缣事，出杜佑《通典》，《唐书》即入载。"公大喜，又曰："满场使次骨，皆作刺骨对凝脂。唯足下用《杜周传》作次骨，又对吹毛，只这亦堪作解元。"余再三逊谢。是举登科，名在行间，授临汀狱掾。公作诗送余曰："太学鲁诸生，南州汉掾卿。故乡千里外，丹桂一枝荣。莫叹科名屈，难将力命争。他年重射策，词句太纵横。"盖公欲激余应大科故也。枢密邵公亦蒙见知，屡加论荐，常谓余诗浅切，有似白乐天。一日阅相国寺书肆，得冯瀛王诗一帙而归，以语之，公曰："子诗格似白乐天，今又爱冯瀛王，将来捻取个豁达李老。"遂皆大笑。然余赋才鄙拙，不能强为豪爽，今齿已老，而诗格定，时时遣兴，实有李老之风，足见公之知言也。（吴处厚《青箱杂记》卷二）

贺铸（1052—1125）生。贺铸，字方回，卫州人，孝惠皇后之族孙。长七尺，面铁色，眉目耸拔。喜谈当世事，可否不少假借，虽贵要权倾一时，小不中意，极口诋之无遗辞，人以为近侠。博学强记，工语言，深婉丽密，如次组绣。尤长于度曲，掇拾人所弃遗，少加隐括，皆为新奇。尝言："吾笔端驱使李商隐、温庭筠，常奔命不暇。"初，娶宗女，隶籍右选，监太原工作，是时，江、淮间有米芾以魁岸奇谲知名，

353

铸以气侠雄爽适相先后。二人每相遇，瞋目抵掌，论辩锋起，终日各不能屈，谈者争传为口实。元祐中，李清臣执政，奏换通直郎、通判泗州，又倅太平州。竟以尚气使酒，不得美官，悒悒不得志，食宫祠禄，退居吴下，稍务引远世故，亦无复轩轾如平日。家藏书万余卷，手自校雠，无一字误，以是杜门将遂其老。铸所为词章，往往传播在人口。建中靖国时，黄庭坚自黔中还，得其"江南梅子"之句，以为似谢玄晖。铸自裒歌词，名《东山乐府》，俱为序之。自号庆湖遗老，有《庆湖遗老集》二十卷。（《宋史》本传）

陈师道（1052—1102）生。陈师道，字履常，一字无己，彭城人。少而好学苦志，年十六，撽以文谒曾巩，巩一见奇之，许其以文著，留受业。熙宁中，王氏经学盛行，师道心非其说，遂绝意进取。巩典五朝史事，得自择其属，朝廷以白衣难之。元祐初，苏轼、傅尧俞、孙觉荐其文行，起为徐州教授，又用梁焘荐，为太学博士。言者谓在官尝越境出南京见轼，改教授颖州。又论其进非科第，罢归。调彭泽令，不赴。久之，召为秘书省正字，卒，年五十一，友人邹浩买棺敛之。师道于诸经尤邃《诗》、《礼》，为文精深雅奥。喜作诗，自云学黄庭坚，至其高处，或谓过之，然小不中意，辄焚去，今存者才十一。（《宋史》本传）

本年重要作品：

文：欧阳修《祭资政范公文》、王安石《祭范颍州文》、王安石《老杜诗后集序》、王安石《亡兄王常甫墓志铭》。

诗：梅尧臣《书南事》、梅尧臣《七月十六日赴庾直有怀》、宋祁《入壬辰新岁》、王安石《宣州府君丧过金陵》、王安石《壬辰寒食》、李觏《酬陈屯田》、陈襄《皇祐四年春重到浦城县南峰寺因怀旧游》。

公元1053年（宋仁宗皇祐五年　癸巳）

正月

十日，观文殿学士兼翰林侍读学士尚书右丞丁度卒，64岁。是日旬休，上趣驾临奠，赠吏部尚书，谥文简。度性纯质，不为威仪，居一室十余年，左右无姬侍。尝语诸子曰："王旦为宰相十五年，卒之日，子犹为布衣。汝曹宜自力，吾不复有请矣。"（《续资治通鉴长编》卷一七四）

著有：《集韵》十卷（《宋史·艺文志一》）、《景祐礼部韵略》五卷（《宋史·艺文志一》）、《管子要略》五篇（《宋史·艺文志四》）、《土牛经》一卷（《宋史·艺文志四》）、《庆历兵录》五卷（《宋史》本传）、《赡边录》一卷（《宋史》本传）、《迩英圣览》十卷（《宋史》本传）、《龟鉴精义》三卷（《宋史》本传）、《编年总录》八卷（《宋史》本传）、《武经总要》四十卷（《宋史》本传）。

十二日，以翰林学士承旨王拱辰权知贡举，翰林学士曾公亮、翰林侍读学士胡宿、知制诰蔡襄、王珪并权同知贡举，合格奏名进士徐无党已下六百八十三人。（《宋会要辑稿·选举一》）

壬戌（二十一日），观文殿学士、吏部侍郎、知定州韩琦为武康节度使、知并州。知成德军宋祁知定州。命知制诰王洙修纂地理书。（《续资治通鉴长编》卷一七四）

二月

乙酉（十四日），广南东西、湖南、江西路安抚使，枢密直学士，右谏议大夫孙沔知桂州。秘书监余靖并为给事中。（《续资治通鉴长编》卷一七四）

三月

十三日，帝御崇政殿，试礼部奏名进士。内出《圆丘象天赋》、《吹律听军声诗》、《乐本人心论》题。（《宋会要辑稿·选举七》）

十六日，试特奏名进士并广南进士。内出《至美黼冕诗》、《强兵务富民论》。（《宋会要辑稿·选举七》）

辛酉（二十一日），御崇政殿，赐进士郑獬等二百人及第，一百五十人出身，一百七十人同出身。獬，安陆人也。壬戌（二十二日），赐诸科五百二十二人及第、出身。丙寅（二十六日），赐特奏名进士七十五人、诸科四百三十人、广南特奏名六百九十一人出身及试衔文学、长史。（《续资治通鉴长编》卷一七四）

登进士第：郑獬、杨绘、滕甫、雍子方、宇文之奇、郑穆、钱藻、方子容、吴处厚、白约、蒲宗孟、鲁有开、李谊伯、黄序、黄中庸、徐无党、刘定、陈传、陈汝义、周师厚、周镛、郑叔明、何琬、吕大忠、张献民、楼郁、刘瑾、晁端友、李清臣、韦骧、王汝舟、吴骧、江朴、汪毅、周喻、周之道、高旦、黄莘、杨纬、葛良嗣、韩直彦、王汾、顾方等。

郑毅夫廷试日，曾明仲为巡察官，方往来之际，见毅夫笔不停辍，而试卷展其前，不畏人窃窥，意甚自得。明仲从旁见其破题两句云："大礼必简，圆丘自然。"因低语："乙起著，乙起著。"毅夫惊顾，知是明仲。乃徐读其赋，便悟明仲之意。乙起大礼、圆丘二字，自觉破题便有精神。至唱名，果以此擅场。予屡见前辈说此事，所说皆同。（朱弁《曲洧旧闻》卷三）

郑毅夫自负时名，国子监以第五人送，意甚不平。《谢主司启事》有"李广事业，自谓无双；杜牧文章，止得第五"之句。又云："骐骥已老，甘驽马以先之；巨鳌不灵，因顽石之在上。"主司深衔之。他日廷策，主司复为考官，必欲黜落，以报其不逊。有试业似獬者，枉遭斥逐。既而发考卷，则獬乃第一人及第。（沈括《梦溪笔谈》卷九）

滕章敏公慷慨豪迈，不拘小节。少嗜酒，浮湛里市，与郑獬毅夫为忘形友。议论风采，照映一世。尝与毅夫及杨绘元素同试京师，自谓必魁天下，与二公约，若其言不验，当厚致其罚。已而郑居榜首，杨次之，公在第三，二公责所约之金，答曰："一人解，一人会，吾安得不居第三？"俱一笑而散。公平生不妄交游，尝作《结客》诗云："结客结英豪，休同儿女曹。黄金装箭镞，猛兽画旗旄。北阁芒星落，中原王气高。终令贺兰贼，不着赭黄袍。"其立志可见矣。（龚明之《中吴纪闻》卷四）

滕元发甫，皇祐五年御试《吹律听军声》诗云："万国休兵外，群生奏凯中。"以是得第三人，最为场屋所称。（司马光《温公续诗话》）

辛酉（二十一日），蒋堂卒，75岁。礼部侍郎致仕蒋公以皇祐六年（按：当为皇祐五年之误。次年三月十六日，已改元为至和元年，且至和元年三月乙丑朔，无辛酉日）三月辛酉，考终于吴郡灵芝坊私第。公讳堂，字希鲁，常州宜兴人。祥符五年登进士甲科，授楚州团练推官。寿七十五。及退居林下，神机日旺，虽饮食寝处，未尝忘诗，亦天性然。有文集二十卷。（胡宿《蒋公神道碑》）

著有：《吴门集》二十卷（《宋史》本传）。

《春卿遗稿》一卷，宋蒋堂撰。此集题曰《春卿》，仍举其致仕之官，所未详也。《碑》称其有高情，富清藻，多所缀述，尤邃于诗，其间所得，往往清绝。善作尺牍，思致简诣，时人得之，藏为名笔。及退居林下，神机日旺，虽饮食寝处，未尝忘诗，亦天性然。有《文集》二十卷。《本传》亦称其好学，工文词，尤嗜作诗，与碑文合，所载文集卷数亦同。然原集今不传，此本乃明天启中堂二十世孙镤掇拾佚稿而成，凡赋一篇、诗三十七篇、记一篇，不及原集十分之一。其间唯诗独多，则碑所云"尤邃于诗者"，信也。其诗虽兴象不深，而平正通达，无雕镂纤琐之习。北宋遗集流传日少，录之亦可备一家焉。（《四库提要》卷一五二）

著录：钱曾《述古堂藏书目》卷二、《四库提要》卷一五二、陆心源《皕宋楼藏书志》卷七三、丁丙《善本书室藏书志》卷二六、李盛铎《木犀轩藏书书录》、傅增湘《藏园群书经眼录》卷一三、《北京图书馆古籍善本书目》。

版本：明天启元年蒋镤刻本、清光绪二十九年李盛铎钞本。

曾巩应试落第。

四月

枢密直学士、给事中孙沔还自岭南，帝问劳，解所服御带赐之。壬午（十三日），命知杭州，沔自请也。（《续资治通鉴长编》卷一七四）

五月

一日，以新及第进士第一人郑獬为将作监丞，第二人杨绘、第三人滕甫并为大理评事，通判诸州；第四人雍子方、第五人宇文之奇并为两使职官；第六人而下并《九经》及第，并为初等幕职官；第二甲，为试衔大县主簿、尉；第三甲、第四甲试衔，并判司、主簿、尉；第四甲已下及诸科，同出身，并守选。（《宋会要辑稿·选举二》）

癸卯（四日），知并州韩琦兼制置本路粮草。（《续资治通鉴长编》卷一七四）

乙巳（六日），枢密使、户部侍郎高若讷罢为尚书左丞、观文殿学士、兼翰林侍读学士、同群牧制置使。（《续资治通鉴长编》卷一七四）

丁未（八日），枢密直学士、给事中、新知杭州孙沔为枢密副使。沔行至南京，召还。给事中、知桂州余靖为工部侍郎。（《续资治通鉴长编》卷一七四）

癸亥（二十四日），翰林学士、兼侍读学士、吏部郎中、知制诰、史馆修撰孙抃为

左谏议大夫、权御史中丞。（《续资治通鉴长编》卷一七四）

六月

十三日，梅尧臣序林逋《林和靖诗集》。

天圣中，闻钱塘西湖之上有林君，崭崭有声。若高峰瀑泉，望之可爱，即之愈清，挹之甘洁，而不厌也。是时，余因适会稽还，访于雪中。其谈道，孔、孟也；其语近世之文，韩、李也。其顺物玩情，为之诗则平淡邃美，咏之令人忘百事也。其辞主乎静正，不主乎刺讥。然后知其趣向博远，寄适于诗尔。君在咸平、景德间已大有闻，会朝廷修封禅，未及诏聘，故终老而不得施用于时。凡贵人钜公一来，语合慕仰，低回不忍去。君既老，不欲强起之，乃令长吏岁时劳问。及其殁也，谥曰"和靖先生"。先生少时多病，不娶无子，诸孙大言能掇拾所为诗，请余为序。先生讳逋，字君复，年六十二。其诗时人贵重甚于宝玉，先生未尝自贵也，就辄弃之，故所存者百无一二焉，于戏惜哉！（梅尧臣《林和靖诗集序》）

《和靖诗集》四卷，宋林逋撰。其诗澄淡高逸，正如其人。史称其就稿辄弃去，好事者往往窃记之，今所传尚三百余篇。兹集篇数与本传相合，盖当时所收止此，其他逸句往往散见于说部及真迹中。刘克庄《诗话》谓逋一生苦吟，自摘出十三联，今唯五联见集中。如"隐非唐甲子，病有晋春秋"；"水天云黑白，霜野树青红"；"风回时带溜，烟远忽藏村。"及"郭索"、"钩舟"之联，皆不在焉。七言十七联，集逸其三。使非有《摘句图》旁证，则皆成逸诗矣。今《摘句图》亦不传，则其失于编辑者固不少矣。是集前有皇祐五年梅尧臣序，康熙中长洲吴调元校刊之，后附《省心录》一卷，实李邦献所作，误以为逋。（《四库提要》卷一五二）

著录：晁公武《郡斋读书志·别集类下》、尤袤《遂初堂书目·别集类》、陈振孙《直斋书录解题·诗集类下》、《宋史·艺文志七》、高儒《百川书志》卷一五、焦竑《国史经籍志》卷五、赵琦美《脉望馆书目》、陈第《世善堂藏书目录》卷下、钱谦益《绛云楼书目》卷三、《四库提要》卷一五二、金檀《文瑞楼藏书目录》卷六、耿文光《万卷精华楼藏书记》卷一〇九、丁丙《善本书室藏书志》卷二六、瞿镛《铁琴铜剑楼藏书目》卷二〇、李盛铎《木犀轩藏书书录》、傅增湘《藏园群书经眼录》卷一三、邵懿辰《增订四库简明目录标注》卷一五、王重民《中国善本书提要》、《北京图书馆古籍善本书目》、台湾《中央图书馆善本书目》。

版本：明正德十二年韩士英等刻本、明万历四十一年何养纯等刻本、清康熙四十年吴调元刻本、清嘉庆二年顾广圻影宋钞本、清道光四年南海叶梦龙刊本。

七月

十五日，欧阳修自颍州护母丧归吉州，葬沙溪泷冈。（欧阳修《与十四弟焕》）

闰七月

帅宣徽北院使、奉国军节度使郑公,薨于并。天子震嗟,朝不御者二日,以太尉赠册告其第。(胡宿《文肃郑公墓志铭》)

著有:《郑戬集》五十卷。(胡宿《文肃郑公墓志铭》)

十二月

庚子(五日),端明殿学士、兼龙图阁学士、给事中张方平加翰林侍讲学士、知秦州,代张昇也。(《续资治通鉴长编》卷一七五)

二十一日,仲讷卒,55岁。以皇祐五年十二月二十一日卒,年五十五。君厚重有大志,不妄言笑,喜读书,为古文章。晚而尤好为诗,诗尤称于世。所在有声绩,然直道自信,于权贵人不肯有所屈,故好者少。然亦多知其非常人也。其在越、蜀,士多从之学。(王安石《尚书屯田员外郎仲君墓志铭》)

余读仲君之文,而想见其人也。君讳讷,字朴翁。其气刚,其学古,其材敏。其为文抑扬感激,劲正豪迈,似其为人。少举进士,官至尚书屯田员外郎而止。君生于有宋百年全盛之际,儒学文章之士得用之时,宜其驰骋上下,发挥其所畜,振耀于当世。而独韬藏抑郁、久伏而不显者,盖其不苟屈以合世故,世亦莫之知也,岂非知命之君子欤?余谓君非徒知命而不苟屈,亦自负其所有者。谓虽抑于一时,必将伸于后世而不可揜也。(欧阳修《仲氏文集序》)

黄庶自编《伐檀集》,并为之序。

江夏黄庶,字亚夫。其少而学也,观诗书以来至于忠臣义士奇功大节,常恨身不出于其时,不得与古人上下其事。每辄自奋,以为苟朝得位、夕必行之。当使后之人望乎己,若今之慕乎古也。既年二十五,以诗赋得第一。历佐一府三州,皆为从事。逾十年,郡之政巨细无不与,大抵止于簿书、狱讼而已。其心之所存,可以效于君、可以补于国、可以资于民者,曾未有一事可以自见。然而月廪于官,粟麦常两斛,而钱常七千。问其所为,乃一常人皆可,不勉而能。兹素餐昭昭矣!暇日,发常所作稿草,得数百篇。览初省末,散亡居多。其存者,或失首与尾,或窜乙断裂不可读。因取其完者,以类相从而编焉,题之曰《伐檀集》,且识其愧。然其性嗜文字,若有病癖,未能无妄作。后来者皆附于篇之末云。时皇祐五年十二月青社自序。(黄庶《〈伐檀集〉序》)

《伐檀集》二卷,宋黄庶撰。庶字亚夫,分宁人,黄庭坚之父也。"江西诗派"奉庭坚为初祖,而庭坚之学韩愈,实自庶倡之。其《和柳子玉十咏》中《怪石》一首,最为世所传诵。然集中古体诸诗,并戛戛自造,不蹈陈因。虽魄力不及庭坚之雄阔,运用古事、镕铸煎裁,亦不及庭坚之工妙。而生新矫拔,则取径略同。先河后海,其渊源要有自也。唯开卷近体诸诗乃多不工。观集中《吕造许昌十咏后序》称:造天圣中为许昌掾,取境内古迹之著者为十咏。其时文章用声律最盛,哇淫破碎不可读,其于诗尤甚。士出于其间,为词章能主意思而不流者,固少而最难云云。然则庶当西昆体盛行之时,颇有意矫其流弊。故《谢崔相之示诗稿》一首,有"淡泊路久芜,共约锄榛菅"之句;《拟欧阳舍人古篆》一首有"苏梅鸾凤相上下,鄙语燕雀何能群"之句。而其古文一卷，亦古质简劲，颇具韩愈规格，不屑为骈偶纤浓之词。其不甚加意于近体，盖由于此非其才有不逮也。(《四库提要》卷一五二)

著录：陈振孙《直斋书录解题·别集类中》、马端临《文献通考》卷二三六、《宋史·艺文志七》、杨士奇等《文渊阁书目》卷九、叶盛《菉竹堂书目》卷三、焦竑《国史经籍志》卷五、孙能传等《内阁藏书目录》卷三、钱谦益《绛云楼书目》卷三、《四库提要》卷一五二、陆心源《皕宋楼藏书志》卷七四、丁丙《善本书室藏书志》卷二六、台湾《中央图书馆善本书目》。

版本：明万历宁州祠堂刊本、明弘治间叶天爵刊本、明嘉靖乔迁修补本。

本年

(辽兴宗重熙二十二年) 辽太师张俭卒，91 岁。

晁补之 (1053—1110) 生。晁补之，字无咎，济州钜野人。十七岁从父官杭州，著《七述》以谒州通判苏轼。举进士，试开封及礼部别院，皆第一。调澶州司户参军，北京国子监教授。元祐初，为太学正，李清臣荐堪馆阁，召试，除秘书省正字，迁校书郎，以秘阁校理通判扬州，召还，为著作佐郎。出知齐州。坐修《神宗实录》失实，降通判应天府、亳州，又贬监处、信二州酒税。徽宗立，复以著作召。既至，拜吏部员外郎、礼部郎中，兼国史编修、实录检讨官。徙湖州、密州、果州，遂主管鸿庆宫。还家，葺归来园，自号归来子。大观末，出党籍，起知达州，改泗州，卒，年五十八。(《宋史》本传)

游酢 (1053—1123) 生。游酢字定夫，建州建阳人。与兄醇以文行知名，所交皆天下士。程颐见之京师，谓其资可以进道。程颢兴扶沟学，招使肄业，尽弃其学而学焉。第进士，调萧山尉。近臣荐其贤，召为太学录。迁博士，以奉亲不便，求知河清县。范纯仁守颍昌府，辟府教授。纯仁入相，复为博士。签书齐州、泉州判官。晚得监察御史，历知汉阳军、和舒濠三州而卒。(《宋史》本传)

杨时 (1053—1135) 生。杨时字中立，南剑将乐人。幼颖异，能属文，稍长，潜心经史。熙宁九年，中进士第。时河南程颢与弟颐讲孔、孟绝学于熙、丰之际，河、洛之士翕然师之。时调官不赴，以师礼见颢于颍昌，相得甚欢。四年而颢死，时闻之，设位哭寝门，而以书赴告同学者。至是，又见程颐于洛，时盖年四十矣。一日见颐，颐偶瞑坐，时与游酢侍立不去，颐既觉，则门外雪深一尺矣。关西张载尝著《西铭》，二程深推服之，时疑其近于兼爱，与其师颐辨论往复，闻理一分殊之说，始豁然无疑。杜门不仕者十年，久之，历知浏阳、余杭、萧山三县。张舜民在谏垣，荐之，得荆州教授。时安于州县，未尝求闻达，而德望日重，四方之士不远千里从之游，号曰龟山先生。召为秘书郎，迁著作郎。除迩英殿说书。除右谏议大夫兼侍讲。寻四上章乞罢谏省，除给事中，辞，乞致仕，除徽猷阁直学士、提举嵩山崇福宫。时力辞直学士之命，改除徽猷阁待制、提举崇福宫。高宗即位，除工部侍郎。连章丐外，以龙图阁直学士提举杭州洞霄宫。已而告老，以本官致仕，优游林泉，以著书讲学为事。卒年八十三，谥文靖。(《宋史》本传)

本年重要作品：

文：欧阳修《七贤画序》、欧阳修《先君墓表》、曾巩《与孙司封书》、曾巩《亡兄墓志铭》、王安石《芝阁记》。

诗：宋祁《听说中山好十首》、梅尧臣《十一日垂拱殿起居闻南捷》、王安石《发廪》、王安石《感事》、王安石《兼并》、王安石《书瑞新道人壁》、张先《飞石岩》、张先《飞仙岭》、张先《漫天岭》。

词：张先《玉联环·送临淄相公》。

公元1054年（皇祐六年 宋仁宗至和元年 甲午）

二月

壬戌（二十八日），（枢密副使、给事中孙沔）授资政殿学士、知杭州。三司使、礼部侍郎田况为枢密副使。（《续资治通鉴长编》卷一七六）

三月

十六日，改元。

王安石除集贤校理，辞不就。

四月

庚子（七日），龙图阁直学士、刑部郎中、知秦州张昇为右司郎中。（《续资治通鉴长编》卷一七六）

五月

二日，苏舜元卒，49岁。苏才翁，讳舜元。七岁能为歌诗，文正公爱且奇之，奏授同学究出身，调蔡州兴平主簿，移尉越之新昌。上所著文章，召学士院试，赐进士出身。明道中，主开封之扶沟簿。改大理寺丞。服工部丧，外除，知开封咸平县，移知眉州眉山。吴公遵路荐其才，除通判。以太夫人忧去官，寻勾当京东排岸司，改太常博士。三司使王公任君三司勾当公事。出为荆南路提点刑狱，未行，易福建路。又迁尚书祠部员外郎，移京西。未几，又移河东。以弟舜钦谪死湖州，求江吴一郡，得扬州。未至，改两浙。凡四，皆为提点刑狱。除京西转运使。充三司度支判官。至和元年五月初二日，终于京师之祖第，年四十九。翁少年欲以文词进，愿还官就科试，思与天下英豪角逐于笔砚间，以力决胜，不得如其意。其为文，不迹故陈，自为高古，虽所不与者，亦不能掩也。君善草隶，藏书数千卷，皆手自雠校。撰述《奏御集》十卷、《塞垣近事》二卷、《奏议》三卷、《文集》十卷。（蔡襄《苏才翁墓志铭》）

著有：《苏才翁集》一卷（晁公武《郡斋读书志·别集类下》）、《奏御集》十卷（蔡襄《苏才翁墓志铭》）、《塞垣近事》二卷（蔡襄《苏才翁墓志铭》）、《奏议》三卷（蔡襄《苏才翁墓志铭》）、《苏舜元集》十卷（蔡襄《苏才翁墓志铭》）。

子美兄舜元，字才翁，诗亦遒劲多佳句，而世独罕传。其与子美紫阁寺联句，无愧韩、孟也，恨不得尽见之耳。（欧阳修《六一诗话》）

欧阳修服除，入京都。

六月

晏殊以病归京师。

七月

甲子（三日），诏刊修《唐书》官宋祁、编修官范镇等速上所修《唐书》。（《续资治通鉴长编》卷一七六）

己巳（八日），权知开封府、龙图阁直学士、兵部郎中吕公弼为枢密直学士、知益州。（《续资治通鉴长编》卷一七六）

甲戌（十三日），知渭州、端明殿学士、礼部侍郎张方平为户部侍郎、知益州。（《续资治通鉴长编》卷一七六）

十三日，欧阳修权判吏部流内铨。

戊子（二十七日），龙图阁直学士、吏部郎中欧阳修知同州。先是，修守南京，以母忧去。服除入见，上恻然怜修发白，问在外几年，今年几何，恩意甚至，命判吏部流内铨。小人恐修复用，乃伪为修奏，乞汰内侍挟恩令为奸利者，宦官人人忿怨。杨永德者，阴求所以中修。会选人张俅、胡宗尧例改京官，批旨以二人尝犯法，并循资。宗尧前任常州推官，知州以官舟假人，宗尧连坐。及引对，修奏宗尧所坐薄，且更赦去官，于法当迁。谗者因是言宗尧翰林学士宿子，故修特庇之，夺人主权，修坐是出守。修在铨曹，未浃旬也。（《续资治通鉴长编》卷一七六）

八月

癸卯（十三日），诏观文殿大学士晏殊五日一赴内殿起居。（《续资治通鉴长编》卷一七六）

十七日，留欧阳修刊修《唐书》。

初，欧阳修罢判流内铨，吴充、冯京罢判南曹。知谏院范镇言："铨曹承禁中批旨，疑则奏禀，此有司之常也。今谗人以为挠权，窃恐上下更相畏，谁敢复论是非？请出言者主名，正其罪，复修等职任。"凡再言之，帝意解，而宰臣刘沆亦请留修，帝谓沆曰："卿召修谕之。"沆曰："修明日陛辞，若面留之，则恩出陛下矣。"戊申（十七日），命修刊修《唐书》。（《续资治通鉴长编》卷一七六）

壬子（二十二日），诏观文殿大学士晏殊赴经筵，赐坐凳如宰相仪。（《续资治通鉴长编》卷一七六）

九月

辛酉朔（一日），权三司使、翰林学士、兼端明殿学士、翰林侍读学士、礼部侍郎、知制诰杨察为户部侍郎、提举集禧观事。殿中丞王安石为群牧判官。安石力辞召试，有诏与在京差遣。及除群牧判官，安石犹力辞，欧阳修谕之，乃就职。（《续资治通鉴长编》卷一七七）

辛酉（一日），欧阳修迁翰林学士；壬戌（二日），兼史馆修撰，又差勾当三班院。

癸亥（三日），起居舍人、知制诰吕溱，工部郎中、知制诰、兼侍讲、史馆修撰王洙，并为翰林学士。故事，翰林学士六员，时杨察、赵槩、杨伟、胡宿、欧阳修并为学士。于是，察加承旨，溱及洙复同除学士，洙盖第七员也。（《续资治通鉴长编》卷一七七）

甲子（四日），起居舍人、直集贤院、同修起居注吴奎为兵部员外郎，太子中允、直集贤院、同修起居注刘敞，并知制诰。仍以敞为右正言。（《续资治通鉴长编》卷一七七）

丙寅（六日），翰林学士王洙上《周礼器图》。先是。洙读《周礼》，帝命画车服、冠冕、边豆、簠簋之制。及是图成，上之。（《续资治通鉴长编》卷一七七）

辛巳（二十一日），三司使、吏部侍郎王拱辰为回谢契丹使。（《续资治通鉴长编》卷一七七）

十月

癸丑（二十三日），开封府推官、祠部员外郎、集贤校理刁约提点在京刑狱。（《续资治通鉴长编》卷一七七）

十一月

癸亥（四日），翰林学士承旨、兼端明殿学士、侍讲学士、户部侍郎杨察权三司使事。（《续资治通鉴长编》卷一七七）

乙丑（六日），太常丞、直集贤院、判磨勘司、同修起居注冯京落同修起居注。（《续资治通鉴长编》卷一七七）

丁卯（八日），江南东路转运使、刑部员外郎、直史馆唐询同修起居注。（《续资治通鉴长编》卷一七七）

十二月

二日，曾巩作《先大夫集后序》。

公所为书，号《仙凫羽翼》者三十卷、《西陲要纪》者十卷、《清边前要》五十卷、《广中台志》八十卷、《为臣要纪》三卷、《四声韵》五卷，总一百七十八卷，皆刊行于世。今类次诗赋书奏一百二十三篇，又自为十卷，藏于家。方五代之际，儒学既擩焉，后生小子，治术业于闾巷，文多浅近。是时公虽少，所学已皆知治乱得失兴坏之理，其为文闳深隽美，而长于讽谕，今类次乐府已下是也。宋既平天下，公始出仕。当此之时，太祖、太宗已纲纪大法矣，公于是勇言当世之得失。其在朝廷，疾当事者不忠。故凡言天下之要，必本天子忧怜百姓、劳心万事之意，而推大臣从官执事之人观望怀奸、不称天子属任之心，故治久未洽。至其难言，则人有所不敢言者。虽屡不合而出，其所言益切，不以利害祸福动其意也。始公尤见奇于太宗，自光禄寺丞、越州监酒税召见，以为直史馆，遂为两浙转运使。未久而真宗即位，益以材见知。初试以知制诰，及西兵起，又以为自陕以西经略判官。而公常激切论大臣，当时皆不悦，故不果用。然真宗终感其言，故为泉州。未尽一岁，拜苏州，五日，又为扬州。将复召之也，而公于是时又上书，语斥大臣尤切，故卒以龃龉终。公之言，其大者，以自唐之衰，民穷久矣。海内既集，天子方修法度，而用事者尚多烦碎，治财利之臣又益急。公独以谓宜遵简易、罢管榷，以与民休息，塞天下望。祥符初，四方争言符应，天子因之，遂用事泰山，祠汾阴，而道家之说亦滋甚。自京师至四方，皆大治宫观。公益诤，以谓天命不可专任，宜绌奸臣，修人事，反复至数百千言。呜呼！公之尽忠，天子之受尽言，何必古人。此非传之所谓主圣臣直者乎？何其盛也！何其盛也！公在两浙，奏罢苛税二百三十余条。在京西，又与三司争论，免民租，释逋负之在民者，盖公之所试如此。所试者大，其庶几矣。公所尝言甚众，其在上前及书亡者，盖不得而集。其或从或否，而后常可思者，与历官行事，庐陵欧阳公已铭公之碑特详焉，此故不论，论其不尽载者。公卒以龃龉终，其功行或不得在史氏记，藉令记之，当时好公者少，史其果可信欤？后有君子欲推而考之，读公之碑与其书，及余小子之序其意者，具见其表里，其于虚实之论可核矣。公卒乃赠谏议大夫。姓曾氏，讳某，南丰人。序其书者，公之孙巩也。至和元年十二月二日谨序。（曾巩《先大夫集后序》）

庚子（十一日），翰林学士王洙、太常少卿直集贤院王禹锡上《皇祐方域绩图》。（《续资治通鉴长编》卷一七七）

丁未（十八日），殿中丞、直秘阁司马光上古文《孝经》，诏送秘阁。（《续资治通鉴长编》卷一七七）

本年

张耒（1054—1114）生。张耒，字文潜，楚州淮阴人。幼颖异，十三岁能为文，十七时作《函关赋》，已传人口。游学于陈，学官苏辙爱之，因得从轼游，轼亦深知之，称其文汪洋冲淡，有一唱三叹之声。弱冠第进士，历临淮主簿、寿安尉、咸平县丞。入为太学录，范纯仁以馆阁荐试，迁秘书省正字、著作佐郎、秘书丞、著作郎、史馆检讨。绍圣初，请郡，以直龙图阁知润州。坐党籍，徙宣州，谪监黄州酒税，徙复州。徽宗立，起为通判黄州，知兖州，召为太常少卿，甫数月，复出知颍州、汝州。崇宁初，复坐党籍落职，主管明道宫。初，耒在颍，闻苏轼讣，为举哀行服，言者以为言，遂贬房州别驾，安置于黄。五年，得自便，居陈州。耒笔力绝健，于骚词尤长。海人作文以理为主，作诗晚岁益务平淡，效白居易体，而乐府效张籍。晚监南岳庙，主管崇福宫，卒，年六十一。建炎初，赠集英殿修撰。（《宋史》本传）

侯蒙（1054—1121）生。侯蒙，字元功，密州高密人。进士及第，调宝鸡尉，知柏乡县。徙知襄邑县，擢监察御史，进殿中侍御史。迁侍御史。迁刑部尚书，改户部。母丧，服除，归故官，遂同知枢密院。进尚书左丞、中书侍郎。罢知亳州。旋加资政殿学士。宋江寇京东，命知东平府，未赴而卒，年六十八。赠开府仪同三司，谥文穆。（《宋史》本传）

吴琚（1054—1114）生。公讳琚，字彦律。将作监致仕，累赠金紫光禄大夫。恩补将仕郎、秘书省正字。既冠，调监徐州酒税。元丰官制行，改承务郎，监邹镇，迁承事郎。会哲宗登极，迁承事郎，权齐州。丁母夫人忧，免丧，迁宣义郎，签书护国军节度判官公事。以通直郎通判保德军。今皇帝即位，以恩转奉议郎，赐五品服。迁承议郎，通判永宁军。迁朝奉郎。大观元年年五十四，上书请老，乃以本官致仕。为文浑厚敏给，雅自好，亦不苟作。撰《南郊大礼赋》，典丽雄富，人皆称之。尝有郡太守喜文士，登楼燕集，曰："快哉此风！"属公联赋，辞气警拔，一坐尽倾。以政和四年十一月戊寅终于正寝，享年六十一。五年正月丁酉，葬于东阿县鱼山乡孟栅村文肃公之兆次。公有《文集》二十卷。（李昭玘《吴彦律墓志铭》）

本年重要作品：

文：欧阳修《送徐无党南归序》、欧阳修《州名急就章》、欧阳修《资政殿学士户部侍郎文正范公神道碑铭并序》、曾巩《学舍记》、曾巩《南轩记》、曾巩《思轩诗序》、曾巩《先大夫集后序》、曾巩《答袁陟书》、王安石《游褒禅山记》、王安石《通州海门兴利记》。

诗：欧阳修《送徐生之渑池》、欧阳修《与子华原父小饮坐中寄同州江十学士休复》、欧阳修《述怀》、欧阳修《去思堂手植双柳今已成荫因而有感》、欧阳修《景灵朝谒从驾还宫》、欧阳修《有马示徐无党》、欧阳修《梅圣俞寄银杏》、欧阳修《去思堂会饮得春字》、欧阳修《酬滑州公仪龙图见寄》、梅尧臣《闻永叔出守同州寄之》、梅尧臣《中秋月下怀永叔》、梅尧臣《九日陪京东马殿院会叠嶂楼》、梅尧臣《病酒自责呈马施二公》、梅尧臣《游隐静山》、梅尧臣《次韵和吴正仲以予往南陵见寄兼惠新酝早蟹》、梅尧臣《书席语送马御史》、王安石《寄题思轩》、王令《南山之田》、张先《将赴南平宿龙门洞》、李觏《袁州杂诗三首》。

公元 1055 年（宋仁宗至和二年　乙未）

正月

二十八日，晏殊卒，65 岁。丁亥（二十八日），观文殿大学士、兵部尚书晏殊卒。帝虽临奠，以不视疾为恨，特罢朝二日，赠司空、兼侍中，谥元献。既葬，篆其碑首曰"旧学之碑"。殊刚峻简率，盗入其第，执而捽之，既委顿，以送官，扶至开封府门即死。虽早贵，然奉养清俭。累典州，吏民颇畏其猜急。善知人，如孔道辅、范仲淹皆出其门，而富弼、杨察皆其婿也。（《续资治通鉴长编》卷一七八）

至和元年六月，观文殿大学士、行兵部尚书、西京留守临淄公，以疾归于京师。八月，疾少间，入见天子，曰："噫！予旧学之臣也。"乃留侍讲迩英阁，诏五日一朝前殿。明年正月，疾作，不能朝。敕太医朝夕往视。有司除道，将幸其家，公叹曰："吾无状，乃以疾病忧吾君。"即驰奏曰："臣疾少间，行愈矣。"乃止。其月丁亥，以公薨闻，天子震悼，亟临其丧，以不即视公为恨。赠公司空兼侍中，谥曰：元献。有司请辍视朝一日，诏：特辍二日。以其年三月癸酉，葬公于许州阳翟县麦秀乡之北原。既葬，赐其墓隧之碑，首曰："旧学之碑"。（欧阳修《侍中晏公神道碑铭》）

著有：《真宗实录》一百五十卷（《宋史·艺文志二》）、《天和殿御览》四十卷（《宋史·艺文志六》）、《晏殊集》二十八卷（《宋史·艺文志七》）、《临川集》三十卷（《宋史·艺文志七》）、《诗》二卷（《宋史·艺文志七》）、《二府集》十五卷（《宋史·艺文志七》）、《二府别集》十二卷（《宋史·艺文志七》）、《北海新编》六卷（《宋史·艺文志七》）、《平台集》一卷（《宋史·艺文志七》）、《紫微集》一卷（晁公武《郡斋读书志·别集类中》）、《庐山四游诗》一卷（李之鼎《元献遗文跋》）、《珠玉集》一卷（陈振孙《直斋书录解题·歌词类》）、《类要》七十六卷（陈振孙《直斋书录解题·类书类》）、《集选》一百卷（《宋史》本传）。

夫诗至唐律，无遗功矣。而谓该极雅丽，包蕴密致，曲尽万态之变，精索群言之要，昔杨文公论独尊玉溪生焉。自公与杨、刘《唱和集》出，学者争效之，号"西昆体"，李、杜之作几废而不行。虽欧阳文忠公尝有是说，至公赋《新蝉》云："风来玉宇乌先觉，露下金茎鹤未知"，亦莫敢少贬也。近世则皆苏、黄，而以李、杜为初祖，其攻玉溪，唯恐不力。然元稹评太白："放浪纵恣，摆去拘束，可以差肩子美。若乃铺陈终结，排比声韵，辞气豪迈而风清调深，属对律切而脱弃凡近，尚弗历其藩篱。"况于下太白，而曾不研练覃思，抉摘窈渺，专务摆去拘束，辄以急心易之，弛而不严，是岂文忠之所望于后之学者耶？文忠固爱之。又尝曰："或患大年多用故事，语僻而难晓，殊不知自是学者之陋。"呜呼！诚使效"西昆"而能骨格具存，纤秾兼备，李、杜何远哉！某误持江西之宪节，获款赣帅薛公直老。一日，直老曰："顷幸见元献公《紫微集》，盍广之以遗善学柳下惠者？"某既镂诸板，因妄论之如此。（程敦厚《晏元献公紫微集序》）

《元献遗文》一卷，宋晏殊撰。《东都事略》称殊有《文集》二百四十卷，《中兴书目》作九十四卷，《文献通考》载《临川集》三十卷、《紫薇集》一卷。陈振孙《书录解题》云：其五世孙大正为《年谱》一卷，言先元献尝自差次起儒馆至学士为《临川集》三十卷，起枢廷至宰席为《二府集》二十五卷云云，今皆不传。此本为国朝康熙中慈溪胡亦堂所辑，仅文六篇、诗六首，余皆诗余。殊当北宋盛时，日与诸名士文酒唱和，其零章断什往往散见诸书。如《复斋漫录》、《古今岁时杂咏》、《侯鲭录》、《西清诗话》所载诸诗，此本皆未收入，未为完备。然殊在北宋号曰能文，虽二宋之作，亦资其点定。如《能改斋漫录》所记"白雪久残梁复道，黄头闲守汉楼船"者，其推重可以想见。原集既已无存，则此裒辑之编。仅存什一于千百者，亦不能不录备一家矣。（《四库提要》卷一五二）

著录：郑樵《通志·艺文略八》、晁公武《郡斋读书志·别集类中》、尤袤《遂初堂书目·别集类》、陈振孙《直斋书录解题·别集类中》、马端临《文献通考》卷二三四、《宋史·艺文志七》、杨士奇等《文渊阁书目》卷九、叶盛《菉竹堂书目》卷三、焦竑《国史经籍志》卷五、《四库提要》卷一五二、丁丙《善本书室藏书志》卷二六。

《珠玉词》一卷，宋晏殊撰。此本为毛晋所刻，与陈氏所记合，盖犹旧本。殊赋性刚峻，而词语特婉丽。故刘攽《中山诗话》谓："元献善冯延巳歌词，其所自作亦不减延巳。"赵与峕《宾退录》记：殊幼子几道，尝称殊词不作妇人语。今观其集，绮艳之词不少，盖几道欲重其父名，乃故作是言，非确论也。(《四库提要》卷一九八)

著录：马端临《文献通考》卷二四六、郑德懋《汲古阁校刻书目》、《四库提要》卷一九八、陆心源《皕宋楼藏书志》卷一一九、丁丙《善本书室藏书志》卷四〇、傅增湘《藏园群书经眼录》卷一九、《北京图书馆古籍善本书目》。

版本：毛氏汲古阁刊本。

晏元献公虽起田里，而文章富贵，出于天然。尝览李庆孙《富贵曲》云："轴装曲谱金书字，树记花名玉篆牌。"公曰："此乃乞儿相，未尝谙富贵者。"故公每吟咏富贵，不言金玉锦绣，而唯说其气象，若"楼台侧畔杨花过，帘幕中间燕子飞"、"梨花院落溶溶月，柳絮池塘淡淡风"之类是也。故公自以此句语人曰："穷儿家有这景致也无?"公风骨清羸，不喜肉食，尤嫌肥膻。每读韦应物诗，爱之曰："全没些脂腻气。"故公于文章尤负赏识，集梁《文选》以后迄于唐别为集，选五卷。而诗之选尤精，凡格调猥俗而脂腻者皆不载也。公之佳句，宋莒公皆题于斋壁，若"无可奈何花落去，似曾相识燕归来"；"静寻啄木藏身处，闲见游丝到地时"；"楼台冷落收灯夜，门巷萧条扫雪天"；"已定复摇春水色，似红如白野棠花"之类。莒公常谓此数联使后之诗人无复措词也。(吴处厚《青箱杂记》卷五)

二月

(辽兴宗重熙二十四年)己丑朔(一日)，召宋使钓鱼、赋诗。(《辽史·兴宗纪三》)

乙未(七日)，龙图阁直学士、左司郎中张昪兼侍读。昪以老固辞，上曰："不为读书，但留经筵，备顾问尔。"乃诏免进读。(《续资治通鉴长编》卷一七八)

乙巳(十七日)，观文殿学士、户部侍郎、知河阳富弼为宣徽南院使、判并州。(《续资治通鉴长编》卷一七七)

丙午(十八日)，徙知并州、武康军节度使韩琦知相州，琦以疾自请也。(《续资治通鉴长编》卷一七七)

三月

己卯(二十一日)，翰林学士、群牧使杨伟等言：判官、殿中丞王安石文行颇高，乞除职名。中书检会安石累召试不赴，诏特授集贤校理，安石又固辞不拜。(《续资治通鉴长编》卷一七九)

癸未(二十五日)，龙图阁直学士、起居舍人、权知开封府蔡襄，为枢密直学士、知泉州，以母老自请也。襄工笔札，上尤爱之。御制《李用和碑文》，诏使襄书。后又敕襄书温成皇后父清《和郡王碑》，襄曰："此待诏职也。"卒辞之。(《续资治通鉴长

编》卷一七九）

四月

癸巳（五日），兵部员外郎、知制诰吴奎知寿州。（《续资治通鉴长编》卷一七九）

五月

戊寅（二十一日），礼部员外郎、知制诰韩绛为吏部员外郎、知河阳，从所请也。（《续资治通鉴长编》卷一七九）

甲申（二十七日），翰林学士欧阳修言："京师近有雕市《宋贤文集》，其间或议论时政得失，恐传之四夷不便，乞焚毁。"从之。（《续资治通鉴长编》卷一七九）

六月

己丑（二日），翰林学士欧阳修为翰林侍读学士、知蔡州，知制诰贾黯知荆南，皆从所乞也。（《续资治通鉴长编》卷一八〇）

戊戌（十一日），吏部尚书、平章事陈执中罢为镇海节度使。忠武节度使、知永兴军文彦博为吏部尚书、平章事，昭文馆大学士、宣徽南院使、判并州富弼为户部侍郎、平章事、集贤殿大学士，工部侍郎、平章事、集贤殿大学士刘沆加兵部侍郎、监修国史。（《续资治通鉴长编》卷一八〇）

己亥（十二日），三司使、尚书左丞王拱辰为宣徽北院使、判并州。翰林学士承旨、端明殿学士、翰林侍读学士、户部侍郎杨察罢职，以本官为三司使。给事中、权御史中丞孙抃为翰林学士承旨、兼侍读学士。（《续资治通鉴长编》卷一八〇）

癸卯（十六日），龙图阁直学士、兼侍读、左司郎中张昪，为右谏议大夫、权御史中丞。上尝谕执政，以昪清直可任风宪，故使代孙抃。时富弼初入相，欧阳修复为翰林学士，士大夫咸谓三得人也。（《续资治通鉴长编》卷一八〇）

甲辰（十七日），观文殿大学士、户部侍郎、知郓州庞籍为昭德节度使、知永兴军，寻改知并州。（《续资治通鉴长编》卷一八〇）

乙巳（十八日），工部侍郎、知桂州余靖为户部侍郎。（《续资治通鉴长编》卷一八〇）

七月

戊午（二日），新知蔡州、翰林侍读学士欧阳修复为翰林学士，新知制诰贾黯复判流内铨。（《续资治通鉴长编》卷一八〇）

戊辰（十二日），资政殿大学士、兼翰林侍读学士、户部侍郎吴育为宣徽南院使、判延州，宣徽北院使、判并州王拱辰复为尚书左丞、端明殿学士、兼翰林侍读学士、知永兴军，从御史之言也。（《续资治通鉴长编》卷一八〇）

八月

己丑（四日），契丹主宗真卒。立二十五年，年四十一，谥文成皇帝，庙号兴宗。宗真善画，尝以所画鹅雁来献，上作飞白书答之。子洪基立，改重熙二十三年为清宁元年。（《续资治通鉴长编》卷一八〇）

己亥（十四日），大理评事韩维为史馆检讨，从翰林学士承旨孙抃等所请也。（《续资治通鉴长编》卷一八〇）

辛丑（十六日），翰林学士、吏部郎中、知制诰、史馆修撰欧阳修为契丹国母生辰使，右正言、知制诰刘敞为契丹生辰使，起居舍人、直秘阁、知谏院范镇为契丹国母正旦使。时朝廷未知契丹主已卒，故生辰、正旦遣使如例。（《续资治通鉴长编》卷一八〇）

癸丑（二十八日），改命欧阳修、向传范为贺契丹登宝位使。龙图阁直学士、兵部郎中吕公弼为契丹祭奠使。（《续资治通鉴长编》卷一八〇）

欧阳文忠公使辽，其主每择贵臣有学者押宴，非常例也。且曰："以公名重今代，故尔。"其为外夷敬服也如此。（王辟之《渑水燕谈录》卷二）

二十九日，高若讷卒，59 岁。至和二年秋八月甲寅，观文殿学士、兼翰林侍读学士、尚书左丞、同群牧制置使高公薨于京师之第，享年五十有九，谥曰：文庄。公讳若讷，字敏之。嗜于学，性警锐，过目辄记。自周、汉迄兹数千载，救革质文，娓娓能言之。所著文章二十卷，善文辞者贵之。（宋祁《高观文墓志铭》）

著有：《大飨明堂记》二十卷（《宋史·艺文志三》）、《素问误文阙义》（《宋史·艺文志六》）、《高若讷集》二十卷（宋祁《高观文墓志铭》）。

十月

丙申（十二日），主客员外郎吴中复为殿中侍御史里行。（《续资治通鉴长编》卷一八〇）

乙巳（二十一日），礼部贡院上《删定贡举条制》十二卷。（《续资治通鉴长编》卷一八〇一）

初，礼部奏名进士、诸科，各以四百为限。又请杂问大义，侥幸之人悉以为不便，欲摇罢诏法。己酉（二十五日），知制诰王珪言："唐自贞观讫开元，文章最盛，较艺者岁千余人，而所收无几。咸亨、上元中，尝增其数，然亦不及百人。国初取士，大抵袭唐制。逮兴国中，增辟贡举之路，其后浸以益广，无有定数。比年以来，官吏猥溢于常员，故近诏限数四百。兹诚所以惩仕进之弊也。取士唯进士、明经、诸科：明经先经义而后试策，三试皆通为中第，其大略与进士等。而诸科既不问以经义，又无策试之式，止以诵数精粗为中否。则其专固不达于理，安足以长民治事哉？前诏诸科终场，问本经大义十道，《九经》止问义而不责记诵，皆已著之于令。臣虑言者以为难于遽更，而图安于弊也。唯陛下申敕有司，固守是法，毋轻易焉。"而尚书屯田员外郎朱景阳又奏谓："礼部试日，以巡铺官察士子挟书交语私相借助。而贵游子弟与寒士同席，父兄持权，趋附者众，巡铺官多佞邪希进之人，为之庇盖，莫肯纠举。都堂主司，纵而不诘，上下相蒙。寒士寡徒，独任臆见。譬如战斗，是以一夫之力而当数百人也。请令寒士与锁庭者同场别考，则势均力敌，可绝偏私。"奏寝不报，而申严巡铺官不察之法。（《续资治通鉴长编》卷一八〇）

庚戌（二十六日），翰林学士、刊修《唐书》欧阳修言："自汉而下，唯唐享国最久。其间典章制度，本朝多所参用。所修《唐书》，新制最宜详备。然自武宗以下，并无《实录》。以传记、别说考正虚实，尚虑阙略。闻西京内中省寺、留司御史台及銮和诸库，有唐朝至五代已来奏牍案簿尚存，欲差编修官吕夏卿诣彼检讨。"从之。夏卿，晋江人也。（《续资治通鉴长编》卷一八一）

十二月

乙酉（二日），参知政事程戡言："前知益州，闻风俗所传：'岁在甲午，当有兵起。'而民心不安。盖淳化中李顺狂逆之年。请禁民间私习《六十甲子歌》。"从之。（《续资治通鉴长编》卷一八一）

庚寅（七日），降知庐州、龙图阁直学士、刑部郎中包拯为兵部员外郎、知池州，坐失保任也。（《续资治通鉴长编》卷一八一）

二十七日，欧阳修抵契丹境内松山。

本年

（辽道宗清宁元年）是年，御清凉殿，放进士张孝杰等四十四人。（《辽史·道宗纪一》）

王适（1055—1089）生。子立，讳适，赵郡临城人也。始予为徐州，子立为州学生，知其贤而有文，喜怒不见，得丧若一。曰：是有类子由者，故以其子妻之。与其弟遹子敏皆从余于吴兴，学道日进，东南之士称之。余得罪于吴兴，亲戚故人皆惊散，独两王子不去，送余出郊。曰："死生祸福，天也。公其如天何？"返取余家，致之南都。而子立又从子由谪于高安绩溪，同其有无，赋诗、弦歌、讲道、著书于席门茅屋之下者五年，未尝有愠色。余与子由有六男子，皆以童子从子立游，学文有师法，人人自重，不敢嬉宕，子立实使然。元祐四年冬，自京师将适济南，未至，卒于奉高之传舍，盖十月二十五日也，享年三十五。（苏轼《王子立墓志铭》）

本年重要作品：

文：欧阳修《晏元献公挽辞》、欧阳修《答宋咸书》、梅尧臣《双羊山会庆堂记》、曾巩《与杜相公书》、王安石《元献晏公挽辞》、王安石《答钱公辅学士书》、王安石《祭高枢密文》、苏辙《缸砚赋》。

诗：欧阳修《和刘原父澄心纸》、欧阳修《内直对月寄子华舍人持国廷评》、欧阳修《白兔》、欧阳修《马啮雪》、欧阳修《风吹沙》、欧阳修《奉使道中五言长韵》、欧阳修《奉使契丹初至雄州》、欧阳修《奉使契丹道中答刘原父桑乾河见寄之作》、欧阳修《过塞》、欧阳修《边户》、欧阳修《太白戏圣俞》、欧阳修《书素屏》、欧阳修《和

陆子履再游城西李园》、欧阳修《送郓州李留后》、欧阳修《圣俞惠宣州笔戏书》、欧阳修《学书二首》、梅尧臣《闻临淄公薨》、梅尧臣《梅雨》、梅尧臣《五月十三日大水》、梅尧臣《宣州杂诗二十首》、梅尧臣《五月十日雨中饮》、梅尧臣《依韵和永叔澄心堂纸答刘原甫》、王安石《乙未冬妇子病至春不已》、苏洵《忆山送人》、李靓《送春二绝》。

公元 1056 年（至和三年　宋仁宗嘉祐元年　丙申）

二月

甲辰（二十二日），欧阳修使契丹还，进《北使语录》。

三月

苏轼兄弟随父赴京，参加礼部秋试。

闰三月

癸未朔（一日），枢密副使、给事中王尧臣为户部侍郎、参知政事，给事中、参知政事程戡为户部侍郎、枢密使，以戡与文彦博姻家故也。（《续资治通鉴长编》卷一八二）

丁亥（五日），欧阳修判太常寺兼礼仪事。

己丑（七日），程琳卒，69 岁。嘉祐元年闰三月己丑，镇安军节度使、检校太师、同中书门下平章事、使持节陈州诸军事、陈州刺史程公薨于位，以闻，诏辍视朝二日，赠公中书令。享年六十有九。有文集、奏议六十卷。（欧阳修《镇安军节度使同中书门下平章事赠中书令谥文简程公墓志铭》）

著有：《程琳集》六十卷（欧阳修《程公墓志铭》）。

辛卯（九日），翰林学士王洙为翰林侍读学士、兼侍讲学士，知制诰刘敞知扬州。敞，王尧臣姑子；洙，尧臣从父，尧臣执政，两人皆避亲也。（《续资治通鉴长编》卷一八二）

四月

丙辰（五日），翰林学士、兼端明殿学士、翰林侍读学士李淑兼龙图阁学士，落翰林学士。淑复召入翰林，未阅月，御史中丞张昪等言淑奸邪，又尝匿服，亟罢之。端明殿学士、左司郎中、集贤殿修撰、知郑州曾公亮为翰林学士、兼侍读学士。（《续资治通鉴长编》卷一八二）

己卯（二十八日），右司谏、知制诰贾黯知陈州，以父疾自请也。寻改许州。（《续资治通鉴长编》卷一八二）

五月

癸未（二日），欧阳修知通进银台司兼门下封驳事。

观文殿大学士、兵部尚书宋庠自许州徙知河阳，戊子（七日），入朝，诏缀中书门下班，出入视其仪物。（《续资治通鉴长编》卷一八二）

乙未（十四日），欧阳修免勾当三班院。

苏洵携苏轼、苏辙兄弟至京，上书欧阳修，附呈所撰《洪范论》、《史论》七篇。欧阳修荐苏洵于朝。（苏洵《上欧阳内翰第二书》、欧阳修《荐布衣苏洵状》）

张安道与欧文忠素不相能。庆历初，杜祁公、韩、富、范四人在朝欲有所为，文忠为谏官，协佐之。而前日吕申公所用人多不然，于是诸人皆以朋党罢去。而安道继为中丞，颇弹击以前事，二人遂交怨，盖趣操各有主也。嘉祐初，安道守成都，文忠为翰林。苏明允父子自眉州走成都，将求知安道，安道曰："吾何足以为重？其欧阳永叔乎！"不以其隙为嫌也。乃为作书办装，使人送之京师谒文忠。文忠得明允父子所著书，亦不以安道荐之非其类，大喜曰："后来文章当在此。"即极力推誉，天下于是高此两人。子瞻兄弟后出入四十余年，虽物议于二人各不同，而亦未尝敢有纤毫轻重于其间也。（叶梦得《避暑录话》卷下）

六月

己未（九日），镇海节度使、同平章事、判亳州陈执中为左仆射、观文殿大学士、知亳州如故，执中以疾自请之。（《续资治通鉴长编》卷一八二）

戊寅（二十八日），兵部员外郎、知制诰韩绛为河北体量安抚使。（《续资治通鉴长编》卷一八二）

七月

二十一日，三司使、户部侍郎杨察卒，46 岁。杨察，字隐甫，其先成都人。景祐元年登进士甲科，累擢知制诰、龙图阁待制、翰林学士，加承旨。三入翰林，又尝兼龙图学士、权知开封府、御史中丞，两除三司使。卒，年四十六，赠礼部尚书，谥宣懿。有《文集》二十卷。（曾巩《隆平集》卷一四）

著有：《杨察集》二十卷（《宋史》本传）。

癸卯（二十三日），武康节度使、知相州韩琦为工部尚书、三司使。（《续资治通鉴长编》卷一八三）

八月

癸丑（四日），复龙图阁直学士、兵部员外郎、知池州包拯为刑部郎中、知江宁府，江南东路转运使、工部员外郎、直集贤院唐介为户部员外郎。时殿中侍御史里行吴中复乞召拯、介还朝，宰臣文彦博因言："介顷为御史，言臣事多中臣病。其间虽有风闻之误，然当时责之太深，请如中复所奏召用之。"故有是命。（《续资治通鉴长编》

卷一八三）

癸亥（十四日），三司使、工部尚书韩琦为枢密使，端明殿学士、兼龙图阁学士、吏部侍郎、知益州张方平为三司使。（《续资治通鉴长编》卷一八三）

丙寅（十七日），刑部员外郎、知制诰石扬休为契丹国母生辰使，刑部员外郎、直史馆、同修起居注唐询为契丹生辰使。翰林学士胡宿知审刑院。（《续资治通鉴长编》卷一八三）

苏轼兄弟等同试举人于景德寺，皆中举。

九月

十二日，郊祀，恭谢，改元嘉祐。（《玉海》卷十三）

礼成，欧阳修加上轻车都尉，进封乐安郡开国侯，加食邑五百户。

戊戌（十九日），礼部员外郎、知制诰韩绛为龙图阁直学士、河北都转运使，绛辞不行。（《续资治通鉴长编》卷一八四）

十九日，苏洵作《送石昌言使北引》。

嘉祐元年九月十九日先君《送石昌言北使》文一首，其字则轼年二十一时所书与昌言本也。今蓄于陈履常氏。昌言名扬休，善为诗，有名当时，终于知制诰。彭任字有道，亦蜀人，从富彦国使虏还，得灵河县主簿以死。石守道尝称之曰："有道长七尺，而胆过其身。"一日坐酒肆，与其徒饮且酣，闻彦国当使不测之虏，愤愤推酒床，拳皮裂，遂自请行，盖欲以死扞彦国者也。其为人大略如此，然亦任侠好杀云。元祐三年九月初一日题。（苏轼《跋送石昌言引》）

乙巳（二十六日），山南东道节度使、同平章事、判大名府贾昌朝为侍中，留再任。（《续资治通鉴长编》卷一八四）

秋

欧阳修与赵槩等共荐梅尧臣补国子监直讲，从之。（欧阳修《举梅尧臣充直讲状》）

十月

戊辰（二十日），礼部员外郎、知制诰韩绛为龙图阁直学士、知瀛州。翰林学士欧阳修率同列言，绛宜在朝廷，瀛州非所处也，遂留不行。追复崇信节度副使尹洙为起居舍人、直龙图阁，湖州长史苏舜钦为大理评事、集贤校理，枢密使韩琦为之请也。（《续资治通鉴长编》卷一八四）

庚午（二十二日），宣徽南院使、判河中府吴育复为资政殿大学士、尚书左丞、知河中府，育以疾自请之。（《续资治通鉴长编》卷一八四）

十一月

辛巳（三日），山南东道节度使、兼侍中、判大名府贾昌朝为枢密使。（《续资治

通鉴长编》卷一八四）

己丑（十一日），新除户部员外郎、兼侍御史知杂事范镇复为起居舍人、充集贤殿修撰。（《续资治通鉴长编》卷一八四）

十二日，钱明逸为《南部新书》序。

先君尚书，在章圣朝祥符中以度支员外郎直集贤院，宰开封。民事多闲，潜心国史；博闻强记，研深覃精。至于前言往行，孜孜念虑，尝如不及，得一善事，疏于方册，旷日持久，乃成编轴，命曰《南部新书》。凡三万五千言，事实千，成编五，列卷十。其间所纪，则无远近耳目所不接熟者，事无纤巨、善恶足为鉴戒者。忠鲠孝义可以劝臣子，因果报应可以警愚俗，典章仪式可以识国体，风谊谦让可以励节概。机辩敏悟，怪奇迥特，亦可以志难知而广多闻。《尔雅》为六艺钤键，而采谣志，考方语；《周诗》形四方风雅，比兴多虫鱼草木之类。小子不肖，叨继科目，尝践世宦，假守宫钥，浚涸事休，阅绎家集。因以《新书》次为门类，缮写净本，致于乡曲，以图刊镂。（钱明逸《南部新书序》）

《南部新书》十卷，宋钱易撰。易字希白，吴越王倧之子，真宗朝官至翰林学士。是书乃其大中祥符间知开封县时所作，皆记唐时故实，间及五代，多录轶闻琐事，而朝章国典、因革损益之故，亦杂载其中。故虽小说家言，而不似他书之侈谈迂怪，于考证尚属有裨。晁公武《读书志》作五卷，焦竑《国史经籍志》作十卷。今考其标题，自甲至癸以十干为纪，则作十卷者是也。世所行本，传写者以意去取，多寡不一。别有一本，从曾慥《类说》中摘录成帙，半经删削，阙漏尤甚。此本共八百余条，首尾完具，以诸本兼校，皆不及其全备，当为足本矣。（《四库提要》卷一四〇）

十二月

壬子（五日），翰林学士、兼侍读学士、中书舍人、集贤殿修撰、权知开封府曾公亮为给事中、参知政事。龙图阁直学士、刑部郎中、知江宁府包拯为右司郎中、权知开封府。（《续资治通鉴长编》卷一八四）

乙卯（八日），太子中允、天章阁侍讲胡瑗管勾太学。始，瑗以保宁节度推官教授湖州，科条纤悉备具，以身先之。虽盛暑，必公服坐堂上，严师弟子之礼。视诸生如其父兄，诸生亦信爱如其子弟，从之游者常数百人。庆历中，兴太学，下湖州取其法，著为令。瑗既为学官，其徒益众，太学至不能容，取旁官舍处之。礼部所得士，瑗弟子十常居四五，随材高下。喜自修饰，衣服容止，往往相类。人遇之，虽不识，皆知其为瑗弟子也。于是，擢与经筵，治太学犹如故。（《续资治通鉴长编》卷一八四）

己未（十二日），群牧判官、太常博士王安石提点开封府界诸县镇公事。（《续资治通鉴长编》卷一八四）

壬戌（十五日），枢密使贾昌朝辞兼侍中，从之。（《续资治通鉴长编》卷一八四）

是月，命宰臣文彦博监修国史。（《续资治通鉴长编》卷一八四）

本年

周邦彦（1056—1121）生。周邦彦，字美成，钱塘人。元丰初，游京师，献《汴都赋》余万言，神宗异之，命侍臣读于迩英阁，召赴政事堂，自太学诸生一命为正。出教授庐州，知溧水县，还为国子主簿。哲宗召对，使诵前赋，除秘书省正字。历校书郎、考功员外郎，卫尉、宗正少卿，兼议礼局检讨，以直龙图阁知河中府。徽宗欲使毕礼书，复留之。逾年，乃知隆德府，徙明州，入拜秘书监，进徽猷阁待制、提举大晟府。未几，知顺昌府，徙处州，卒，年六十六，赠宣奉大夫。邦彦好音乐，能自度曲，制乐府长短句，词韵清蔚，传于世。（《宋史》本传）

陈廓（1056—1110）生。廓字彦明。年十七与乡贡，中熙宁九年进士第。主句容簿，再调长社令，辟江东运司主管帐司，改秩知吉水县。除都水监主簿，迁北外丞。以职事入奏，哲宗察其才，谕以行召用矣。出知处州。岁饥，赈救有方，移广东路转运判官。丁内艰，服除，授广西路提点刑狱。未行，改利州路。大观四年卒，年五十五，有诗文杂说合三十卷。（《京口耆旧传》卷六）

本年重要作品：

文：欧阳修《廖氏文集序》、欧阳修《鸣蝉赋》、欧阳修《醉翁吟》、曾巩《抚州颜鲁公祠堂记》、王安石《桂州新城记》、王安石《祭程相公琳文》、苏洵《上欧阳内翰第一书》、苏洵《上韩枢密书》、苏洵《上富丞相书》、苏洵《上文丞相书》、苏洵《送石昌言使北引》、苏洵《张益州画像记》。

诗：欧阳修《奉使契丹回出上京马上作》、欧阳修《赠王介甫》、欧阳修《送裴如晦之吴江》、欧阳修《初食车螯》、欧阳修《重赠刘原父》、欧阳修《赠沈遵》、欧阳修《答圣俞》、欧阳修《感兴五首》、欧阳修《吴学士石屏歌》、欧阳修《盘车图》、欧阳修《寄题梅龙图滑州溪园》、梅尧臣《永叔请赋车螯》、梅尧臣《归雁亭长句》、梅尧臣《高车再过谢永叔内翰》、梅尧臣《和吴冲卿学士石屏》、梅尧臣《直宿广文舍下》、梅尧臣《依韵和刘原甫舍人赴扬州途次赠予翩翩河中船》、梅尧臣《永叔赠绢二十匹》、梅尧臣《依韵奉和永叔感兴五首》、梅尧臣《桃花源诗》、王安石《车螯二首》、王安石《奉酬永叔见赠》、王安石《冲卿席上得昨字》、王安石《丙申八月作》、王安石《题景德寺试院壁》、苏洵《欧阳永叔白兔》、苏洵《答陈公美》、苏洵《又答陈公美三首》苏洵《道卜居意赠陈景回》。

词：欧阳修《朝中措》（平山栏槛倚晴空）、张先《天仙子·别渝州》、张先《渔家傲·和程公辟赠别》。

公元 1057 年（宋仁宗嘉祐二年　丁酉）

正月

六日，以翰林学士欧阳修权知贡举，翰林学士王珪、龙图阁直学士梅挚、知制诰韩绛、集贤殿修撰范镇并权同知贡举，合格奏名进士李寔已下三百七十三人。（《宋会要辑稿·选举一》）

锁院期间，诸人相与唱和，作诗凡一百七十三首。参详官梅尧臣厕身其间。

嘉祐二年春，予幸得从五人者于尚书礼部，考天下所贡士，凡六千五百人。盖绝不通人者五十日，乃于其间，时相与作为古律长短歌诗杂言。庶几所谓群居燕处言谈之文，亦所以宣其底滞而忘其倦怠也。故其为言易而近，择而不精。然纲缪反复，若断若续，而时发于奇怪，杂以诙嘲笑谑。及其至也，往往亦造于精微。夫君子之博取于人者，虽滑稽鄙俚犹或不遗，而况于诗乎？古者《诗》三百篇，其言无所不有。唯其肆而不放，乐而不流，以卒归乎正，此所以为贵也。于是次而录之，得一百七十三篇，以传于六家。呜呼！吾六人者，志气可谓盛矣。然壮者有时而衰，衰者有时而老，其出处离合，参差不齐。则是诗也，足以追唯平昔，握手以为笑乐。至于慨然掩卷而流涕嘘唏者，亦将有之。虽然，岂徒如此而止也，览者其必有取焉。（欧阳修《礼部唱和诗序》）

嘉祐二年，余与端明韩子华、翰长王禹玉、侍读范景仁、龙图梅公仪同知礼部贡举，辟梅圣俞为小试官。凡锁院五十日，六人者相与唱和，为古律歌诗一百七十余篇，集为三卷。禹玉，余为校理时，武成王庙所解进士也，至此新入翰林，与余同院，又同知贡举。故禹玉赠余云"十五年前出门下，最荣今日预东堂"。余答云"昔时叨入武成宫，曾看挥毫气吐虹。梦寐闲思十年事，笑谈今此一尊同。喜君新赐黄金带，顾我宜为白发翁"也。天圣中，余举进士，国学、南省皆忝第一人荐名。其后，景仁相继亦然。故景仁赠余云"淡墨题名第一人，孤生何幸继前尘"也。圣俞自天圣中与余为诗友，余尝赠以《蟠桃诗》，有"韩、孟"之戏。故至此梅赠余云"犹喜共量天下士，亦胜东野亦胜韩"。而子华笔力豪赡，公仪文思温雅而敏捷，皆劲敌也，前此为南省试官者，多窘束条制，不少放怀。余六人者，欢然相得，群居终日，长篇险韵，众制交作，笔吏疲于写录，僮史奔走往来。间以滑稽嘲谑，形于讽刺，更相酬酢，往往哄堂绝倒。自谓一时盛事，前此未之有也。（欧阳修《归田录》卷二）

十五日，周敦颐作《吉州彭推官诗序》。

惇实庆历初为洪州分宁县主簿，被外台檄，承贬袁州卢溪镇市征之局。局鲜事，袁之进士多来讲学于公斋。因谈及今朝江左律诗之工，坐间诵吉州彭推官篇者六七，其句字信乎能觑天巧而脍炙人口矣。惇实自南昌知县就移金署巴州郡判官厅公事，益，梓邻路也。泝流赴局，过渝州，越三舍，接巴州。境间有温泉佛寺，舣舟游览，忽睹榜诗，乃推官之作。喜豁读讫，录本纳于转运公，公复书重谢。且曰："愿刻一石，若蒙继以短序，尤荷厚意。"故序于诗后，而命工刻石，置寺之堂焉。

二十一日，孙甫卒，60 岁。公讳甫，字之翰，许州阳翟人也。初举进士，天圣五年得同学究出身，为蔡州汝阳县主簿。八年，再举进士及第，为华州观察推官。公博学强记，尤喜言唐事，能详其君臣行事本末，以推见当时治乱。每为人说，如其身履其间，而听者晓然如目见。故学者以为终岁读史，不如一日闻公论也。所著《唐史记》七十五卷，论议宏瞻。书未及成，以嘉祐二年正月戊戌卒于家，享年六十。公既卒，诏取其书，藏于秘府，赠右谏议大夫。又有《文集》七卷。（欧阳修《大夫孙公墓志铭》）

著有：《唐史记》七十五卷（《宋史·艺文志二》）、《唐史论断》二卷（《宋史·艺文志二》）、《孙甫集》七卷（欧阳修《大夫孙公墓志铭》）、《唐史要论》十卷（晁公武《郡斋读书志·史评类》)。

二十八日，欧阳修转官右谏议大夫。

二月

五日，杜衍卒，80 岁。 杜公讳衍，字世昌，越州山阴人也。公享年八十，官至尚书左丞。方其六十有九岁且尽，即上书告老。明年，以太子少师致仕。累迁太子太保、太傅、太师，封祁国公于其家。天子祀明堂，遣使者召公陪祠，将有所问，以疾不至。而岁时存问，劳赐不绝。（欧阳修《太子太师致仕杜祁公墓志铭》)

著有：《四时祭享仪》一卷（《宋史·艺文志三》)、《杜衍诗》一卷（《宋史·艺文志七》)、《送王周归江陵诗》二卷（《宋史·艺文志八》)。

三月

五日，帝御崇政殿，试礼部奏名进士。 内出《民监赋》、《鸾刀诗》、《重申巽命论》题。（《宋会要辑稿·选举七》)

七日，试特奏名进士。 内出《斋居决事诗》、《乾坤示人易简论》题。（《宋会要辑稿·选举七》)

丁亥（十一日），赐进士建安章衡等二百六十二人及第，一百二十六人同出身。 是岁，进士与殿试者始皆不落。己丑（十三日），赐诸科三百八十九人及第，又赐特奏名进士、诸科二百十四人同出身，及补诸州长史、文学。（《续资治通鉴长编》卷一八五）

登进士第：章衡、窦卞、罗凯、郑雍、朱初平、苏轼、曾巩、曾布、赵扬、李宷、邵迎、张载、王回、王无咎、陈侗、苏辙、彭次云、方仲谋、谢履、许广渊、丁骘、张思、李渤、李中、苏随、葛敏求、黄通、黄好谦、黄履、范亦颜、杨寿祺、张修、单锡、陆长倩、余京、王观、盖抃、王韶、吕大钧、蒋之奇、程颢、吕惠卿、冯山、李逢、蔡承禧、林希、林旦、朱光庭、郏亶、朱长文、郑少连、张琥、章惇、叶温叟、刁璹、苏舜举、程筠、傅才元、邓绾、萧世京、家定国、吴子上、王琦、莫君陈、蔡元导、单锡、李惇、梁师孟、郭源明、刘庠、曾牟、曾阜、王彦深、吕大钊、胥元衡等。

先是，进士益相习为奇僻，钩章棘句，浸失浑淳。修深疾之，遂痛加裁抑，仍严禁挟书者。及试榜出，时所推誉皆不在选。嚣薄之士，候修晨朝，群聚诋斥之，至街司逻吏不能止。或为《祭欧阳修文》投其家，卒不能求其主名置于法。然文体自是亦少变。（《续资治通鉴长编》卷一八五）

嘉祐二年，欧阳文忠公考试礼部进士，疾时文之诡异，思有以救之。梅圣俞时与其事，得公《论刑赏》，以示文忠。文忠惊喜，以为异人，欲以冠多士，疑曾子固所为。子固，文忠门下士也。乃置公第二。复以《春秋》对义居第一，殿试中乙科。以书谢诸公，文忠见之，以书语圣俞曰："老夫当避此人，放出一头地。"（苏辙《亡兄子瞻端明墓志铭》)

苏子瞻自在场屋，笔力豪骋，不能屈折于作赋。省试时，欧阳文忠公锐意欲革文弊，初未之识。梅圣俞作考官，得其《刑赏忠厚之至论》，以为似《孟子》。然中引皋陶曰："杀之三"，尧曰："宥之三"，事不见所据，亟以示文忠，大喜。往取其赋，则已为他考官所落矣，即擢第二。及放榜，圣俞终以前所引为疑，遂以问之。子瞻徐曰："想当然耳，何必须要有出处。"圣俞大骇，然人已无不服其雄俊。（叶梦得《石林燕语》卷八）

东坡初登第，以诗谢梅圣俞。圣俞以示文忠公，公《答梅书》略云："不意后生能达斯理也。吾老矣，当放此子出一头地。"故东坡《送晁美叔》诗云"醉翁遣我从子游，翁如退之践轲丘。向欲放子出一头，酒醒梦断十四秋"。盖叙书语也。陈无己《赠魏衍》诗云："名驹已自思千里，老子终当让一头。"（吴曾《能改斋漫录》卷十一）

戊戌（二十二日），右谏议大夫、权御史中丞张昇为回谢契丹使。（《续资治通鉴长编》卷一八五）

春

欧阳修与赵概、王珪、王洙、韩绛于李端愿来燕堂联句。

赵子崧《中外旧事》云：嘉祐丁酉，李驸马都尉和文之子少师端愿作来燕堂，会翰林赵叔平概、欧阳永叔修、王禹玉珪、侍读王原叔洙、舍人韩子华绛。永叔命名，原叔题榜，联句刻之石。可以想见一时人物之盛。盖仁宗末年，文富二公为相，引用得人如此。（陈鹄《耆旧续闻》卷五）

四月

苏洵妻程氏卒，苏洵携苏轼、苏辙兄弟返眉山，葬之。

五月

四日，以新及第进士第一人章衡为将作监丞，第二人窦卞、第三人罗凯并为大理评事，通判诸州；第四人郑雍、第五人朱初平并为两使幕职官；第六人已下及《九经》及第，并为初等幕职；第二甲，为试衔大县簿、尉；第三、第四甲试衔，判司、簿、尉；第五甲及诸科，同出身，并守选。（《宋会要辑稿·选举二》）

癸未（十二日），命枢密副使田况提举殿前马步军司编敕。（《续资治通鉴长编》卷一八五）

十六日，国子博士寇谭进祖准文集一十卷。诏以准曾任宰相，文集特送馆阁，赐绢、银各五十匹、两。（《宋会要辑稿·崇儒五》）

其为文章也，优赡微婉，属意绵密。尤工于诗，曲尽风雅，藻思宏逸，峻格高远，因兴发咏，必根于理，得骚人之旨趣焉。故所成篇咏，脍炙众口，传写宝秘，恨不多得。鸿笔奥学，靡不钦叹。故枢相文康，既公之婿，实有道之士焉。志公之墓，叙：初知巴东日，诗家者流目为寇巴东，以方前代罗江东、赵渭南也。录公警策之篇，若

"远水无人渡，孤舟尽日横"；"到海只十里，过山应万重"等句。又谓公之为诗，必本风骚之旨，而以感伤为主。尝为《江南春》二绝，其一曰："波渺渺，柳依依，孤村芳草远，斜日杏花飞。江南春尽离肠断，萍满汀洲人未归。"其二曰："杳杳烟波隔千里，白萍香散东风起。日落汀洲一望时，愁情不断如春水。"人曰："少贵无不足者，其摅辞绮靡可也，气焰可也，唯不当含凄尔。"今而思之，乃暮年迁谪流落不归之意。诗人感物，固非偶然。时以为文康公之知言也。大约公之为诗，多有此意。又如《闻杜宇》云："曾为深冤无处雪，长年江上哭青春。平林雨歇残阳后，愁杀天涯去国人。"此非先咏南行之事乎！公平昔酷爱王右丞、韦苏州诗，吟味斯则过矣。雍顷为公倅，常从游宴，多闻其得意之句。情思闲雅，听之忘倦。随录简牍，才数十篇。今守三城，会监军赵侯临，即公之中表也。日与游接，时道公诗。因请于公家，尽录昔所存纪，得二百余篇，并前之所录不在此数者，及谪官后赵公所记，共二百四十首，类而第之，分为上、中、下三卷。其余流落无复求购。惧岁久磨灭，因序以成编。此第言公之诗也，若大节贤行，则有追谥诏旨存焉。亦录于集首，俾开卷者不独仰骚雅之道尔。（范雍《〈寇忠愍诗〉序》）

《忠愍集》三卷，宋寇准撰。准初知巴东县时，自择其诗百余篇，为《巴东集》。后河阳守范雍裒合所作二百余篇，编为此集。考《石林诗话》有《过襄州留题驿亭》诗一首，《侍儿小名录拾遗》有《和蒨桃》诗一首，《合璧事类前集》有《春憾》一首、《春昼》一首，皆集中所无。盖《题驿亭》、《和蒨桃》二篇语皆浅率，《春昼》、《春憾》二首格意颇卑，雍殆有所持择，特为删汰，非遗漏也。准以风节著于时，而其诗含思凄婉，绰有晚唐之致。然骨韵特高，终非凡艳所可比。惟《湘山野录》所称《江南春》二首，及"野水无人渡，孤舟尽日横"二句，以为深入唐格，则殊不然。"野渡无人舟自横"，本韦应物《西涧绝句》，准点窜一二字，改为一联，殆类生吞活剥，尤不为工。准诗自佳，此二句实非其佳处，不足尽准所长也。（《四库提要》卷一五二）

忠愍诗思凄婉，盖富于情者。如《江南春》云："波渺渺，柳依依，孤村芳草远，斜日杏花飞。江南春尽离肠断，萍满汀洲人未归。"又云："杳杳烟波隔千里，白萍香散东风起。日落汀洲一望时，愁情不断如春水。"观此语意，疑若优柔无断者。至其端委庙堂，决澶渊之策，其气锐然奋仁者之勇，全与此不相类。盖人之难知也如此。（《诗人玉屑》卷十）

著录：晁公武《郡斋读书志·别集类中》、尤袤《遂初堂书目·别集类》、陈振孙《直斋书录解题·诗集类下》、《宋史·艺文志七》、杨士奇等《文渊阁书目》卷一〇、叶盛《菉竹堂书目》卷四、陈第《世善堂藏书目录》卷下、丁丙《善本书室藏书志》卷五、毛扆《汲古阁珍藏秘本书目》、钱谦益《绛云楼书目》卷三、《四库提要》卷一五二、金檀《文瑞楼藏书目录》卷六、孙星衍《孙氏祠堂书目内编》卷四、丁丙《善本书室藏书志》卷二六、邵懿辰《增订四库简明目录标注》卷一五、《北京图书馆古籍善本书目》、台湾《中央图书馆善本书目》。

版本：明弘治十三年王承裕刊本、明嘉靖十四年蒋鳌刻本、清康熙年间吴调元辨义堂刻本、清咸丰四年海昌沈氏怀珠吟馆刻本、清圣香楼刻本、清彭元瑞知圣道斋钞本、清史宝安影宋钞本、清袁氏贞节堂钞本、清宣统三年中华图书馆石印本、民国四年宜秋馆刊本。

王安石离京赴常州任。（王安石《上欧阳永叔书三》）

七月

四日，王安石至常州，视郡事。（王安石《上欧阳永叔书三》）

壬午（八日），欧阳修摄礼部侍郎。乙未（二十一日），兼判尚书礼部。

辛卯（十七日），令翰林学士承旨孙抃、御史中丞张昇磨勘转运使及提点刑狱课绩。（《续资治通鉴长编》卷一八六）

二十四日，孙复卒，66 岁。以嘉祐二年七月二十四日，以疾卒于家，享年六十有六。官至殿中丞。先生在太学时，为大理评事，天子临幸，赐以绯衣、银鱼。及闻其丧，恻然，予其家钱十万。而公卿大夫、朋友、太学之诸生相与吊哭，赙治其丧。于是，以其年十月二十七日，葬先生于郓州须城县卢泉乡之北扈原。先生治《春秋》不惑传注，不为曲说以乱经，其言简意明。方其病时，枢密使韩琦言之天子，选书吏给纸笔，命其门人祖无择就其家得其书十有五篇录之，藏于秘阁。（欧阳修《孙明复先生墓志铭并序》）

著有：《春秋尊王发微》十二卷（《宋史·艺文志一》）、《春秋总论》一卷（《宋史·艺文志一》）、《孙复集》十卷（《宋史·艺文志七》）。

《孙明复小集》一卷，宋孙复撰。《文献通考》载孙复《睢阳子集》十卷，《宋史·艺文志》亦同。此本出自泰安赵国麟家，仅文十九篇、诗三首。苏辙、欧阳修《墓碑》载：修谓于文得尹师鲁、孙明复，而意犹不足。盖宋初承五代之弊，文体卑靡。穆修、柳开始追古格，复与尹洙继之，风气初开，菁华未盛，故修之言云尔。然复之文根柢经术，谨严峭洁，卓然为儒者之言。与欧、苏、曾、王千变万化，务极文章之能事者，又别为一格。修所言似未可概执也。（《四库提要》卷一五二）

著录：郑樵《通志·艺文略八》、尤袤《遂初堂书目·别集类》、马端临《文献通考》卷二三五、《宋史·艺文志七》、焦竑《国史经籍志》卷五、《四库提要》卷一五二、丁丙《善本书室藏书志》卷二六、《北京图书馆古籍善本书目》。

版本：清乾隆四十年杏雨山堂刻本、清彭氏知胜道斋钞本、清光绪十五年孙葆田问经精舍重刊本。

刘煇与亲朋作《石井联句》。（刘煇《石井联句序》）

八月

乙巳朔（一日），降知襄州、兵部员外郎、知制诰贾黯知郢州。（《续资治通鉴长编》卷一八六）

（辽道宗清宁三年）辛亥（七日），帝以《君臣同志华夷同风诗》进皇太后。（《辽史·道宗纪一》）

九月

一日，王洙卒，61 岁。嘉祐二年九月甲戌朔，以疾卒，享年六十有一。累官至尚书吏部郎中，阶朝散大夫，勋轻车都尉，爵开国伯，食邑五百户。公以文儒进用，能因其所学为上开陈，其言缓而不迫。天子常喜其说，意有所欲，必以问之，无不能对。尝以涂金龙水笺，为飞白"词林"二字以褒之。至于朝廷他有司前言故实，皆就以考正。既领太常，吉凶礼典撰定尤多。尝修《集韵》，校定《史记》、前后《汉书》，编《国朝会要》、《乡兵制度》、《祖宗故事》、《三朝经武圣略》。皇祐中，大享明堂，翰林侍读学士宋祁言明堂礼废久，必得通知古今之学者。诏：公共草其仪，礼成，撰《大享明堂记》。又诏修雅乐。晚喜隶书，尤有古法。著《易传》十篇，其它文章千有余篇。（欧阳修《翰林侍读侍讲学士王公墓志铭并序》）

著有：《言象外传》十卷（《宋史·艺文志一》）、《祖宗故事》二十卷（《宋史·艺文志二》）、《皇祐方域记》三十卷（《宋史·艺文志三》）、《王洙谈录》一卷（《宋史·艺文志五》）、《地理新书》三十卷（《宋史·艺文志五》）、《三朝经武圣略》十卷（《宋史·艺文志六》）、《青囊括》一卷（《宋史·艺文志六》）、《昌元集》十卷（《宋史·艺文志七》）、《注杜诗》三十六卷（《宋史·艺文志七》）。

己卯（六日），欧阳修兼判秘阁秘书省。

十月

甲辰朔（一日），三司使张方平等上新编禄令十卷，名曰《嘉祐禄令》，遂颁行之。（《续资治通鉴长编》卷一八六）

己酉（六日），翰林学士、兼侍读学士、工部郎中、知制诰、史馆修撰胡宿为回谢契丹使。（《续资治通鉴长编》卷一八六）

十一月

二日，石扬休卒，63 岁。以嘉祐二年十一月二日卒于京师之第，享年六十三。君举进士二十四年而后登第，登第十八年而掌诰命，为侍从臣。平居泊然若无所为者，聚古图书，养猿鹤，以自娱。所著《南郊野录》六卷、《燕申编》二卷、《角上丛编》五卷、《西斋文集》十卷，其诗及杂文、制诰千余篇。（范镇《石工部扬休墓志铭》）

皇祐中，馆中诗笔石昌言扬休最得唐人风格。余尝携琴访之，一诗见谢，尤佳，曰："郑、卫湮俗耳，正声追不回。谁传《广陵操》，老尽峄阳材。古意为师复，清风寻我来。幽阴竹轩下，重约月明开。"恐遗泯，故录焉。（文莹《湘山野录》卷下）

辛巳（九日），欧阳修权判史馆。

戊戌（二十六日），昭德军节度使、知并州庞籍为观文殿大学士、户部侍郎、知青州。（《续资治通鉴长编》卷一八六）

十二月

先是，上封者言：“四年一贡举，四方士子客京师以待试者六七千人，一有喧噪，其徒众多，势莫之禁。且中下之士，往往废学数年；才学之士不幸有故，一不应诏，沉沦十数年，或累举滞留，遂至困穷，老且死者甚众。以此毁行冒法干进者，不可胜数。宜间岁一贡举，中分旧数而荐之。”王洙侍迩英阁讲《周礼》，至“三年大比，大考州里，以赞乡大夫废兴”。帝曰：“古者选士如此，今率四五岁一下诏，故士有抑而不得进者。为今之计，孰若裁其数而屡举也。”下有司议，而议者乃合奏曰：“臣等谓易以间岁之法，无害而有利，不足疑也。使举子不幸有疾病、丧服之故者，不至久沉。且程文偶不中选，旋亦遇贡举，则下无滞才之叹。而天下所荐数既减半，礼部主司易以详较，得士必精矣。近年挟书代笔传义者多，因使权贵豪富之子，得以滥进。盖由人众，有司无由检察。若人少则诸伪滥势自不容，使寒苦艺学之人得其途而进。”戊申（六日），诏：“自今间岁贡举，进士、诸科悉解旧额之半。进士增试时务策三条，诸科增试大义十条。又别置明经科，其试法：凡明两经或三经、五经者，各问墨义、大义十条，两经通八、三经通六、五经通五为合格。兼问《论语》、《孝经》十条，策三条，分八场，出身与进士等。以《礼记》、《春秋左氏传》为大经，《毛诗》、《周礼》、《仪礼》为中经，《周易》、《尚书》、《谷梁传》、《公羊传》为小经。其习《礼记》为大经者，许以《周礼》、《仪礼》为中经；习《春秋左氏传》者，许以《谷梁传》、《公羊传》为小经。旧置说书举，今罢之。其不远乡里而寓户他州以应选者，严其法。每秋赋，自县令佐察行义保任之，上于州；州长贰复审察得实，然后上本道使者类试。已保任而后有阙行，则州、县皆坐罪。若省试而文纰谬，坐元考官。”又用孙抃奏，诸州解试额多而中程少者，不必足额。（《续资治通鉴长编》卷一八六）

辛亥（九日），欧阳修权判三班院。

本年

邵伯温（1057—1134）生。邵伯温，字子文，洛阳人，康节处士雍之子也。以河南尹与部使者荐，特授大名府助教，调潞州长子县尉。绍圣初，章惇为相。惇尝事康节，欲用伯温，伯温不往。会法当赴吏部铨，而伯温愿补郡县吏，遂得监永兴军铸钱监。徽宗即位，以日食求言。伯温上书累数千言，又著书名《辨诬》。后崇宁、大观间，以元符上书人分邪正等，伯温在邪等中，以此书也。出监华州西岳庙，久之，知陕州灵宝县，徙芮城县。丁母忧，服除，主管永兴军耀州三白渠公事。除知果州。擢提点成都路刑狱，除利路转运副使，提举太平观。绍兴四年，卒，年七十八。著书有《河南集》、《闻见录》、《皇极系述》、《辨诬》、《辨惑》、《皇极经世序》、《观物内外篇解》近百卷。（《宋史》本传）

陈瓘（1057—1122）生。陈瓘，字莹中，南剑州沙县人。少好读书，不喜为进取学。父母勉以门户事，乃应举，一出中甲科。调湖州掌书记，签书越州判官。檄摄通判明州。章惇入相，瓘从众道谒。惇闻其名，独邀与同载，询当世之务，意虽忤惇，然亦惊异，颇有兼收之语。至都，用为太学博士。会卞与惇合志，正论遂绌。卞党薛昂、林自官学省，议毁《资治通鉴》，瓘因策士题引神宗所制序文以问，昂、自意沮。

迁秘书省校书郎。绍述之说盛，瓘奏哲宗言，帝反复究问，意感悦，约瓘再入见。执政闻而憾之，出通判沧州，知卫州。徽宗即位，召为右正言，迁左司谏。瓘论议持平，务存大体。罢监扬州粮料院。瓘出都门，缴四章奏之，并明宣仁诬谤事。改知无为军。明年，还为著作郎，迁右司员外郎兼权给事中。出知泰州。崇宁中，除名窜袁州、廉州，移郴州，稍复宣德郎。安置通州。尝著《尊尧集》，谓绍圣史官专据王安石《日录》，改修《神宗史》，变乱是非，不可传信；深明诬妄，以正君臣之义。张商英为相，取其书，既上，而商英罢，瓘又徙台州。在台五年，乃得自便。才复承事郎，帝批进目，以为所拟未当，令再叙一官。卜居江州，复有潜之者，至不许辄出城。旋令居南康，才至，又移楚。宣和六年卒，年六十六。谥曰忠肃。(《宋史》本传)

崔鶠（1057—1126）生。崔鶠，字德符，雍丘人，徙居颍州，遂为阳翟人。登进士第，调凤州司户参军、筠州推官。徽宗初立，以日食求言，鶠上书，帝览而善之，以为相州教授。后蔡京条籍上书人，以鶠为邪等，免所居官。久之，调绩溪令。移病归，始居郏城，治地数亩，为婆娑园。屏处十余年，人无贵贱长少，悉尊师之。宣和六年，起通判宁化军，召为殿中侍御史。既至而钦宗即位，授右正言。累章极论，时议归重。忽得挛疾，不能行。三求去，帝惜之，不许。吕好问、徐秉哲为言，乃以龙图阁直学士主管嵩山崇福宫，命下而卒。鶠平生为文至多，辄为人取去，箧无留者。尤长于诗，清峭雄深，有法度。无子，婿卫昂集其遗文，为三十卷，传于世。(《宋史》本传)

本年重要作品：

文：欧阳修《与渑池徐宰无党》、欧阳修《杜祁公墓志铭》、曾巩《拟岘台记》、王安石《上欧阳永叔书》、王安石《祭马龙图文》、苏洵《老翁井铭》、苏洵《祭亡妻文》、苏轼《谢欧阳内翰书》、苏轼《谢范舍人书》、苏轼《上梅龙图书》、苏轼《上梅直讲书》、周敦颐《吉州彭推官诗序》。

诗：欧阳修《答梅圣俞莫登楼》、欧阳修《答圣俞莫饮酒》、欧阳修《礼部贡院阅进士就试》、欧阳修《答王禹玉见赠》、欧阳修《赠沈博士歌》、欧阳修《长句送陆子履学士通判宿州》、欧阳修《奉酬扬州刘舍人见寄之作》、欧阳修《和刘原父平山堂见寄》、欧阳修《和原父扬州六题》、欧阳修《送梅龙图公仪知杭州》、欧阳修《答梅圣俞大雨见寄》、欧阳修《于刘功曹家见杨直讲褒女奴弹琵琶戏作呈圣俞》、欧阳修《西斋手植菊花过节始开偶书呈圣俞》、欧阳修《思白兔杂言戏答公仪忆鹤之作》、欧阳修《戏答圣俞》、欧阳修《和梅龙图公仪谢鹇》、欧阳修《和圣俞感李花》、欧阳修《和圣俞李侯家鸭脚子》、欧阳修《刑部看竹效孟郊体》、欧阳修《折刑部海棠戏赠圣俞二首》、欧阳修《乐哉襄阳人送刘太尉从广赴襄阳》、欧阳修《和梅圣俞元夕登东楼》、欧阳修《忆鹤呈公仪》、欧阳修《答王内翰范舍人》、欧阳修《戏答圣俞持烛之句》、欧阳修《春雪》、欧阳修《和梅公仪赏花》、欧阳修《和较艺书事》、欧阳修《和公仪赠白鹇》、欧阳修《和圣俞春雨》、欧阳修《和较艺将毕》、欧阳修《久病在告近方赴直偶成拙诗二首》、欧阳修《送石休扬还蜀》、梅尧臣《嘉祐二年七月九日大雨寄永叔内翰》、梅尧臣《较艺和王禹玉内翰》、梅尧臣《较艺赠永叔和禹玉》、梅尧臣《和永叔内翰》、梅尧臣《依韵和永叔劝饮酒莫吟诗杂言》、梅尧臣《出省有日书事和永叔》、梅尧臣《莫登楼》、梅尧臣《莫饮酒》、梅尧臣《和永叔内翰戏答》、梅尧臣《送曾子固苏轼》、梅尧臣《夜直广文有感寄曾子固》、梅尧臣《重送曾子固》、梅尧臣《八月十夜广文直闻永叔内当》、王安石《平山堂》、王安石《冲卿席上得行字》、王安石《酬冲卿见别》、王安石《为裴使君赋拟岘台》、苏辙《绝胜亭诗》、刘辉《石井联句》。

公元 1058 年（宋仁宗嘉祐三年　戊戌）

正月

　　己卯（八日），以福州进士陈烈为安州司户参军。烈性介僻，笃于孝友。庆历初预乡荐，黜于礼部，遂不复践场屋，从学者常数百人。天章阁待制曹颖叔知福州，荐之，授试校书郎、本州州学教授。于是，翰林学士欧阳修又荐之，故有是命。烈皆辞不受。（《续资治通鉴长编》卷一八七）

　　君谟察公出守福唐时，李泰伯遄自建昌携文迓之。一日，命遄及陈孝廉烈早膳于后囿望海亭，不设樽酒。膳罢，欲起。时方暮春，鬻酒于园，郡人嬉游。藉姬数子时亦寻芳于此，既太守在亭，因敛袖声喏而过。蔡公遂留之，旋命觞具，就以为侑。酒方行，举歌一拍，陈烈者惊惧怖骇，越墙攀木而遁。泰伯即席赋诗云："七闽山水掌中窥，乘兴登临到落晖。谁在画帘沽酒处，几多鸣橹趁潮归。晴来海色依稀见，醉后乡心积渐微。山鸟不知红粉乐，一声檀板便惊飞。"盖讥其矫之过也。（文莹《湘山野录》）

二月

　　丙辰（十五日），诏新提点江南东路刑狱沈康知常州，知常州王安石提点江南东路刑狱。以谏官陈旭言康才品凡下，又素无廉白之称，故易之。（《续资治通鉴长编》卷一八七）

三月

　　辛未朔（一日），翰林学士欧阳修兼侍读学士。修固辞不拜。（《续资治通鉴长编》卷一八七）

　　己卯（九日），起居舍人、集贤殿修撰、同修起居注范镇知制诰，太常丞、直集贤院、同修起居注、判都磨勘司冯京为右正言、龙图阁待制。（《续资治通鉴长编》卷一八七）

　　辛巳（十一日），礼部贡院言："奉诏再详定科举条制，应天下进士、诸科解额各减半。明经别试而系诸科解名，无诸科处许解一人。开封府进士二百一十人，诸科一百六十人；国子监进士一百人，诸科十五人；明经各一十人，并为定额。礼部奏名进士二百人，诸科、明经不得过进士之数。别头试每路百人解一十五人，五人以上解一人，不及五人送邻路试。凡户贯及七年者，若无田舍而有祖、父坟者，并听。"从之。

(《续资治通鉴长编》卷一八七)

二十二日，田京卒，67 岁。公讳京，字简之。天圣初登进士第，补蜀州司法参军，还为祥符县尉。嘉祐二年，迁谏议大夫。明年，以疾求便郡除，知颍州，仍赐太医护行。未拜命而薨，三月二十二日也，享年六十七。所著《文集》二十卷、《奏议》十卷、《应制集》十三卷。（郑獬《步军、《奏议》十卷（《宋史》本传）、《田京文集》二十卷（郑獬《步军部署田公行状》）、《应制集》十三卷（郑獬《步军部署田公行状》）。

春

曾巩调太平州司法参军，自江西赴任。

四月

十五日，吴育卒，55 岁。嘉祐四年十一月丁未，资政殿大学士、金紫光禄大夫、尚书左丞、知河南府兼西京留守司、上柱国、渤海郡开国公、食邑二千八百户、食实封八百户、赠吏部尚书、谥曰正肃吴公，葬于郑州新郑县崇义乡朝村之原。公享年五十有五，以嘉祐三年四月十五日卒于位，诏：辍朝一日。有文集五十卷，尤长于议论。（欧阳修《资政殿大学士尚书左丞赠吏部尚书正肃吴公墓志铭》）

著有：《吴育集》五十卷（欧阳修《吴公墓志铭》）。

六月

丙午（七日），吏部尚书、平章事文彦博罢为河阳三城节度使、同平章事、判河南府。户部侍郎、平章事、集贤殿大学士富弼加礼部尚书、昭文馆大学士，枢密使、工部尚书韩琦依前官平章事、集贤殿大学士。枢密使、山南东路节度使、同平章事贾昌朝罢为镇东节度使、右仆射、兼侍中、景灵宫使。观文殿大学士、兵部尚书宋庠为枢密使、同平章事。枢密副使、礼部侍郎田况为枢密使，户部侍郎、参知政事王尧臣加吏部侍郎，给事中、参知政事曾公亮加礼部侍郎，枢密使、户部侍郎程戡加吏部侍郎，右谏议大夫、权御史中丞张昇为枢密副使。（《续资治通鉴长编》卷一八七）

庚戌（十一日），翰林学士欧阳修兼龙图阁学士、权知开封府。修承包拯威严之后，一切循理，不事风采。或以为言，修曰："人才性各有短长，实不能舍所长、强所短也。"龙图阁直学士、左司郎中、权知开封府包拯为右谏议大夫、权御史中丞。（《续资治通鉴长编》卷一八七）

七月

癸酉（五日），福州进士周希孟为国子监四门助教、本州州学教授，以知州蔡襄言其文行为乡里所推也。襄，世闽人，知其风俗。往时，闽士多好学，而专用赋以应科举。襄得希孟，专用经术，传授学者，尝至数百人。襄亲至学舍，执经讲问，为诸生

率。延见处士陈烈，尊以师礼。陈襄、郑穆，学行著称，襄皆折节待之。(《续资治通鉴长编》卷一八七)

八月

二十一日，王尧臣卒，56 岁。嘉祐元年三月，拜户部侍郎、参知政事。三年，迁吏部侍郎。八月二十一日，以疾薨于位，享年五十有六。公在政事，论议有所不同，必反复切劘，至于是而后止，不为独见。在上前所陈天下利害甚多，至施行之，亦未尝自名。其所设施与在枢密时特异，岂政事者丞相府也，其体自宜如是耶？公为人纯质，虽贵显不忘俭约。与其弟纯臣相友爱，世称孝悌者言王氏。遇人一以诚意，无所矫饰，善知人，多所称，荐士为时名臣者甚众。有《文集》五十卷。将终，口授其弟纯臣遗奏，以宗庙至重、储嗣未立为忧。天子愍然，临其丧，辍视朝一日。赠左仆射、太常，谥曰文《总目》六十六卷(《宋史·艺文志三》)。

十月

十五日，陈世修辑冯延巳《阳春集》并序。

《阳春集》，一卷，收录冯延巳词一百二十首。

南唐相国冯公延巳，乃余外舍祖也。公与李江南有布衣旧，因以渊谟大计，弼成宏业。江南有国，以其勋贤，遂登台甫。与弟文昌左相延鲁，俱竭虑于国，庸功日著，时称二冯焉。公以金陵盛时，内外无事，朋僚亲旧，或当燕集，多运藻思，为乐府新词。俾歌者倚丝竹而歌之，所以娱宾而遣兴也。日月寝久，录而成编。观其思深辞丽，韵律调新，真清奇飘逸之才也。噫！公以远图长策翊李氏，卒令有江介地，而居鼎辅之任，磊磊乎才业何其壮也！及乎国已宁，家已成，又能不矜不伐，以清商自娱，为之歌诗以吟咏性情，飘飘乎才思何其清也！核是之美，萃之于身，何其贤也！公薨之后，吴王纳土，旧帙散失，十无一二。今采获所存，勒成一帙，藏之于家云。(陈世修《阳春集序》)

南唐起于江左，祖尚声律。二主倡于上，翁和于下，遂为词家渊丛。翁俯仰身世，所怀万端；缪悠其辞，若显若晦；揆之六义，比兴为多。若《三台令》、《归国遥》、《蝶恋花》诸作，其旨隐，其词微，类劳人、思妇、羁臣、屏子郁伊怆恍之所为。翁何致而然耶？周师南侵，国势岌岌。中主既昧本图，汶暗不自强，强邻又鹰瞵而鹗睨之。而务高拱，溺浮采，芒乎芴乎，不知其将及也。翁具才略，不能有所匡救。危苦烦乱之中，郁不自达者，一于词发之。其忧生念乱，意内而言外，迹之唐五季之交，韩致尧之于诗，翁之于词，其义一也。(冯煦《阳春集序》)

冯延巳词，晏同叔得其俊，欧阳永叔得其深。(刘熙载《艺概·词曲概》)

著录：尤袤《遂初堂书目·乐曲类》、陈振孙《直斋书录解题·歌词类》。

版本：正统吴讷《唐宋明贤百家词》抄本、康熙二十八年侯文灿《十名家词集》刻本、康熙萧江声抄本、光绪十五年王鹏运《四印斋所刻词》刻本、赵辑宁星凤阁抄本。

甲子（二十七日），提点江南东路刑狱、祠部员外郎王安石为度支判官。安石献书万言，极陈当世之务。（《续资治通鉴长编》卷一八八）

眼前有如许看不过事，胸中有如许遏不住话，滚滚万言，慷慨恣睢，固不可以相业之狼狈而议及上书之忠切。敷奏明试，正当别论耳。（《唐宋十大家全集录·临川先生全集录一》引吴蔚起评《上仁宗皇帝言事书》）

欧、苏诸公上书，多条陈数事，其体出于贾谊《陈政事疏》。此篇只言一事，而以众法之善败经纬其中，义皆贯通，气能包举，遂觉高出同时诸公之上。（《古文约选》引方苞评《上仁宗皇帝言事书》）

十一月

五日，苏洵召试舍人院，苏洵称病不赴。

癸酉（六日），命翰林学士韩绛、谏官陈旭、御史吕景初同三司详定省减冗费。（《续资治通鉴长编》卷一八八）

闰十一月

先是，朝议以科举既数，则高第之人倍众，其擢任恩典，宜损于故，诏中书门下裁之。丁丑（十一日），诏曰："朕唯国之取士，与士之待举，不可旷而冗也。故立间岁之期，以励其勤；约贡举之数，以精其选，著为定式，申敕有司。而高第之人，日尝不次而用，若循旧例，终至滥官，甚无谓也。自今制科入第三等与进士第一，除大理评事、签书两使幕职官事，代还升通判，再任满试馆职；制科入第四等与进士第二、第三，除两使幕职官，代还改次等京官；制科入第四等次与进士第四、第五，除试衔知县，代还迁两使职官，锁庭人视此。若夫高材异行，施于有政而功状较然者，当以茂恩擢焉。"自是骤显者鲜，而所得人材及其风迹，比旧亦浸衰。（《续资治通鉴长编》卷一八七）

本年

李觏除通州海门主簿、太学说书。（魏峙《李直讲年谱》）

蔡卞（1058—1117）生。卞字元度，与京同年登科，调江阴主簿。王安石妻以女，因从之学。元丰中，为国子直讲，加集贤校理、崇政殿说书，擢起居舍人，历同知谏院、侍御史。居职不久，皆以王安石执政亲嫌辞。拜中书舍人兼侍讲，进给事中。哲宗立，迁礼部侍郎。使于辽，使还，以龙图阁待制知宣州，徙江宁府，历扬、广、越、润、陈五州。绍圣元年，复为中书舍人。以卞兼国史修撰。迁翰林学士。四年，拜尚书左丞，专托"绍述"之说。徽宗即位，诏以资政殿学士知江宁府，连贬少府少监、分司池州。才逾岁，起知大名府，徙扬州，召为中太乙宫使，擢知枢密院。时京居相位，卞礼辞，不许。京于帝前诋卞，卞求去，以资政殿大学士知河南。妖人张怀素败，卞素与之游，谓其道术通神，坐降职。旋加观文殿学士，拜昭庆军节度使，入为侍读，进检校少保、开府仪同三司，易节镇东。政和末，谒归上冢，道死，年六十。赠太傅，谥曰文正。高宗即位，追责为宁国军节度副使。绍兴五年，又贬单州团练副使。（《宋史》本传）

陈恬（1058—1131）生。陈恬，字叔易，阳翟人。为秘书省校书郎，后弃官，上筑嵩华间，号涧上丈人。能书。（《书史会要》卷六）

本年重要作品：

文：欧阳修《浮槎山水记》、欧阳修《祭吴尚书文》、苏洵《木假山记》、苏洵《上皇帝书》、曾巩《洪州新建县厅壁记》、曾巩《思政堂记》、曾巩《代人祭李白文》、王安石《与刘原父书》、王安石《城陂院兴造记》、王安石《上仁宗皇帝言事书》、苏轼《上知府王龙图书》。

诗：欧阳修《谢观文王尚书惠西京牡丹》、欧阳修《归田四时乐春夏二首》、欧阳修《送公期得假归绛》、欧阳修《送宋次道学士敏求赴太平州》、欧阳修《送朱职方表臣提举运盐》、欧阳修《尝新茶呈圣俞》、欧阳修《乐郊诗》、欧阳修《洗儿歌》、欧阳修《送沈学士康知常州》、欧阳修《圣俞在南省监印进士试卷有兀然独坐之叹因思去岁同在礼闱慨然有感兼简子华景仁》、欧阳修《琴高鱼》、梅尧臣《续永叔归田乐秋冬二首》、梅尧臣《永叔内翰见索谢公游嵩书感叹希深师鲁子聪几道皆为异物独公与余二人在因作五言以续之》、梅尧臣《苏明允木山》、梅尧臣《依韵和永叔都亭馆伴戏寄》、梅尧臣《送祖择之学士北使》、梅尧臣《依韵答永叔洗儿歌》、梅尧臣《送次道学士知太平州因寄曾子固》、苏洵《答二任》、曾巩《谒李白墓》、王安石《送沈康知常州》、王召归》、张先《冬日郡斋书事》。

公元 1059 年（宋仁宗嘉祐四年 己亥）

正月

十一日，以翰林学士胡宿权知贡举，翰林侍读学士吕溱、知制诰刘敞并权同知贡举，合格奏名进士刘挚已下二百人。（《宋会要辑稿·选举一》）

太子中允、天章阁侍讲、管勾太学胡瑗病不能朝。戊申（十三日），援太常博士，致仕。瑗归海陵，诸生与朝士祖饯东门外，时以为荣。（《续资治通鉴长编》卷一八九）

己酉（十四日），祠部郎中、崇文院检讨官吕公著为天章阁侍讲。公著以疾辞，乞改命直秘阁司马光、度支判官王安石，不报。观文殿大学士、左仆射陈执中屡以疾请老，不许，自亳州徙河南，又徙曹州，皆不行。道京师，称笃，乃赐告就第，上遣使赐以名药。（《续资治通鉴长编》卷一八九）

二月

丁卯（二日），授陈执中司徒、岐国公致仕。遇大朝会，许缀中书门下班，出入如二府仪。（《续资治通鉴长编》卷一八九）

戊辰（三日），欧阳修免知开封府，转给事中、同提举在京诸司库务。

十四日，置馆阁编定书籍官，以秘阁校理蔡抗、陈襄、集贤校理苏颂、馆阁校勘陈绎，分昭文、史馆、集贤院、秘阁书而编定之。抗，挺兄；颂，绅子；绎，开封人也。初，右正言、秘阁校理吴及言："祖宗更五代之弊，设文馆以待四方之士，而卿相率由此进，故号令风采不减汉、唐。近年用内臣监馆阁书库，借出书籍亡失已多。又简编脱略，书吏补写不精，非国家崇尚儒学之意。请选馆职三两人，分馆阁人吏编写书籍。其私借出与借之者，并以法坐之。仍请求访所遗之书。"乃命抗等仍不兼他局，二年一代，别用黄纸印写正本，以防蠹败。（《续资治通鉴长编》卷一八九）

二十八日，帝御崇政殿，试礼部奏名进士。内出《尧舜性仁赋》、《求遗书于天下诗》、《易简得天下之理论》题。（《宋会要辑稿·选举七》）

欧阳修、韩绛、江休复为御试进士详定官。

三月

一日，试特奏名进士。内出《云覆丛著诗》、《中者天下之大本论》题。（《宋会要辑稿·选举七》）

戊戌（四日），命翰林学士韩绛、权知开封府陈旭、天章阁待制唐介与三司减定民间科率以闻。（《续资治通鉴长编》卷一八九）

己亥（五日），三司使、吏部侍郎张方平为端明殿学士、兼龙图阁学士、尚书左丞、知陈州，寻改知应天府。端明殿学士、兼翰林侍读学士、吏部侍郎、集贤殿修撰宋祁为三司使。（《续资治通鉴长编》卷一八九）

丁未（十三日），御崇政殿，赐进士铅山刘辉等一百三十一人及第，三十二人同出身；诸科一百七十六人及第、同出身；特奏名进士、诸科六十五人同出身，及诸州文学、长史授官如三年闰十二月丁丑诏书。（《续资治通鉴长编》卷一八九）

登进士第：刘辉、胡宗俞、安焘、刘挚、章惇、关井仁、张挺卿、韩宗道、王伯虎、王觌、徐徽、丁偃、姚勔、庄公岳、杨杰、曹确、单锷、俞充、丰稷、晁端彦、林邵、林颜、王得臣、蔡确、于房、朱长文、张蒭、罗彦辅、曾庠等。

辉，嘉祐四年进士第一人，《尧舜性仁赋》至今人所传诵。始在场屋有声，文体奇涩，欧公恶之，下第。及是在殿庐得其赋，大喜，既唱名，乃辉也。公为之愕然，盖与前所试文如出二人手，可谓速化矣。（陈振孙《直斋书录解题》卷一七）

嘉祐中士人刘几，累为国学第一人。骤为怪险之语，学者翕然效之，遂成风俗。欧阳公深恶之。会公主文，决意痛惩，凡为新文者，一切弃黜。时体为之一变，欧阳之功也。有一举人论曰："天地轧，万物茁，圣人发。"公曰："此必刘几也。"戏续之曰："秀才刺，试官刷。"乃以大朱笔横抹之，自首至尾，谓之"红勒帛"，判"大纰缪"字榜之。既而，果几也。复数年，公为御试考官，而几在庭，公曰："除恶务力，今必痛斥轻薄子，以除文章之害！"有一士人论曰："主上收精藏明于冕旒之下。"公曰："吾已得刘几矣！"既黜，乃吴人萧稷也。是时，试《尧舜性仁赋》，有曰："故得静而延年，独高五帝之寿；动而有勇，形为四罪之诛。"公大称赏，擢为第一人。及唱名，乃刘辉。人有识之者，曰："此刘几也，易名矣。"公愕然久之，因欲成就其名。小赋有"内积安行之德，盖禀于天"，公以谓"积"近于学，改为"蕴"，人莫不以公为知言。（沈括《梦溪笔谈》卷九）

壬子（十八日），徙知扬州冯京知庐州。（《续资治通鉴长编》卷一八九）

戊午（二十四日），翰林侍读学士、吏部郎中吕溱为礼部郎中、知舒州。（《续资治通鉴长编》卷一八九）

己未（二十五日），新三司使、吏部侍郎宋祁为端明殿学士、翰林侍读学士、龙图阁学士、集贤殿修撰、知郑州。右谏议大夫、权御史中丞包拯为枢密直学士、权三司使。（《续资治通鉴长编》卷一八九）

四月

壬申（八日），李淑卒。

河中府言：端明殿学士兼翰林侍读学士、龙图阁学士、户部侍郎、集贤殿修撰李淑卒。赠尚书右丞，特赠黄金百两。淑警慧过人，博习诸书，详练朝廷典故。凡有沿革，帝必咨访。在内外制作诰命，颇为时所称。其他诗、赋、碑、记，多裁取古语骈偶之，务为奇险僻奥，能文者不之爱也。既喜倾诐，故屡为言者所斥，讫不得志，抑郁以死。（《续资治通鉴长编》卷一八九）

著有：《三朝宝训》三十卷（陈振孙《直斋书录解题·典故类》）、《三朝训鉴图》十卷（陈振孙《直斋书录解题·典故类》）、《三朝训览图》十卷（《宋史·艺文志二》）、《耕籍类事》五卷（《宋史·艺文志二》）、《阁门仪制》十二卷（《宋史·艺文志三》）、《王后仪范》三卷（《宋史·艺文志三》）、《邯郸书目》十卷（《宋史·艺文志三》）、《书殿集》二十卷（《宋史·艺文志七》）、《诗苑类格》三卷（《宋史·艺文志八》）。

十二日，欧阳修兼充群牧使。

十八日，陈执中卒，70 岁。 嘉祐四年二月制除，守司徒、岐国公致仕。越四月十八日，薨，享年七十。属乾元节宴，群臣是日休暇，乘舆临哭，辍，不视朝三日。荣赠太师，兼侍中。议谥曰恭。（张方平《陈公神道碑铭》）

五月

三日，以新及第进士第一人刘辉为大理评事、金书河中府观察判官公事；第二人胡宗俞、第三人安焘为两使幕职官；第四人刘挚、第五人章惇并试衔知县；第六人已下并《九经》、明经及第，并为试衔大郡判司、大县主簿；第二甲，并试衔判司、主簿、尉；第五甲并诸科，同出身，并守选。（《宋会要辑稿·选举二》）

丙午（十三日），徙知并州、观文殿学士、礼部侍郎孙沔知寿州。（《续资治通鉴长编》卷一八九）

壬子（十九日），度支判官、祠部员外郎王安石累除馆职，并辞不受。 中书门下具以闻，诏令直集贤院。安石犹累辞，乃拜。（《续资治通鉴长编》卷一八九）

枢密使、礼部侍郎田况暴中风瘖，久在病告，十上章求去位。丙辰（二十三日），罢为尚书右丞、观文殿学士、兼翰林侍读学士，提举景灵宫。（《续资治通鉴长编》卷一八九）

六月

一日，王令卒，28岁。五岁而孤，二十八而卒。卒之十三日，嘉祐四年九月丙申，葬于常州武进县南乡薛村之原。（王安石《王逢原墓志铭》）

著有：《论语注》十卷（《宋史·艺文志一》）、《孟子讲义》五卷（《宋史·艺文志四》）、《王令集》二十卷（《宋史·艺文志八》）、《广陵文集》六卷（《宋史·艺文志七》）。

《广陵集》三十一卷，宋王令撰。凡诗赋十八卷、文十二卷、又拾遗一卷，墓志、事状及交游、投赠、追述之作皆附焉。令才思奇轶，所为诗磅礴奥衍，大率以韩愈为宗，而出入于卢仝、李贺、孟郊之间。虽得年不永，未能锻炼以老其材，或不免纵横太过，而视局促剽窃者流，则固倜倜乎远矣。刘克庄《后村诗话》尝称其《暑旱苦热》诗骨力老苍，识度高远。又称其《富公由并州入相》、《答孙莘老》、《闻雁》诸篇，古文如《性说》等篇，亦自成一家之言。王安石于人少许可，而最重令。同时胜流如刘敞等，并推服之，固非阿私所好矣。（《四库提要》卷一五三）

著录：郑樵《通志·艺文略八》、陈振孙《直斋书录解题·别集类中》、《宋史·艺文志七》、杨士奇等《文渊阁书目》卷九、叶盛《菉竹堂书目》卷三、孙能传等《内阁藏书目录》卷三、陈第《世善堂藏书目录》卷下、毛扆《汲古阁珍藏秘本书目》、钱谦益《绛云楼书目》卷三、《四库提要》卷一五三、陆心源《皕宋楼藏书志》卷七六、丁丙《善本书室藏书志》卷二七、邵懿辰《增订四库简明目录标注》卷一五、缪荃孙《艺风藏书记》卷六、《北京图书馆古籍善本书目》、台湾《中央图书馆善本书目》。

版本：王氏十万卷楼钞本、八千卷楼钞本。

逢原集中佳句颇多，如《读老杜诗》："镌劖物象三千首，照耀乾坤四百春。"《瓜洲渡》云："风力引云行玉马，水光连日动金蛇。"《谢满子权寄诗》云："九原黄土英灵活，万古青天霹雳飞。"（魏庆之《诗人玉屑》卷十八引《桐江诗话》）

逢原诗学韩、孟，肌理亦粗，而吴钞乃谓其高远过于安石。大抵吴钞不避粗犷，不分雅俗，不择浅深耳。（翁方纲《石洲诗话》卷三）

六日，胡瑗卒，67岁。皇祐中，驿召至京师，议乐复以为大理评事，兼大常寺主簿，又以疾辞。岁余，为光禄寺丞、国子监直讲，乃居太学。迁大理寺丞，赐绯衣银鱼。嘉祐元年，迁太子中允，充天章阁侍讲，仍居太学。已而，病不能朝，天子数遣使者存问，又以太常博士致仕。东归之日，太学之诸生与朝廷贤士大夫送之东门，执弟子礼，路人嗟叹以为荣。以四年六月六日卒于杭州，享年六十有七。以明年十月五日葬于乌程何山之原。（欧阳修《胡先生墓表》）

著有：《周易口义》十三卷（陈振孙《直斋书录解题·易类》）、《安定先生言行录》二卷（陈振孙《直斋书录解题·传记类》）、《景祐乐府奏议》一卷（陈振孙《直斋书录解题·音乐类》）、《皇祐乐府奏议》一卷（陈振孙《直斋书录解题·音乐类》）、《洪范解》一卷（晁公武《郡斋读书志·书类》）、《吉凶书仪》二卷（晁公武《郡斋读书志·仪注记》）、《系辞说卦》三卷（《宋史·艺文志一》）、《尚书全解》二十八卷（《宋史·艺文志一》）、《春秋口义》五卷（《宋史·艺文志一》）。

己巳（七日），太子中允王陶、大理评事赵彦若、国子博学傅卞、于潜县令孙洙并为馆阁编校书籍官，馆阁编校书籍自此始。（《续资治通鉴长编》卷一八九）

甲申（二十二日），欧阳修删定《景祐广乐记》。

秋

欧阳修作《秋声赋》。

近时，欧阳文忠公《秋声》乃规摹李白，其实则与刘梦得、杜牧之相先后者。（李之仪《又与友人往还》）

模写之工，转折之妙，悲壮顿挫，无一字尘浣。（楼昉《崇古文诀》卷一八）

秋声，无形者也，却写得形色宛然。读之使人悄然而悲，肃然而恐，真可谓绘风手也。（《山晓阁选宋大家欧阳庐陵全集》卷一钟惺评）

七月

丙申（四日），太子中允王陶为监察御史里行。（《续资治通鉴长编》卷一九〇）

甲辰（十二日），贬观文殿学士、礼部侍郎、知寿州孙沔为检校工部尚书、宁国军节度副使。（《续资治通鉴长编》卷一九〇）

八月

乙亥（十三日），御崇政殿，策试应才识兼茂明于体用科明州观察推官陈舜俞，贤良方正直言极谏旌德县尉钱藻、汪辅之。舜俞、藻所对策并入第四等，授舜俞著作佐郎、签书忠正军节度判官事，藻试校书郎、无为军判官。辅之亦入等，监察御史里行沈起言其无行，罢之。辅之躁忿，因以书诮让富弼曰："公为宰相，但奉行台谏风旨而已，天下何赖焉！"弼不能答。舜俞，乌程人；藻，瑬五世孙也。（《续资治通鉴长编》卷一九〇）

庚寅（二十八日），降知河阳、龙图阁直学士、工部侍郎李柬之为给事中、知虢州，知苏州、工部郎中、知制诰王琪为度支员外郎、知饶州，并坐失保任也。（《续资治通鉴长编》卷一九〇）

李觏卒，51 岁。李觏，字泰伯，旴江人也。以文章知名，通经术，四方从学者常数百人。素不喜孟子，以为孔子尊王，孟子教诸侯为王。泰伯有富国强兵之学，以海门簿召赴太学说书以卒。其所为文十七卷，号《退居类稿》。（据王偁《东都事略·儒学传》）

著有：《删定易图论》一卷（陈振孙《直斋书录解题·易类》）、《太平论》十卷（陈振孙《直斋书录解题·别集类中》）、《后集》六卷（陈振孙《直斋书录解题·别集类中》）、《退居类稿》十二卷（晁公武《郡斋读书志·别集类四》）、《皇祐续稿》八卷（晁公武《郡斋读书志·别集类四》）、《当语》三卷（晁公武《郡斋读书志·别集类四》）。

十月

四日，苏洵携苏轼、苏辙兄弟离眉州，赴京。

十一月

甲午（三日），知制诰刘敞、范镇同看详诸州编配罪人。（《续资治通鉴长编》卷一九〇）

己亥（八日），以河南处士邵雍为将作监主簿。本府以遗逸荐，故有是命。后再命为颖州团练推官，皆辞疾不起。（《续资治通鉴长编》卷一九〇）

十二月

八日，苏洵、苏轼、苏辙父子三人途中所作诗文汇为《南行前集》，苏轼为之序。

夫昔之为文者，非能为之为工，乃不能不为之为工也。山川之有云，草木之有华实，充满勃郁，而见于外。夫虽欲无有，其可得耶！自少闻家君之论文，以为古之圣人有所不能自己而作者。故轼与弟辙为文至多，而未尝敢有作文之意。己亥之岁，侍行适楚，舟中无事，博弈饮酒，非所以为闺门之欢。而山川之秀美，风俗之朴陋，贤人君子之遗迹，与凡耳目之所接者，杂然有触于中，而发于咏叹。盖家君之作与弟辙之文皆在，凡一百篇，谓之《南行集》。将以识一时之事，为他日之所寻绎，且以为得于谈笑之间，而非勉强所为之文也。时十二月八日，江陵驿书。（苏轼《南行前集叙》）

本年

（辽道宗清宁五年）是年，上御百福殿，放进士梁援等百一十五人。（《辽史·道宗纪一》）

李廌（1059—1109）生。李廌，字方叔。六岁而孤，能自奋立，少长，以学问称乡里。谒苏轼于黄州，赞文求知。轼谓其笔墨澜翻，有飞沙走石之势，拊其背曰："子之才，万人敌也，抗之以高节，莫之能御矣。"益闭门读书，又数年，再见轼，轼阅其所著，叹曰："张耒、秦观之流也。"乡举试礼部，轼典贡举，遗之，赋诗以自责。吕大防叹曰："有司试艺，乃失此奇才耶！"轼与范祖禹谋曰："廌虽在山林，其文有锦衣玉食气，弃奇宝于路隅，昔人所叹，我曹得无意哉！"将同荐诸朝，未几，相继去国，不果。轼亡，廌哭之恸，即走许、汝间，相地卜兆授其子，中年绝进取意，谓颍为人物渊薮，始定居长社，县令李佐及里人买宅处之。卒，年五十一。（《宋史》本传）

郑居中 (1059—1123) 生。郑居中，字达夫，开封人。登进士第。崇宁中，为都官礼部员外郎，起居舍人，至中书舍人、直学士院。初，居中自言为贵妃从兄弟，妃从藩邸进，家世微，亦倚居中为重，由是连进擢。会妃父绅客祝安中者，上书涉谤讪，言者并及居中，罢知和州，徙颍州。明年，归故官，迁给事中、翰林学士。大观元年，同知枢密院。改资政学士、中太一宫使兼侍读。妃正位中宫，复以嫌，罢为观文殿学士。政和中，再知枢密院，官累特进。帝亦恶京专，寻拜居中少保、太宰，使伺察之。居中存纪纲，守格令，抑侥幸，振淹滞，士论翕然望治。丁母忧，旋诏起复。逾年，加少傅，得请终丧。服除，以威武军节度使使佑神观。还领枢密院，加少师。连封崇、宿、燕三国公。燕山平，进位太保，自陈无功，不拜。入朝，暴遇疾归舍，数日卒，年六十五。赠太师、华原郡王，谥文正。帝亲表其隧曰："政和寅亮醇儒宰臣文正郑居中之墓。"(《宋史》本传)

本年重要作品：

文：欧阳修《秋声赋》、欧阳修《有美堂记》、欧阳修《病暑赋》、苏洵《极乐院造六菩萨记》、苏洵《王荆州画像赞》、王安石《王逢原挽辞》、苏轼《南行前集叙》、苏轼《上王兵部书》、苏辙《巫山赋》、苏辙《屈原庙赋》。

诗：欧阳修《详定幕次呈同舍》、欧阳修《代鸠妇言》、欧阳修《看花呈子华内翰》、欧阳修《禁中见鞓红牡丹》、欧阳修《和圣俞唐书局后丛莽中得芸香一本之作用其韵》、欧阳修《和江邻几学士桃花》、欧阳修《啼鸟》、欧阳修《会饮圣俞家有作兼呈原父景仁圣从》、欧阳修《唐崇徽公主手痕和韩内翰》、欧阳修《小饮坐中赠别祖择之赴陕府》、欧阳修《鸣鸠》、欧阳修《夜闻风声有感呈原父圣俞》、欧阳修《答圣俞白鹦鹉杂言》、欧阳修《清明风雨三日不出因书所见呈圣俞》、欧阳修《依韵奉酬圣俞见赠之作》、欧阳修《送刁纺推官归润州》、欧阳修《夜坐弹琴有感二首呈圣俞》、欧阳修《奉答圣俞岁日书事》、欧阳修《夜闻春风有感寄子华长文景仁》、欧阳修《送王平甫下第》、欧阳修《对雪十韵》、欧阳修《和武平学士岁晚禁直书怀》、欧阳修《病告中怀子华原父》、欧阳修《明妃曲和王介甫作》、欧阳修《再和明妃曲》、梅尧臣《和永叔六篇》、梅尧臣《九日永叔长文原甫景仁邻几持国过饮》、梅尧臣《韵语答永叔内翰》、梅尧臣《嘉祐己亥岁旦永叔内翰》、梅尧臣《唐书局丛莽中得芸香一本》、梅尧臣《送祖择之赴陕府》、苏洵《自尤诗》、苏洵《游嘉州龙岩》、苏洵《游陵云寺》、苏洵《初发嘉州》、苏洵《仙都山鹿并叙》、苏洵《题仙都观》、苏洵《题白帝庙》、苏洵《神女庙》、王安石《明妃曲二首》、王安石《解使事泊棠荫时三弟皆在京师》、王安石《韩持国见访》、王安石《省中二首》、王安石《送陈舜俞制科东归》、曾巩《明妃曲二首》、苏轼《舟中听大人弹琴》、苏轼《初发嘉州》、苏轼《过宜宾见夷中乱山》、苏轼《夜泊牛口》、苏轼《江上看山》、苏轼《留题仙都观》、苏轼《屈原塔》、苏轼《望夫台》、苏轼《昭君村》、苏轼《八阵碛》、苏辙《郭纶》、苏辙《舟中听琴》、苏辙《初发嘉州》、苏辙《过宜宾见夷中乱山》、苏辙《夜泊牛口》、苏辙《江上看山》、苏辙《留题仙都观》、苏辙《屈原塔》、苏辙《望夫台》、苏辙《昭君村》、苏辙《八阵碛》、苏辙《严颜碑》、苏辙《竹枝歌》、苏辙《滟滪堆》、苏辙《入峡》、苏辙《巫山庙》、苏辙《巫山庙乌》、苏辙《三游洞》、王令《平山堂寄欧阳公》、刘敞《杂咏》。

公元1060年(宋仁宗嘉祐五年 庚子)

正月

戊戌(八日),降新知信州、屯田员外郎蔡挺知南康军。(《续资治通鉴长编》卷一九一)

二月

戊辰(九日),太常丞、监察御史里行王陶为右正言,谏院供职。(《续资治通鉴长编》卷一九一)

十五日,苏洵父子三人抵京师,集途中所作诗文为《南行后集》。

五年庚子自江陵至京师,途中所为诗赋又七十三篇,为《南行后集》。辙有《南行后集引》。(孙汝听《苏颍滨年表》)

乙亥(十六日),户部判官、太常博士、集贤校理钱公辅知明州。(《续资治通鉴长编》卷一九一)

丁丑(十八日),观文殿大学士、兼翰林侍读学士、尚书左丞、提举景灵宫田况为太子少傅致仕。(《续资治通鉴长编》卷一九一)

三月

四日,观文殿学士、刑部尚书刘沆卒,66岁。刘沆,字冲之,吉州永新人也。倜傥任气,以进士起家,为大理评事、通判舒州。以观文殿大学士、工部尚书、知应天府。迁刑部尚书,徙陈州。卒,年六十六,赠侍中。(《东都事略》本传)

著有:《书目》二卷(《宋史·艺文志三》)、《刘氏家谱》一卷(《宋史·艺文志三》)。

苏辙以选人至流内铨,授河南府渑池县主簿,未赴。

春

梅尧臣由屯田员外郎迁都官员外郎。

四月

十七日,江休复卒,56岁。君以嘉祐五年四月乙亥,以疾终于京师,即以其年六月庚申葬于某所,君享年五十有六。方其亡恙时,为理命数百言。已而,疾且革,其子问所欲,言曰:"吾已著之矣。"遂不复言。(欧阳修《江邻几墓志铭》)

著有:《嘉祐杂志》三卷(《宋史·艺文志五》)、《江休复集》四十卷(《宋史·

艺文志七》)、《唐宜鉴》十五卷（《宋史》本传）、《春秋世论》三十卷（《宋史》本传）。

陈留江君邻几，常与圣俞、子美游，而又与圣俞同时以卒。余既志而铭之，后十有五年，来守淮西，又于其家得其文集而序之。邻几，毅然仁厚君子也。虽知名于时，仕宦久而不进，晚而朝廷方将用之，未及而卒。其学问通博，文辞雅正深粹，而论议多所发明，诗尤清淡闲肆可喜。然其文已自行于世矣，固不待余言以为轻重，而余特区区于是者，盖发于有感而云然。（欧阳修《江邻几文集序》）

著录：马端临《文献通考》卷二三四、《宋史·艺文志七》。

江邻几善为诗，清淡有古风。苏子美坐进奏院事谪官，后死吴中。江作诗云："郡邸狱冤谁与辩？皋桥客死世同悲。"用事甚精富。尝有古诗云："五十践衰境，加我在明年。"论者谓莫不用事，能令事如己出，天然浑厚，乃可言诗，江得之矣。江天质淳雅，喜饮酒、鼓琴、围棋。人以酒召之，未尝不往，饮未尝不醉。已醉眠，人强起饮之，亦不辞也。或不能归，即留宿人家。商度风韵，陶靖节之比。江尝通判庐州，有酒官善琴，以坐局不得出，江日就之，郡中沙门、羽士及里氓能棋者数人，呼与同往。郡人见之习熟，因画为图：前列驺导，有一人骑马青盖，其后沙门、羽士、褐衣数人，葛巾芒屩累累相寻，意思萧散。惜时无名手，此画不足传后，何必减嵇、阮也。（刘攽《中山诗话》）

己卯（二十一日），度支判官、祠部员外郎、直集贤院王安石同修起居注。安石以入馆才数月，馆中先进甚多，不当超处其右，固辞之。（《续资治通鉴长编》卷一九一）

癸未（二十五日），枢密副使、吏部侍郎程戡罢为观文殿学士、兼翰林侍读学士、同群牧制置使。翰林学士承旨、兼侍讲学士、礼部侍郎、知制诰孙抃为枢密副使。（《续资治通鉴长编》卷一九一）

二十五日，梅尧臣卒，59 岁。嘉祐五年，京师大疫。四月乙亥，圣俞得疾卧城东汴阳坊。居八日癸未，圣俞卒。粤六月甲申，其孤增载其枢南归，以明年正月丁丑葬于某所。圣俞初以从父荫补太庙斋郎，历桐城、河南、河阳三县主簿，以德兴县令知建德县，又知襄城县，监湖州盐税，签署忠武、镇安两军节度判官，监永济仓，国子监直讲，累官至尚书都官员外郎。尝奏其所撰《唐载》二十六卷，多补正旧史阙缪。乃命编修《唐书》，书成未奏而卒，享年五十有九。（欧阳修《梅圣俞墓志铭并序》）

著有：《宛陵集》六十卷（陈振孙《直斋书录解题·别集类中》）、《外集》十卷（陈振孙《直斋书录解题·别集类中》）、《注孙子》十三篇（《宋史》本传）、《唐载记》二十六卷（《宋史》本传）、《毛诗小传》二十卷（《宋史》本传）、《碧云骃》二卷（晁公武《郡斋读书志·小说类》）。

予闻世谓诗人少达而多穷，夫岂然哉？盖世所传诗者，多出于古穷人之辞也。凡士之蕴其所有而不得施于世者，多喜自放于山巅水涯之外。见虫鱼、草木、风云、鸟、兽之状类，往往探其奇怪。内有忧思感愤之郁积，其兴于怨刺，以道羁臣、寡妇之所叹，而写人情之难言，盖愈穷则愈工。然则非诗之能穷人，殆穷者而后工也。予友梅圣俞，少以荫补为吏，累举进士，辄抑于有司，困于州县凡十余年。年今五十，犹从辟书，为人之佐，郁其所畜，不得奋见于事业。其家宛陵，幼习于诗，自为童子，出语已惊其长老。既长，学乎六经仁义之说。其为文章，简古纯粹，不求苟说于世，世之人徒知其诗而已。然时无贤愚，语诗者必求之圣俞。圣俞亦自以其不得志者，乐于诗而发之。故其平生所作，于诗尤多。世既知之矣，而未有荐于上者。昔王文康公尝见而叹曰："二百年无此作矣！"虽知之深，亦不果荐也。若使其幸得用于朝廷，作为雅颂，以歌咏大宋之功德，荐之清庙，而追商、周、鲁《颂》之作者，岂不伟欤！奈何使其老不得志，而为穷者之诗，乃徒发于虫鱼物类、羁愁感叹之言？世徒喜其工，不知其穷之久而将老也，可不惜哉！圣俞诗既多，不自收拾。其妻之兄子谢景初惧其多而易失也，取其自洛阳至于吴兴已来所作，次为十卷。予尝嗜圣俞诗，而患不能尽得之，遽喜谢氏之能类次也，辄序而藏之。其后十五年，圣俞以疾卒于京师。余既哭而铭之，因索于家，得其遗稿千余篇，并旧所藏，掇其尤者六百七十七篇，为一十五卷。呜呼！吾于圣俞诗，论之详矣，故不复云。（欧阳修《梅圣俞诗集序》）

宛陵先生遗诗及文若干首，实某官李兼孟达所编辑也。先生当吾宋太平最盛时，官京洛，同时多伟人巨公。而欧阳公之文，蔡君谟之书，与先生之诗，三者鼎立，各自名家。文如尹师鲁，书如苏子美，诗如石曼卿辈，岂不足垂世哉？要非三家之比，此万世公论也。先生天资卓伟，其于诗非待学而工，然学亦无出其右者。方落笔时，置字如大禹之铸鼎，练句如后夔之作乐，成篇如周公之致太平。使后之能者欲学而不得，欲赞而不能，况可得而讥评去取哉！欧阳公平生常自以为不能望先生，推为诗老。王荆公自谓《虎图》诗不及先生包鼎画虎之作，又赋哭先生诗，推仰尤至。晚集古句，独多取焉。苏翰林多不可古人，唯次韵和陶渊明及先生二家诗而已。虽然，使本无此三公，先生何歉？有此三公，亦何以加秋毫于先生！予所以论载之者，要以见前辈识精论公，与后世妄人异耳。（陆游《梅圣俞别集序》）

《宛陵集》六十卷、《附录》一卷，宋梅尧臣撰。其诗初为谢景初所辑，仅十卷。欧阳修得其遗稿增并之，亦止十五卷。其增至五十九卷，又他文赋一卷，未详何人所编。陈振孙谓即景初旧本、修为作序者，殆未详考修序文耳。《通考》载正集六十卷，外有《外集》十卷。此为明姜奇芳所刊，卷数与《通考》合，唯无《外集》，只有《补遗》三篇。及赠答诗文、墓志一卷，亦不知何人所附。陈振孙谓外集多与正集复出，或后人删汰重复，故所录者止此耶。宋初诗文尚沿唐末五代之习，柳开、穆修欲变文体，王禹偁欲变诗体，皆力有未逮。欧阳修崛起为雄，力复古格。其时，曾巩、苏轼、苏辙、陈师道、黄庭坚等皆尚未显。其佐修以变文体者，尹洙；佐修以变诗体者，则尧臣也。尧臣诗旨趣古淡，知之者希。陈善《扪虱新话》记：苏舜钦称平生作诗，不幸被人比梅尧臣。又记晏殊赏其"寒鱼尤著底，白鹭已飞前"二句，尧臣以为"非我之极致者"。则其孤僻寡和可知。唯欧阳修深赏之。邵博《闻见后录》乃载传闻之说，谓修忌尧臣出己上，每商榷其诗，多故删其最佳者。殊为诬谩。无论修万不至此，即尧臣亦非不辨黑白者，岂得失不自知耶？陆游《渭南集》有《梅宛陵别集序》，曰：苏翰林多不可古人，唯次韵和渊明及先生二家诗而已。案：苏轼和陶诗有传本，和梅诗则未闻。然游非妄语者，必原有而今佚之。是尧臣之诗，苏轼亦心折之矣。（《四库提要》卷一五三）

著录：晁公武《郡斋读书志·别集类下》、尤袤《遂初堂书目·别集类》、陈振孙《直斋书录解题·别集类中》、《宋史·艺文志七》、杨士奇等《文渊阁书目》卷九、叶盛《菉竹堂书目》卷三、高儒《百川书志》卷一二、焦竑《国史经籍志》卷五、陈第《世善堂藏书目录》卷下、钱谦益《绛云楼书目》卷三、《四库提要》卷一五三、金檀《文瑞楼藏书目录》卷六、邵懿辰《增订四库简明目录标注》卷一五、傅增湘《藏园群书经眼录》卷一三、《北京图书馆古籍善本书目》。

版本：宋嘉定十六年残本、明正统四年袁旭刻本、明万历四年姜奇芳刻本、清康熙震泽徐氏刊本、清康熙四十一年宋荦刊本。

圣俞、子美齐名于一时，而二家诗体特异。子美笔力豪隽，以超迈横绝为奇；圣俞覃思精微，以深远闲淡为意。各极其长，虽善论者不能优劣也。余尝于《水谷夜行》诗略道其一二云：（诗略）语虽非工，谓粗得其仿佛，然不能优劣之也。（欧阳修《六一诗话》）

五月

（辽道宗清宁六年）戊子朔（一日），监修国史耶律白请编次御制诗赋，仍命白为序。（《辽史·道宗纪一》）

甲午（七日），观文殿大学士、户部侍郎庞籍为太子太保致仕。（《续资治通鉴长编》卷一九一）

己亥（十二日），颍州进士常秩为试将作监主簿、本州州学教授，翰林学士胡宿等言其文行称于乡里也。秩，临汝人。尝举进士不中，退在陋巷二十余年，为学求自得，尤长于《春秋》。（《续资治通鉴长编》卷一九一）

戊申（二十一日），枢密直学士、吏部郎中、权知开封府陈旭以足疾罢为右谏议大夫、同提点在京诸司库务，枢密直学士、礼部郎中、知泉州蔡襄为翰林学士、权知开封府。降右谏议大夫、权御史中丞韩绛知蔡州。（《续资治通鉴长编》卷一九一）

王安石召为三司度支判官。

六月

戊辰（十一日），宁国节度副使孙沔为光禄卿，分司西京。（《续资治通鉴长编》卷一九一）

辛未（十四日），翰林学士胡宿、御史中丞赵㮚磨勘转运使、提点刑狱课绩。（《续资治通鉴长编》卷一九一）

孔旼卒，67 岁。 嘉祐五年六月某日，先生终于家，年六十七。大臣有为之请命者，乃特赠太常丞。先生博学，尤喜《易》，未尝著书，独《大衍》一篇传于世。（王安石《孔处士墓志铭》）

先生讳旼，字宁极，孔子裔孙，隐居汝州龙山之阳。好学笃行，于诸经无所不通，而尤深于《易》理。所著《大行论》一篇，为学者所宗。公卿荐其有道，被诏不起，遂终龙阳焉。没后二十九年，其弟之（子）名曰儿、曰夷，裒先生之遗稿，凡得诗及

杂文合一百六十七篇，属予为序。盖先生之道德信于乡里，达于朝廷，闻于天下，其文章诗咏乃一时咳唾之余，且予非所以知先生者，谢之。其请不懈，益坚。予老矣，言不能文，聊以成二子之志。先生之行，丞相王荆公介甫既以铭其墓矣，无容赘略。（韩维《孔处士文集序》）

七月

戊戌（十二日），翰林学士欧阳修等上所修《唐书》二百二十五卷。刊修及编修官皆进秩或加职，仍赐器币有差。（《续资治通鉴长编》卷一九二）

十四日，推恩赏，欧阳修转礼部侍郎。

壬子（二十六日），命翰林学士吴奎、户部副使吴中复、判度支判官王安石、右正言王陶同相度牧马利害以闻。（《续资治通鉴长编》卷一九二）

八月

甲子（八日），眉州进士苏洵为试校书郎。洵年二十七始发奋为学，岁余举进士，又举茂才异等，皆不中。悉焚其常所为文，闭户益读书，遂通六经、百家之说，下笔顷刻数千言。嘉祐初，与其二子轼、辙至京师，翰林学士欧阳修上其所著《权书》、《衡论》、《机策》二十二篇，宰相韩琦善之。召试舍人院，再以疾辞。本路转运使赵抃等皆荐其行义推于乡里，而修又言洵既不肯就试，乞就除一官，故有是命。（《续资治通鉴长编》卷一九二）

乙亥（十九日），吏部侍郎、集贤院学士余靖为广南西路体量安抚使。（《续资治通鉴长编》卷一九二）

九月

丁亥朔（一日），翰林学士欧阳修兼侍读学士，起居舍人、知制诰刘敞为翰林侍读学士、知永兴军。（《续资治通鉴长编》卷一九二）

丙申（十日），枢密直学士、右谏议大夫吕公弼同详定均税。（《续资治通鉴长编》卷一九二）

壬寅（十六日），枢密副使张昇提举编集本院机密文字。（《续资治通鉴长编》卷一九二）

十一月

辛丑（十六日），枢密使、兵部尚书、同平章事宋庠罢为河阳三城节度使、同平章事、判郑州。礼部侍郎、参知政事曾公亮依前官充枢密使。枢密副使、右谏议大夫张昇、礼部侍郎孙抃并为参知政事。翰林学士兼侍读学士、礼部侍郎、知制诰、史馆修撰欧阳修，枢密直学士、右谏议大夫陈旭，御史中丞赵槩，并为枢密副使，仍以槩为礼部侍郎。（《续资治通鉴长编》卷一九二）

辛亥（二十六日），度支员外郎、直秘阁、判度支勾院司马光，度支判官、祠部员外郎、直集贤院王安石，同修起居注。光五辞而后受，安石终辞之。最后有旨，令阁门吏赍敕就三司授之，安石不受，吏随而拜之，安石避于厕。吏置敕于案而去，安石遣人追还之，朝廷卒不能夺。（《续资治通鉴长编》卷一九二）

十二月

戊寅（二十三日），枢密直学士、右谏议大夫吕公弼为龙图阁学士、知成都府。（《续资治通鉴长编》卷一九二）

冬

曾巩被召编校史馆书籍。

本年

刘羲叟卒，44 岁。刘羲叟，字仲叟，泽州人。举进士不中第。欧阳修使河东，荐其学术，擢试大理评事，留为《唐书》律历、天文、五行志编修官。书成，授崇文院检讨，未谢，卒。所著有《十三代史志》、《刘氏辑历》、《春秋灾异》、《南北史韶韵目》。（曾巩《隆平集》卷一五）

著有：《十三代史志》（《宋史》本传）、《刘氏辑历》（《宋史》本传）、《春秋灾异》（《宋史》本传）、《南北史韶韵目》（曾巩《隆平集》卷一五）。

毛滂（1060—1124?）生。毛滂，字泽民。元符二年为武康令，慈爱惠下，政平讼简。旁邑多歉，唯武康丰穰。公余多暇，寻访山水，发诸文章。苏公轼尝以文章典丽可备著述科荐之。（《嘉泰吴兴志》卷十五）

晁端中（1060—1100）生。府君晁氏，讳端中，字符升，后家开封，又徙钜野。君生警悟好书，十岁能为古诗。为东方名进士，而文辞雅，不追世好，故累上乃中第。初调赵州平棘尉，盗去境，民安堵，迁雄州防御推官、知颍州沈邱县事。将行，而以疾卒，享年五十，元符三年四月庚子也。君文史笔墨之玩，甚于嗜欲。好酒，喜山水，尝诵李白语曰：“偶乘扁舟，一日千里，忽遇胜景，终年不移。”人亦以为近。与人交，倾倒无不尽。仕宦作业，得少为足，类马少游之为人。诗文草隶，则元和以前胜士也。江南黄庭坚尝见其所作而叹曰：“永怀而善怨，蔚然类骚。”庭坚未尝以此许人也。（晁补之《朝请大夫致仕晁公墓志铭》）

江端礼（1060—1097）生。君讳端礼，字子和，一字季恭。祖讳休复，仁宗时修起居注。子和生而沉粹，年十七游太学，为同辈敬惮。独裕然不肯就公试，或试，则居上列。常叹曰：“是不足学也，令人惭耳。”方是时，东坡谪居黄州，子和特倾慕之，以书讲学焉。子和学诗律于黄鲁直，论经行于徐仲车，为尤谨。二公俱以子和为贤。不幸年三十有八，以绍圣四年七月二十三日疾不起。二弟哀子和之遗稿为集若干卷。子和尝病柳子厚作《非国语》，乃作《非非国语》。东坡见之，曰：“久有意为此书，

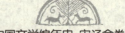

不谓君先之也。"鲁直则曰:"子和文辞简理,似尹师鲁。"(晁说之《江子和墓志铭》)

邹浩(1060—1111)生。邹浩,字志完,常州晋陵人。第进士,调扬州、颍昌府教授。吕公著、范纯仁为守,皆礼遇之。苏颂用为太常博士,来之邵论罢之。后累岁,哲宗亲擢为右正言。削官,羁管新州。徽宗立,亟召还,复为右正言,迁左司谏。改起居舍人,进中书舍人。迁兵、吏二部侍郎,以宝文阁待制知江宁府,徙杭、越州。蔡京用事,素忌浩,乃使其党为伪疏,言刘后杀卓氏而夺其子。遂再责衡州别驾,寻窜昭州,五年始得归。卒,年五十二。高宗即位,诏曰:"浩在元符间,任谏争,危言谠论,朝野推仰。"复其待制,又赠宝文阁直学士,赐谥忠。(《宋史》本传)

本年重要作品:

文:欧阳修《祭梅圣俞文》、宋祁《上欧阳内翰书》、苏洵《易传》、苏洵《祭侄位文》、曾巩《归老桥记》、王安石《伴送北朝人使诗序》、王安石《度支副使厅壁题名记》、王回《抱关赋》。

诗:欧阳修《哭圣俞》、欧阳修《奉送原父侍读出守永兴》、欧阳修《送吴生南归》、欧阳修《西斋小饮赠别陕州冲卿学士》、欧阳修《乞药有感呈梅圣俞》、欧阳修《二月雪》、欧阳修《寄题沙溪宝锡院》、欧阳修《奉答原甫见过宠示之作》、欧阳修《奉送原甫侍读出守永兴》、欧阳修《奉答原父九月八日见过会饮之作》、欧阳修《答和阁老刘舍人雨中见寄》、欧阳修《寄阁老刘舍人》、苏洵《荆门惠泉》、苏洵《襄阳怀古》、苏洵《万山》、苏洵《昆阳城》、王安石《飞雁》、王安石《爱日》、王安石《白沟行》、王安石《春风》、王安石《北客置酒》、王安石《出塞》、王安石《入塞》、王安石《乘日》、王安石《寄纯甫》、王安石《将次洺州憩漳上》、王安石《将次相州》、王安石《送契丹使还次韵答净因长老》、王安石《哭梅圣俞》、王安石《思王逢原三首》、苏轼《荆门惠泉》、苏轼《汉水》、苏轼《隆中》、苏轼《万山》、苏轼《新渠》、苏轼《双凫观》、苏轼《许州西湖》、苏辙《荆门惠泉》、苏辙《答荆门张都官维见和惠泉》、苏辙《襄阳古乐府二首》、苏辙《双凫观》、苏辙《息壤》、张先《酬发运马子山少卿惠酥与诗》。

词:张先《山亭宴慢》(宴亭永昼喧箫鼓)。

公元 1061 年(宋仁宗嘉祐六年 辛丑)

正月

八日,以翰林学士王珪权知贡举,翰林学士范镇、御史中丞王畴并权同知贡举,合格奏名进士江衍已下二百人。(《宋会要辑稿·选举一》)

二月

十七日,帝御崇政殿,试礼部奏名进士。内出《王者通天地人赋》、《天德清明诗》、《水几于道论》题。(《宋会要辑稿·选举七》)

十九日,试特奏名进士。内出《作乐荐上帝诗》、《谨用五事明天道论》题。(《宋

会要辑稿·选举七》）

三月

癸巳（十日），赐进士王俊民等一百三十九人及第，五十四人同出身；诸科一百二人及第并同出身；特奏名进士、诸科四十三人同出身及诸州文学、长史。俊民，掖人也。（《续资治通鉴长编》卷一九三）

登进士第：王俊民、陈睦、王陟臣、任贯、黄履、曾宰、俞希旦、高镈、朱伯虎、齐谌、徐璹、江衍、袁毂、蔡瑗、胡宗哲、周弇、盛次仲、胡宗师、黄廉、王安礼、孔文仲、杜敏求、辛麟、叶伸、蔡昕等。

嘉祐中，进士奏名讫，未御试，京师妄传王俊民为状元，莫知言之所起，人亦莫知俊民为何人。及御试，王荆公时为知制诰，与天章阁待制杨乐道二人为详定官。旧制：御试举人，设初考官，先定等第；复弥封之，以送复考官，再定等第；乃付详定官，发初考官所定等，以对复考之等。如同即已，不同，则详其程文，当从初考，或从复考为定，即不得别立等。是时，王荆公以初、复考所定第一人皆未允当，于行间别取一人为状首。杨乐道守法，以为不可。议论未决。太常少卿朱从道时为弥封官，闻之，谓同舍曰："二公何用力争，从道十日前已闻王俊民为状元，事必前定，二公恨自苦耳。"既而二人各以己意进禀，而诏从荆公之请。及发封，乃王俊民也。详定官得别立等自此始，遂为定制。（范镇《东斋记事》卷一）

己亥（十六日），宰臣富弼以母丧去位。（《续资治通鉴长编》卷一九三）

甲辰（二十一日），诏翰林学士承旨宋祁遇入直，许一人主汤药。祁以羸疾请之也。（《续资治通鉴长编》卷一九三）

戊申（二十五日），幸后苑赏花钓鱼，遂宴太清楼，出御制诗一章，命从臣属和以进。（《续资治通鉴长编》卷一九三）

嘉祐六年三月，仁皇帝幸后苑，召宰执、侍从、台谏、馆阁以下赏花钓鱼。中筵，上赋诗："晴旭晖晖花尽开，氤氲花气好风来。游丝罥絮萦行仗，堕蕊飘香入酒杯。鱼跃纹波时泼剌，莺流深树久徘徊。青春朝野方无事，故许欢游近侍陪。"宰相韩琦、枢密曾公亮、参政张昇、孙抃、副枢欧阳修、陈旭以下皆和，帝独称赏韩琦"轻阴阁雨迎天步，寒色留春送寿杯"之句。时翰林学士承旨宋祁久疾在告，明日和诗来上，帝览之已怅然。不数日祁薨，益加震悼云。（邵博《邵氏闻见后录》卷十七）

刘子仪与夏英公同在翰林，子仪素为先达。章献临朝时，子仪主文，在贡院，闻英公为枢密副使，意颇不平，作《埝子诗》云："空呈厚貌临官道，大有人从捷径过。"先朝春月，多召两府、两制、三馆于后苑赏花、钓鱼、赋诗。自赵元昊背诞，西陲用兵，废缺甚久。嘉祐末，仁宗始复修故事，群臣和御制诗。是日，微阴寒，韩魏公时为首相，诗卒章云："轻阴阁雨迎天仗，寒色留春入寿杯。二十年前曾侍宴，台司今日喜重陪。"时内侍都知任守忠，尝以滑稽侍上，从容言曰："韩琦诗讥陛下。"上愕然，问其故。守忠曰："讥陛下游宴太频。"上为之笑。（司马光《温公续诗话》）

四月

四日,陆滋卒,76 岁。嘉祐六年夏四月丁巳,先生陆氏卒,七十有六。先生讳滋,字符象。岁方童,已自如成人。通《毛》、《郑》二诗、《易》、《春秋》。既冠,以文辞试乡举,一鹗其业而售有司。平生所著诗赋、文论、书志合二十卷。(强至《将仕郎守杭州文学参军陆先生墓志铭》)

著有:《陆滋集》二十卷(强至《将仕郎守杭州文学参军陆先生墓志铭》)。

辛酉(八日),权三司使、枢密直学士、右谏议大夫包拯为给事中、三司使。(《续资治通鉴长编》卷一九三)

庚午(十七日),右正言王陶知卫州。(《续资治通鉴长编》卷一九三)

二十二日,以新及第进士第一人王俊民为大理评事、金书武军节度判官公事;第二人陈睦两使幕职官;第三人、锁厅、将作监丞、主簿王陟臣为太常寺奉礼郎、签署高邮军判官厅公事;第四人任贯、第五人黄履并为试衔知县;第六人已下、明经、《九经》及第,并为试衔大郡判司、大县主簿、尉;第二甲至第四甲,并为试衔判司、簿、尉;第五甲并诸科,同出身,并守选。(《宋会要辑稿·选举二》)

庚辰(二十七日),枢密副使、右谏议大夫陈旭为资政殿学士、知定州,三司使、给事中包拯为枢密副使,礼部郎中、天章阁待制、知谏院唐介知洪州,右司谏赵忭知虔州,兵部员外郎、兼侍御史知杂事范师道以本官知福州,殿中侍御史吕诲知江州。(《续资治通鉴长编》卷一九三)

五月

乙未(十三日),吏部侍郎、集贤院学士余靖为尚书左丞、广南东路经略安抚使、知广州。(《续资治通鉴长编》卷一九三)

十六日,宋祁卒,64 岁。翰林学士承旨兼端明殿学士、翰林侍读学士、工部尚书、知制诰、集贤殿修撰宋祁卒,赠刑部尚书。祁兄弟皆以儒学显,而祁尤能为文章,善议论。清约庄重,不逮其兄,论者谓祁不至公辅,盖亦以此。(《续资治通鉴长编》卷一九三)

卒年六十四,赠刑部尚书。祁将终,亲草遗表,劝立皇嗣,戒其子勿请谥、勿求遗恩、勿为铭志、勿修佛事。其后,翰林学士承旨张方平为祁请谥,曰:景文。(《东都事略》本传)

著有:《大乐图》一卷(《宋史·艺文志一》)、《摘粹》一卷(《宋史·艺文志一》)、《宋祁集》一百五十集(《宋史·艺文志七》)、《濡削》一卷(《宋史·艺文志七》)、《刀笔集》二十卷(《宋史·艺文志七》)、《西川猥稿》三卷(《宋史·艺文志七》)、《景祐集韵》十卷(陈振孙《直斋书录解题·小学类》)、《宋景文笔记》一卷(陈振孙《直斋书录解题·小说家类》)、《三圣乐书》一卷(陈振孙《直斋书录解题·音乐类》)、《景祐广乐记》八十卷(陈振孙《直斋书录解题·音乐类》)。

仁庙初,号人物全盛时,而尚书与其兄郑公以文章擅天下。其后郑公作宰相,以事业显于时。而尚书独不至大用,徘徊掖垣十数年间,故其文时多奇特。兄弟于字学至深，故其文多奇字，读者往往不识。其将殁也，又命其子慎无刊类文集，故甚秘而不传于世。元符二年，其子衮臣为利路转运判官，予典狱益昌，始得尚书平生所为文。读之粲然，东坡所谓"字字照缣素"，讵不信哉！《文集》二百卷，予得九十有九卷，其余云在曾子开家。衮臣谓余：他日当取之，并以授子云。（唐庚《宋景文集序》）

　　《景文集》六十二卷，宋宋祁撰。晁公武《读书志》谓祁诗文多奇字，证以苏轼诗渊源皆有考，奇险或难句之语。以今观之，殆以祁撰《唐书》，雕琢劖削，务为艰涩，故有是言。实则，所著诗文博奥典雅，具有唐以前格律。残膏剩馥，沾丐靡穷，未可尽以诘屈斥也。陈振孙《书录解题》又称：祁自言年至六十，见少时所作，皆欲烧弃。然考祁《笔记》有云：年二十五，即见奇于宰相夏公，试礼部又见称于龙图刘公。盖少作未尝不工，晚年特为进境耳。至于陆机之"谢华启秀"、韩愈之"陈言务去"，以为为文之要，则其生平得力具可想见矣。祁曾戒其子无妄编缀作集，使后世嗤诮。兹就《永乐大典》所载，荟萃裒次，厘为六十有二。又旁采诸书，纂成《补遗》二卷。并以轶闻余事，各为考证，附录于末。虽未必尽还旧观，然名章钜制，谅可得十之七八矣。祁兄弟俱以文学名，当时号"大宋"、"小宋"。（《四库提要》卷一五二）

　　著录：晁公武《郡斋读书志·别集类下》、郑樵《通志·艺文略八》、尤袤《遂初堂书目·别集类》、陈振孙《直斋书录解题·别集类中》、马端临《文献通考》卷二三四、《宋史·艺文志七》、焦竑《国史经籍志》卷五、陈第《世善堂藏书目录》卷下、《四库提要》卷一五二、邵懿辰《增订四库简明目录标注》、傅增湘《藏园群书经眼录》卷一三、杨士奇等《文渊阁书目》卷八、叶盛《菉竹堂书目》卷三、高儒《百川书志》卷八、《北京图书馆古籍善本书目》。

六月

　　甲戌（二十三日），富弼起复礼部尚书、平章事、昭文馆大学士、监修国史，弼辞不拜。（《续资治通鉴长编》卷一九三）

　　丁丑（二十六日），命翰林学士吴奎、王珪同详定茶法。（《续资治通鉴长编》卷一九三）

　　戊寅（二十七日），度支判官、刑部员外郎、直集贤院、同修起居注王安石知制诰。初，安石辞起居注，既得请，又申命之，安石复辞至七八乃受。于是，径迁知制诰，安石遂不复辞官矣。（《续资治通鉴长编》卷一九三）

七月

　　壬辰（十一日），同修起居注、同知谏院司马光同详定均税。（《续资治通鉴长编》卷一九四）

　　苏洵为霸州文安县主簿，编纂《太常礼书》。

八月

二日，欧阳修自序《内制集》。

昔钱思公尝以谓朝廷之官，虽宰相之重，皆可杂以他才处之，唯翰林学士，非文章不可。思公自言为此语颇取怒于达官，然亦自负以为至论。今学士所作文章多矣，至于青词斋文，必用老子、浮图之说；祈禳秘祝，往往近于家人里巷之事；而制诏取便于宣读，常拘以世俗所谓四六之文。其类多如此。然则果可谓之文章者欤？予在翰林六年，中间进拜二三大臣，皆适不当直。而天下无事，四夷和好，兵革不用。凡朝廷之文，所以指麾号令，训戒约束，自非因事，无以发明。矧予中年早衰，意思零落，以非工之作，又无所遇以发焉。其屑屑应用，拘牵常格，卑弱不振，宜可羞也。然今文士尤以翰林为荣选，予既罢职，院吏取予直草以日次之，得四百余篇，因不忍弃。况其上自朝廷，内及宫禁，下暨蛮夷海外，事无不载，而时政记、日历与起居郎舍人有所略而不记，未必不有取于斯焉。（欧阳修《内制集序》）

十七日，命翰林学士吴奎、龙图阁直学士杨畋、权御史中丞王畴、知制诰王安石就秘阁考试制科。奎等上王介、苏轼、苏辙论各六首：《王者不治夷狄》、《礼义信足以成德》、《刘凯丁鸿孰贤》、《礼以养人为本》、《既醉备万福》、《形势不如德》。（《宋会要辑稿·选举一一》）

二十五日，帝御崇政殿，试贤良方正能直言极谏者。著作佐郎王介、河南府福昌县主簿苏轼、河南府渑池县主簿苏辙。（《宋会要辑稿·选举一一》）

乙亥（二十五日），御崇政殿，策试贤良方正能直言极谏著作佐郎王介、福昌县主簿苏轼、渑池县主簿苏辙。轼所对入第三等，介第四等，辙第四等次。以轼为大理评事、签书凤翔府判官事，介为秘书丞、知静海县，辙为商州军事推官。时辙对语最切直，其略曰："自西方解兵，陛下弃置忧惧小心二十年矣。"又曰："陛下无谓好色于内，不害外事也。"又曰："宫中赐予无艺，所欲则给，大臣不敢谏，司会不敢争。国家内有养士、养兵之费，外有北狄、西戎之奉，海内穷困，陛下又自为一阱，以耗其遗余。"谏官司马光考其策，入三等，翰林学士范镇难之，欲降其等。蔡襄曰："吾三司使，司会之名，吾愧之而不敢怨。"唯胡宿以为策不对所问，而引唐穆宗、恭宗以况盛世，非所宜言，力请黜之。光言是于同科三人中，独有爱君忧国之心，不可不收。而执政亦以为当黜，上不许，曰："求直言而以直弃之，天下其谓我何？"乃收入第四等次。及除官，知制诰王安石疑辙右宰相，专攻人主，比之谷永，不肯为词。韩琦笑曰："彼策谓宰相不足用，欲得娄师德、郝处俊而用之，尚以谷永疑之乎？"改命沈遘，遘亦考官也，乃为之辞。已而，谏官杨畋见上曰："苏辙，臣所荐也。陛下赦其狂直而收之，此盛德事，乞宣付史馆。"上悦，从之。介，衢州人也。（《续资治通鉴长编》卷一九四）

闰八月

乙酉（五日），以度支判官、刑部员外郎、集贤校理宋敏求为契丹生辰使，盐铁判官、度支员外郎、集贤校理王益柔为契丹正旦使。（《续资治通鉴长编》卷一九五）

庚子（十六日），工部尚书、平章事、集贤殿大学士韩琦加昭文馆大学士、监修国史。枢密使、礼部侍郎曾公亮为吏部侍郎、平章事、集贤殿大学士，右谏议大夫、参知政事张昇为工部侍郎、加检校太傅、充枢密使。(《续资治通鉴长编》卷一九五)

辛丑（二十一日），参知政事孙抃，枢密副使欧阳修、赵槩、包拯并进官一等，仍改修参知政事。翰林学士、兼端明殿学士、翰林侍读学士、左司郎中、知制诰、史馆修撰胡宿为左谏议大夫、枢密副使。(《续资治通鉴长编》卷一九五)

甲辰（二十四日），参知政事孙抃、欧阳修，枢密副使赵槩、包拯，并上表辞所除官，从之。(《续资治通鉴长编》卷一九五)

乙巳（二十五日），诏给前宰相富弼月俸之半，弼固辞不受。(《续资治通鉴长编》卷一九五)

十一月

十九日，苏轼赴凤翔任。

苏辙奏乞养亲，不赴商州任。

辛未（二十二日），于潜县令编校秘阁书籍孙洙为馆阁校勘，从新制也。(《续资治通鉴长编》卷一九五)

十二月

辛丑（二十二日），三馆秘阁上所写黄本书六千四百九十六卷、补白本书二千九百五十四卷。遣中使诏中书、枢密院合三馆、秘阁官，即崇文殿赐宴，以嘉其勤。仍诏两制看详天下所献遗书，择其可取者，付编校官覆校，写充定本。编校官常以一员专管勾定本。(《续资治通鉴长编》卷一九五)

本年

赵令畤（1061—1134）生。令畤字德麟，燕懿王玄孙也，蚤以才敏闻。元祐六年，签书颍州公事。时苏轼为守，爱其才，因荐于朝。宣仁太后曰："宗室聪明者岂少哉？顾德行何如耳。"竟不许。轼被窜，令畤坐交通轼罚金。已而附内侍谭稹以进。绍兴初，官至右朝请大夫。吕颐浩请以令畤主行在大宗正司，帝命易环卫官。颐浩言："令畤读书能文，恐不须易。"帝曰："令畤昔事谭稹，颇违清议。"改右监门卫大将军、荣州防御使，权知行在大宗正事。迁洪州观察使，袭封安定郡王。寻迁宁远军承宣使，同知行在大宗正事。四年薨，贫无以为殓，帝命户部赐银绢，赠开府仪同三司。(《宋史》本传)

翁彦约（1061—1122）生。公讳彦约，字行简。公之六世祖徙家建州之崇安白水乡，故今为崇安人。公天资颖悟绝人，自幼学已能属文。既冠，博总经传，尤深于礼学。元丰末，游上庠，声闻籍甚，一时知名士皆慕与之交。元祐二年，与国学荐，以祖母寿昌君之丧，未赴礼部试。政和三年擢进士第，调汝州龙兴尉，改常州司刑曹事。驿召为详定《九域图志》编修官。政和七年，改宣教郎，除太常博士。以与修《因革礼》，迁奉议郎。岁余，乞补外，除提举河北西路学事。除权发遣黄州，转承议郎。宣和四年夏之官，道改高邮军。岁大旱，公以祷祠疲甚，既雨，而公得疾。所亲以是尤公，遂乞致仕。章未报，以八月丁亥卒于军治之正寝，享年六十有二。有《文集》十卷。其文精致润缛，得作者之体，尤长于诗，藏于家。（杨时《翁行简墓志铭》）

本年重要作品：

文：欧阳修《廖氏文集序》、苏洵《上韩丞相书》、王安石《上时政疏》。

诗：欧阳修《初食鸡头有感》、欧阳修《读书》、欧阳修《答西京王尚书寄牡丹》、欧阳修《寄题洛阳致政张少卿静居堂》、欧阳修《双井茶》、欧阳修《感二子》、欧阳修《鬼车》、苏洵《水官诗》、曾巩《集贤殿春燕呈诸同舍》、曾巩《上巳日瑞圣园锡燕呈诸同舍》、宋祁《嘉祐庚子秋七月予还台明年始对家圃春物作》、王安石《崇政殿详定幕次偶题》、王安石《详定幕次呈圣从乐道》、王安石《次杨乐道韵六首》、王安石《详定试卷二首》、王安石《崇政殿后春晴即事》、苏轼《次韵水官诗》、苏轼《凤翔八观》、苏轼《辛丑十一月十九日既与子由别于郑州西门之外马上赋诗一篇寄之》、苏轼《和子由渑池怀旧》、苏辙《怀渑池寄子瞻兄》、苏辙《辛丑除日寄子瞻》。

公元1062年（宋仁宗嘉祐七年　壬寅）

三月

乙卯（八日），礼部侍郎、参知政事孙抃为观文殿学士、兼翰林侍读学士、同群牧制置使。枢密副使、礼部侍郎赵概为参知政事，翰林学士、右司郎中、知制诰、权知开封府吴奎为右谏议大夫、枢密副使。（《续资治通鉴长编》卷一九六）

丙辰（九日），召右正言、知蔡州王陶赴谏院供职。（《续资治通鉴长编》卷一九六）

庚申（十三日），龙图阁直学士、左司郎中、兼侍讲钱象先为右谏议大夫、知蔡州。刑部郎中、天章阁侍讲、崇文院检讨吕公著为天章阁待制、兼侍讲。公著初召试中书，将除知制诰，三辞不就，故有是命。（《续资治通鉴长编》卷一九六）

辛酉（十四日），参知政事欧阳修提举三馆、秘阁写校书籍。（《续资治通鉴长编》卷一九六）

四月

改命起居舍人、知制诰、兼侍讲司马光为天章阁待制。（《续资治通鉴长编》卷一九六）

己丑（十二日），夏国王谅祚上表求太宗御制诗草、隶书石本，欲建书阁宝藏之，且进马五十匹求《九经》、《唐史》、《册府元龟》及本朝正至朝贺仪。诏赐《九经》，还其马。（《续资治通鉴长编》卷一九六）

杨畋卒，56岁。嘉祐五年三月，辙始以选人至流内铨。是时，杨公乐道以天章阁待制调铨之官吏，见予于稠人中。明年，予登制科。公以谏官为考官秘阁。又明年四月，公薨。公本河东人，家世将家，有功于国。公始以文词得官，其后将兵于南方，与蛮战亦有功。其为将，能与士卒均劳苦，饮食比其最下者，而军行常处其先，以此得其死力。常学李靖兵法，知其出入变化之节。卒时，年五十有六。素病瘦，甚羸。然平居读书勤苦，过于少年。好为诗，喜大书，皆可爱。（苏辙《杨乐道龙图哀辞并叙》）

著有：《新秦集》二十卷（王安石《新秦集序》）。

著录：马端临《文献通考》卷二三四。

《新秦集》者，故龙图阁直学士、尚书礼部郎中、知谏院虢略杨公之文。公以嘉祐七年四月某日甲子卒官。而外姻开封府推官、尚书度支员外郎中山李寿朋廷老，治其稿为二十卷。公讳畋，字乐道，世家新秦。其先人以忠力智谋为将帅，名闻天下。至公，始折节读书，用进士起家。尝提点荆湖北路刑狱，数自击叛蛮有功，得士卒心。故侬智高反时，自丧服中特起之往击。其后为三司副使、天章阁待制、侍读、知制诰，数以言事有直名，故迁龙图阁直学士、知谏院。又数言事，无所顾望，所言有人所不能言者。故其卒，天子录其忠，赗赐之加等，而士大夫知公者，为朝廷惜也。公所为文，庄厉谨洁，类其为人，而尤好为诗。其词平易不迫，而能自道其意。读其书，咏其诗，视其平生之大节如此。嗟乎！盖所谓善人之好学而能言者也。（王安石《新秦集序》）

五月

丁未朔（一日），命起居舍人、天章阁待制、兼侍讲司马光仍知谏院。（《续资治通鉴长编》卷一九六）

庚午（二十四日），枢密副使、给事中包拯卒，64 岁。赠礼部尚书，谥孝肃。拯性峭直，然奏议平允，常恶俗吏苛刻，务为敦厚。虽疾恶甚至人情所不及，即推以忠恕。不为苟合，未尝伪色辞以悦人。不作私书，至于干请，无故人亲党一皆绝之。居家俭约，衣服、器用、饮食，虽贵如初官时。（《续资治通鉴长编》卷一九六）

著有：《包拯奏议》十卷（《宋史·艺文志七》）。

此包孝肃公布衣时语，蔡廷彦得之吴唐卿以语晦翁，翁敬书之，俾刻于白鹿洞。（朱熹《跋所刻包孝肃诗》）

六月

丁亥（十二日），秘阁上补写御览书籍。先是，欧阳修言："秘阁初为太宗藏书之府，并以黄绫装潢，号曰'太清本'。后因宣取入内，多留禁中，而书颇不完。请降旧本，令补写之。"遂诏龙图天章、宝文阁、太清楼管勾内臣，检所阙书录上，于门下省补写。至是上之，赐判秘阁范镇及管勾补写官银绢有差。（《续资治通鉴长编》卷一九六）

（辽道宗清宁八年）是月，御清凉殿，放进士王鼎等九十三人。（《辽史·道宗纪二》）

七月

甲子（十九日），右司谏、知虔州赵抃为礼部员外郎、兼侍御史知杂事。（《续资治通鉴长编》卷一九七）

八月

己卯（五日），立右卫大将军、岳州团练使宗实为皇子。癸未（九日），赐皇子名曙。即后继位之英宗。（《续资治通鉴长编》卷一九七）

十月

甲午（二十一日），知制诰王安石同勾当三班院。度支员外郎、秘阁校理蔡抗为广东转运使。（《续资治通鉴长编》卷一九七）

十一月

二十九日，张昷之卒，78岁。公讳昷之，字景山。少孤，知力学问，有名于时。大中祥符八年擢进士第，授温州乐清尉，再调润州观察推官。召还，校馆阁书，迁殿中丞集贤校理，通判常州。转工部郎中。召还，为三司盐铁副使。上书乞还官职之事，徙润州。申请益坚，除光禄卿致仕，还老常州。以嘉祐七年十一月二十九日终，年七十八，遗命葬滁州清流县昌城乡杜沛村从先人之域。尤于本朝故事详悉。（蔡襄《光禄卿致仕张公墓志铭》）

故天章阁待制、赠开府仪同三司张公，在仁宗朝既以功业隐然为名臣。乃归休于毗陵之私第，作诗以示其子，自号知幸老人。（邹浩《书待制张公诗卷后》）

十二月

丙申（二十三日），幸龙图、天章阁，召辅臣、近侍、三司副使、台谏官、皇子、宗室、驸马都尉、主兵官观祖宗御书。又幸宝文阁，为飞白书，分赐从臣，下逮馆阁。作《观书诗》，韩琦等属和。遂宴群玉殿，传诏学士王珪撰诗序，刊名于阁。（《续资治通鉴长编》卷一九七）

本年

欧阳修编《集古录》一千卷，并为之序，请蔡襄书写。

物常聚于所好，而常得于有力之强。有力而不好，好之而无力，虽近且易有不能致之。汤盘，孔鼎，岐阳之鼓，岱山、邹峄、会稽之刻石，与夫汉、魏已来圣君贤士桓碑、彝器、铭诗、序记，下至古文、籀篆、分隶诸家之字书，皆三代以来至宝，怪奇伟丽、工妙可喜之物。其去人不远，其取之无祸。然而风霜兵火，湮沦摩灭，散弃于山崖墟莽之间未尝收拾者，由世之好者少也。幸而有好之者，又其力或不足，故仅得其一二，而不能使其聚也。夫力莫如好，好莫如一。予性颛而嗜古，凡世人之所贪者，皆无欲于其间，故得一其所好于斯。好之已笃，则力虽未足，犹能致之。故上自周穆王以来，下更秦、汉、隋、唐、五代，外至四海九州，名山大泽，穷崖绝谷，荒林破冢，神仙鬼物，诡怪所传，莫不皆有，以为《集古录》。以谓转写失真，故因其石本，轴而藏之。有卷帙次第，而无时世之先后，盖其取多而未已，故随其所得而录之。又以谓聚多而终必散，乃撮其大要，别为录目，因并载夫可与史传正其阙谬者，以传后学，庶益于多闻。（欧阳修《集古录序》）

刘正夫（1062—1119）生。刘正夫，字德初，衢州西安人。未冠入太学，有声，与范致虚、吴材、江屿号"四俊"。元丰八年，南省奏名在优选，而犯高鲁王讳，命置末级。久之，为太学录、太常博士。母服阕，御史中丞石豫荐之，召赴阙，道除左司谏。不阅月，迁中书舍人，进给事中、礼部侍郎。蔡京据相位，正夫欲附翼之，京憾刘逵次骨，而逵善正夫，京虽赖其助，亦恶之。第贬两秩。京又出之成都，入辞，留为翰林学士。竟改龙图阁直学士、知河南府。召为工部尚书，拜右丞，进中书侍郎。政和六年，擢拜特进、少宰。才半岁，属疾，三上章告老，除安化军节度使、开府仪同三司致仕。徙节安静军，起充中太一宫使，封康国公。将行，赐之诗及砚笔、图画、药饵、香茶之属甚厚。正夫献诗谢，帝又属和以荣其归。至盱眙，病亟，遂卒，年五十八。赠太保，谥文宪，再赠太傅。（《宋史》本传）

本年重要作品：

文：欧阳修《集古录序》、欧阳修《三琴记》、曾巩《清心亭记》、王安石《新秦集序》、苏轼《凤翔太白山祈雨文》、苏轼《喜雨亭记》、苏轼《凤鸣驿记》、苏辙《登真兴寺楼赋》、苏辙《新论》。

诗：苏洵《送吴待制中复知潭州二首》、曾巩《合酱作》、曾巩《秋夜》、王安石《送程公辟守洪州》、王安石《次韵祖择之登紫微阁二首》、苏轼《和子由除日见寄》、苏轼《真兴寺阁祷雨》、苏轼《石鼻城》、苏轼《磻溪》、苏轼《郿坞》、苏轼《书崇寿院壁》、苏轼《楼观》、苏轼《题延生观后小堂》、苏轼《九月二十日微雪怀子由弟》、苏轼《病中闻子由得告不赴商州》、苏轼《次韵子由岐下诗》、苏轼《壬寅重九不预会独游普门寺僧阁》、苏辙《次韵子瞻减降诸县囚徒事毕登览》、苏辙《次韵子瞻秋雪见寄》、苏辙《次韵子瞻闻不赴商幕》、苏辙《子瞻喜雨亭北隋仁寿宫中怪石》、苏辙《次韵子瞻病中大雪》、苏辙《次韵子瞻记岁暮乡俗三首》。

公元 1063 年（宋仁宗嘉祐八年　癸卯）

正月

六日，王逢卒，59 岁。君少以文学知名，于书无所不观，而尤喜《易》，作《易传》十卷、《乾德指说》一卷、《复书》七卷。名士大夫多善其书者。于是，枢密使张公举君可试馆职，而宰相无知君者，故不用。通判徐州，以疾不赴，求监苏州酒。以

嘉祐八年正月六日不起，年五十九，至太常博士。（王安石《王会之墓志铭》）

著有：《易传》十卷（晁公武《郡斋读书志·易类》）、《乾德指说》一卷（《宋史》本传）、《复书》七卷（《宋史》本传）。

七日，以翰林学士范镇权知贡举，知制诰王安石、天章阁待制司马光并权同知贡举，合格奏名进士孔武仲已下二百人。（《宋会要辑稿·选举一》）

丙寅（二十四日），翰林学士范镇提举校正医书。（《续资治通鉴长编》卷一九八）

二月

乙酉（十三日），太子少傅致仕田况卒，59 岁。赠太子太保，谥宣简。以为尚书左丞、观文殿学士、翰林侍读学士、提举景灵宫事。公请不已，于是，以太子太保致仕。居数年，疾遂笃，以八年二月乙酉薨于第，享年五十九。诏辍视朝，赠太子太傅，赙恤甚厚。（范纯仁《太子太保宣简田公神道碑铭》）

著有：《皇祐会计录》六卷（《宋史·艺文志二》）、《田况文集》三十卷（《宋史·艺文志七》）、《田况策论》十卷（《宋史·艺文志七》）。

三月

四日，庞籍卒，76 岁。公讳某，字醇之。公幼敏达，工文，辞书无不观。举进士上第，释褐黄州司理参军。五年，听以太子太保致仕。公好学出于天性，虽耄老家居，常读书赋诗，未尝闲。用此自娱，至忘饥渴寒暑。八年三月丙午，以疾薨于第，年七十六。（司马光《太子太保庞公墓志铭》）

著有：《庞籍集》五十卷（王珪《庞公神道碑铭》）。

著录：郑樵《通志·艺文略八》、马端临《文献通考》卷二三四。

公之勋业治行，范景仁所为《清风集叙》言之详矣。公性喜诗，虽相府机务之繁、边庭军旅之急，未尝一日置不为。凡所以怡神养志，及逢时值事，一寓之于诗。其高深闳远之趣，固非庸浅所可及。至于用事精当，偶对的切，虽古人能者，殆无以过。及疾亟，光时为谏官，有谒禁，走手启参候，公犹录诗十余篇相示。手注其后，曰："欲令吾弟知老夫病中尚有此意思耳。"字已惨淡难识，后数日而薨。向者嗣子某字懋贤，已集其文为五十卷。既而，以文字之多，惧世人传者不能广，又选诗之尤善者凡千篇，为十卷，命曰《清风集略》。刻板摹之，命光继叙其事。呜呼！公之善在人者，旁施四海，后垂无穷。如诗乃公之余事耳，懋贤犹务其传，勤勤恐不逮，况其大者乎！（司马光《庞相国清风集略后序》）

庞颖公籍喜为诗，虽临边典藩，文案委积，日不废三两篇，以此为适。及疾亟，余时为谏官，以十余篇相示，手批其后曰："欲令吾弟知老夫病中尝有此思耳。"字已惨淡难识，后数日而薨。（司马光《温公续诗话》）

九日，崇政殿试礼部奏名进士，帝不御殿。内出《寅畏以飨福赋》、《乐通神明诗》、《成败之机在察言论》题。（《宋会要辑稿·选举七》）

甲子（二十二日），御延和殿，赐进士许将等一百二十七人及第，六十七人同出

身；诸科一百四十七人及第、同出身；又赐特奏名进士、诸科一百人及第、同出身、诸州文学、长史。将，闽人也。（《续资治通鉴长编》卷一九八）

登进士第：许将、陈轩、左仲通、范祖禹、龚原、沈括、程节、郭附、张缓、傅概、练定、李详、李镇、袁默、黄颜、曹辅、周衮、周邠、吴居厚、董敦逸、孔武仲、虞策、萧竑、邵光、方资、杨宗惠、刘常等。

二十九日，仁宗去世。

辛未晦，上暴崩于福宁殿。是日，上饮食起居尚平宁。甲夜，忽起索药，甚急，且召皇后。皇后至，上指心，不能言。召医官诊视，投药，灼艾，已无及。丙夜，遂崩。（《续资治通鉴长编》卷一九八）

四月

一日，英宗即位。

四月壬申朔，辅臣入至寝殿。后定议，召皇子入，告以上晏驾，使嗣立。英宗即皇帝位，见百官于东楹，百官再拜，复位。（《续资治通鉴长编》卷一九八）

八日，英宗病重，请皇太后垂帘听政。

己卯（八日），大敛，上疾增剧，号呼狂走，不能成礼。韩琦亟投杖褰帘，抱持上，呼内人，属令加意拥护。又与同列入白太后。下诏，候听政日，请太后权同处分。礼院奏请："其日皇帝同太后御内东门小殿垂帘，中书、枢密院合班起居，以次奏事。或非时召学士，亦许至小殿。皇太后处分称'吾'，群臣进名起居于内东门。"从之。（《续资治通鉴长编》卷一九八）

十一日，以新及第进士第一人许将为大理评事、金书奉国军节度判官厅公事；第二人陈轩、第三人左仲通为两使幕职官；第四人范祖禹、第五人龚原试校书郎，知县；余进士、明经、诸科及第人，皆以为判司、簿、尉；出身人，皆守选。（《宋会要辑稿·选举二》）

甲申（十三日），宰相韩琦加门下侍郎、兼兵部尚书，进封卫国公；曾公亮加中书侍郎、兼礼部尚书；枢密使张昇，参知政事欧阳修、赵槩并加户部侍郎；枢密副使胡宿、吴奎并加给事中。（《续资治通鉴长编》卷一九八）

丁酉（二十六日），起复文彦博，固辞，表三上，乃听终丧。寻有诏，给俸赐比宰相之半，彦博又辞，许之。（《续资治通鉴长编》卷一九六）

五月

富弼既除丧，戊午（十七日），授枢密使、礼部尚书、同平章事。（《续资治通鉴长编》卷一九八）

六月

戊寅（八日），翰林学士、权三司使蔡襄为修奉太庙使。（《续资治通鉴长编》卷

一九八）

七月

乙巳（六日），侍御史吕诲为起居舍人、同知谏院。（《续资治通鉴长编》卷一九八）

八月

王安石丁母忧，解官归江宁。

十二月

己卯（十二日），诏：以国子博士陈舜俞制科第四等、著作佐郎安焘常中进士科第三人，与免远官。自今著为例。焘，开封人也。（《续资治通鉴长编》卷一九九）

庚辰（十三日），命翰林学士王珪、贾黯、范镇撰《仁宗实录》，集贤校理宋敏求、直秘阁吕夏卿、秘阁校理韩维兼充检讨官，入内都知任守忠管勾。敏求时知亳州，召用之。（《续资治通鉴长编》卷一九九）

本年

范师道卒，59 岁。范师道，字贯之，天圣九年进士。累知广德县。擢侍御史，数以论事忤宰相刘沆，出知常州。复召为起居舍人，同知谏院。会百官上尊号，乃言：灾异数出，而崇尚虚文，非所以答天戒。又言：宫人多迁除，恐女宠因缘以害政事。上皆嘉纳之。又言：陈升之不当进用。出知福州，复入为三司盐铁副使，终直龙图阁，知明州。有《奏议》二十卷、《文集》五十卷。（《吴郡志》卷二六）

著有：《垂拱元龟会要详节》四十卷（《宋史·艺文志六》）、《国朝类要》十二卷（《宋史·艺文志六》）、《奏议》二十卷（《吴郡志》卷二六）、《范师道集》五十卷（《吴郡志》卷二六）。

葛次仲（1063—1121）生。宣和三年正月庚子，大司成葛公寝疾，以不禄闻，特赠正奉大夫。公之六世祖，自广陵徙贯江阴，故今为常州江阴人。公讳次仲，字亚卿。公与季弟举进士联中，调泰州海陵县尉，移常州宜兴县丞。未行，除吉州州学教授。遭父丧，服除，为国信条例所检阅官，迁奉议郎，迁承议、朝奉郎。除太府寺丞，迁朝散郎，提举京西南路常平。拜度支员外郎。逾年，迁户部。转朝奉大夫，迁宗正少卿。特转行一官，遂为朝议大夫。除公直龙图阁，提举东太一宫。岁中，除中书舍人，迁给事中直讲。转中奉大夫，同修国史，升翊善。进《哲宗宝训》，迁中大夫，加食邑三百户，爵丹阳县男。除大司成致仕，迁太中大夫。文章典雅清丽，成一家言，遗稿三十卷。少喜为诗，自晋宋以来骚人所赋，靡不记诵。尝为《集句诗》三卷，盛行于时。年五十九薨。（葛胜仲《太中大夫大司成葛公行状》）

本年重要作品：

文：欧阳修《跋杜祁公书》、欧阳修《跋永城县学记》、欧阳修《书荔枝谱后》、欧阳修《跋学士院题名》、苏洵《辨奸论》、苏洵《上韩丞相论山陵书》、曾巩《范贯之奏议集序》、王安石《与郭祥正太傅书》、苏轼《凌虚台记》、苏轼《思治论》、苏轼《稼说送张琥》。

诗：欧阳修《送王学士赴两浙转运》、欧阳修《题薛公明画》、欧阳修《夜宿中书东阁》、王安石《癸卯追感正月十五事》、苏轼《客位假寐》、苏轼《和刘长安题薛周逸老亭》、苏轼《中隐堂诗》、苏轼《和子由踏青》、苏轼《和子由蚕市》、苏轼《和子由寒食》、苏轼《次韵子由以诗见报编礼公借雷琴记旧曲》、苏轼《读道藏》、苏轼《和子由闻子瞻将如终南太平宫溪堂读书》、苏轼《将往终南和子由见寄》、苏辙《大人久废弹琴比借人雷琴以记旧曲十得三四率尔拜呈》、苏辙《记岁首乡俗寄子瞻二首》、苏辙《子瞻寄示岐阳十五碑》、苏辙《闻子瞻重游南山》、苏辙《闻子瞻将如终南太平宫礠堂读书》、苏辙《次韵子瞻麻田青峰寺下院翠麓亭》、苏辙《次韵子瞻宿南山蟠龙寺》、苏辙《子瞻见许骊山澄泥砚》、苏辙《闻子瞻习射》、苏辙《次韵子瞻题薛周逸老亭》、苏辙《次韵子瞻题长安王氏中隐堂五首》。

公元 1064 年（宋英宗治平元年　甲辰）

正月

一日，改元。

二月

戊辰（二日），命韩琦提举修撰《仁宗实录》（《续资治通鉴长编》卷二〇〇）

四月

辛未（五日），知审官院王珪奏新编本院敕十五卷，诏行之。（《续资治通鉴长编》卷二〇一）

五月

丁未（十二日），命天章阁待制兼侍讲吕公著、集贤校理同修起居注邵必编集《仁宗御制》。（《续资治通鉴长编》卷二〇一）

戊申（十三日），皇太后出手书还政，是日遂不复处分军国事。（《续资治通鉴长编》卷二〇一）

闰五月

戊辰（三日），宰臣韩琦迁右仆射，曾公亮迁户部尚书，枢密使富弼迁户部尚书，

张昇迁吏部侍郎，参知政事欧阳修、赵槩为吏部侍郎，枢密副使胡宿、吴奎为礼部侍郎。（《续资治通鉴长编》卷二〇一）

六月

癸卯（九日），贡院奏："准皇祐四年诏，娶宗室女补官者不得应举。按贡举条例，进纳及工商杂类有奇才异行者，亦听取解。今宗室婿皆三世食禄，有人保任乃得充选，比工商杂类纳财受官流品为胜，岂可以姻连皇族，遂同赃私罪戾之人。乞许应举，以广求贤之路。"从之。（《续资治通鉴长编》卷二〇二）

辛酉（二十七日），驾部郎中路纶献其父振所撰《九国志》五十卷，诏以付史馆。振在真宗时知制诰，所谓"九国"者：吴杨行密、南唐李昇、闽王潮、汉刘崇南、汉刘隐、楚马商、西楚高季兴、吴越钱镠、蜀王建、孟祥也。（《续资治通鉴长编》卷二〇二）

癸亥（二十九日），工部尚书、集贤院学士余靖卒，65岁。公讳靖，字安道，官至朝散大夫，守工部尚书、集贤院学士、知广州军州事，兼广南东路兵马钤辖、经略安抚使，柱国，始兴郡开国公，食邑二千六百户、食实封二百户。治平元年，自广朝京师。六月癸亥，以疾薨于金陵。天子恻然，辍视朝一日，赙以粟帛，赠刑部尚书，谥曰襄。明年七月某甲子，返葬于曲江之龙归乡成山之原。（欧阳修《赠刑部尚书余襄公神道碑铭》）

尚书余公之才长于应变，文亦如之，不名一体。初举进士，天禧、天圣之间文尚华侈，公以词章鼓行名场，取高第。与尹师鲁应拔萃科，公又为冠。穆伯长、欧阳永叔起，文复古，公亦变体，弃华取质，以道理相交。与欧阳、蔡诸公埒名价，当时公卿士大夫碑碣铭志、亭馆记引、道释观寺撰述，不得公文为不孝、不可，四方砻谷镵辞声相闻。晚节芸殖不落，积原涵深，益工遂完。公偬傥负气节，以功业为己任，以文章怗职丽正，落落不常。嗣子尚书屯田员外郎仲荀编公遗稿，得古律诗一百二十、碑志记五十、议论箴碣表五十三、制诰九十八、判五十五、表状启七十五、祭文六，凡二十卷。（周源《〈武溪集〉序》）

《武溪集》二十卷，宋余靖撰。其文章不甚著名。然狄青讨平侬智高，靖磨崖作记，以旌武功，当时咸重其文。尝奉命使辽，作《契丹官仪》一篇，颇可与史传参证。他如论史序潮诸作，亦多斐然可观。以方驾欧、梅，固为不足。要于北宋诸人之中，固亦自成一队也。（《四库提要》卷一五二）

著有：《武溪集》二十卷（陈振孙《直斋书录解题·别集类中》）、《庆历正旦国信语录》一卷（陈振孙《直斋书录解题·传记类》）、《圣宗掇遗》一卷（晁公武《郡斋读书志·杂史类》）、《汉书刊误》三十卷（《宋史·艺文志二》）。

著录：尤袤《遂初堂书目·别集类》、陈振孙《直斋书录解题·别集类中》、马端临《文献通考》卷二三四、《宋史·艺文志七》、杨士奇等《文渊阁书目》卷九、叶盛《菉竹堂书目》卷三、高儒《百川书志》卷一二、焦竑《国史经籍志》卷五、赵琦美《脉望馆书目》、孙能传等《内阁藏书目录》卷三、钱谦益《绛云楼书目》卷三、《四库提要》卷一五二、季振宜《季沧苇藏书目》、傅增湘《藏园群书经眼录》卷一三、《北京图书馆古籍善本书目》、台湾《中央图书馆善本书目》。

版本：明成化九年苏韦华等刻本、明嘉靖四十五年刘稳刻本、明隆武二年余超龙刻本。

九月

癸未（二十一日），命（刘）敞知卫州。未行，改汝州。三司言敞再得告，例不当给俸，诏令特给。（《续资治通鉴长编》卷二〇二）

十月

九日，唐询卒，60 岁。公讳某，字彦猷。幼清警介特，其守气精壹而内志端直，故其于为学深而简。文章高耸，其以应物不烦而达规矩绳墨，粲然有常，而枉直判于彼矣。初以荫为将作监主簿。天圣间献所为文章，召试学士院，赐进士及第。除知湖州长兴县。治平元年十月九日薨于京师，年六十，诏赠礼部侍郎。性嗜书画、研墨、尺牍，与人多珍藏之。（刘攽《翰林侍读学士给事中唐公墓志铭》）

著有：《砚录》二卷（《宋史·艺文志六》）、《唐询集》三十卷（《宋史》本传）。

十一月

七日，孙抃卒，69 岁。尚书、礼部侍郎、参知政事孙公，讳抃，以嘉祐七年三月上封，求解畿近，拜观文殿学士兼翰林侍读学士、同群牧制置使。后二年二月，以疾谢，不能朝，乞上还所居官，拜太子少傅致仕。以其年十一月戊辰，薨于春明坊居第。薨后十九月，乃克葬于开封县新里乡之刘柴原，实治平三年七月癸酉也。公之薨也，天子以先帝执政臣，赙丧甚厚。为罢垂拱朝一日，特遣中使存问其家事，又赠黄金百两，制赠太子太保，谥曰文懿。（苏颂《太子少傅致仕赠太子太保孙公墓志铭》）

著有：《经纬集》十四卷（陈振孙《直斋书录解题·章奏类》）、《孙文懿集》三十卷（晁公武《郡斋读书志·别集类下》）。

己卯（十八日），屯田员外郎、知襄邑县范纯仁为江东转运判官。（《续资治通鉴长编》卷二〇三）

十二月

庚子（九日），知制诰祖无择献《皇极箴》，赐诏奖之。（《续资治通鉴长编》卷二〇三）

丙午（十五日），实录院检讨官、集贤校理宋敏求，诸王府记室参军、直集贤院韩维，同修起居注。（《续资治通鉴长编》卷二〇三）。

癸丑（二十二日），吏部员外郎、天章阁待制、河北都转运使赵抃为龙图阁直学士、知成都府。（《续资治通鉴长编》卷二〇三）

苏轼自凤翔解官归京师。

本年

李朴（1064—1128）生。李朴，字先之，虔之兴国人。登绍圣元年进士第，调临江军司法参军，移西京国子监教授，程颐独器许之。移虔州教授。旋追官勒停，会赦，注汀州司户。徽宗即位，有旨召对。复以为虔州教授。罢为肇庆府四会令。改承事郎，知临江军清江县、广东路安抚司主管机宜文字。钦宗在东宫闻其名，及即位，除著作郎，半岁凡五迁至国子祭酒，以疾不能至。高宗即位，除秘书监，趣召，未至而卒，年六十五。赠宝文阁待制。有《章贡集》二十卷行于世。（《宋史》本传）

吕好问（1064—1131）生。吕好问，字舜徒，侍讲希哲子也。以荫补官。崇宁初，治党事，好问以元祐子弟坐废。两监东岳庙，司扬州仪曹。靖康元年，以荐召为左司谏、谏议大夫，擢御史中丞。好问率台属劾大臣畏懦误国，出好问知袁州。钦宗悯其忠，下迁吏部侍郎。既而金人薄都城，钦宗思好问言，进兵部尚书。帝再幸金营，好问实从，帝既留，遣好问还，尉拊都城。已而金人立张邦昌，以好问为事务官。以好问摄门下省。好问既系衔，仍行旧职。时邦昌虽不改元，而百司文移，必去年号，独好问所行文书，称"靖康二年"。金人既行，好问趣遣使诣大元帅府劝进，请元祐太后垂帘，邦昌易服归太宰位。高宗即位，除尚书右丞。好问自惭，力求去，除资政殿学士、知宣州、提举洞霄宫，以恩封东莱郡侯。避地，卒于桂州。（《宋史》本传）

本年重要作品：

文：欧阳修《魏国韩公真赞》、欧阳修《龙茶录后序》、欧阳修《跋茶录》、欧阳修《跋学士院御书》、王安石《虔州学记》、王安石《答韩求仁书》、曾巩《祭亡妻晁氏文》、苏轼《文同画竹赞》、苏轼《凌虚台记》、苏轼《祭伯父提刑文》、钱勰《钓台赋》。

诗：欧阳修《斋宫尚有残雪思作学士时有闻莺诗寄原父有感》、欧阳修《东阁雨中》、欧阳修《下直》、欧阳修《摄事斋宫偶书》、欧阳修《早朝感事》、欧阳修《集禧谢雨》、欧阳修《下直呈同行三公》、王安石《潭州新学诗》、苏轼《自清平镇游楼观五郡大秦延生仙游往反四日得十一诗寄舍弟子由同作》、苏轼《和子由记园中草木十一首》、苏轼《和董传留别》、苏轼《骊山绝句三首》、苏辙《和子瞻三游南山九首》、苏辙《次韵子瞻南溪微雪》、苏辙《木山引水二首》、苏辙《送家定国同年赴永康掾》。

公元1065年（宋英宗治平二年 乙巳）

正月

九日，以翰林学士冯京权知贡举，翰林侍读学士范镇、知制诰邵必正并权同知贡举，准诏放合格奏名进士彭汝砺已下二百一十三人。（《宋会要辑稿·选举一》）

苏轼还朝，判登闻鼓院。

二月

辛丑（十一日），三司使、给事中蔡襄，为端明殿学士、礼部侍郎、知杭州。（《续资治通鉴长编》卷二○四）

赐贡院奏合格进士、明经、诸科鄱阳彭汝砺等三百六十一人及第、出身，汝砺等三人授初等幕职官，如咸平元年例，余授判、司、簿、尉，出身人守选。（《续资治通鉴长编》卷二○四）

登进士第：彭汝砺、薛向、贾昌朝、宋焕、徐积、罗适、孙载、廖平、郭知章、张琬、毛杭、练悆、李亨伯、董义、楼常、陈毅、余弼、黄远、杜常、张舜民、游师雄、孙升、舒亶、孔平仲、张商英、陈贻序、任彦安、曾觉、杨景略、郭祥正等。

丁巳（二十七日），翰林学士、中书舍人贾黯为给事中、权御史中丞。（《续资治通鉴长编》卷二○四）

己未（二十九日），起复前礼部侍郎、枢密副使吴奎领故官职，奎固辞，不许。奎终辞，上许之。（《续资治通鉴长编》卷二○四）

三月

丁卯（七日），诏贡院：经殿试进士五举、诸科六举，经省试进士六举、诸科七举，今不合格而年五十以上，第其所试为三等以闻。乃以进士孙京等七人为试将作监主簿，余三十八人为州长史、司马、文学。（《续资治通鉴长编》卷二○四）

十一日，诏彭汝砺、薛向、贾昌朝、宋焕为初等幕职官，杜常等及明经、诸科，皆以为判司、簿、尉，出身人守选。（《宋会要辑稿·选举二》）

苏辙出为大名府推官。

四月

陈希亮卒，64 岁。未几，致仕，卒，享年六十四。仕至太常少卿，赠工部侍郎。公善著书，尤长于《易》，有集十卷、《制器尚象论》十二篇、《辨钩隐图》五十四篇。（苏轼《陈公弼传》）

著有：《陈希亮集》十卷（苏轼《陈公弼传》）、《制器尚象论》十二篇（苏轼《陈公弼传》）、《辨钩隐图》五十四篇（苏轼《陈公弼传》）。

五月

癸亥（四日），资政殿学士、礼部侍郎陈旭为枢密副使。秘阁校理蔡抗兼起居舍人、充史馆修撰、同知谏院。翰林学士、权知开封府冯京为陕西安抚使，代陈旭也。（《续资治通鉴长编》卷二○五）

甲申（二十五日），命宰相韩琦、曾公亮权兼枢密院公事，富弼在告故也。弼自去冬以足疾卧家，至是章二十余上，乞补外郡，终不许。（《续资治通鉴长编》卷二○五）

苏轼妻王弗卒。

六月

辛卯（三日），江东转运判官、屯田员外郎范纯仁为殿中侍御史，太常博士、权发遣盐铁判官吕大防为监察御史里行。（《续资治通鉴长编》卷二〇五）

己酉（二十一日），试校书郎孙侔、试将作监主簿常秩、前亳州卫真县主簿王回，皆为忠武军节度使推官。侔知来安县，秩知长社县，回知南顿县。侔等皆以文行知名，为知制诰沈遘、王陶等所荐，命下而回卒，侔、秩皆辞不赴。（《续资治通鉴长编》卷二〇五）

七月

枢密使、户部尚书、同平章事富弼累上章，以疾求罢，至二十余上，固欲留之，不可。癸亥（五日），罢为镇海节度使、同平章事、判河阳。（《续资治通鉴长编》卷二〇五）

二十日，贾昌朝卒，68 岁。六月告疾，中人、太医问视相属。又力求解将相，乃以左仆射、观文殿大学士判尚书都省。七月戊寅，薨，上亲临哭，发涕，为不听朝二日。（王安石《赠司空兼侍中文元贾魏公神道碑》）

著有：《群经音辨》三卷（《宋史·艺文志一》）、《通纪》八十卷（《宋史·艺文志二》）、《太常新礼》四十卷（《宋史·艺文志三》）、《庆历祀仪》六十三卷（《宋史·艺文志三》）、《朱梁南郊仪注》一卷（《宋史·艺文志三》）、《吴南郊图记》一卷（《宋史·艺文志三》）、《庆历编敕》十二卷（《宋史·艺文志三》）、《总例》一卷（《宋史·艺文志三》）、《贡举条制》十二卷（《宋史·艺文志三》）、《庆历编敕》一卷（《宋史·艺文志三》）、《律学武学敕式》一卷（《宋史·艺文志三》）、《武学敕令格式》一卷（《宋史·艺文志三》）、《明堂赦条》一卷（《宋史·艺文志三》）、《国朝时令集解》十二卷（《宋史·艺文志四》）。

庚辰（二十二日），淮南节度使、兼侍中文彦博为枢密使。枢密使、吏部侍郎张昇罢为彰信节度使、同平章事、判许州。（《续资治通鉴长编》卷二〇五）

辛巳（二十三日），权三司使、龙图阁学士、工部侍郎吕公弼为枢密副使。端明殿学士、兼翰林侍读学士、户部侍郎、权知开封府韩绛权三司使。知制诰沈遘为龙图阁直学士、权知开封府。（《续资治通鉴长编》卷二〇五）

二十八日，王回卒，43 岁。其卒于治平二年七月二十八日，年四十三。于是朝廷用荐者，以为某军节度推官、知陈州南顿县事，书下而深父死矣。（王安石《王深父墓志铭》）

著有：《清河崔氏谱》一卷（《宋史·艺文志三》）、《王回集》十卷（《宋史·艺文志七》）。

深父，吾友也，姓王氏，讳回。当先王之迹熄，六艺残缺，道术衰微，天下学者无所折衷，深父于是时奋然独起。因先王之遗文以求其意，得之于心，行之于己，其动止语默必考于法度，而穷达得丧不易其志也。文集二十卷，其辞反复辨达，有所开阐，其卒盖将归于简也。其破去百家传注，推散缺不全之经，以明圣人之道于千载之后。所以振斯文于将坠，回学者于既弱，可谓道德之要言，非世之别集而已也。后之潜心于圣人者，将必由是而有得，则其于世教岂不补之而已哉！呜呼！深父其志方强，其德方进，而不幸死矣，故其泽不加于天下，而其言止于此。然观其所可考者，岂非孟子所谓名世者欤？其文有片言半简，非大义所存，皆附而不去者，所以明深父之于其细行，皆可传于世也。（曾巩《王深父文集序》）

八月

乙卯（二十八日），知制诰宋敏求、韩维同修《仁宗实录》。（《续资治通鉴长编》卷二〇六）

九月

辛酉（四日），提举编纂礼书、参知政事欧阳修奏已编纂《礼书》成百卷，诏以《太常因革礼》为名。先是，修同判太常寺，奏礼院文字多散失。请差官编修。时朝廷重置局，止以命礼官，而礼官祠祭斋宿，又兼校馆阁书籍，或别领他局。嘉祐六年，秘阁校理张洞奏请择用幕职、州县官文学该赡者三两人置局，命判寺一员总领其事。七月，用项城县令姚辟、文安县主簿苏洵编纂，令判寺官督趣。及修参知政事，因命修提举。（《续资治通鉴长编》卷二〇六）

甲戌（十七日），以制科入等著作佐郎范百禄为秘书丞，升一任；前和川县令李清臣为著作佐郎。（《续资治通鉴长编》卷二〇六）

丙子（十九日），给事中、权御史中丞贾黯为翰林院侍读学士、知陈州，从所乞也。（《续资治通鉴长编》卷二〇六）

十月

庚寅（四日），天章阁待制吕公著、司马光为龙图阁直学士、兼侍读。（《续资治通鉴长编》卷二〇六）

甲午（八日），复以王安石为工部郎中、知制诰，母丧除故也。（《续资治通鉴长编》卷二〇六）

十二日，贾黯卒，44 岁。公讳黯，字直孺。少聪悟好学，九岁时作诗，有高远语，人皆惊伟之。十五能从进士举，庆历六年中第，为天下第一，时年二十五。释褐授将作监，通判襄州。官满还朝，召试学士院，拜著作郎、直集贤院。祀明堂，覃恩，迁右正言。治平二年拜给事中、权御史中丞，充理检使。公时已卧疾，月余，公疾益甚，求出补外郡，除翰林侍读学士、知陈州。未行，以十月十二日薨于京师，年四十四。（刘敞《贾公行状》）

（辽道宗咸雍元年）己亥（十三日），皇太后射获虎，大宴群臣，令各赋诗。（《辽

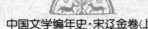

史·道宗纪二》）

甲寅（二十八日），吕公著编《仁宗御集》成一百卷以进，上御延和殿，服靴袍观之，两府皆侍。（《续资治通鉴长编》卷二○六）

本年

苏庠（1065—1147）生。苏庠者，丹阳人。绅之后，颂之族也。少能诗，苏轼见其《清江曲》，大爱之，由是知名。徐俯荐其贤，上特召之，固辞；又命守臣以礼津遣，庠辞疾不至，以寿终。（《宋史》本传）

本年重要作品：

文：欧阳修《徂徕石先生墓志铭》、欧阳修《昼锦堂记》、欧阳修《祭王深父文》、曾巩《王深父文集序》、曾巩《与王介甫第三书》、王安石《王深父墓志铭》、王安石《祭王回深父文》、王安石《上富相公书》、王安石《上宋相公书》。

诗：欧阳修《秋阴》、欧阳修《秋怀》、欧阳修《马上默诵圣俞诗有感》、欧阳修《寄渭州王仲仪龙图》、欧阳修《崇政殿试贤良晚归》、欧阳修《闻颍州通判国博与知郡学士唱和颇多因以奉寄知郡陆经通判杨褒》、欧阳修《定力院七叶木》、欧阳修《初寒》、苏洵《九日和韩魏公》、王安石《乙巳九月登冶城作》、王安石《句容道中》、张先《次韵蔡君谟侍郎寒食西湖》、张先《次韵清明日西湖》、张先《九月望日同君谟侍郎泛西湖夜饮》、苏轼《入馆》、苏轼《夜直秘阁呈王敏甫》、苏辙《北京送孙曼叔屯田权三司开坼司》、苏辙《中秋夜八绝》、苏辙《次韵王临太傅马上》、苏辙《送张唐英监阆州税》、苏辙《送张师道杨寿祺二同年》、苏辙《送道士杨见素南游》、苏辙《中秋夜八绝》、苏辙《次韵王临太博马上》、苏辙《次韵王君贶尚书会六同年》。

公元1066年（宋英宗治平三年　丙午）

正月

壬申（十七日），翰林学士、给事中、知制诰范镇为翰林侍读学士、集贤殿修撰、知陈州。（《续资治通鉴长编》卷二○七）

癸酉（十八日），契丹改国曰大辽。（《续资治通鉴长编》卷二○七）

十九日，韦骧作《花溪唱和集后序》。

辛巳（二十六日），端明殿学士、兼龙图阁学士、知徐州张方平为翰林学士承旨。翰林学士冯京修撰《仁宗实录》。（《续资治通鉴长编》卷二○七）

二月

乙酉朔（一日），殿中丞苏轼直史馆。上在藩邸闻轼名，欲以唐故事召入翰林，便授知制诰。韩琦曰："苏轼，远大之器也，他日自当为天下用。在朝廷培养之，使天下之士莫不畏慕降伏，然后取而用之，则人人无复异词。今骤用之，恐天下之士未必皆以为然，适足累之也。"上曰："知制诰既未可与，修起居注可乎?"琦曰："居注与制诰为邻，未可遽授，不若于馆阁中择近上帖职与之，且近例当召试。"上曰："未知其能否，故试。如苏轼有不能耶?"琦曰："不可。"乃试而命之。他日，欧阳修具以告轼，轼曰："韩公待轼之意，乃古所谓君子爱人以德者也。"（《续资治通鉴长编》卷二〇七）

四月

甲申朔（一日），观文殿学士、户部侍郎孙沔卒，71 岁。观文殿学士、户部侍郎孙沔自环庆改帅鄜延，未至，卒于道，赠兵部尚书，谥曰：威敏。沔居官以才力闻，强直少所惮。然喜燕游女色，故中间坐废。妻边氏肃之孙，悍妬为一时所传。（《续资治通鉴长编》卷二〇八）

著有：《孙沔集》十卷（《宋史·艺文志七》）。

司马光始编撰《资治通鉴》。

辛丑（十八日），命龙图阁直学士兼侍讲司马光编历代君臣事迹。于是，光奏曰："自少已来，略涉群史。窃见纪传之体，文字繁多，虽以衡门专学之士，往往读之不能周浃，况于帝王日有万几，必欲遍知前世得失，诚为未易。窃不自揆，常欲上自战国、下至五代，正史之外，旁采他书。凡关国家之盛衰，系生民之休戚，善可为法、恶可为戒、帝王所宜知者，略依《左氏春秋传》体为编年一书，名曰《通志》。其余浮冗之文，悉删去不载。庶几听览不劳，而闻见甚博。私家区区，力不能办，徒有其志而无成。顷臣曾以战国时八卷上进，幸蒙赐览。今所奉诏旨，未审令臣续成此书，或别有编集? 若续此书，欲乞亦以《通志》为名。其书上下贯穿千余载，固非愚臣所能独修。伏见翁源县令广南西路经略安抚司勾当公事刘恕、将作监主簿赵君锡，皆习史学，为众所推。欲望特差二人与臣同修，庶使早得成书，不至疏略。"诏从之，而令接所进书八卷编集，俟书成取旨赐名。其后君锡父丧，不赴，命太常博士、国子监直讲刘攽代之。（《续资治通鉴长编》卷二〇八）

十八日，司空致仕郑国公宋庠卒，71 岁。治平三年四月辛丑，司空致仕郑国公薨于京师。时天子方以灾异避殿，有司误奏毋临丧，乃作挽辞二章以哀之，为废朝二日，赠公太尉兼侍中，谥曰元宪。五月丙寅，天子成服于苑中，百官慰殿门下。其年十月己酉葬公许州阳翟县之三封原，是日又废朝。既葬，御篆其碑曰："忠规德范之碑。"既又诏太史臣珪以铭其碑。（王珪《宋元宪公神道碑铭》）

著有：《国语补音》三卷（《宋史·艺文志一》）、《纪年通谱》十二卷（《宋史·艺文志二》）、《尊号录》一卷（《宋史·艺文志二》）、《缇巾集》十二卷（《宋史·艺文志七》）、《操缦集》六卷（《宋史·艺文志七》）、《宋元宪集》四十四卷（陈振孙《直斋书录解题·别集类中》）、《掖垣丛志》三卷（陈振孙《直斋书录解题·职官类》）。

荆湖之间，国朝以来，安州为望郡，名公钜卿相继而出，元宪、景文宋公伯仲，则其杰也。宋公之典型虽在，而文集不传于乡郡，谓之阙典可也。寓公李令尹之家旧

有缮本，太守今都运王公允初昔为通守，每与之强言，欲借而刊之，未能逮。持节京西，于其行，以帑藏之余几千缗属之强，与之锓本，以广其传。又分数册以往，将以速其就也。因其成也，书之篇首，以告来者。若夫赞元宪、景文之钜篇大作，则有国史在，于前辈之铺张扬厉而为之序，则之强晚生不敢措辞。观是集者，自当知所敬叹。今之序，姑记其文集之传云尔。（陈之强《元宪集序》）

《宋元宪集》四十卷，宋宋庠撰。《永乐大典》修于明初，距宋末仅百余年，旧刻犹存，故得以采录。而庠文章渊雅，可取者多，故所载特为繁富。今以类排比，仍可得四十卷，疑当时全部收入也。方回《瀛奎律髓》载：夏竦守安州日，庠兄弟以布衣游学，席上各赋《落花》诗，竦以为有台辅器。赵令畤《侯鲭录》亦云：二宋《落花》诗为时脍炙。今考庠诗所谓"汉皋佩冷临江失，金谷楼危到地香"；祁诗所谓"将飞更作回风舞，已落犹成半面妆"者，特晚唐秾丽之格，实不尽其所长。祁集有《和庠赴镇圃田游西池作》，极称其"长杨猎近寒熊吼，太液歌残瑞鹄飞"句，叹其惊迈，蔡绦《西清诗话》亦称之。又载其《许昌西湖》诗"凿开鱼鸟忘情地，展尽江湖极目天"，旷古未有。然集中名章隽句，络绎纷披，固不止是数联也。文章多馆阁之作，皆温雅瑰丽，沨沨乎治世之音。盖文章至五季而极弊，北宋诸家各分起振作，以追复唐贤之旧。穆修、柳开以至尹洙、欧阳修，则沿洄韩、柳之波，庠兄弟则方驾燕、许之轨。譬诸贾、董、枚、马，体制各殊，而同为汉京之极盛。固不必论甘而忌辛，是丹而非素矣。陈振孙称景文清约庄重不逮其兄，以此不至公辅。今观其集，庠有沉博之气，而祁多新警之思，其气象亦复小殊，所谓文章关乎器识者欤？（《四库提要》卷一五二）

著录：郑樵《通志·艺文略八》、晁公武《郡斋读书志·别集类下》、尤袤《遂初堂书目·别集类》、陈振孙《直斋书录解题·别集类中》、马端临《文献通考》卷二三四、《宋史·艺文志七》、杨士奇等《文渊阁书目》卷九、叶盛《菉竹堂书目》卷三、焦竑《国史经籍志》卷五、陈第《世善堂藏书目录》卷下、《四库提要》卷一五二。

唯本朝承五季之后，诗人犹有唐末之遗风。迨杨文公、钱文僖、刘中山诸贤继出，一变而为"昆体"。未几，宋元宪、景文公兄弟又以学问文章别成一家，藻丽而归之雅正。学者宗之，号为"二宋"。（周必大《跋宋待制暎宁轩自适诗》）

二十五日，苏洵卒，58 岁。赠故霸州文安县主簿、太常礼院编纂礼书苏洵光禄寺丞。所修书方奏未报而洵卒，赐其家银、绢各百两、匹，其子殿中丞、直史馆轼辞所赐，求赠官，既从之。又特敕有司具舟载其丧归蜀。（《续资治通鉴长编》卷二〇八）

自来京师，一时后生学者皆尊其贤，学其文以为师法，以其父子俱知名，故号"老苏"以别之。初，修为上其书，召试紫微阁，辞不至，遂除试秘书省校书郎。会太常修纂建隆以来礼书，乃以为霸州文安县主簿，使食其禄，与陈州项城县令姚辟同修礼书，为《太常因革礼》一百卷。书成，方奏未报，而君以疾卒，实治平三年四月戊申也，享年五十有八。天子闻而哀之，特赠光禄寺丞，敕有司具舟，载其丧归于蜀。（欧阳修《故霸州文安县主簿苏君墓志铭并序》）

著有：《洪范图论》一卷（《宋史·艺文志一》）、《嘉祐谥法》三卷（《宋史·艺文志一》）、《苏氏族谱》一卷（《宋史·艺文志三》）、《嘉祐集》十五卷（晁公武《郡斋读书志·别集类下》）、《别集》五卷（《宋史·艺文志七》）。

老苏晚年文字，多用欧阳公婉转之态。老泉晚年记序与《权》、《衡》诸论文字不同，岂见欧阳公后有所进耶？其晚年而笔力进耶？（韩淲《涧泉日记》卷下）

明允晚而始向学，且僻处西裔，无师友之渊源与琢劘之助，以故于六经鸡肋耳。而其学仅《战国策》、《史记》、班范诸书，虽佛、老、庄、列之言，亦未之考索也。夫以明允之鸡肋六经，则当置而弗论可也。而何至以其私臆而窥圣人之心，又以势之所不得已者而为圣人之作用，使六经之道下而与百家诸子等。且有诋谪往古、多深文而不中情事，其建白置措，必权术而亡益治乱。且夫《辨奸》一论，其验介甫固若蓍蔡，然亦介甫自有以验之。彼夫口孔老之言，而身夷齐之行，即使造作语言，私立名字，衣巨卢，食犬彘，囚首垢面而谈诗书，何以知其必用？用之，何以知其必为天下患也？或以明允在永叔席，尝与介甫押"而"字韵诗而屈；或曰韩、富与永叔扬明允不容口，而介甫独不及，故恨；或曰明允未尝作此文也，子瞻后见介甫之乱政而拟之，以归名于明允也。吾谓皆不足论。即果明允作，而介甫之报之，摘其生平所著书，而比之章惇、王韶，胡不可？或又曰：惇、韶，介甫之所喜，宜其不以恶明允也。虽然，明允，天下才也。使其心术正，而少得贤师友，以经学琢劘之，其雄劲不亦夺永叔而掩子瞻也哉！（王世贞《书老苏文后》）

苏文公崛起蜀，徵其学，本申、韩，而其行文杂出于荀卿、孟轲、及《战国策》诸家，不敢遽谓得古六艺者之遗。然其镵画之议，幽悄之思，博大之识，奇崛之气，非近代儒生所及。要之，韩、欧而下，与诸名家相为表里。及其二子继响，嘉祐之文，西汉同风矣。（茅坤《苏老泉文钞引》）

《嘉祐集》十六卷，宋苏洵撰。曾巩作洵《墓志》，称有集二十卷。晁公武《读书志》、陈振孙《书录解题》俱作十五卷，盖宋时已有二本。是本为徐乾学家传是楼所藏，卷末题绍兴十七年四月晦日婺州州学雕，纸墨颇为精好。又有康熙间苏州邵仁泓所刊，亦称从宋本校正。然二本并十六卷，均与宋人所记不同。徐本名《嘉祐新集》，邵本则名《老泉先生集》，亦复互异，未喻其故。今以徐本为主，以邵本互相参订，正其讹脱。亦有此存而彼逸者，并为补入。又《附录》二卷，为奉议郎、充婺州学教授沈斐所辑，较邵本少国史本传一篇，而多挽词十余首，亦并录以备考焉。（《四库提要》卷一五三）

著录：郑樵《通志·艺文略八》、晁公武《郡斋读书志·别集类下》、尤袤《遂初堂书目·别集类》、陈振孙《直斋书录解题·别集类中》、马端临《文献通考》卷二三五、《宋史·艺文志七》、杨士奇等《文渊阁书目》卷九、叶盛《菉竹堂书目》卷三、《赵定宇书目》、高儒《百川书志》卷一二、焦竑《国史经籍志》卷五、孙能传等《内阁藏书目录》卷三、陈第《世善堂藏书目录》卷下、钱谦益《绛云楼书目》卷三、《四库提要》卷一五三、汪士钟《艺芸书舍宋本书目》、《天禄琳琅书目》卷一○、丁丙《善本书室藏书志》卷二七、邵懿辰《增订四库简明目录标注》卷一五、缪荃孙《艺风藏书续记》卷六、瞿镛《铁琴铜剑楼藏书目》卷二○、傅增湘《藏园群书经眼录》卷一三、王重民《中国善本书提要》、《北京图书馆古籍善本书目》、台湾《中央图书馆善本书目》。

版本：宋绍兴四年吴炎刻本、明嘉靖十一年太原府刻本、明凌濛初刻朱墨套印本、明天启元年刊本、明崇祯十年仁和黄氏贾堂刻本、明崇祯十六年黄灿等重编本、清康熙三十七邵仁泓安乐居刻本、清康熙间蔡士英修补《三苏全集》本、清道光间三苏祠刻本。

枢密副使、礼部侍郎胡宿累乞致仕，庚戌（二十七日），罢为吏部侍郎、观文殿学士、知杭州。（《续资治通鉴长编》卷二〇八）

六月

苏轼、苏辙兄弟护丧归蜀。

八月

十五日，邵雍自编《伊川击壤集》，并为之序。

《击壤集》，伊川翁自乐之诗也。非唯自乐，又能乐时与万物之自得也。近世诗人穷戚则职于怨憝，荣达则专于淫泆。身之休戚发于喜怒，时之否泰出于爱恶，殊不以天下大义而为言者，故其诗大率溺于情好也。噫！情之溺人也甚于水。予自壮岁业于儒术，谓人世之乐何尝有万之一二，而谓名教之乐固有万万焉，况观物之乐复有万万者焉。虽死生荣辱转战于前，曾未入于胸中，则何异四时风花雪月一过乎眼也？诚为能以物观物而两不伤者焉。盖其间情累都忘去尔，所未忘者独有诗在焉。然而，虽曰未忘，其实亦若忘之矣。何者？谓其所作异乎人之所作也。所作不限声律、不沿爱恶、不立固必、不希名誉，如鉴之应形，如钟之应声。其或经道之余，因闲观时，因静照物，因时起志，因物寓言，因志发咏，因言成诗，因咏成声，因诗成音。是故，哀而未尝伤，乐而未尝淫。虽曰吟咏情性，曾何累于性情哉！钟鼓，乐也；玉帛，礼也；与其嗜钟鼓、玉帛，则斯言也不能无陋矣。必欲废钟鼓、玉帛，则其如礼乐何？人谓风雅之道，行于古而不行于今，殆非通论，牵于一身而为言者也。吁！独不念天下为善者少，而害善者多；造危者众，而持危者寡。志士在畎亩则以畎亩言，故其诗名之曰《伊川击壤集》。时有宋治平丙午中秋日也。（邵雍《伊川击壤集序》）

《击壤集》二十卷，宋邵子撰。前有治平丙午自序，后有元祐辛卯邢恕序。晁公武《读书志》云：雍邃于《易》数，歌诗盖其余事，亦颇切理。（按：自班固作《咏史诗》，始兆论宗；东方朔作《诫子诗》，始涉理路。）沿及北宋，鄙唐人之不知道，于是以论理为本，以修词为末，而诗格于是乎大变。此集其尤著者也。朱国桢《涌幢小品》曰："佛语衍为寒山诗，儒语衍为《击壤集》，此圣人平易近人、觉世唤醒之妙用。"是亦一说。然北宋自嘉祐以前，厌五季佻薄之弊，事事反朴还淳。其人品率以光明豁达为宗，其文章亦以平实坦易为主，故一时作者往往衍长庆余风。王禹偁诗所谓"本与乐天为后进，敢期杜甫是前身"者是也。邵子之诗，其源亦出白居易。而晚年绝意世事，不复以文字为长，意所欲言，自抒胸臆，原脱然于诗法之外。毁之者务以声律绳之，固所谓谬伤海鸟、横斥山木；誉之者以为风雅正传。庄昶诸人转相摹仿，如所谓"送我一壶陶靖节，还他两首邵尧夫"者，亦为刻画无盐，唐突西子，失邵子之所以为诗矣。况邵子之诗，不过不苦吟以求工，亦非以工为厉禁。如邵伯温《闻见前录》所载《安乐窝》诗曰："半记不记梦觉后，似愁无愁情倦时。拥衾侧卧未欲起，帘外落花撩乱飞。"此虽置之江西派中，有何不可？而明人乃唯以鄙俚相高，又乌知邵子哉！集为邵子所自编。而杨时《龟山语录》所称"须信画前原有易，自从删后更无诗"一联，集中乃无之。知其随手散佚，不复收拾，真为寄意于诗而非刻意于诗者矣。（又按：邵子抱道自高，盖亦颜子陋巷之志。而黄冠者流，以其先天之学出于华山道士陈抟，又恬淡自怡，迹似黄老，遂以是集编入《道藏》太元部贱字、礼字二号中，殊为诞妄。）（《四库提要》卷一五三）

著录：晁公武《郡斋读书志·别集类下》、尤袤《遂初堂书目·别集类》、陈振孙《直斋书录解题·诗集类下》、马端临《文献通考》卷二四四、《宋史·艺文志七》、杨士奇等《文渊阁书目》卷九、叶盛《菉竹堂书目》卷三、《赵定宇书目》、高儒《百川书志》卷一五、焦竑《国史经籍志》卷五、赵琦美《脉望馆书目》、孙能传等《内阁藏书目录》卷三、陈第《世善堂藏书目录》卷下、《近古堂书目》卷下、钱谦益《绛云楼书目》卷三、《四库提要》卷一五三、季振宜《季沧苇藏书目》、《天禄琳琅书目》卷六、黄丕烈《百宋一廛书录》、陆心源《皕宋楼藏书志》卷七五、丁丙《善本书室藏书志》卷二七、邵懿辰《增订四库简明目录标注》卷一五、瞿镛《铁琴铜剑楼藏书目》卷二〇、《四部丛刊书录》、傅增湘《藏园群书经眼录》卷一三、王重民《中国善本书提要》、《北京图书馆古籍善本书目》、台湾《中央图书馆善本书目》。

版本：明成化毕亨刻十六年刘尚文重修本、明万历三十三年吴元惟刻本、明万历四十二年储昌祚等刻本、明毛氏汲古阁刻本。

己亥（十七日），龙图阁直学士、兼侍讲、崇文院检讨吕公著知蔡州。（《续资治通鉴长编》卷二〇八）

九月

乙卯（四日），命知制诰宋敏求题濮安懿王及三夫人庙主于园。（《续资治通鉴长编》卷二〇八）

丙辰（五日），幸天章宝文阁，命两府观翰林学士、兼侍读学士王珪所书仁宗御诗石刻。（《续资治通鉴长编》卷二〇八）

十二月

辛丑（二十一日），帝疾增剧。壬寅（二十二日），立皇子颍王顼为皇太子。（《续资治通鉴长编》卷二〇八）

本年

（辽道宗咸雍二年）是年，御永安殿，放进士张臻等百一人。（《辽史·道宗纪二》）

　　方勺（1066—?）生。方勺，字仁声，著《泊宅编》十卷。潘公集内有赠方仁声诗云："学道悠悠未见功，敢言凡质有仙风。他年一钵江湖去，先向苕溪访葛洪。"前有序云："公，吾里人，客寓吴兴。神情散朗，如晋宋间高士。晚得官，无仕进意，筑庵西溪，名曰'云茅'。以卫生养性为事，诗文雄深雅健，追古作者。"云云。按公当政和乙未年，已五十。是时，士之稍以才艺名者，有歧路可竞进。公超然高举，如此岂非贤乎？泊宅在乌程，相传张志和浮家泛宅之所，因号"泊宅翁"。盖志和亦金华人而寓吴兴者，二人志操、出处略同。（吴师道《敬乡录》卷三）

本年重要作品：

　　文：欧阳修《憎苍蝇赋》、曾巩《相国寺维摩院听琴序》、曾巩《筠州学记》、王安石《祭高师雄主簿文》、王安石《题王逢原讲孟子后》。

　　诗：欧阳修《三日赴宴口占》、欧阳修《和昭文相公上巳宴》、欧阳修《读杨蟠章安集》、欧阳修《苏主簿洵挽歌》、欧阳修《宋司空挽辞》、王安石《将至丹阳寄表民》、王安石《自金陵如丹阳道中有感》、曾巩《送程公辟使江西》、苏轼《次韵柳子玉见寄》、苏辙《送陈安期都官出城马上》、苏辙《寒食赠游压沙诸君》、苏辙《明日安厚卿强几圣复召饮醉次前韵》。

　　词：张先《喜朝天》（晓云开）。

公元 1067 年（宋英宗治平四年　丁未）

正月

　　丁巳（八日），帝崩于福宁殿，神宗即位，时年二十。（《续资治通鉴长编》卷二〇九）

　　正月二十五日，以龙图阁直学士司马光权知贡举，知制诰韩维、邵亢并权同知贡举，准诏放合格进士许安世已下三百六人。（《宋会要辑稿·选举一》）

二月

　　御史彭思永、蒋之奇弹劾欧阳修帷薄。

三月

　　枢密直学士、礼部郎中王陶为右谏议大夫、权御史中丞。（《续资治通鉴长编》卷二〇九）

　　四日，降工部侍郎、御史中丞彭思永为给事中、知黄州，主客员外郎、殿中侍御史里行蒋之奇为太常博士、监道州酒税。良孺因谤修帷薄，事连吴氏。集贤校理刘瑾与修亦仇家，亟腾其谤。思永闻之，间以语其僚属之奇。之奇始缘濮议合修意，修特荐为御史，方患众论指目为奸邪，求所以自解。及得此，遂独上殿劾修，乞肆诸市朝，上疑其不然。故思永、之奇同降黜。（《续资治通鉴长编》卷二〇九）

权知贡举司马光等上言所考试合格进士许安世以下三百五人，分四等；明经诸科二百一十一人，分三等。诏进士第一、第二、第三赐及第，第四等赐同出身；明经、诸科第一、第二并赐及第，第三等赐同出身。敕下贡院放榜，安世及第三等三人，并为防御、团练推官，其余注官、守选如例。（《续资治通鉴长编》卷二〇九）

登进士第：许安世、何洵直、郭仪、黄降、李潜、方洵武、张冕、张景修、黄彦臣、吴黯、江公著、查应辰、杨怡、罗尚友、刘谊、陈良、陈景山、陈祥道、胡时中、谢诇、毛渐、何正臣、郑侠、傅楫、邹极、杨从、方蒙、伍诰、王岳、曾肇、欧阳棐、王雱、王辟之等。

丙寅（十八日），翰林学士、兼端明殿学士、尚书左丞钱明逸罢翰林学士，为端明殿学士、兼龙图阁学士。（《续资治通鉴长编》卷二〇九）

壬申（二十四日），尚书左丞、参知政事欧阳修为观文殿学士、刑部郎中，知亳州。（《续资治通鉴长编》卷二〇九）

癸酉（二十五日），枢密使、礼部侍郎吴奎参知政事。（《续资治通鉴长编》卷二〇九）

闰三月

工部郎中、知制诰王安石既除丧，诏安石赴阙，安石屡引疾乞分司。癸卯（二十五日），诏安石知江宁府。众谓安石必辞，及诏到，即诣府视事。学士院言：屯田员外郎夏倚、雄武节度推官章惇，诗赋中等。诏：以倚为江南西路转运判官，惇为著作佐郎。倚及惇皆治平三年十月两府所荐者，及是召试。惇，浦城人，欧阳修所荐也。（《续资治通鉴长编》卷二〇九）

甲辰（二十六日），龙图阁直学士、知蔡州吕公著，龙图阁直学士、兼侍讲司马光，并为翰林学士。（《续资治通鉴长编》卷二〇九）

丙午（二十八日），屯田员外郎刘攽、著作佐郎王存为馆阁校勘，太常丞张公裕、殿中丞李常为秘阁校勘，著作佐郎胡宗愈为集贤校理，并以召试学士院诗赋入等也。攽试入优等，故事当除直馆，又员外郎例不为校勘。而攽素与王陶有隙，陶及侍御史苏寀共排之，执政但拟校勘。（《续资治通鉴长编》卷二〇九）

四月

四日，丁宝臣卒，58 岁。君讳宝臣，字元珍。少与其兄宗臣皆以文行，称乡里，号为"二丁"。景祐中皆以进士起家，君为峡州军事判官。与庐陵欧阳公游，相好也。君以治平三年待阙于常州。于是，再迁尚书司封员外郎，以四年四月四日卒，年五十八，有《文集》四十卷。明年二月二十九日，葬于武进县怀德北乡郭庄之原。（王安石《司封员外郎秘阁校理丁君墓志铭》）

著有：《丁宝臣文集》四十卷（王安石《丁君墓志铭》）。

丙寅（十九日），命翰林学士司马光为御史中丞，与王陶两易其职。（《续资治通鉴长编拾补》卷一）

戊辰（二十一日），参知政事吴奎、赵概面对，坚请黜陶于外，上不许。请复授枢密直学士、领群牧使，许之。既而，上直批中书，以陶为翰林学士。（《续资治通鉴长编拾补》卷一）

五月

丙戌（九日），翰林学士吕公著兼侍读。（《续资治通鉴长编拾补》卷一）

戊子（十一日），龙图阁直学士韩维知颍州。（《续资治通鉴长编拾补》卷一）

甲辰（二十七日），屯田员外郎张唐英为殿中侍御史里行。（《续资治通鉴长编拾补》卷一）

六月

十一日，胡宿卒，73 岁。太子少师致仕、赠太子太傅胡公，讳宿，字武平。其先豫章人也，后徙常州之晋陵。公举进士，中天圣二年乙科，为真州扬子尉。岁满，调庐州合淝主簿。张丞相士逊称其文行，荐诸朝，召试学士院，为馆阁校勘，与修《北史》。改集贤校理，通判宣州。三迁太常博士，判吏部南曹，赐绯衣银鱼。知湖州。后为三司盐铁判官，转尚书祠部员外郎，判度支局院，知苏州、两浙路转运使。召还，修起居注，以本官知制诰，兼勾当三班院，已而兼判吏部流内铨。久之，拜公翰林侍读学士，迁翰林学士，兼史馆修撰、判馆事，兼端明殿学士。累迁尚书左司郎中，兼知通进银台司、审刑院、群牧使，提举在京诸司库务、醴泉宫，判尚书礼部，遂判都省，再知礼部贡举。嘉祐六年八月，拜公谏议大夫、枢密副使。英宗即位，拜给事中。治平三年，累上表乞致仕，未允。久之，拜尚书吏部侍郎、观文殿学士、知杭州。明年，今上即位，迁左丞。五月，公以疾告，遂除太子少师致仕。命未至，而公以六月十一日薨于正寝，享年七十有三。即以其年十一月某日葬于某州某县某乡之某原。公累阶光禄大夫，勋上柱国，开国安定爵公，食邑二千八百户，食实封四百户，赐推诚保德翊戴功臣。（欧阳修《赠太子太傅胡公墓志铭》）

著有：《胡文恭集》七十卷（陈振孙《直斋书录解题·别集类中》）、《制词》四卷（《宋史·艺文志七》）。

著录：尤袤《遂初堂书目·别集类》、陈振孙《直斋书录解题·别集类中》马端临《文献通考》卷二五三、《宋史·艺文志七》、杨士奇等《文渊阁书目》卷九、叶盛《菉竹堂书目》卷三、焦竑《国史经籍志》卷五、孙能传等《内阁藏书目录》卷三、钱谦益《绛云楼书目》卷三、《四库全书总目》卷一五二。

宋初诸公竞尚西昆体，世但知杨、刘、钱思公耳。如文忠烈、赵清献诗，最工此体，人多不知。予既著之《池北偶谈》、《居易录》二书。观李子田蓘《萚圃集》载胡文恭武平诗二十八首，亦昆体之工丽者，惜未见其全。（王士禛《带经堂诗话》卷九）

《文恭集》五十卷、《补遗》一卷，宋胡宿撰。宿立朝以廉直著，而学问亦极该博。当时文格未变，尚沿四六骈偶之习，而宿于是体尤工。所为朝廷大制作，典重赡丽，追踪六朝。其五、七言律诗，波澜壮阔，声律铿訇，亦可彷佛盛唐遗响。亦可知金元之间，其集已罕觏矣。今唯《永乐大典》，分采入各韵下者裒而录之，计诗文一千五百余首。虽未必尽合原目，而篇帙较富，已可什得其八九。谨以类编次，厘为五十卷，庶俾艺林好古之士得以复见完书。其有《永乐大典》失采而散见于他书者，则别加搜辑。为《补遗》一卷附之于后焉。（《四库提要》卷一五二）

七月

乙未（十九日），**著作佐郎、三司检法官吕惠卿编校集贤院书籍**。惠卿，南安人，与王安石雅相好。安石荐其才于曾公亮，公亮遂举惠卿馆职。（《续资治通鉴长编拾补》卷一）

二十七日，吴奎卒，58 岁。 公讳奎，字长文，姓吴氏，居齐州之禹城。今上（神宗）见其羸瘠，惊闵之。复以为枢密副使，时四年二月也。月余，除参知政事；又月余，改资政殿大学士，知青州事，兼京东东路安抚使。公至青十日疾病，上疏求徙兖州，不许。七月二十七日薨于位，年五十八。（刘攽《吴公墓志铭》）

著有：《嘉祐录令》十卷（《宋史·艺文志三》）。

八月

十八日，周沆卒，69 岁。 公讳沆，字子真。天圣二年擢进士科，主莱州胶水簿，又主密州诸城簿，迁镇宁军节度推官，知滨州渤海县。以户部侍郎致仕，归于青乡里。治平四年八月甲子终于正寝，年六十九。《文集》二十一卷，《奏议》十五卷。（郑獬《户部侍郎致仕周公墓志铭》）

著有：《六家谥法》二十卷（陈振孙《直斋书录解题·经解类》）、《周沆文集》二十一卷（郑獬《周公墓志铭》）、《奏议》十五卷（郑獬《周公墓志铭》）。

蔡襄卒，56 岁。 以母老，求知杭州，即拜端明殿学士以往。三年，徙南京留守。未行，丁母夫人忧。明年八月某日，以疾卒于家，享年五十有六。公年十八，以农家子举进士，为开封第一，名动京师。公为文章，清遒粹美，有文集若干卷。工于书画，颇自惜，不妄为人书，故其残章断稿人悉珍藏。公累官至礼部侍郎，既卒，翰林学士王珪等十余人列言公贤，其亡可惜。天子新即位，未及识公，而闻其名久也，为之恻然，特赠吏部侍郎官。以某年某月某日葬公于莆田县某乡将军山。（欧阳修《端明殿学士蔡公墓志铭》）

著有：《茶录》一卷（《宋史·艺文志四》）、《荔枝谱》一卷（《宋史·艺文志五》）、《墨谱》一卷（《宋史·艺文志六》）、《蔡襄集》六十卷（《宋史·艺文志七》）。

文以气为主，非天下之刚者，莫能之。古今能文之士非不多，而能杰然自名于世者亡几。非文不足也，无刚气以主之也。国朝四叶，文章尤盛。欧阳文忠公、徂徕先生石守道、河南尹公师鲁、莆田蔡公君谟，皆所谓杰然者。文忠之文追配韩子，其刚气所激尤见于责高司谏书，徂徕之气则见于《庆历圣德颂》，师鲁则见于愿与范文正同贬之书，君谟则见于《四贤一不肖》诗。呜呼！使四君子者生于吾夫子时，则必无未见刚之叹，而乃同出于吾仁祖治平醇厚之世，何其盛欤！夫以台谏之风采，朝士莫不

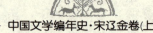
畏其笔端，自侍从而下，奔走伺侯其门者纷然也。文正鄱阳之贬，余、尹、欧即与之同罪矣。蔡公乃于四贤相继黜谪之后，形于歌诗，而斥为不肖，羞其见缙绅之面而辱甚，市朝之挞，则公之刚又可知也。于是移书兴化守钟离君松傅，君自得访于故家，而得其善本。教授蒋君邕与公同邑而深慕其为人，手校正之镂板。于郡庠得古律诗三百七十首，奏议六十四首，杂文五百八十四首，而以《四贤一不肖》诗置诸卷首。与奏议之切直、旧所不载者悉编之，比它集为最全。且属予序之。予曰：端明公文章，文忠公尝称其清遒粹美，后虽有善文辞、好议论者莫能改是评也。予复何云然？窃谓文以气为主，而公之诗文实出于气之刚。入则为謇谔之臣，出则为神明之政，无非是气之所寓。学之者宜先涵养吾胸中之浩然，则发而为文章、事业，庶几无愧于公云。（王十朋《端明集序》）

文章清遒粹美，诗凛然有生气，见于昔贤所评。至《四贤一不肖》诗，传县宇而达四夷，今天下竖子童蒙皆能诵之。（蔡善继《蔡忠惠公文集序》）

《端明集》四十卷，宋蔡襄撰。其初本世不甚传，乾道四年王十朋出知泉州，已求其本而不得。后属知兴化军钟离松访得其书，重编为三十六卷，与教授蒋邕校正镂板，乃复行于世。元代板复散佚，明人皆未睹全帙。万历中莆田卢廷选始得钞本于豫章俞氏，于是御史陈一元刻于南昌，析为四十卷。兴化府知府蔡善继复刻于郡署，仍为三十六卷。后其里人宋珏重为编定，而不及全刻，仅刻其诗集以行。雍正甲寅，襄裔孙廷魁又衰次重刻，是为今本。襄于仁宗朝危言谠论，持正不阿，一时号为名臣。不但以书法名一世。其诗文亦光明磊落，如其为人。（《四库提要》卷一五二）

著录：晁公武《郡斋读书志·别集类下》、陈振孙《直斋书录解题·别集类中》、马端临《文献通考》卷二三五、《宋史·艺文志七》、杨士奇等《文渊阁书目》卷九、叶盛《菉竹堂书目》卷三、焦竑《国史经籍志》卷五、陈第《世善堂藏书目录》卷下、钱谦益《绛云楼书目》卷三、《四库提要》卷一五二、丁丙《善本书室藏书志》卷二六、邵懿辰《增订四库简明目录标注》卷一五、李盛铎《木犀轩藏书书录》、傅增湘《藏园群书经眼录》卷一三、王重民《中国善本书提要》、《北京图书馆古籍善本书目》、台湾《中央图书馆善本书目》。

版本：明万历四十三年陈一元刻本、明万历四十四年蔡善继双瓮斋刻本、明天启二年丁启浚等刻本、清雍正十二年蔡廷魁重刻本。

九月

二十日，欧阳修作《归田录序》。

《归田录》者，朝廷之遗事，史官之所不记，与夫士大夫笑谈之余而可录者，录之以备闲居之览也。有闻而诮余者曰："何其迂哉？子之所学者，修仁义以为业，诵六经以为言，其自待者宜如何？而幸蒙人主之知，备位朝廷，与闻国论者，盖八年于兹矣。既不能因时奋身，遇事发愤，有所建明，以为补益，又不能依阿取容，以徇世俗。使怨嫉谤怒丛于一身，以受侮于群小。当其惊风骇浪猝然起于不测之渊，而蛟鳄鼋鼍之怪方骈首而窥伺，乃措身其间以蹈必死之祸。赖天子仁圣，恻然哀怜，脱于垂涎之口而活之，以赐其余生之命。曾不闻吐珠、衔环，效蛇雀之报。盖方壮也，犹无所为，今既老且病矣，是终负人主之恩，而徒久费大农之钱，为太仓之鼠也。为子计者，谓宜乞身于朝，远引疾去，以深戒前日之祸，而优游田亩，尽其天年，犹足窃知止之贤名。而乃裴回俯仰，久之不决。此而不思，尚何归田之录乎？"余起而谢曰："凡子之责我者，皆是也，吾其归哉，子姑待。"治平四年九月乙未。（欧阳修《归田录序》）

戊戌（二十三日），知制诰、知江宁府王安石为翰林学士。安石既受命知江宁，上将复召用之，尝谓吴奎曰："安石真翰林学士也。"奎曰："安石文行，实高出于人。"上曰："当事如何？"奎曰："恐迂阔。"上勿信，于是卒召用之。（《续资治通鉴长编拾补》卷二）

癸卯（二十八日），右谏议大夫、权御史中丞司马光为翰林学士、兼侍读学士。（《续资治通鉴长编拾补》卷二）

十月

丁未（二日），诏翰林学士司马光权免著撰本院文字。又诏五日一直，修《资治通鉴》故也。富弼判河阳，从所乞也。（《续资治通鉴长编拾补》卷二）

甲寅（九日），司马光初读《资治通鉴》。上亲制序面赐光，赐名《资治通鉴》。令候书成日写入，又赐颖邸旧书二千四百二卷。（《续资治通鉴长编拾补》卷二）

十六日，张彦博卒，49 岁。以治平四年十月六日卒于官，享年四十九。君少力学问，尤知史书，不惮折节以交贤士大夫。君于文章，尤喜作歌诗，有集四十卷藏于家。（王安石《尚书司封员外郎张君墓志铭》）

著有：《张彦博集》四十卷（王安石《张君墓志铭》）。

文叔姓张氏，讳彦博，蔡州汝阳人。庆历三年为抚州司法参军。文叔年未三十，喜从余问道理，学为文章，因与之游。至其为司法代去，其后又三遇焉，至今二十有六年矣。文叔为袁州判官，已死，其子仲伟集其遗文为四十卷，自蕲春走京师，属余序之。余读其书，知文叔虽久穷而讲道益明，属文益工。其辞精深雅赡，有过人者。又知文叔自进为甚强，自待为甚重，皆可喜也。文叔虽久穷，亦何恨哉！（曾巩《张文叔文集序》）

本年

沈遘卒，43 岁。公姓沈氏，讳遘，字文通，世为杭州钱塘人。公初以祖荫，补郊社斋郎。举进士，于廷中为第一，大臣疑已仕者例不得为第一，故以为第二。久之，乃始以同修起居注，召试知制诰。及为制诰，遂以文章称天下。以某年某月得疾杭州之墓次，某日至苏州，而以某日卒，年四十有三。有《文集》十卷。公平居不常视书，而文辞敏丽可喜。强记精识，长于议论。世所谓老师宿学无所不读，通于世务者，皆莫能屈也。（王安石《内翰沈公墓志铭》）

著有：《西溪集》十卷（陈振孙《直斋书录解题·别集类中》）。

《西溪集》十卷，宋沈遘撰。是集十卷。南宋初有从事郎、处州司理参军高布者，与遵弟辽云巢编遵从叔括《长兴集》，合刻于括苍，名《吴兴三沈集》，以是编为首。然史称遵通判江宁，还朝，奏本治论十篇，为仁宗所嘉赏。而集中竟未之载，则亦非全帙矣。遵以文学致身，而吏事精敏，一时推为铁材。其知制诰时所撰词命，大都庄重温厚，犹有古人典质之风。诗亦清俊流逸，不染俗韵。(《四库提要》卷一五三)

蔡薿（1067—1123）生。蔡薿，字文饶，开封人。崇宁五年，以诸生试策，揣蔡京且复用，于是擢为第一，以所对颁天下，甫解褐，即除秘书省正字，迁起居舍人。未几，为中书舍人。自布衣至侍从，才九月，前所未有也。旋进给事中。一意附蔡京，叙族属，尊为叔父。京命攸、修等出见，亟云："向者大误，公乃叔祖，此诸父行也。"遽列拜之。出知和州。明年，加显谟阁待制、知杭州。贬单州团练副使，房州安置。宣和中，复龙图阁直学士，再知杭州。诏夺职罢归。明年，以徽猷阁待制卒。(《宋史》本传)

慕容彦逢（1067—1117）生。政和七年夏五月，通议大夫、刑部尚书慕容公疾病，诏以通奉大夫、刑部尚书致仕。是月壬子薨于寝，享年五十有一，赠银青光禄大夫。登元祐三年进士第，调主池州铜陵簿。调主婺州金华簿，改瀛州防御推官。朝廷初设宏词科，以罗天下文学之士。公从试，中之，迁淮南节度推官、越州州学教授。元符元年，改宣德郎，擢主国子监簿，迁太学博士。除秘书省校书郎。未几，擢监察御史，兼权殿中侍御史。除左正言，迁左司谏。除起居舍人，逾月，召试制诰，擢中书舍人，预编修《哲宗皇帝御集》。拜中书舍人。大观元年春，权翰林学士。岁中，除尚书兵部侍郎。数月，改吏部。力请补外，遂出知汝州。寻加集贤殿修撰。政和元年复以吏部侍郎召，兼侍讲，并议礼局。二年冬，擢拜刑部尚书。自幼嗜学问，晚节益笃，藏书数万卷，朝夕翻阅不去手。自经史、诸子、百家之言，靡不洽通。故其所蓄浑雄深博，发为词章，雅丽简古，无世俗气。尤长于辞令，典严温厚，褒贬无溢言。初若不经意，而轻重适当，文采璨然。有《文集》二十卷、《外制》二十卷、《内制》十卷、《奏议》五卷、《讲解》五卷。(蒋璨《慕容彦逢墓志铭》)

本年重要作品：

文：欧阳修《仁宗御飞白记》、欧阳修《思颖诗后序》、欧阳修《祭石曼卿文》、欧阳修《祭丁学士文》、欧阳修《祭蔡端明文》、欧阳修《跋薛简肃公书》、曾巩《赠黎安二生序》、曾巩《丁元珍挽词》、王安石《祭沈文通文》、王安石《太平州新学记》、苏轼《苏廷评行状》、苏轼《书摹本兰亭后》、苏轼《与曾子固书》、苏辙《养生金丹诀》。

诗：欧阳修《感事》、欧阳修《再至汝阴三绝》、欧阳修《戏书示黎教授》、欧阳修《书怀》、欧阳修《谢提刑张郎中寄笻竹柱杖》、欧阳修《赠李士宁》、欧阳修《奉答子履学士见赠之作》、欧阳修《送道州张职方》、欧阳修《郡斋书事寄子履》、欧阳修《寄枣人行书赠子履学士》、欧阳修《赠隐者》、欧阳修《七言二首答黎教授》、王安石《南涧楼》、王安石《送何正臣主簿》、王安石《试茗泉》、苏轼《书子美云安诗》、苏轼《题云安下岩》。

词：张先《破阵子·钱塘》。

参 考 文 献

刘昫等：《旧唐书》，中华书局 1975 年。

欧阳修等：《新唐书》，中华书局 1975 年。

薛居正等：《旧五代史》，中华书局 1975 年。

脱脱等：《宋史》，中华书局 1977 年。

徐松等：《宋会要辑稿》，中华书局 1997 年。

王禹偁：《东都事略》，四库全书本。

曾巩：《隆平集》，四库全书本。

李攸：《宋朝事实》，丛书集成初编本。

江少虞：《宋朝事实类苑》，上海古籍出版社 1981 年。

司义祖整理：《宋大诏令集》，中华书局 1998 年。

祝穆：《方舆胜览》，上海古籍出版社 1991 年。

章如愚：《山堂考索》，中华书局 1992 年。

马端临：《文献通考》，商务印书馆 1936 年。

司马光：《资治通鉴》，上海古籍出版社 1987 年。

李焘：《续资治通鉴长编》，中华书局 1979 年—1995 年。

杜佑：《通典》，中华书局 1988 年。

王应麟：《玉海》，四库全书本。

尤袤：《遂初堂书目》，四库全书本。

晁公武：《郡斋读书志》，四库全书本。

陈振孙：《直斋书录解题》，上海古籍出版社 1987 年版。

赞宁：《宋高僧传》，中华书局 1987 年 8 月版。

徐规：《王禹偁事迹著作编年》，中国社会科学出版社 1982 年 4 月版。

洪本健：《宋文六大家活动编年》，华东师范大学出版社 1993 年 12 月版。

蔡上翔：《王荆公年谱考略》，上海人民出版社 1959 年 4 月。

夏承焘：《唐宋词人年谱》，古典文学出版社 1955 年 11 月版。

李一飞：《杨亿年谱》，上海古籍出版社 2002 年 8 月版。

孔凡礼:《苏轼年谱》,中华书局1998年2月版。

孔凡礼:《苏辙年谱》,学苑出版社2001年6月版。

李震:《曾巩年谱》,苏州大学出版社1997年12月版。

王晓波:《寇准年谱》,巴蜀书社1995年11月版。

刘德清:《欧阳修传》,哈尔滨出版社1995年9月版。

北京大学古文献研究所:《全宋诗》,北京大学出版社1995年12月版。

唐圭璋:《全宋词》,中华书局1965年版。

王仲荦注:《西昆酬唱集注》,上海书店出版社2001年10月版。

张其凡整理:《张乖崖集》,中华书局2000年6月版。

朱东润编年校注:《梅尧臣集编年校注》,上海古籍出版社1980年11月版。

沈文倬校点:《苏舜钦集》,上海古籍出版社1981年2月版。

陈植锷点校:《徂徕石先生文集》,中华书局1984年7月版。

陈杏珍、晁继周点校:《曾巩集》,中华书局1984年11月版。

孔凡礼点校:《苏轼诗集》,中华书局1982年2月版。

孔凡礼点校:《苏轼文集》,中华书局1986年3月版。

陈宏天、高秀芳点校:《苏辙集》,中华书局1990年8月版。

曾枣庄、金成礼:《嘉祐集笺注》,上海古籍出版社1993年3月版。

吴熊和、沈松勤校注:《张先集编年校注》,浙江古籍出版社1996年1月版。

徐培均笺注:《淮海集笺注》,上海故技出版社1994年10月版。

田况:《儒林公议》,四库全书本。

文莹:《湘山野录》,中华书局1984年7月版。

文莹:《玉壶清话》,中华书局1984年7月版。

司马光:《涑水记闻》,中华书局1989年9月版。

王辟之:《渑水燕谈录》,中华书局1981年3月版。

邵伯温:《邵氏闻见录》,中华书局1983年8月版。

邵博:《邵氏闻见后录》,中华书局1983年8月版。

吴处厚:《青箱杂记》,中华书局1985年5月版。

魏泰:《东轩笔录》,中华书局1983年10月版。

沈括:《梦溪笔谈》,岳麓书社1997年版。

王栐:《燕翼诒谋录》,中华书局1981年9月版。

王铚:《默记》,中华书局1981年9月版。

苏辙:《龙川略志》,中华书局1982年4月版。

蔡绦:《铁围山丛谈》,中华书局1983年9月版。

宋敏求:《春明退朝录》,中华书局1980年9月版。

范镇:《东斋记事》,中华书局1980年9月版。

赵彦卫:《云麓漫钞》,中华书局1996年8月版。

张世南:《游宦纪闻》,中华书局1981年1月版。

叶梦得:《石林燕语》,中华书局1984年5月版。

陆游：《老学庵笔记》，中华书局 1979 年 11 月版。

李心传：《旧闻证误》，中华书局 1981 年 1 月版。

叶绍翁：《四朝闻见录》，中华书局 1989 年 2 月版。

周密：《齐东野语》，中华书局 1983 年 11 月版。

罗大经：《鹤林玉露》，中华书局 1983 年 8 月版。

周煇：《清波杂志》，中华书局 1994 年 9 月版。

洪迈：《容斋随笔》，上海古籍出版社 1996 年 3 月版。

周密：《癸辛杂识》，中华书局 1988 年 1 月版。

王观国：《学林》，中华书局 1988 年 1 月版。

吴曾：《能改斋漫录》，上海古籍出版社 1979 年 11 月版。

欧阳修：《六一诗话》，人民文学出版社 1961 年版。

刘攽：《中山诗话》，历代诗话本。

司马光：《温公续诗话》，历代诗话本。

惠洪：《冷斋夜话》，中华书局 1988 年版。

张戒：《岁寒堂诗话》，历代诗话续编本。

葛立方：《韵语阳秋》，上海古籍出版社 1984 版。

陈师道：《后山诗话》，历代诗话本。

朱弁：《风月堂诗话》，中华书局 1988 年版。

胡仔：《苕溪渔隐丛话》，人民文学出版社 1962 年版。

严羽：《沧浪诗话》，人民文学出版社 1983 年版。

魏庆之：《诗人玉屑》，古典文学出版社 1958 年版。

阮阅：《诗话总龟》，人民文学出版社 1987 年版。

厉鹗：《宋诗纪事》，上海古籍出版社 1983 版。

人名索引

后　记

　　接受主编陈文新先生的安排，为宋、辽、金之文学创作做编年史，自知是一项非常艰巨的学术工作。实话实说，为这一阶段的文学做编年史，条件并不是完全成熟，理由如下：其一，与前代相比较，宋代的文献资料空前增多，多到以致让后代学者难以措手、望而生畏的地步。至今宋代的诸多文献资料尚未得到很好的整理与利用，如由清人重新粗糙编纂的《宋会要辑稿》等。其二，与文献整理与利用的滞后相关，宋代大量的文学创作现象并没有获得广泛或深入的研究，今人的认识依然是肤浅的或留有空白。可以说，宋代除歌词以外，其他文体的研究都或多或少地存在这个问题。近几年来虽然出现了一个宋诗研究的热潮，但是，仍然是冰山一角，远非全貌，甚至连概貌也谈不上。上述两个学术问题没有得到基本解决，文学编年史的工作就异常艰难。我自知学术积累、学术眼光、学术水平都相当有限，所以，知难而退，婉拒主编的信任，不敢接受宋、辽、金全部的文学编年史工作，仅仅接受了北宋从太祖至英宗108年间的文学编年史工作。我以往的学术研究，集中在北宋，因此，对这一段文学创作的历史相对熟悉。况且，这一段的文学创作历史也相对简单。这便是我知难而退的取巧之处。需要说明的是，在这一阶段，金人尚未崛起于黑山白水之间，辽人的文学创作现象特别简单，剩下的只有北宋文学创作的现实。所以，关于这一阶段的文学史编年过程中，我只是将辽人的活动作为"附条"的形式出现。

　　我的编年史工作，只是主编陈文新先生庞大的学术计划中的一小部分，其编纂工作必然受到主编的学术主导思想影响。然后作为独立分卷的编纂者，难免中间有许多我个人的学术思考。除了理清这一阶段的文人及其创作之脉络以及科举制度对文学创作之影响以外，我特别注重帝王对文学创作的态度以及朝廷的文学创作活动，注重文人们对自己或友朋的文学创作之理性反思，希望细心的读者从中发现宋代文学发展之走向。

　　完成这项文学编年史工作，需要大量的文献资料，需要一定的研究支持。中国人民大学中文系"211工程"研究项目，将我的这项研究纳入该项目计划，为之提供了相当的经费支持，使我的研究工作得以顺利开展，在此，我同样表示诚挚的谢意。

图书在版编目（CIP）数据

中国文学编年史．宋辽金卷（上、中、下）/陈文新主编；诸葛忆兵（上）、
张思齐（中）、张玉璞（下）分册主编．—长沙：湖南人民出版社，2006.9
ISBN 7-5438-4532-6

Ⅰ.中... Ⅱ.①陈...②诸... Ⅲ.①文学史—编年史—中国—宋代②文学史—编年史—中
国—辽金时代 Ⅳ.I209

中国版本图书馆 CIP 数据核字（2006）第 117665 号

中国文学编年史·宋辽金卷（上、中、下）

责任编辑：李建国　　胡如虹　　曹有鹏
　　　　　张志红　　邓胜文　　杨　纯　　聂双武
主　　编：陈文新
书名题字：卢中南
装帧设计：陈　新
出　　版：湖南人民出版社
地　　址：长沙市营盘东路 3 号
市场营销：0731-2226732
网　　址：http://www.hnppp.com
邮　　编：410005
制　　作：湖南潇湘出版文化传播有限公司
电　　话：0731-2229693　2229692
印　　刷：中华商务联合印刷（广东）有限公司
经　　销：湖南省新华书店
版　　次：2006 年 9 月第 1 版第 1 次印刷
开　　本：787×1094　1/16
印　　张：99.5
字　　数：2,193,000
书　　号：ISBN 7-5438-4532-6/I·449
定　　价：740.00 元(上、中、下册)